DÉPART IMMÉDIAT

# New York

convergences tourisme

# Sommaire



**LÉGENDE DES SYMBOLES**

- Référence à une carte
- Adresse
- Téléphone
- Horaires d'ouverture
- Prix d'entrée
- Station de métro
- Ligne d'autobus
- Gare ferroviaire
- Ferry
- Visites guidées
- Guide
- Restaurant
- Café
- Boutique
- Toilettes
- Nombre de chambres
- Parking
- Non fumeur
- Piscine
- Salle de sport

### COMMENT UTILISER CE GUIDE

**Comprendre New York** est une introduction à la ville, à sa géographie, son économie et à ses habitants. **La vie à New York** donne un aperçu de la ville d'aujourd'hui, tandis que l'**Histoire de New York** fait revivre son passé.

Pour savoir comment vous rendre à New York et visiter la ville et ses environs, consultez le chapitre **En route. Préparer son voyage** détaille toutes les informations utiles, des prévisions météo aux services d'urgences.

Les principaux sites de New York sont listés par ordre alphabétique dans le chapitre **Les sites** et localisés sur les cartes pages 58-61. Les **Quartiers incontournables** sont présentés pages 62-66 et cerclés de bleu sur la carte se trouvant en deuxième de couverture.

Le chapitre **À faire** est consacré aux magasins, aux divertissements, à la vie nocturne, aux sports, à la beauté et au bien-être, aux activités à proposer aux enfants ainsi qu'aux fêtes et festivals. Tous sont classés par thème puis par liste alphabétique. Les magasins sont localisés sur les cartes figurant pages 160-163 et les salles de spectacle pages 186-189. Les principales zones commerçantes sont présentées pages 164-168 et cerclées en vert sur la carte se trouvant en deuxième de couverture.

**Se promener** propose dix promenades dans la ville, et deux excursions pour découvrir les environs.

**Se restaurer et se loger** sélectionne les meilleurs restaurants et hôtels, classés par ordre alphabétique. Les restaurants figurent sur les cartes des pages 266-269 et les hôtels sur celles des pages 294-297.

Les références au plan renvoient aux cartes et plans du chapitre **Cartes**, à la fin du guide. Pour exemple, l'Empire State Building possède le repère 60 E19, qui indique la page à laquelle se trouve le plan (60) et le carré où le building est situé (E19). Le carroyage reste le même quelle que soit la page sur laquelle se trouve la carte.

L'adresse des sites Internet indique systématiquement, lorsqu'elle existe, la deuxième langue importante dans laquelle le site est accessible. Pour exemple : www.esbnyc.com *FR* propose une version en langue française.

# COMPRENDRE NEW YORK

**La ville de New York est un centre international majeur pour les loisirs, la mode, les arts créatifs et la finance. Des magasins époustouflants côtoient des théâtres dynamiques, des salles de concert et des clubs ; des musées de renommée mondiale voisinent avec de magnifiques parcs et jardins, et des événements sportifs y ont lieu toute l'année. Pour ne rien gâcher, la variété des restaurants de qualité est incomparable. Les New-Yorkais, passionnés de mode et de politique, se déplacent et parlent à toute allure. Ils déclinent tous les styles, tous les gabarits, toutes les couleurs et toutes les origines. Et, bien qu'on puisse les trouver bourrus, ils se révèlent souvent très chaleureux. Si la ville paraît éreintante par moments, à cause de sa frénésie continuelle, elle n'est en tout cas jamais ennuyeuse.**

### MANHATTAN

Manhattan est l'un des cinq districts (*boroughs*) qui constituent New York (ou « Grand New York »). Les quatre autres sont le Bronx, Brooklyn, le Queens et Staten Island.

Le plus petit des districts, avec ses 22 km de long et ses 3,5 km de large, Manhattan est une île de forme étroite et allongée qui s'étend au sud-ouest de la ville. À l'est coule l'East River, à l'ouest, la Hudson River et, au nord, la Harlem River. La baie de New York se trouve au sud.

À Manhattan, les artères sont numérotées et disposées en quadrillage, à l'exception de celles de Lower Manhattan (« bas Manhattan »), au sud de 14th Street (14e Rue), édifié avant l'établissement du système des rues à angle droit. Dans la partie quadrillée, les « Avenues » vont du nord au sud et les « Streets » (rues) de l'est à l'ouest. Exception notable à la règle, Broadway coupe la ville en diagonale, du nord-ouest au sud-est. First Avenue (1re Avenue) est à l'extrémité est de la ville, et Twelfth Avenue (12e Avenue), à l'extrémité ouest. Fifth Avenue (5e Avenue) divise la ville entre East Side et West Side (sauf au sud de Washington Square, où Broadway fait office de ligne de démarcation est-ouest).

Où que l'on se trouve à Manhattan, quand on se dirige vers le nord, on va « uptown », et quand on se dirige vers le sud, on va « downtown. »

Quand on traverse la ville d'est en ouest ou inversement, on opère un « crosstown ».

### CLIMAT

De janvier à mars, il peut faire extrêmement froid. Cependant, les billets d'avion et les chambres d'hôtel sont moins onéreux en cette période, et le temps peut aussi se montrer clément. Reste que le meilleur moment pour visiter New York se situe de fin avril à fin mai, quand les températures ne descendent pas en dessous de 16 °C et que les sites ne sont bondés qu'aux heures de pointe ; il en va de même de septembre à novembre, lorsque les températures varient entre 10 °C et 25 °C. En juillet et août, le temps est chaud et humide, les températures pouvant dépasser les 35 °C, mais les plaisirs que réservent Central Park, les concerts en plein air et les trajets en ferry sont autant de compensations à la canicule. De plus, la climatisation règne en maître.

### DES RUES PLEINES DE VIE

Marcher est le meilleur moyen d'apprécier les splendeurs architecturales, les sculptures spectaculaires, les belles fontaines et les superbes parcs de la ville. Dans les rues animées et colorées, vous entendrez se mêler les sonorités de l'espagnol, du chinois, du russe, du yiddish, du coréen, du grec et de l'anglais, entre autres…

## LES QUARTIERS DE MANHATTAN EN UN COUP D'ŒIL

**Financial District (quartier financier).** Plus ancienne partie de la ville, c'est aujourd'hui le centre des institutions financières, avec la Bourse de New York (New York Stock Exchange) et Wall Street.

**TriBeCa.** Ce terme, qui signifie « Triangle Below Canal » (« triangle sous le canal »), désigne le quartier délimité par Canal Street et Barclay Street d'une part, Broadway et l'Hudson d'autre part. Il abrite des entrepôts réaménagés en lofts hébergeant logements, restaurants et magasins bon marché.

**Chinatown.** Le quartier chinois s'étend sur une trentaine de pâtés de maisons (*blocks*), délimité par Kenmare Street, Delancey Street, East Broadway, Worth Street, Broadway et Allen Street. La foule y afflue pour y acheter du poisson, de la viande, des légumes et des remèdes, ou pour dîner dans l'un de ses nombreux restaurants bon marché.

**Little Italy.** Il est essentiellement concentré sur Mulberry Street, rue bordée de restaurants touristiques et d'une ou deux épiceries fines et pâtisseries authentiques.

**SoHo.** Ce quartier de magasins chics et ultra-chers, est pris d'assaut le week-end par les non-résidents.

*Depuis le ferry de Staten Island, on profite de l'un des plus beaux panoramas sur Manhattan*

**Lower East Side.** S'étendant entre 14th Street, Fulton Street et Franklin Street, et entre l'East River et Broadway, ce quartier inclut Chinatown, Little Italy et East Village. C'est le lieu de prédilection des jeunes de professions libérales et des artistes.

**Greenwich Village/West Village.** Délimités par 14th Street et Houston Street, et par l'Hudson et Bowery et Fourth Avenue, ses magasins offrent bien des possibilités de shoping, sur Bleecker Street.

**Noho.** Situé entre SoHo et Greenwich Village (de Houston Street à 8th Street, et de Mercer à Bowery/Third Avenue), ce quartier offre pléthore de magasins, bars et restaurants à la mode.

**East Village.** Quartier occupé par la jeunesse, avec beaucoup de restaurants et de bars.

**Union Square/Flatiron District.** Ce nouveau quartier branché s'étend au sud du Flatiron Building, sur 22th Street, près de Madison Square, et est rempli de bars, clubs et restaurants, de 14th à 23th Street, et de Park Avenue à Sixth Avenue.

**Chelsea.** Centre de la communauté gay, le quartier possède de nombreuses galeries installées dans d'anciens entrepôts le long de 24th Street, et se flatte d'une vie nocturne animée. Chelsea est compris entre 14th et 30th Streets, et entre Sixth Avenue et l'Hudson.

**Hell's Kitchen.** Ce quartier de Manhattan s'est progressivement embourgeoisé (de 8th Avenue à l'Hudson, entre 30th et 59th Streets).

**Midtown.** Il est le cœur commercial de la ville et se situe entre 34th et 59th Streets à l'ouest, et 40th et 59th Streets à l'est.

**Times Square/Theater District.** La zone située vers le croisement de 42nd Street et Broadway est aujourd'hui occupée par de grandes entreprises et des grands magasins de chaînes, ainsi que par de nouveaux hôtels, des clubs et des théâtres.

**Upper East Side.** Encadré par 59th et 96th Streets, et Fifth Avenue et l'East River, le quartier comprend aussi Madison Avenue, le *nec plus ultra* en matière de shopping.

**East/Spanish Harlem.** Ce quartier s'étend entre 96th et 142th Streets, et entre Park Avenue et l'East River, où cohabitent Italiens, Afro-Américains et Hispaniques.

**Upper West Side.** Broadway coupe en deux ce quartier compris entre 59th et 125th Streets, et entre l'Hudson et Central Park West.

**Harlem.** S'étendant entre 110th Street et la Harlem River, et entre Fifth Avenue et St. Nicholas Street, Harlem est le plus célèbre quartier noir de la ville.

**Le Bronx.** Au nord de Manhattan, il est relié par des ponts et le métro et accueille le jardin botanique de New York, le zoo du Bronx et le Yankee Stadium.

**Brooklyn.** Situé au sud-est de Manhattan et relié par des ponts, un tunnel et le métro, Brooklyn est le district le plus peuplé de New York. Vues magnifiques sur Manhattan depuis Brooklyn Heights.

**Queens.** Un trajet en métro de 20 minutes vers l'est de Manhattan mène au Queens, district de New York en pleine expansion et imbattable au niveau de la diversité ethnique.

**Staten Island.** Ce district est le plus méridional et le moins peuplé de la ville. On peut notamment y visiter le Historic Richmond Town (musée historique du district). Belles vues sur Manhattan et la statue de la Liberté depuis le ferry.

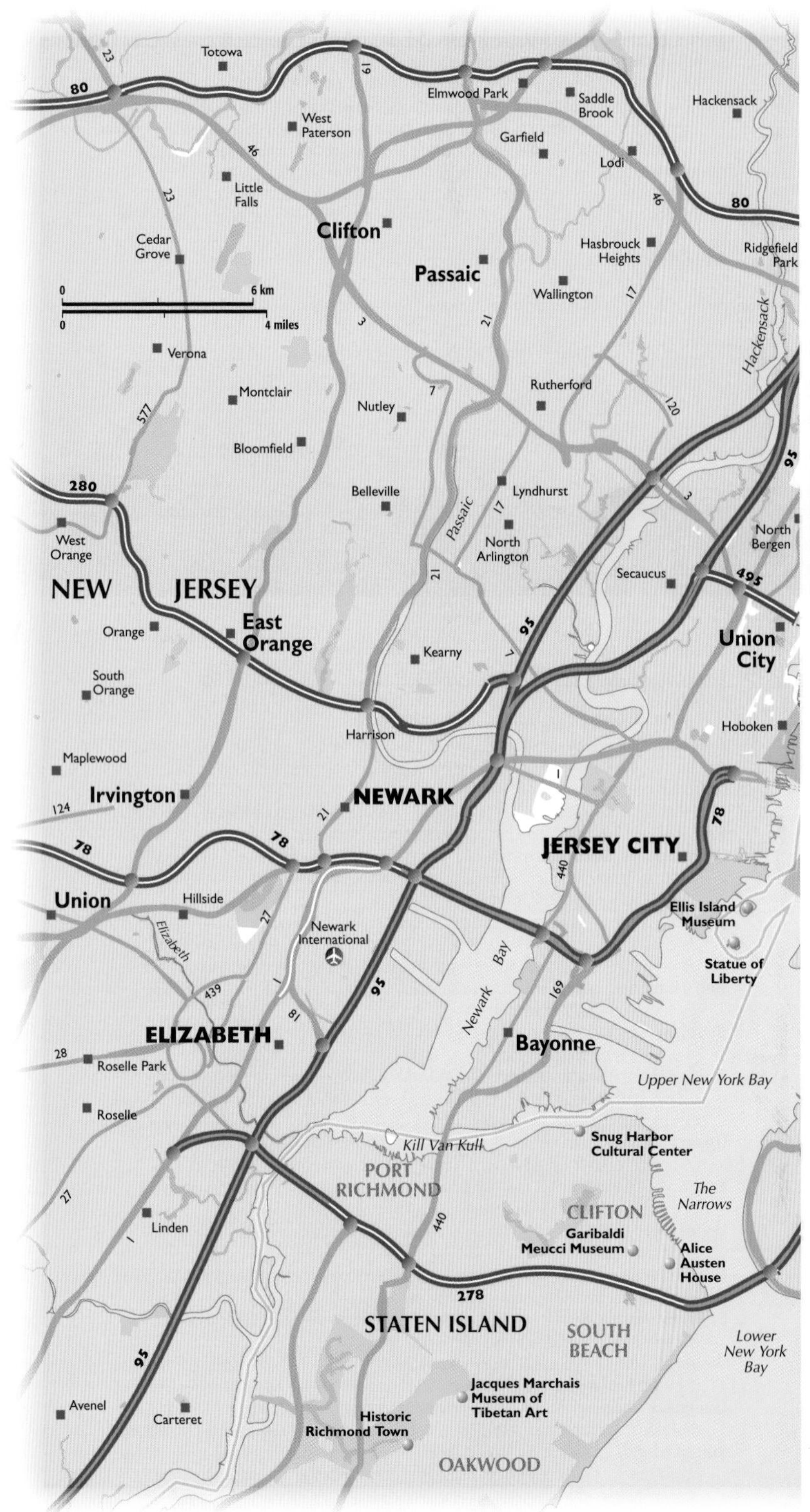
Totowa
West Paterson
Elmwood Park
Saddle Brook
Hackensack
Garfield
Lodi
Little Falls
Clifton
Cedar Grove
Passaic
Hasbrouck Heights
Wallington
Ridgefield Park
0
6 km
4 miles
Verona
Montclair
Nutley
Rutherford
Hackensack
Bloomfield
Belleville
Lyndhurst
Passaic
North Arlington
West Orange
North Bergen
Secaucus
NEW JERSEY
Orange
East Orange
Kearny
Union City
South Orange
Harrison
Hoboken
Maplewood
Irvington
NEWARK
JERSEY CITY
Union
Hillside
Elizabeth
Newark International
Ellis Island Museum
Statue of Liberty
Newark Bay
ELIZABETH
Bayonne
Roselle Park
Upper New York Bay
Roselle
Kill Van Kull
Snug Harbor Cultural Center
PORT RICHMOND
The Narrows
CLIFTON
Linden
Garibaldi Meucci Museum
Alice Austen House
STATEN ISLAND
SOUTH BEACH
Lower New York Bay
Jacques Marchais Museum of Tibetan Art
Avenel
Carteret
Historic Richmond Town
OAKWOOD

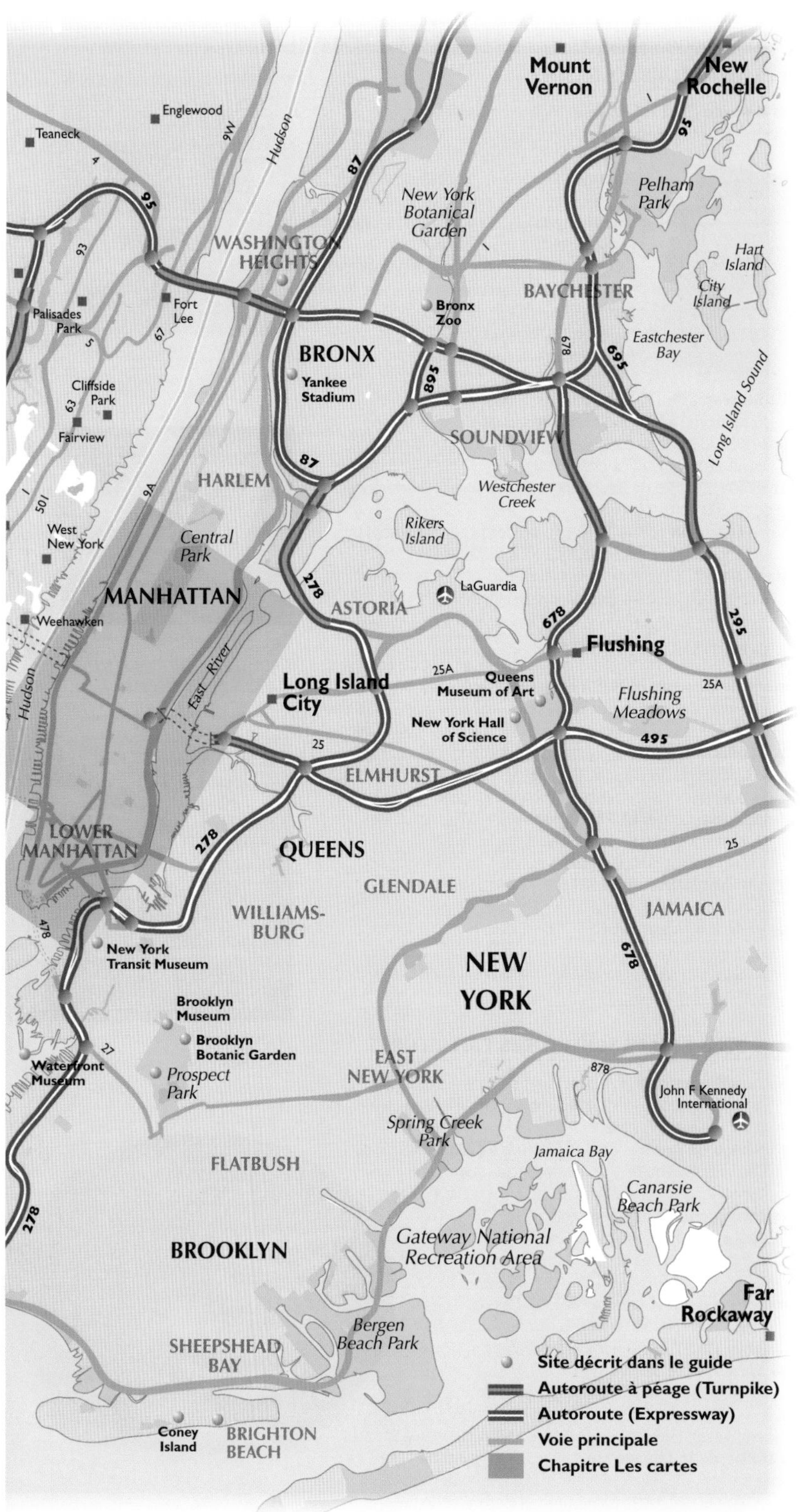

Mount Vernon
New Rochelle
Englewood
Teaneck
Hudson
New York Botanical Garden
Pelham Park
Hart Island
City Island
WASHINGTON HEIGHTS
Fort Lee
Palisades Park
Bronx Zoo
BAYCHESTER
Eastchester Bay
BRONX
Yankee Stadium
Cliffside Park
Fairview
Long Island Sound
SOUNDVIEW
Westchester Creek
HARLEM
Rikers Island
West New York
Central Park
MANHATTAN
LaGuardia
ASTORIA
Weehawken
Flushing
East River
Long Island City
Queens Museum of Art
Flushing Meadows
New York Hall of Science
ELMHURST
LOWER MANHATTAN
QUEENS
GLENDALE
WILLIAMS-BURG
JAMAICA
New York Transit Museum
NEW YORK
Brooklyn Museum
Brooklyn Botanic Garden
Waterfront Museum
Prospect Park
EAST NEW YORK
John F Kennedy International
Spring Creek Park
Jamaica Bay
FLATBUSH
Canarsie Beach Park
Gateway National Recreation Area
BROOKLYN
Far Rockaway
Bergen Beach Park
SHEEPSHEAD BAY
Coney Island
BRIGHTON BEACH
Site décrit dans le guide
Autoroute à péage (Turnpike)
Autoroute (Expressway)
Voie principale
Chapitre Les cartes

# LE MEILLEUR DE NEW YORK

## LES MEILLEURS MAGASINS

Les vitrines de Tiffany sur Fifth Avenue valent le coup d'œil

**B & H Photo** (▷ 172). Magasin destiné aux professionnels : appareils photo, matériel vidéo et pellicules à des prix très intéressants.

**Barneys** (▷ 173). À la pointe de la mode ; ne manquez pas le rayon maroquinerie.

**Bloomingdale's** (▷ 174). Grand magasin délicieusement new-yorkais.

**Century 21** (▷ 176). Pour ses collections de créateurs dégriffées et un bain de foule digne des annales du shopping.

**Dean & DeLuca** (▷ 184). Dans cette grande épicerie fine, tous les produits sont excellents.

**FAO Schwarz** (▷ 173). Magasin de jouets incontournable, où fut tourné le film *Big* avec Tom Hanks.

**J & R** (▷ 176). Les amateurs de matériel audio et informatique seront ici comblés. Prix intéressants.

**Jeffrey** (▷ 179). Le meilleur endroit pour admirer les sélections des grands stylistes.

**Sherry-Lehmann** (▷ 184). Une leçon de choses ; la cave à vins, venus du monde entier, vaut 10 millions de dollars.

**Tiffany** (▷ 172). L'argenterie, le cristal et les objets de luxe ont fait la réputation de cette célèbre enseigne fondée en 1837.

Des sacs au nom illustre : Barneys (en haut à gauche) et FAO Schwarz (ci-dessus)

## LES MEILLEURS MUSÉES

**American Museum of Natural History** (▷ 68-72). Le Muséum américain d'histoire naturelle présente une collection de fossiles de dinosaures et, surtout, un planétarium à couper le souffle.

**Frick Collection** (▷ 100). La grande collection Frick contient des pièces de Rembrandt, Vermeer, Le Greco et Goya, abritées dans la splendide demeure de Henry Clay Frick.

**International Center of Photography** (▷ 101). Le Centre international de la photographie regroupe plus de 60 000 photos des plus grands noms.

**Metropolitan Museum of Art** (▷ 114-119). 5 000 ans d'art du monde entier y sont exposés.

**Museum of Modern Art** (▷ 125). Aujourd'hui deux fois plus vaste après les travaux de l'architecte Yoshio Taniguchi, le Musée d'art moderne, dit MoMA, expose les chefs-d'œuvre de la sculpture et de la peinture modernes.

Barosaurus à l'American Museum of Natural History

## LES PLUS BELLES SCULPTURES EXTÉRIEURES

***Alice in Wonderland*** (« Alice au pays des merveilles ») (▷ 82), par José de Creeft (1959). À Central Park, Alice est perchée sur un champignon géant.

***Le Taureau de bronze***, d'Arturo Di Modica (1989). Situé à Bowling Green (▷ 73), il rappelle aux *traders* de Wall Street que de meilleurs jours sont à venir.

***The Immigrants*** (« les immigrants ») (▷ 73) de Luis Sanguino (1973). Sculpture émouvante dans Battery Park qui évoque les épreuves traversées par les premiers colons.

***Prométhée*** par Paul Manship (1934). Célèbre sculpture en bronze et feuilles d'or du Rockefeller Center (▷ 128), surplombant la patinoire.

***The Sphere*** (« La Sphère ») (▷ 73). Ce symbole de la paix, conçu par Fritz Koenig, a été déplacé, après le 11-Septembre, de la place entre les tours jumelles vers Battery Park, et est devenu le mémorial aux victimes.

**La statue de la Liberté** (▷ 136-137). Le symbole de l'Amérique, par Frédéric Auguste Bartholdi (1885). Le ferry pour Liberty Island permet de la voir de près.

*La sculpture dorée de* Prométhée *au Rockefeller Center*

# LE MEILLEUR DE NEW YORK

## LES MEILLEURS RESTAURANTS

**Babbo** (▷ 271). Le restaurant phare de Mario Batali.

**Le Bernardin** (▷ 280). Rien à redire chez ce spécialiste des fruits de mer : du service aux fleurs, en passant par une cuisine d'un raffinement et d'une créativité rares, tout est parfait.

**DB Bistro Moderne** (▷ 275). Un repas dans l'un des restaurants de Daniel Boulud est un passage obligé pour tous les amateurs de bonne chère. Celui-ci est le plus jovial de tous.

**Four Seasons** (▷ 277). Bien que créé en 1959, ce restaurant reste chéri par tous les branchés de la ville. La cuisine de Christian Albin est un point fort indéniable.

**Jean-Georges** (▷ 279). Si tous les établissements de Jean-Georges Vongerichten (Jo Jo, Vong, 66, Mercer Kitchen et Spice Market) reflètent le génie de ce chef, celui-ci en est la perle.

**Nobu** (▷ 283). Pour les sushis inspirés de Nobu Matsuhisa.

**Per Se** (▷ 284). Excellente cuisine de Thomas Keller. À ce jour, c'est le restaurant le plus convoité de la ville.

**Tabla** (▷ 288). Cuisine néo-indienne par le magicien des épices, Floyd Cardoz.

*L'élégance discrète du décor et de la cuisine du Jean-Georges*

## LES MEILLEURS BARS

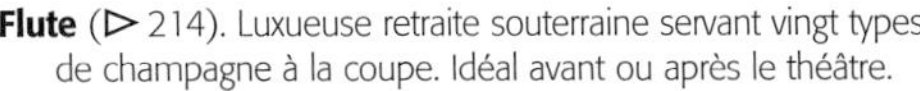

**Flute** (▷ 214). Luxueuse retraite souterraine servant vingt types de champagne à la coupe. Idéal avant ou après le théâtre.

**King Cole Bar** (▷ 214-215). Situé dans le St. Regis Hotel, le bar où fut inventé le bloody mary est rehaussé de belles couleurs grâce à la peinture murale de Maxfield Parrish.

**MO Bar** (▷ 303). Lieu romantique, au Mandarin Oriental Hotel.

**P. J. Clarke's** (▷ 218). Bar très fréquenté par une population qui cultive l'insouciance.

**Pen Top Bar** (▷ 216). Comment résister à un bar en terrasse dans Midtown ?

**Pravda** (▷ 216). Soixante-cinq sortes de vodka, du caviar et des en-cas russes sont proposés chez ce lanceur de tendances.

**Rainbow Grill Bar** (▷ 216). Excellents cocktails, dans un cadre très romantique qu'on ne peut trouver qu'à New York.

**Top of the Tower** (▷ 217). Piano-bar aux notes nostalgiques installé au 26e étage d'un immeuble qui surplombe l'East River.

*La vie nocturne se poursuit jusqu'à l'aube dans cette ville qui ne dort jamais*

## LES MEILLEURS HÔTELS

**Carlyle** (▷ 299). Pour le séjour le plus discret.

**Four Seasons** (▷ 301). Légendaire pour son service exemplaire.

**Library** (▷ 303). Lieu de prédilection des grands lecteurs, connu pour sa déco minimaliste et la qualité de son service.

**Marcel** (▷ 303) et le **Metro** (▷ 304). Chic pour pas cher (selon les critères new-yorkais).

**Le Parker Meridien** (▷ 302). Hôtel des quartiers résidentiels « uptown », avec un style branché très « downtown ». Piscine avec vue et parcours de jogging sur le toit.

**Ritz Carlton** (▷ 306). L'opulente star de Central Park propose un service irréprochable et le seul centre de thalassothérapie des États-Unis, La Prairie.

**St. Regis** (▷ 307). Un joyau artistique tout proche de Fifth Avenue.

**Soho Grand** (▷ 307). Premier des hôtels branchés du sud de la ville. Les animaux de compagnie ont droit au tapis rouge.

**Wyndham** (▷ 309). Pour séjourner en face du Plaza Hotel, à moitié prix.

*Le Carlyle Art déco (ci-dessus) Bienvenue au St. Regis (ci-contre)*

## LES PLUS BEAUX IMMEUBLES ET GRATTE-CIEL

**Ansonia Hotel** (2101 Broadway). Le plus grand hôtel-résidence d'Upper West Side.

**Cathédrale Saint John the Divine** (▷ 67). Commencée en 1892 et jamais achevée, cette cathédrale présente, à l'intérieur, un mélange de styles architecturaux époustouflant.

**Chrysler Building** (▷ 85). Ce chef-d'œuvre Art déco célèbre le fabricant automobile Chrysler.

**Flatiron Building** (▷ 87). Le premier gratte-ciel de New York.

**Musée Guggenheim** (▷ 110-111). L'unique construction de Frank Lloyd Wright à New York, une merveille tout en courbes.

**42e Rue/Times Square** (▷ 236-237 et 138-140). Quand l'architecture devient art vivant, avec ses façades lumineuses et ses pulsations en couleur. À voir de nuit.

**New York Public Library** (▷ 127). La bibliothèque municipale de la ville est une véritable œuvre d'art.

*Deux symboles de la ville : le Guggenheim (à gauche) et le Chrysler Building*

## LES PLUS BEAUX SITES GRATUITS

**Central Park** (▷ 78-83). Poumon vert de New York et chef-d'œuvre de l'architecte paysagiste Frederick Law Olmsted.

**The Hispanic Society of America** (▷ 101). La Société hispanique d'Amérique possède une extraordinaire collection de peintures, de sculptures et d'arts décoratifs. L'immeuble centenaire abritant la société est une perle architecturale elle aussi.

**Parades** (▷ 324). Festivals de couleurs et d'animation ; il y en a de nombreuses au long de l'année.

**Ferry de Staten Island** (▷ 54). Superbe excursion dans le port. Il suffit d'embarquer !

**Whitney Museum of American Art at Philip Morris** (▷ 148-151). Section du musée Whitney qui propose des expositions d'art contemporain, et une adorable cour réservée aux sculptures. Vaut le détour si vous êtes près de Grand Central Terminal (gare principale de New York).

**Rockefeller Center et Grand Central Terminal** (▷ 128-130 et 102-104). Deux bijoux architecturaux qui méritent la visite.

*New York à l'air libre : le ferry de Staten Island (à gauche) et Central Park*

## LES MEILLEURS MOMENTS

**Empire State Building** (▷ 94-96). Son observatoire offre un panorama superbe sur tout Manhattan ; romantisme assuré au coucher du soleil.

**Spectacles à Broadway**. En voir un est la quintessence de l'expérience new-yorkaise. Toutes sortes de prix réduits les rendent abordables.

**Bus M4 pour les Cloîtres** (▷ 48). Superbe trajet qui passe par l'université de Columbia (▷ 77) et des quartiers pittoresques.

**Zoo du Bronx** (▷ 157). Tout un spectacle ; les visiteurs sont parfois aussi intéressants que les animaux.

**Waldorf-Astoria Hotel** (▷ 308). Ou l'art de l'opulence… Voyez les compositions florales dans le hall.

**Brooklyn Bridge** (▷ 74-75). De ce pont, on profite d'une vue extraordinaire sur les gratte-ciel de Lower Manhattan et sur l'East River.

*Prévoyez une journée pour visiter le zoo du Bronx (à gauche), et une heure ou deux pour l'Empire State Building*

# La vie à New York

Chelsea accueille des artistes (ci-dessus) et, à Mott Street, vit l'une des plus anciennes communautés chinoises de la ville (ci-contre)

La Grand Army Plaza et Fifth Avenue depuis le sommet du General Motors Building (à gauche)

De l'Empire State Building, les gratte-ciel semblent bien petits, même le Chrysler Building (ci-dessus)

# *Le paysage* urbain

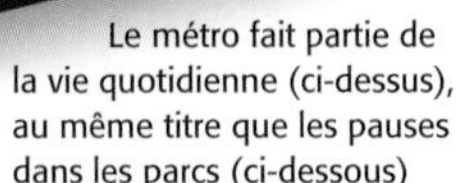

Le métro fait partie de la vie quotidienne (ci-dessus), au même titre que les pauses dans les parcs (ci-dessous)

Manhattan ne fait que 22 km de long et 3,5 km de large. Sur le plan géologique, son substrat rocheux est composé de gneiss, de marbre et de micaschiste. Ces deux facteurs, ajoutés à la densité de la population, ont joué un rôle notable dans le développement d'un paysage urbain à la verticale. Les gratte-ciel se succèdent le long des rues, et les gens trouvent parfaitement naturel de monter 50 étages en ascenseur pour se rendre à leur travail. La population enfle quotidiennement avec l'arrivée des travailleurs qui gagnent Manhattan par ferries, ou empruntent les tunnels et les ponts ; les plus spectaculaires étant ceux de Brooklyn (1883) et de George Washington (1931). Au nord de 14th Street, les rues sont agencées en quadrillage. On trouve peu d'espaces verts dans la ville : seuls de rares jardins, comme Union, Washington et Madison, permettent de souffler. New York possède en revanche un grand parc qui fait office de poumon et d'aire de jeux, Central Park, au nord, qui divise l'île en East Side et West Side.

## Quadrillage et labyrinthe

On saisit rapidement l'agencement de la ville au nord de 14th Street : de larges avenues nord-sud coupent une série de rues est-ouest, numérotées en toute logique. Mais au sud de 14th Street, les choses se compliquent : les rues étroites suivent des courbes improbables, et sont dotées de noms au lieu de numéros. Cette partie ancienne de la ville date de la croissance anarchique des premiers temps, alors que seules quelques grandes artères reliaient les fermes et les villages. En 1811, fut instauré un quadrillage consistant en 12 larges avenues et 155 rues, et subdivisé en blocs de 7,5 sur 30 m. Considérant que le trafic serait plus chargé d'est en ouest que du nord au sud, on construisit plus de rues que d'avenues.

Central Park (à droite) se prête aux loisirs : balades, jogging, vélo, rollers, maquettes de bateaux sur l'eau ou pique-nique

Chaque espace vert est précieux dans cette grande ville (à droite)
Vendeur de rue (à gauche)
Produit local (en bas)

## La vie souterraine

La première fois que l'on vient à Manhattan, on remarque vite la vapeur qui s'échappe des bouches d'aération, sur les trottoirs. Ces émanations révèlent la vie souterraine de la ville : un réseau, sur plusieurs étages, de câbles et de conduites d'eau et de gaz, et d'égouts, s'étend au-dessus du métro. En outre, sous celui-ci, se déroule un aussi vaste réseau qui fournit la ville en eau potable. Cette eau provient des réservoirs de l'État de New York, et les quelque 5 670 millions de litres quotidiens sont distribués par plus de 9 650 km de tunnels et de canalisations. Installés avant 1930, des canaux se rompent parfois, causant alors un véritable désordre. Quand les gaz s'accumulent dans les conduites, ils peuvent faire exploser les bouches d'égout ; la fameuse vapeur qui en sort sert à soulager cette pression et empêche les 60 000 bouches de la ville d'entrer en éruption.

## Le baron Haussmann new-yorkais

Entre 1924 et 1968 Robert Moses transforma littéralement la ville, avec la construction de 17 routes et 14 voies rapides (dont l'expressway Brooklyn–Queens), des routes Franklin D. Roosevelt (FDR drive) et Harlem River (Harlem River drive), des ponts Triborough et Verrazano, du Lincoln Center et du complexe immobilier Stuyvesant Town.
Au passage, il fit détruire des quartiers entiers pour exiler les habitants dans des logements collectifs à Harlem, dans le Lower East Side, dans le Bronx et à Brooklyn. Les citoyens se mirent en colère, et quand il entreprit de faire passer des routes au milieu de Washington Square et de construire des parkings dans Central Park, il fit face à une mobilisation qui entendait préserver l'échelle humaine de ces quartiers. Moses a laissé une empreinte indélébile sur New York.

## Le réveil du front de mer

Pendant des années, les 920 km de quais de New York sont restés à l'abandon, jusqu'à ce que, soudain, la ville prenne conscience de leur potentiel. Aujourd'hui, les New-Yorkais font du kayak, vont à la pêche et peuvent pratiquer la voile. Une piste cyclable de 45 km encercle Manhattan, et les quais ont été aménagés avec des promenades et des jardins, de Battery Street à 58th Street. Difficile de dater cette reconversion… Dans les années 1980, le port de South Street, Battery Park City et les jetées de Chelsea constituèrent des débuts prometteurs, suivis du Riverbank State Park (1993) jusqu'aux dernières réalisations : Stuyvesant Cove Park (2002) et l'Hudson River Park (2003).

## Jardins urbains

La ville de New York ne comprenant qu'un grand parc et seulement deux grands jardins botaniques, les amateurs d'horticulture créent leur propre paradis dans les endroits les plus insolites. En levant les yeux, vous apercevrez des cascades vertes émergeant des terrasses. De véritables jardins luxuriants sont installés sur certains toits.
On trouve aussi des jardins communautaires, cultivés sur des terrains municipaux inoccupés. L'engouement pour ces jardins date de 1972, avec le site vert créé au croisement de Bowery et Houston par l'association Green Guerrillas. Le maire Giuliani chercha à détruire ces jardins, contre la volonté farouche des activistes, mais son successeur, Michael Bloomberg, a rapidement entrepris de faire la paix.

Un amateur de softball s'entraîne sur Great Lawn, à Central Park

Cireurs à l'extérieur de Grand Central

Les New-Yorkais cultivent les contrastes

Un policier new-yorkais

Fête péruvienne à Bryant Park, dans Midtown (ci-dessus)

# *Les* New-Yorkais

Partie passionnée à Chinatown (ci-dessus)
Nombre de serveurs sont surtout rémunérés au pourboire (ci-dessous)

New York est une ville d'immigrants. Entre 1892 et 1924, 16 millions de personnes ont transité par Ellis Island, la plupart s'installant dans le Lower East Side. Aujourd'hui, les portes d'accès sont l'aéroport Kennedy et celui de Newark. Brooklyn et le Queens sont des mosaïques ethniques : des lycées comme celui de New Town enseignent à des élèves parlant 30 langues différentes, et la bibliothèque centrale pourvoit aux demandes d'une population en parlant près de 40. Les Hollandais furent les premiers à occuper les lieux. Ils ouvrirent la ville aux protestants, juifs, Allemands, Africains (esclaves et émancipés), Anglais, Écossais, Français et Irlandais. Au début du XX^e^ siècle, la ville connut un important flux migratoire rassemblant juifs, Italiens et Russes. À partir de 1965, ce fut le tour de populations originaires des Caraïbes, d'Amérique centrale et d'Asie. La proportion d'étrangers dans la population a toujours fluctué. Aujourd'hui, elle s'établit à 40 %.

La population totale est de 8 millions, dont 35 % de Blancs, 27 % de Latinos-Américains, 25 % de Noirs et 10 % d'Asiatiques.

### « L'express international »

Le recensement de 2000 a révélé que le Queens connaissait une progression démographique de 11 % sur la dernière décennie. Ce taux exceptionnel peut être attribué à l'arrivée de nouveaux immigrants venus de toute la planète : Indiens, Colombiens, Équatoriens et Péruviens à Jackson Heights ; Dominicains, Colombiens et Mexicains à Corona ; Chinois, Coréens et Vietnamiens à Flushing. Le Queens est le nouveau melting-pot de la ville. Un trajet dans le train n° 7, surnommé « express international » en est l'illustration. Les premières stations (40th à 61th Streets et Queens Boulevard) sont situées à Sunnyside et Woodside, où vivent les immigrés irlandais les plus récents ; puis le train suit Roosevelt Avenue, et s'arrête à Jackson Heights (74th Street), Corona (111th Street) et, au terminus, à Flushing.

La parade des Polonais, le Polish Day (à gauche), se déroule en octobre

Peinture murale à Chinatown (ci-dessus)

Les juifs ont fait partie des premiers immigrants, et une importante communauté vit aujourd'hui à New York

Tenue légère pour journée estivale (à gauche)

### Les Hispaniques

Les Portoricains ont constitué la première communauté hispanique de la ville. Rejoints depuis par des ressortissants de Cuba, de l'Équateur, de Colombie, du Salvador, de la République dominicaine et du Mexique, les Hispaniques forment la plus importante minorité de New York, soit 27 % de la population. L'influence hispanique est sensible partout. À la télévision, les chaînes Telemundo et Univision proposent des émissions et des soap-opéras en espagnol ; côté journaux, on trouve *El Diario/La Prensa*, *Hoy*, *El Nacional* et *El Tiempo*. Les équipes de base-ball au nom espagnol sont nombreuses, et la vague de musique latino ne faiblit pas. Enfin, les chefs proposent des innovations culinaires hispaniques dans des lieux branchés tels que Bolo et Casa Mono.

### Bollywood sur l'Hudson

Avant 1965, seuls quelques étudiants d'Asie du Sud vivaient à New York. Ensuite, les Indiens, les Pakistanais, les Bangladais, les Sri-Lankais et les Népalais sont venus peupler la ville à leur tour. S'occupant au départ des kiosques à journaux, les Asiatiques ont depuis investi les drugstores Duane Reade. Peu à peu, la cuisine, la musique et la culture asiatiques ont pénétré la vie new-yorkaise, comme en témoigne la fusion entre le hip-hop et la musique indienne. Dans les années 1970, cette population s'est installée en grande partie dans le Queens, et Jackson Heights en est devenu le cœur commercial. Le magasin Sam and Raj, ouvert en 1976 sur 74th Street, est depuis un passage obligé pour tous les Indiens. Des temples hindous ont été érigés, et Madison Square Garden fait la part belle aux artistes de Bollywood.

### L'héritage africain

Qui s'intéresse à l'histoire noire se doit de visiter le Schomburg Center, sur 125th Street. Ce centre a suivi l'évolution entre 1830 et aujourd'hui, de la population noire qui est passée de 14 000 à 1,96 million d'habitants. La vie de célèbres New-Yorkais abolitionnistes y est retracée, de même que celle de figures de la lutte pour les droits civiques. On peut aussi se rendre à l'African Burial Ground, sur Duane Street au niveau de Broadway, où, entre 1712 et 1794, de 10 000 à 20 000 Noirs furent enterrés car ils étaient exclus du cimetière de Trinity Church. Il reste peu de traces des communautés noires de Manhattan du XIXe siècle, mais Harlem fait office de repère historique : église où prêchaient les Adam Clayton Powell père et fils sur 138th Street, mosquée fréquentée par Malcolm X, et sites célébrant la période de développement culturel et artistique noir, appelée « Harlem Renaissance ».

### Leçon de yiddish

Tous les New-Yorkais connaissent le sens des mots *chutzpah* (grande insolence), *mensch* (personne digne d'admiration) et *kvetch* (geignard), et font la différence entre *shlep* (traîner), *shlemiel* (un incapable) et *schemozzle* (situation inextricable). New York compte la plus grande communauté juive après Israël. La plus importante vague d'immigrants juifs arriva à la fin du XIXe siècle, alors qu'ils fuyaient les pogroms de Russie et d'Europe de l'Est, et la majorité s'installa dans le Lower East Side. Leur histoire a été racontée par Irving Howe, dans *Le Monde de nos pères*, un passé de luttes parfois récompensées par le succès et l'intégration. Les juifs ayant réussi ont quitté le Lower East Side et Brooklyn pour l'Upper West Side et les banlieues chics. Devenus financiers, médecins, avocats, comédiens ou enseignants, ils transmettent la tradition yiddish à leur manière.

Avec ses 87 m de hauteur, le Flatiron Building de 1902 (ci-dessus) mérite à peine le nom de gratte-ciel

L'harmonieux musée Guggenheim, construit en 1959 (à droite)

Le pont de Brooklyn fut le premier pont suspendu en acier au monde (ci-dessous)

Les gratte-ciel de Manhattan, sans le World Trade Center (ci-dessus)
*La Sagesse* de Lee Lawrie, General Electric Building (à droite)

# L'architecture new-yorkaise

**Les gratte-ciel les plus célèbres**
Certes, l'Empire State et le Chrysler sont époustouflants, mais ils ne sont pas les seuls. Le Bayard Condict Building (1898), sur Bleecker Street, est la seule œuvre laissée par Louis Sullivan à New York. Les gratte-ciel ont souvent emprunté à des époques antérieures, comme le Flatiron Building de Daniel Burnham (1902) au style « néo-Renaissance ». Le Radiator Building de Raymond Hood est également une merveille. Sur Park Avenue, le Seagram Building de Mies van der Rohe et Philip Johnson est un bel exemple du modernisme des années 1950. Les architectes continuent de construire les gratte-ciel de demain : Daniel Libeskind a ainsi été choisi pour édifier le nouveau complexe sur l'ancien site du World Trade Center.

La quantité de magnifiques immeubles à New York est surprenante, tout comme l'est le nombre de beaux édifices laissés à l'abandon. Les instances municipales ont toujours mis l'accent sur la croissance et l'innovation, ce qui a contribué à l'émergence de magnats de l'immobilier comme John Jacob Astor, William Zeckendorf, Harry Helmsley et Donald Trump. Les lois relatives au zonage ne sont apparues qu'en 1916, et la notion de préservation du patrimoine bien plus tard encore. Robert Moses a rasé des quartiers entiers, et entre 1900 et 1965, de nombreux joyaux architecturaux ont été remplacés par de piètres substituts. Les New-Yorkais ne sont sortis de leur indifférence qu'en 1965, après la destruction de Penn Station et son remplacement par la désolante gare que l'on voit aujourd'hui.
Une Commission pour la préservation des monuments (Landmarks Preservation Commission) fut nommée, mais son existence dut être confortée par le tribunal de New York en 1978, quand la Grand Central Station fut menacée de destruction.

Le Chrysler Building, muni de sa flèche étincelante en acier inoxydable, est un chef-d'œuvre Art déco des années 1930

Bâtiments en grès à TriBeCa (à gauche)
L'Empire State Building (à droite)

Immeubles anciens (en bas à gauche)
De grandes colonnes ornent l'ancienne U.S. Custom House (à droite)
Statue originale à SoHo (ci-dessous)

## Immeubles anciens

À New York, les gratte-ciel sont loin d'être les uniques constructions. Les bâtiments de grès brun – issu des rives des fleuves Connecticut et Hackensack – bordent les rues de Greenwich Village et de Chelsea. Ce sont aujourd'hui des résidences huppées. Dès la moitié du XIXe siècle, la fonte fut utilisée pour construire les façades des usines, des magasins et des entrepôts. Il en reste de nombreux exemples à SoHo. Les plus spectaculaires d'entre elles se trouvent entre les numéros 260 et 561 sur Broadway, et sur Mercer Street, dans SoHo. Les vieux immeubles dotés d'escaliers de secours sont une autre marque distinctive de la ville. Construits pour loger les immigrants du XIXe siècle, les appartements étaient alors étroits, insalubres, mais bon marché. Il en existe toujours dans le Lower East Side et l'East Village, mais leur loyer a été multiplié par 500…

## Fermes et coins de charme

À Midtown, on découvre avec plaisir des places et des jardins, mais en s'aventurant un peu plus loin, on se retrouve devant des raretés plus charmantes encore. Pomander Walk (West 94th et 95th Streets) regroupe ainsi 16 cottages de deux étages, de style Tudor ; 150-158 Sniffen Court, East 36th Street, forme un charmant ensemble de remises à calèches en briques, transformées en résidences. Greenwich Village possède aussi ses coins de charme : les enclaves de Patchin Place (1848), sur la West 10th Street et de Milligan Place, sur Sixth Avenue, entre West 10th et 11th Streets (1852), furent construites à l'origine pour loger les serveurs basques qui travaillaient à Brevoort House, sur Fifth Avenue. Enfin, sur Bedford Street, entre Morton Street et Commerce Street, se dresse la plus étroite maison de la ville, de seulement 3 m de large.

## Pour égayer le décor…

Obnubilé par les gratte-ciel, on peut manquer leur décoration. Le sculpteur Daniel Chester French a ainsi orné l'U.S. Custom House (Maison des douanes américaines) de portraits gigantesques rendant hommage à tous les continents. Reginald Marsh a peint l'intérieur, célébrant la richesse maritime de la ville. Le bas de la façade du Rockefeller Center est décoré de nombreuses sculptures et bas-reliefs. *La Sagesse* de Lee Lawrie trône au-dessus de l'entrée du G. E. Building, tandis que la peinture murale de José Maria Sert, *Man's Conquests* (« Le progrès humain »), recouvre l'intérieur. Les portraits des actrices Mary Pickford et Ethel Barrymore, par Alexander Calder, ornent le Miller Building à l'angle de West 46th Street et Seventh Avenue. Enfin, les décorations du Metropolitan Opera House sont l'œuvre de Marc Chagall.

## Cass Gilbert

Cass Gilbert a dessiné certains des plus beaux gratte-ciel de la ville, dont le Woolworth Building (1910-1913), au numéro 233 de Broadway. L'entrepreneur Woolworth, qui paya les travaux, soit 15,5 millions de dollars, en espèces, en eut pour son argent. La façade de l'édifice de 240 m de haut ne présente aucun défaut. Le hall voûté, recouvert de marbre veiné, de feuille d'or et de mosaïques, est décoré de sculptures dont une représente Cass Gilbert soutenant l'édifice, et une autre, Woolworth comptant son argent… Autre grande réalisation de l'architecte, l'U.S. Custom House, ou Maison des douanes (1907), où transitait autrefois toute la richesse de la ville. Gilbert a par ailleurs conçu le New York Life Insurance Building (1907), 51 Madison Avenue, entre 26th et 27th Streets, ainsi que le palais de justice de Foley Square (1936).

La Trinity Church renferme des tombeaux célèbres (ci-dessus)
Chœur de gospel à Harlem (à gauche)

Produits juifs chez Katz's Deli (ci-dessus)
Hot-dogs et bagels : vous êtes à New York (en haut)

# *Le mode de vie* new-yorkais

Des milliers de voyageurs transitent quotidiennement par Grand Central Station

La majorité des New-Yorkais ne sont pas nés à New York, ils y sont venus avec des rêves d'argent, de succès, de pouvoir ou de célébrité. La ville vit donc au rythme d'habitants compétitifs, qui cherchent à se faire une place sur scène, dans la musique, dans l'immobilier, dans la finance ou dans la publicité. Mais si cette ambiance pousse à la frénésie, ce n'est pas l'unique caractéristique de la ville. New York n'est pas monolithique, c'est un bouquet de quartiers, chacun avec son atmosphère et son énergie propres. Greenwich Village se réveille tard et vit à un rythme tranquille ; l'East Village s'éveille lui encore plus tard, pour vivre jusqu'à des heures avancées de la nuit ; le bruyant Washington Heights évolue au rythme dominicain ; Beekman Place est toujours dans le murmure. Si la ville est ouverte 24 heures sur 24, chaque quartier bat son propre tempo.

Pour déjeuner sur le pouce : un hot-dog à la moutarde et au ketchup

### À chacun son autel

On constate souvent avec surprise combien les Américains sont croyants et pratiquants, et New York ne fait pas exception à la règle. La ville, à ses débuts, s'est ouverte aux anglicans, presbytériens, quakers, anabaptistes, juifs et catholiques, auxquels sont venus s'ajouter des bouddhistes, des hindous, des sikhs et des musulmans. À Harlem, vous pourrez entendre les gospels animer les églises baptistes ; sur East 96th Street, vous trouverez le centre culturel de l'islam ; dans le Queens, vous pourrez visiter des temples hindous et sikhs (« gurdwaras ») ; à Chinatown, ce sont les temples bouddhiques qui prédominent. Enfin, on n'oubliera évidemment pas les cathédrales St. John the Divine et St. Patrick.

Les quatre sirènes du célibat de la série *Sex and the City* : Kim Cattrall, Kristin Davis, Sarah Jessica Parker et Cynthia Nixon (ci-dessous)

Les taxis jaunes sont apparus en 1907 (ci-dessus)

Soulever des poids semble beaucoup plus facile devant les gratte-ciel de Manhattan (ci-dessus)

Un mode de déplacement sain et rapide (à droite)

## La commodité avant tout

Pour les New-Yorkais, la vitesse et le sens pratique passent avant tout. Les repas sur le pouce sont donc la norme. On prend un petit-déjeuner rapide au McDonald's ou au Starbucks sur le chemin du bureau. Au déjeuner, on se fait livrer un sandwich ou une salade avec boisson. Ou alors, on se rend à la cafétéria de la société dans laquelle on travaille, quand il y en a une. Certaines sont d'ailleurs fameuses, la plus célèbre étant celle du Condé Nast Building, conçue par le designer Philippe Starck. Quand ils sortent déjeuner dehors, les New-Yorkais prennent le plus souvent un sandwich dans un petit jardin. Le soir, ils se font livrer chez eux par les très nombreux traiteurs présents dans tous les quartiers : thaïlandais, chinois, mexicain, indien, italien ou japonais.

## De l'exercice, encore et toujours !

Une récente étude a révélé que 35 % des New-Yorkais souffrent de surcharge pondérale. On a du mal à le croire à voir le nombre d'entre eux qui soulèvent des haltères ou courent dans Central Park… Garder la forme est une occupation sérieuse. La plupart des cadres bénéficient d'une carte de membre dans un gymnase, et nombreux sont ceux qui ont leur coach attitré. La vieille garde new-yorkaise a toujours eu ses clubs où nager et s'entraîner, le Knickerbocker, l'Union, le Colony ou l'Harmonie, entre autres. On trouve aussi des gymnases de luxe, tel Sports Club/L. A. Mais les New-Yorkais moyens se retrouvent au Bally Fitness ou au Crunch pour prendre des cours d'aérobic. À New York, on ne plaisante pas avec la santé et la beauté.

## Les taxis jaunes

Lors de votre séjour, vous hélerez peut-être l'un des 12 760 taxis jaunes. Indissociables de l'image de la ville, les taxis new-yorkais existent depuis 1907. Les premiers étaient si corrompus qu'en 1923 une commission (Taxi and Limousine Commission) institua une licence. LaGuardia vendit la première plaque pour 10 $ en 1937. Aujourd'hui, une licence coûte 360 000 $. Le secteur a suivi les différentes vagues d'immigration du XX^e^ siècle, les chauffeurs de taxi ont d'abord été les juifs, les Italiens et les Irlandais, suivis par des Russes, des Africains, des Haïtiens et des Asiatiques. Ils ne reçoivent que 24 heures de formation et gagnent environ 5 $ de l'heure. La cloison pare-balles qui sépare le chauffeur du passager date de 1967. Quelques télévisions ont fait leur apparition en 2002 dans les habitacles, pratique abandonnée depuis.

## Cœur solitaire

Les États-Unis recensent 100 millions de célibataires, dont plusieurs millions concentrés à New York. Dès les années 1860, les agences matrimoniales inondaient la presse d'annonces. Un survol des médias actuels montre que cela n'a pas beaucoup changé. Seule différence : les célibataires assurent leur propre promotion, au moyen de photos dans des publications telles que le *New York Magazine*, ou de révélations intimes sur des sites Internet comme itsjustlunch.com. Sans évoquer des émissions télévisées telles que *Perfect Partner* (« Le partenaire idéal ») ou *Boy Meets Boy* (« Les hommes parlent aux hommes »). On trouve des clubs de célibataires de tous les genres, des spécialistes du « speed-dating » (rencontre express) à ceux réservés exclusivement aux individus de grande taille.

Programme toujours excellent au Metropolitan Opera House (à droite)

L'une des œuvres, que certains jugent agressives, de Jackson Pollock (ci-dessous)

De l'Égypte ancienne à Van Gogh, tout est au Metropolitan Museum of Art (ci-dessus)
La comédie musicale des années 1980, *42nd Street*, est remise à l'affiche (à droite)

# *La ville et* l'art

New York est à la pointe du pays en matière d'arts et de loisirs. C'est aussi le centre mondial de l'art contemporain, et le foyer d'une multitude de troupes de danse, de musique et de théâtre. Les associations culturelles ont été pionnières dans la recherche de moyens de financement. Bien qu'elles reçoivent des fonds du gouvernement, elles développent depuis des années leurs propres sources de financement : donateurs privés, système de participation, librairies et autres centres de profit annexes. La scène artistique, plutôt traditionnelle *uptown* et expérimentale *downtown*, est en constante évolution ; les galeries de SoHo émigrent par exemple vers Chelsea. Mais quoi que vous soyez venu chercher, New York en offre pour tous les goûts.

*Millie* est l'histoire édifiante d'une jeune fille du Kansas qui tente sa chance à New York en 1922 (ci-dessus)
Art moderne à SoHo (ci-dessous)

## L'argent de la culture

Les riches dynasties ont toujours financé la vie artistique. À New York, le maire Bloomberg donne une large part de sa fortune aux institutions culturelles, comme le font nombre de membres de la bonne société. Aujourd'hui, l'argent est distribué par 525 fondations municipales, qui contrôlent 82 milliards de dollars. Ces mécènes reprennent le flambeau d'anciens magnats : Astor, Carnegie, Morgan, Rockefeller, Vanderbilt et Whitney. John D. Rockefeller donnait 1,5 million de dollars par an, et il lança la fondation Rockefeller en 1913 en la dotant de 100 millions de dollars. Son fils, John Jr., créa l'université Rockefeller et fit don du musée des Cloîtres, de Fort Tryon Park, et du site pour l'édifice des Nations Unies. John Jacob Astor légua 400 000 $ pour la création d'une bibliothèque, toujours gérée par ses descendants.

New York est synonyme de jazz (ci-dessus) L'énorme cube rouge (à droite) de Noguchi, sur Church Street On ne peut pas se tromper au 9 de West 57th Street(ci-dessous)

L'immigration irlandaise vue par Martin Scorsese (ci-dessus)

## New York, New York !

Même si l'industrie cinématographique s'est déplacée en masse de New York vers Hollywood après la Première Guerre mondiale, la ville est restée un haut lieu du cinéma grâce à la rénovation des vieux studios et au soutien apporté par le Mayor's Office of Film (« Bureau du film municipal »). Les cinéastes entretiennent une histoire d'amour de longue date avec la ville, les réalisateurs les plus associés à New York étant Martin Scorsese, Paul Mazursky, Sidney Lumet, John Cassavetes ou Spike Lee. Cette idylle est ancienne, comme en témoignent des films tels que *Miracle sur la 34e Rue* (1947), *La Cité sans voiles* (1948) et *Sur les quais* (1954). Mais pour une visite amoureuse de la ville et de son architecture, et une initiation à l'esprit new-yorkais, c'est sur les films de Woody Allen qu'il faut se pencher.

## Steinway

La meilleure marque de piano au monde, Steinway, fut fondée en 1853 par Henry Steinweg. L'entreprise connut un tel succès qu'en 1873, la famille put construire une ville ouvrière à Astoria, dans le Queens, qui comprenait une usine, des habitations et une école. À son apogée, la société fabriquait 6 000 pianos à queue par an, mais le secteur s'effondra en 1927 avec le déferlement de la radio et du phonographe. La société a néanmoins survécu, mais la famille fondatrice l'a vendue en 1972. Aujourd'hui, elle emploie 450 salariés, qui fabriquent autour de 2 000 pianos à queue (et 500 pianos droits) par an, pour des prix allant de 25 000 à 147 000 dollars. Bien que la fabrication, qui dure huit mois, soit la même, chaque pièce possède sa personnalité musicale propre, notamment en fonction du bois employé.

## Le nouveau foyer de l'art contemporain

Quand le Dia Center for the Arts a ouvert en 1987 sur 22nd Street, à Chelsea, le quartier est devenu le nouveau siège de l'art contemporain, détrônant SoHo et 57th Street. Et depuis l'ouverture, en 1991, du parc urbain de ce centre d'art, la zone comprise entre 19th et 29th Streets et entre 10th et 11th Avenues compte plus de 200 espaces d'exposition. Les plus grands noms de SoHo et de l'uptown y sont aujourd'hui exposés. Certaines galeries possèdent des espaces de la taille de hangars, suffisamment vastes pour accueillir les œuvres monumentales d'artistes comme Richard Serra. Par ailleurs, certains bâtiments (au 529 de West 20th Street et au 526 de West 26th Street, par exemple) abritent de multiples galeries d'art.

## Panade à Broadway

Chaque année, Broadway frôle le dépôt de bilan, tandis qu'on l'accuse d'abandonner un théâtre digne de ce nom pour de faciles reprises. Difficile de porter un projet rentable dans ce milieu… En 1866, la comédie musicale *The Black Crook* ne fut jouée que 475 fois et récolta 1,1 million de dollars, remboursant aisément ses 24 000 $ d'investissement… Aujourd'hui, une comédie musicale coûte en moyenne 8 millions de dollars, et le spectacle doit connaître au moins 520 représentations pour rentrer dans ses frais. Les producteurs comptent sur les touristes pour remplir les salles. Le succès repose sur des frais réduits, une bonne critique, un Tony Award (récompense suprême dans le théâtre américain) et une bonne dose de chance. Peu de spectacles réussissent l'examen : près de 80 % des pièces de Broadway sont des échecs financiers.

QUIET ZONE

« Silence » en bibliothèque (ci-dessus)
Un tournage (à gauche)

La lutte entre le parti républicain, symbolisé par l'éléphant, et l'âne démocrate (à gauche)

Le maire, Michael Bloomberg, cajolé par Jennifer Lopez (à droite)

# Politique et médias

Ville complexe divisée en cinq districts – Manhattan, Brooklyn, le Bronx, le Queens et Staten Island – où vivent 8 millions d'habitants d'origines et de religions variées et aux aspirations économiques diverses, New York connaît naturellement une politique sujette aux litiges, notamment en raison des tensions inter-raciales. Les syndicats municipaux – police, pompiers, enseignants, service d'hygiène et transports – jouent par ailleurs un rôle de premier ordre, dans la vie new-yorkaise. Quant à l'orientation générale, la ville est nettement démocrate, bien qu'elle ait élu deux républicains lors des quatre dernières élections municipales. Seule Staten Island est clairement républicaine. La presse écrite reflète cette partition : le *New York Times*, le *Daily News* et *Newsday* penchent pour le parti démocrate, tandis que le *Wall Street Journal*, le nouveau *New York Sun* et le *New York Post* de Rupert Murdoch sont davantage marqués républicains.

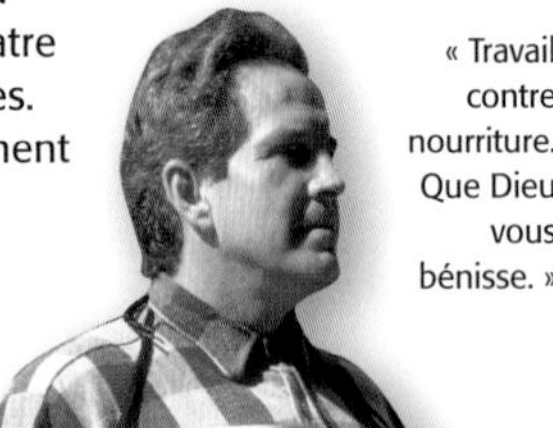


« Travail contre nourriture. Que Dieu vous bénisse. »

### Qui est aux commandes ?

Dans le système fédéral américain, les responsabilités sont partagées entre l'État, les gouvernements fédéral, et municipal. Malgré des maires très puissants (LaGuardia, Koch et Giuliani en particulier), le pouvoir à New York est limité par le gouverneur de l'État, le Congrès (Chambre des représentants et Sénat), les présidents de district et le conseil municipal, pour ne citer que certains des pouvoirs en lice. Le dernier conflit a ainsi opposé le maire Bloomberg, à la tête d'une ville concentrant 38 % de la population de l'État de New York, au gouverneur Pataki, sur la rénovation de Lower Manhattan et la construction d'une usine de retraitement de l'eau. La ville doit respecter des règles fiscales strictes instaurées par l'État il y a 30 ans. Quand New York ne parvient pas à équilibrer son budget, l'État prend le contrôle des finances.

Le sceau présidentiel (à gauche)

Policier à vélo (à droite)

En 2003, l'interdiction de fumer dans les lieux publics n'a pas été du goût de tout le monde (ci-dessous et à gauche)

Le Radio City Hall éclairé pour les fêtes de Noël (ci-dessus)

## L'éducation en question

Entre les années 1960 et le début des années 1990, le crime et les questions ethniques ont dominé les « unes », mais sous le mandat du maire Giuliani, le crime a surpassé tous les autres sujets dans les journaux. Aujourd'hui, l'éducation est au cœur des préoccupations. Bien que la ville ait des écoles excellentes (Stuyvesant, Bronx Science), le système d'éducation publique traverse une crise sérieuse. Il doit prendre en charge 1,1 million d'élèves répartis sur 1 200 écoles, dont la plupart, en état de grand délabrement, sont équipées de détecteurs de métaux et connaissent de graves problèmes d'absentéisme et de violence. Bloomberg a joué sa réputation sur la réforme de l'éducation, qui passe par la refonte de l'administration et l'établissement d'un programme obligatoire.

## La loi sur le tabac

Le maire Giuliani avait combattu ce qu'il voyait comme les « mauvaises habitudes » des New-Yorkais : traverser en dehors des clous, faire la manche, monter des spectacles artistiques scatologiques, ou encore dormir sur des bancs de métro. Les New-Yorkais avaient pesté devant ces règles parfois douteuses, tout en reconnaissant finalement que certaines d'entre elles avaient amélioré leur qualité de vie. À son tour, Bloomberg a voulu laisser sa marque et a, lui aussi, rencontré une grande résistance, lorsqu'il a annoncé l'interdiction de fumer dans tous les lieux publics, y compris les bars. Quelques années plus tard, les esprits se sont apaisés et certains fumeurs reconnaissent même apprécier les endroits sans fumée.

## Les ragots

Le commérage est une activité à plein temps à New York, encouragé par la quête du pouvoir, de l'argent, du sexe et de la célébrité. À New York, l'art du qu'en-dira-t-on est né avec la « liste des 400 membres du Gotha », de Mme William Astor (1891-1892), puis il s'est développé sur les banquettes d'El Morocco et à la table du journaliste Walter Winchell, au Stork Club. Aujourd'hui, les ragots sont partout, et ne se limitent pas aux tabloïds si l'on en juge par les rubriques « Boldface names » (Personnalités en vue) du *New York Times*, « The Intelligencer » (L'informateur) du *New York Magazine*, « Talk of the Town » (Rumeur de la ville) du *New Yorker* et « Parties » Les gens) de *Town & Country*. Bref, les rubriques « people » prennent de plus en plus de place, notamment avec les magazines spécialisés tels que *Star Magazine*, *U.S.* et *People*.

## Madison Avenue

Si Madison Avenue est la zone de prédilection du prêt-à-porter (surnommée le « Golden Mile »), c'est aussi le temple de l'un des plus importants secteurs de la ville : en 2002, 117 milliards de dollars étaient dépensés dans la publicité, outre 6,8 milliards pour les seuls panels d'enquête. Avec une consommation des ménages représentant 60 % de l'économie nationale et 22 000 nouveaux produits lancés chaque année, la publicité joue un rôle vital dans le secteur du marketing. New York reste la capitale de la pub, car tous les réseaux télévisés et les groupes d'édition y ont leur siège. Si les groupes publicitaires ne sont plus forcément sur Madison (Saatchi & Saatchi est au numéro 375 d'Hudson, à West Village), ils se doivent d'être présents auprès des acheteurs de médias afin de participer pleinement à la vente d'espace publicitaire.

Alan Greenspan (ci-dessus), ancien président de la Réserve fédérale américaine, chargée d'équilibrer l'économie des États-Unis

Nasdaq et Wall Street sont devenus des noms communs dans le monde de la finance

La Bourse de New York, cœur financier des États-Unis

# *Commerce et* finance

New York a toujours été un eldorado pour ceux qui rêvent de s'enrichir. John Jacob Astor a fait fortune dans l'immobilier, J. P. Morgan dans la banque, Cornelius Vanderbilt dans le transport et John D. Rockefeller dans le pétrole. Aujourd'hui, pour monter dans l'ascenseur social, rien ne vaut les technologies et la communication. L'industrie s'est déplacée au Mexique et en Asie, tandis que le transport maritime a élu domicile au New Jersey. New York reste la capitale mondiale des finances et le centre névralgique du secteur des banques et de l'assurance (plus de 70 banques y avaient leur siège au milieu des années 1990). Le marché des valeurs est vital à l'économie de la ville : quand il est florissant, la ville s'épanouit, et quand il devient morne, elle devient morose. Quand, en 2000, la bulle de l'économie virtuelle a éclaté, événement suivi un an et demi plus tard par la tragédie du 11-Septembre, New York en a largement souffert et, en automne 2002, la ville présentait un déficit projeté de 5 milliards de dollars. Sous le mandat du maire Bloomberg, New York a recouvré une bonne santé économique.

### Renouer le fil de Seventh Avenue

Des années 1930 aux années 1950, l'industrie de la confection était la plus importante de la ville. Tailleurs, modélistes, couturiers et fabricants de boutons et de fermetures Éclair peuplaient les enseignes entre 36th et 38th Streets et entre Madison et la Eighth Avenues (Seventh Avenue est surnommée « Fashion Avenue » entre 23rd et 42nd Streets). Les seules traces qui restent aujourd'hui de cette activité sont les portants de vêtements traînés sur les trottoirs. Une grande part de l'industrie a été délocalisée mais le Lower East Side, Chinatown et le Queens possèdent leurs ateliers clandestins. La Garment Industry Development Corporation (« Compagnie du développement du prêt-à-porter ») s'est donné pour tâche de revigorer cette industrie.

### NYSE, Amex et Nasdaq

Le New York Stock Exchange (NYSE, ou Bourse de New York) est le pilier financier le plus prestigieux. Seules les sociétés les plus minutieusement examinées (2 800 en tout) sont cotées au NYSE, dont la capitalisation boursière s'élève à 20 millions de dollars, et qui échange en moyenne 1,46 milliard de valeurs par jour. Ceux qui ne peuvent pas s'offrir le NYSE débutent à l'Amex (American Stock Exchange), à Trinity Place. Cette bourse qui cote 696 sociétés était à l'origine surnommée « Curb Market » (« Marché du trottoir ») car les courtiers travaillaient dans la rue. En 1971 fut créée la National Association of Securities Dealers Automated Quotation (Nasdaq), première bourse des valeurs électronique au monde. Le Nasdaq cote 3 300 sociétés à très forte croissance.

# Histoire de New York

# *Les premières* colonies

Au XVIe siècle, les tribus indiennes régnaient en maître au sein d'une nature luxuriante dans la région connue aujourd'hui sous le nom de Manhattan. Les gravures et les cartes sur vélin des premiers explorateurs décrivent un terrain vallonné et des peuplements ancestraux du côté de Coney Island.
Au début du XVIe siècle, Jean de Verrazane, marchand-navigateur florentin officiant pour les Français, tenta de découvrir le mythique passage du nord-ouest, voie la plus directe entre l'Europe et l'Asie. À la place, il se retrouva, le 17 avril 1524, dans le superbe port naturel qui est aujourd'hui New York. Cette terre ne fut pourtant pas explorée avant 1609 et l'arrivée d'Henry Hudson, navigateur anglais employé par la Compagnie hollandaise des Indes orientales. Débarqué sur les rives de la rivière qui porte aujourd'hui son nom, il signala l'abondance de loutres, de castors et de visons dans la région et souligna son potentiel pour le commerce des fourrures. Les Hollandais envoyèrent alors des marchands peupler la nouvelle terre pour développer cette activité. L'une des premières fermes appartint à Jonas Bronck, qui laissa son nom à la zone connue aujourd'hui sous le nom de Bronx.

Un Algonquin (à gauche) Jean de Verrazane (à droite) a laissé son nom au Verrazano Narrow Bridge

**Les Amérindiens**

Aux premiers temps des colonies, Algonquins et Iroquois se livraient bataille. Pour se protéger, les tribus vivaient en groupes unis sous l'autorité d'un chef.

À l'origine, les Algonquins, friands de commerce, montrèrent aux colons hollandais où chasser, cultiver la terre et pêcher. Mais lorsque les colons voulurent s'emparer de leurs terres, la guerre éclata. Les colons attaquèrent deux campements et tuèrent 80 Amérindiens. Ce fut le début d'un conflit sanglant. Les échos des combats parvinrent jusqu'aux Pays-Bas, mettant un terme à toute tentation d'émigration vers le Nouveau Monde

# *1500*

Manhattan (à droite), jadis baptisée Nieuwe Amsterdam (Nouvelle-Amsterdam) Le procès de John Peter Zenger (ci-dessous) se conclut par une victoire de la presse

## La colonie hollandaise

Peter Minuit acheta l'île de Manhattan en 1626 pour 24 dollars, plus un lot de marmites, de haches et de vêtements, à une tribu canarsie. Les garnisons hollandaises construisirent rapidement un moulin, un fort, une caserne, une prison, une église, une taverne et une maison pour le gouverneur. En 1656, on comptait 120 habitations, et quatre ans plus tard, près de 300. Marchands et négociants dirigeaient la colonie pour le bonheur de tous, jusqu'à ce que le gouverneur hollandais se mette en tête de civiliser tout ce beau monde chahuteur.

## Peter Stuyvesant

Les premiers colons, passablement indisciplinés, vivaient dans un monde où violence et alcool étaient monnaie courante. Mais en 1647, Peter Stuyvesant fut nommé gouverneur. Il imposa des règles strictes, rétablit l'ordre, et fit construire une école, un hôpital, une prison et une poste. Loin d'être populaire, il dut se rendre aux Anglais et retourner en Hollande, en 1665, pour se défendre contre une accusation de mauvaise gestion. En 1667, il retourna dans sa ferme de New York, la *bouwerij* qui donna son nom à Bowery Street. Il mourut en 1672 et fut enterré sur ses terres, aujourd'hui site de l'église St. Mark's in the Bowery (⊳ 131).

## Les Anglais

En 1664, avec 8 000 colons hollandais insatisfaits de leur sort, le colonel Richard Nicolls n'eut pas grand mal à arracher aux Hollandais la Nouvelle-Amsterdam, sur l'ordre du roi Charles II. Le frère de ce dernier, le duc d'York (Jacques II d'Angleterre), prit le pouvoir et baptisa la colonie New York. Les termes de la capitulation étaient généreux, et pas un seul colon hollandais ne profita de la proposition de Nicolls de les rapatrier. Le colonel devint gouverneur de la colonie. En 1673, une guerre anglo-hollandaise rendit provisoirement New York aux Pays-Bas, mais la colonie retourna dans le giron anglais dès 1674 avec le traité de Westminster.

## Liberté de la presse

L'immigré allemand John Peter Zenger, rédacteur en chef du *New York Weekly Journal* en 1733, était la bête noire du gouverneur de l'époque, William Cosby, en raison de son opposition ouverte à l'arbitraire de ce dernier. Soutenu par les avocats, les marchands et tous les penseurs indépendants, Zenger fut néanmoins arrêté en 1734 pour sédition et diffamation. Son avocat, Andrew Hamilton, réfuta l'accusation de diffamation, faisant valoir que l'article incriminé n'exposait rien de faux. Mais le tribunal estimait que publier un texte aussi désobligeant pour le gouvernement méritait une condamnation.

Pourtant, la brillante plaidoirie d'Hamilton aboutit à l'acquittement de Zenger. Le verdict fut une grande victoire pour la liberté de la presse. Il allait mener, quelques années plus tard, au premier amendement de la Constitution américaine qui garantit la liberté d'expression.

Peter Minuit achetant Manhattan (ci-dessous)

Peter Stuyvesant (ci-dessous)

Charles II d'Angleterre, roi de New York (ci-dessous)

*1750*

Les premières habitations de New York (ci-dessus)

# *Une ère de* révolution

Le « Collège royal », aujourd'hui université de Columbia (▷ 77), fut fondé en 1754 par un édit royal de George II, dans le but de restreindre l'expansion des idées républicaines et de promouvoir les enseignements de l'Église anglicane. Alors que les colonies américaines nourissaient des idées de plus en plus indépendantistes, certains étudiants, tel Alexander Hamilton, devinrent des leaders patriotiques. En 1765, l'adoption du Stamp Act (« loi du Timbre ») par le parlement de Londres – qui instaurait une taxe dans les colonies sur les mariages, les jeux de cartes, les journaux et quarante autres activités – provoqua la fureur des colons. New York envoya une protestation formelle au roi, et vingt-huit délégués issus de neuf colonies assistèrent au Stamp Act Congress à New York. Suite à cette contestation, le parlement anglais annula la loi en mars 1766. New York se joignit ensuite aux luttes contre les impôts qui allaient mener à la guerre d'Indépendance. Le siège du quartier général britannique s'installa à New York, seule ville occupée par l'Angleterre pendant le conflit. À l'issue de quoi, de nombreux loyalistes quittèrent l'Amérique pour les Antilles ou le Canada, réduisant la population à 12 000 habitants. Mais, six ans après le départ des Anglais, New York était devenu la ville la plus active de l'Amérique.

Le portrait d'Alexander Hamilton (à gauche) figure sur les billets de 10 $

Le Stamp Act imposé par Londres (à droite)

## L'occupation britannique

Les troupes britanniques débarquèrent à New York en juin 1776. Les patriotes encerclèrent la ville pour empêcher les Anglais de communiquer avec les autres colonies. Durant cette occupation, New York souffrit de terribles incendies qui provoquèrent des pertes importantes en vies humaines et en matériel. Le 21 septembre 1776, un incendie détruisit un quart de la ville, dont Trinity Church (▷ 142–143) ; le 3 août 1778, 100 maisons partirent en fumée. La guérilla entre les deux camps reposait sur le vol de bétail, les enlèvements et les incendies volontaires de récoltes. Les prisonniers américains étaient incarcérés soit dans une prison de Liberty Street, soit dans des vaisseaux mouillant dans le port. Près de 11 000 soldats périrent dans d'atroces conditions.

*1750*

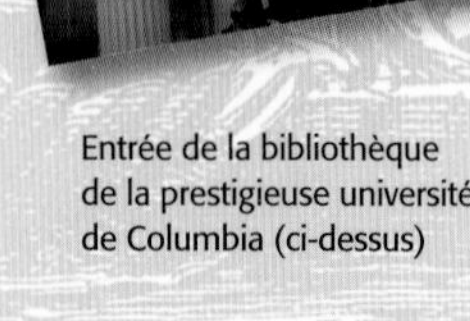

Entrée de la bibliothèque de la prestigieuse université de Columbia (ci-dessus)

En 1776, les incendies firent des ravages et détruisirent des quartiers entiers de la ville (à droite)

## La défaite de Long Island

Après avoir obligé le général anglais William Howe à évacuer Boston en mars 1776, le général George Washington entra dans Manhattan le 13 avril. Il fit construire des forts à Brooklyn Heights et dans le bas de l'île. Le 2 juillet, les hommes de Howe débarquèrent à Staten Island et, le 9 du même mois, la Déclaration d'indépendance était lue aux soldats de Washington, sur Bowling Green. Exultant de joie, soldats et civils démolirent la statue du roi George III. Pendant ce temps, l'armée de Howe progressait dans le sud de Brooklyn. Ses 20 000 soldats surprirent les 7 000 volontaires de Washington. La bataille de Long Island, qui se conclut par une terrible défaite pour Washington, tua 2 000 Américains.

## Benedict Arnold

Aujourd'hui encore, le nom de Benedict Arnold est entaché de traîtrise aux États-Unis. Après avoir combattu aux côtés de Washington contre les Anglais au lac Champlain et dans le Connecticut, il fut placé à la tête de Philadelphie en 1778. Mais le gouvernement des treize colonies trompa ses espoirs en lui refusant une promotion. Sachant que le général britannique Clinton soudoyait des Américains pour les pousser à la désertion, il entama une funeste correspondance avec le général. Il était sur le point de faire capituler West Point, l'école militaire alors sous sa direction, quand le complot fut déjoué. Plus tard, Arnold parvint à s'évader, et devint l'un des chefs des troupes anglaises de New York. Au moment de la capitulation britannique, il s'enfuit avec sa femme vers l'Angleterre.

## Le général qui devint président

Le 25 novembre 1783, le général Washington fit son entrée officielle à New York, où il prononça un discours d'adieu à ses troupes devant la Fraunces Tavern, au 54 Pearl Street, avant de rentrer chez lui à Mount Vernon, en Virginie. Le 4 février 1789, il fut élu, à l'unanimité, président des nouveaux États-Unis d'Amérique, lors d'une convention qui se tint à Philadelphie.

Le 30 avril 1789, Washington prêta serment devant le Federal Hall (Capitole), œuvre de l'architecte Pierre Charles L'Enfant, sur le site de l'actuel musée du Federal Hall National Monument (⊳ 97). Il fut acclamé par la foule lors de son arrivée, à bord d'une embarcation de cérémonie, sur le quai de Murray, à l'extrémité de l'actuelle Wall Street.

## La « Tea Party »

Le Tea Act (« loi sur le thé »), voté par le parlement britannique en 1773, accordait à la Compagnie anglaise des Indes orientales le monopole sur le thé vendu dans les colonies. Furieux, les « Fils de la Liberté » de Manhattan encouragèrent la population à repousser les cargaisons de thé. Le 16 décembre 1773, des hommes organisèrent la Boston Tea Party (« la Partie de thé de Boston »), en jetant 342 caisses de thé des Indes dans le port de Boston. L'Angleterre réagit par le vote des Intolerable Acts (« lois intolérables »), qui ordonnaient, entre autres, la fermeture du port de Boston. Le 22 avril 1774, New York organisait sa propre Tea Party et posait ainsi les bases du gouvernement révolutionnaire de l'État de New York.

George Washington (à gauche)

Benedict Arnold (à gauche)

# *1800*

Serment du premier président des États-Unis, George Washington, devant le Federal Hall (ci-dessus)

Escorte des documents relatifs au Stamp Act de 1765 (ci-dessous)

# *Commerce et* prospérité

Lors de la première moitié du XIXe siècle, New York connut nombre de conflits, d'épidémies et de catastrophes, mais aussi l'explosion du commerce et de la prospérité. Pendant la guerre de 1812 qui opposa les États-Unis à la Grande-Bretagne, le port de New York fit l'objet d'un blocus. Dix ans plus tard, une épidémie de fièvre jaune éclata à Front Street, suivie, en 1832, d'une épidémie de choléra qui fit 4 000 victimes. En 1835, un immense incendie détruisit 700 constructions, sur une zone de 17 blocs au sud de Wall Street et, en 1845, un nouveau feu anéantit 300 édifices dans le bas de Manhattan. Le développement du commerce international fut pourtant rendu possible par la construction du canal Érié en 1825, projet mené par le gouverneur DeWitt Clinton. Au cours des années suivantes, des hommes passèrent de la misère à la plus grande richesse en un clin d'œil. Cornelius Vanderbilt (1794-1877), jeune autodidacte, bâtit ainsi l'une des plus grandes fortunes d'Amérique grâce à son quasi-monopole sur le trafic fluvial de l'Hudson River, entre New York et Albany.

Une ville en plein essor a besoin d'informations. William Cullen Bryant devint le rédacteur en chef du *New York Evening Post* en 1829. En 1834, Horace Greeley fondait le *New Yorker* et, en 1841, il créait le *New York Tribune*, tandis que bien d'autres journaux encore voyaient le jour.

**Knickerbocker**

*Histoire de New York par Diedrich Knickerbocker* (1809), satire contre la pédanterie des historiens et politiques de l'époque, est une histoire de la ville contée par un colon hollandais imaginaire. Ce roman valut un franc succès à son auteur, Washington Irving (1783-1859), aux États-Unis et en Europe. On en vint à surnommer les New-Yorkais d'origine hollandaise, puis tous les New-Yorkais, des « Knickerbockers ». Le groupe d'écrivains rassemblant Irving, James Fenimore Cooper et William Cullen Bryant était lui-même connu sous le sobriquet « groupe Knickerbocker ».

L'écrivain Washington Irving (à gauche) Le journaliste William Cullen Bryant (ci-dessus)

*1800*

Vue de New York en 1849, depuis Union Square, vers le sud

Des parties entières de la ville furent réduites en cendres pendant l'incendie des 16 et 17 décembre 1835 (ci-dessus)

## John Jacob Astor

Dès 1808, John Jacob Astor, arrivé d'Allemagne en 1783, avait amassé une fortune considérable grâce au commerce de la fourrure, et il était l'unique propriétaire de l'American Fur Company (« Compagnie américaine de la fourrure »). Victime de surpoids et d'une santé plutôt fragile, il vendit sa société et se lança dans l'immobilier. Il investit dans des terres au nord de la ville de New York, dans ce qui constitue aujourd'hui le cœur de Manhattan. L'essor effréné de la ville fit de ce terrain une mine d'or. L'Astor House, le plus grand hôtel du monde à l'époque, se trouvait sur le site actuel du City Hall Park (▷ 77). L'Astor Library, dont il a fait don à la ville, a été intégrée à la New York Public Library (▷ 127).

**À sa mort, John Jacob Astor était l'homme le plus riche du monde**

## Le plan en damier

L'agencement quadrillé des rues de la ville date de 1811, époque de forte croissance démographique. Le besoin se faisant sentir de nouvelles rues reliant les terres non développées du nord de Washington Square, la municipalité accepta le projet proposé par l'urbaniste John Randel Jr. Les agencements ovales, en cercle ou en étoile furent écartés au profit de la solution économique de lignes et d'angles droits. Le projet retenu comportait ainsi 2 000 blocs d'édifices longs et étroits, quels que soient les contours du terrain d'origine, et ne prévoyait aucun parc ou espace de plein air.

## Le canal Érié

Avec la construction du canal Érié, qui relie l'Hudson River aux Grands Lacs, New York devint le seul port de la côte est d'où l'on pouvait rejoindre le Midwest (au sud des Grands Lacs) par voie fluviale, ce qui fit de la ville le cœur commercial de l'Amérique. Le gouverneur de New York, DeWitt Clinton, supervisa ce projet de 7 millions de dollars, que les sceptiques nommaient « la folie de Clinton ». Mais bientôt le canal permit de transporter les marchandises en 10 jours de New York à Buffalo : on pouvait dorénavant faire entrer des biens venant de toute la planète au cœur du Nouveau Monde. Les bureaux et les entrepôts se multiplièrent le long du port, et New York put entamer sa carrière de centre névralgique du commerce mondial.

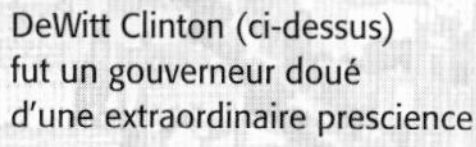

**DeWitt Clinton (ci-dessus) fut un gouverneur doué d'une extraordinaire prescience**

## Morse, artiste et inventeur

En 1825, la majorité des grands peintres américains vivaient à New York, du moins ceux qui n'avaient pas fui vers Paris. Éminent artiste de l'école romantique et portraitiste de talent, Samuel F. B. Morse est davantage connu comme l'inventeur du code auquel il a donné son nom. Il s'installa de façon permanente à New York en 1824, où il fut l'un des fondateurs de la National Academy of Design (Académie des beaux-arts), en 1826. *La Chambre des représentants* (1822-1823), une des toiles les plus célèbres de Morse, comprend plus de 80 portraits d'hommes politiques de l'époque. Au début des années 1830, il délaissa la peinture pour se consacrer à des expériences sur l'électricité et, en 1844, il émit par télégraphe son célèbre message : « Ce que Dieu a forgé ».

# *1850*

**Premières barges arrivées de Buffalo par le canal Érié (ci-dessus)**

**Le City Hall, achevé en 1812, dota la ville d'un haut lieu de réunions et de célébrations**

# *Troubles sociaux* et réformes

En 1875, New York comptait plus d'un million d'habitants. La population défavorisée, composée en majorité d'immigrants, vivait entassée dans des taudis où reignaient la violence et la maladie. En 1890, la publication par Jacob Riis d'un recueil de photographies, *How the Other Half Lives* (« Comment vit l'autre moitié »), attira l'attention du public sur ces effroyables conditions de vie et encouragea des réformateurs comme Theodore Roosevelt et Frances Perkins à rejoindre la croisade pour l'éradication des bidonvilles.

En 1858, l'essentiel de la population se déplaçait en calèche ; l'apparition des trains dans les années 1860 fut donc la bienvenue. Le Washington Bridge, ouvert en 1889, facilita par ailleurs le passage de Manhattan au Bronx. George Waring réorganisa le système sanitaire et, à partir de 1893, l'eau potable fut chlorée. L'éducation fut rendue accessible aux enfants immigrés, qui purent également bénéficier de consultations médicales gratuites à partir de 1895. Si ces progrès arrivèrent trop tard pour nombre d'immigrants, la vie de beaucoup fut améliorée.

Les vagues d'immigrants furent nombreuses dans la seconde moitié du XIXe siècle (ci-contre)
Elizabeth Blackwell fut la première femme médecin à figurer dans l'annuaire médical britannique (à droite)

**Elizabeth Blackwell**

Elizabeth Blackwell quitta l'Angleterre en 1832 pour venir étudier la médecine à New York. Elle se présenta dans huit écoles avant d'être acceptée à la Geneva Medical School. Diplômée en 1847 et armée d'une grande détermination, elle ouvrit un dispensaire dans les bas-fonds du Lower East Side et, en 1857, elle fonda le New York Infirmary for Indigent Women and Children (Hôpital de New York pour les femmes et les enfants démunis). Puis, en 1868, après la création d'une école d'infirmières, elle fonda le Women's Medical College of the New York Infirmary (École de médecine pour femmes). Elle mourut en 1910 en Angleterre.

*1850*

Billet de chemin de fer illustré (ci-dessus)
Métro aérien sur Third Avenue (à droite)

## L'esclavage

Au milieu du XVIIIe siècle, New York recensait la plus grande concentration d'esclaves au nord de la Virginie ; ils furent vendus au marché aux esclaves, au pied de Wall Street, jusqu'à l'abolition de l'esclavage dans l'État de New York, en 1827. Mais la pratique allait se poursuivre, notamment dans le Sud, pendant encore 38 ans. New York joua un rôle de premier plan dans l'abolition de l'esclavage. Le 27 février 1860, Abraham Lincoln y prononça son célèbre discours anti-esclavagiste, dans la grande salle du Cooper Union, sur East 7th Street, devenu monument historique. Sa défense éloquente de la Constitution et ses appels à la libération des esclaves lui assurèrent l'investiture républicaine pour l'élection présidentielle.

## Tammany Hall

La mise sur pied d'une brigade de pompiers volontaires, en 1850, rendit William Marcy Tweed populaire au point que lui furent confiés des postes municipaux et fédéraux. Dans les années 1860 et 1870, les politiciens démocrates se retrouvant au siège du parti, le Tammany Hall, devinrent, sous la houlette de Tweed, des adeptes de la corruption, de l'intimidation et de la fraude électorale. Après avoir escroqué la ville à diverses reprises, Tweed fut finalement démasqué. Le *New York Times* révéla toute l'affaire et, le 19 novembre 1873, il fut condamné à 12 ans de prison.

## Conscription et émeutes de 1863

Durant la guerre de Sécession, en 1862, la pénurie de volontaires provoqua le rétablissement de la conscription. À New York comme ailleurs, cette mesure rencontrait une opposition farouche, d'autant qu'une clause permettait à certains d'être exemptés, moyennant 300 dollars et un remplaçant. Dans le même temps, le coût de la vie avait doublé. Les dockers irlandais, qui avaient entamé une grève pour obtenir des augmentations de salaire, refusèrent la conscription, furieux de voir d'autres immigrants et des esclaves affranchis prendre leur travail. Quatre journées d'émeutes s'achevèrent le 17 juillet 1863, laissant 120 morts, en grande partie des Noirs.

## L'immigration juive

Les premiers immigrants juifs arrivèrent au nombre de 27 à New York en 1633. Puis, les pogroms de Russie et d'Europe de l'Est poussèrent à l'exil de très nombreux juifs à la fin du XIXe et au début du XXe siècle. En 1892, ils étaient 81 000 à débarquer à Ellis Island (▷ 90-93), et 258 000 entre 1905 et 1906. Ils s'entassèrent dans les taudis du Lower East Side (▷ 109), aux côtés des Irlandais qui virent d'un mauvais œil ces nouveaux arrivants. Alors que de nombreux policiers de l'époque étaient irlandais, il n'est guère surprenant que le chef de la police ait un jour déclaré, sous le mandat du maire McClellan, que 50 % des crimes commis dans la ville étaient dus aux juifs. Indignée, la communauté juive l'obligea à se rétracter publiquement.

Abraham Lincoln

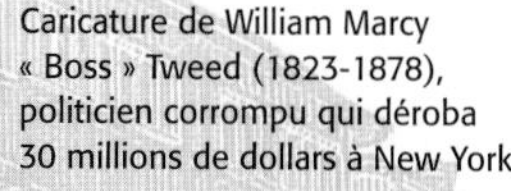

Caricature de William Marcy « Boss » Tweed (1823-1878), politicien corrompu qui déroba 30 millions de dollars à New York

1900

Premier édifice aperçu sur Ellis Island par la plupart des immigrants (ci-dessus)

Ulysses S. Grant, président républicain de l'Union, tanne le cuir aux Confédérés et à ses opposants politiques (ci-contre)

# La deuxième plus grande ville

En 1900, le « Grand New York », avec 3,5 millions d'habitants, était la deuxième plus grande ville du monde après Londres. À Manhattan, 42 700 habitations collectives logeaient un million et demi de pauvres dans des conditions insupportables. Dans les années 1920, une campagne visant à limiter l'immigration donna naissance à une loi qui réduisit le nombre des nouveaux arrivants d'origine polonaise, russe et italienne. À cette période, la métropole connut de grands désastres, assortis de remarquables réussites. En 1901, une canicule tua près de 100 New-Yorkais en 24 heures. Mais les premiers gratte-ciel apparaissaient, à commencer par le Flatiron Building en 1902, symbole de la prospérité et des rêves d'avenir de la ville. Au même moment, la prohibition de l'alcool jetait les New-Yorkais dans les bars clandestins, les « speakeasies », situés notamment à Harlem. Puis, le 24 octobre 1929, la bourse new-yorkaise s'effondra, mettant un terme brutal aux Années folles. Des romans comme *Sister Carrie*, de Theodore Dreiser (1900), ou *L'Envers du paradis* (1920) et *Gatsby le magnifique* (1925), de F. Scott Fitzgerald, dépeignent un New York malade de sa splendeur passée.

**Harlem**

Le jazz s'épanouit à Harlem dans les années 1920 et 1930, alors que les New-Yorkais découvrent des établissements comme le Cotton Club, tenu par le gangster notoire Owney Madden, et célèbre pour ses « revues noires » et les concerts de Duke Ellington.

Avec son groupe, les Washingtonians, Ellington domine le monde du jazz pendant trois décennies. En 1932, le musicien compose un morceau dont le titre restera le slogan des dix années suivantes : *It Don't Mean a Thing If It Ain't Got That Swing* (« Rien n'a d'importance, faut que ça balance »). La Dépression eut raison des clubs de Harlem, et le Cotton Club déménagea plus au sud, sur West 48th Street, pour fermer en 1940.

L'Empire State Building, un important symbole (à gauche)
Au Cotton Club (à droite), les Blancs assistent à des spectacles donnés par des Noirs

## 1900

Sous la prohibition, les bars clandestins prospèrent

En 1909, le métro new-yorkais fête ses cinq ans (ci-dessous)

Le New York « Belle Époque » est symbolisé par le Flatiron Building, de vingt étages (en bas)

## L'incendie de Triangle Shirtwaist

Au début du $XX^e$ siècle, les ateliers du textile du Lower East Side employaient des immigrés dans des conditions épouvantables et pour de très bas salaires. Ces derniers avaient été augmentés après plusieurs mouvements de grève. En 1911, un incendie se déclara à Triangle Shirtwaist, dans un atelier installé aux trois derniers étages d'un immeuble en comptant dix, à l'angle de Washington Place et Greene Street. Les 600 salariés s'apprêtaient à quitter leur poste mais la plupart des sorties de secours étaient fermées, comme il était d'usage pendant les heures de travail, et 146 d'entre eux périrent dans les flammes. L'indignation publique poussa le pouvoir législatif à établir de nouvelles normes de sécurité au travail.

## Tin Pan Alley

En 1900, les théâtres se multipliaient, et les éditeurs de musique avaient un besoin insatiable de chansons. Des centaines de compositeurs et de petites sociétés musicales envahirent les bâtiments de grès abandonnés sur 28th Street, entre Fifth Avenue et Broadway, et le quartier reçut le surnom de Tin Pan Alley (« passage des casseroles ») à cause de la cacophonie qui s'échappait des fenêtres ouvertes. Les deux grands compositeurs de l'époque furent George et Ira Gershwin, fils d'immigrants russes. À 15 ans, George fut le plus jeune compositeur de la ville. Parmi les morceaux devenus classiques, on peut retenir *I Got Rhythm*, *Embraceable You* et *Somebody Loves Me*. George mourut d'une tumeur au cerveau en 1937, à l'âge de 38 ans.

## Le métro

Le métro aérien financé dans les années 1860 par Jay Gould, Russell Sage et J. P. Morgan avait amélioré les transports publics, mais ils se révélèrent insuffisants dès 1900 : l'heure du souterrain avait sonné, et donna naissance à l'Interborough Rapid Transit Company. La première ligne souterraine, longue de 35 km, fut inaugurée en 1904 pour transporter 600 000 passagers par jour. Le succès fut immense. En 1921, les États de New York et du New Jersey unirent leurs forces pour créer la Port of New York Authority, afin de gérer et développer les transports publics. La délicieuse Coney Island, avec son parc d'attractions, ses spectacles de music-hall et ses expositions, devint accessible à tous grâce au métro new-yorkais, qui compte aujourd'hui 1 062 km de rails que se partagent 25 lignes.

## Le crime organisé

Juste avant que William O'Dwyer, élu maire de New York pour la première fois en 1946, n'entame une campagne de réélection, le *Brooklyn Eagle* publia des articles affirmant que le maire était lié au crime organisé. Le journal révélait ainsi que des policiers et des juges avaient été achetés pour protéger les 4 000 *bookmakers* de la ville. Le maire s'enfuit alors en Floride « pour raisons de santé » et, dans l'espoir d'échapper aux poursuites judiciaires, plus de 110 policiers démissionnèrent. Assigné à comparaître, O'Dwyer reconnut qu'il était au courant de cette corruption et que lui-même avait été en rapport avec la pègre. Mais, en l'absence de preuves tangibles, il ne fut pas sanctionné par la justice.

George Gershwin (premier à gauche), compositeur du classique *Rhapsody in Blue* (1924), et Irving Berlin (1888-1989), qui composa, entre autres, *White Christmas*, avant de vivre en reclus à Manhattan

Foule de New-Yorkais sur la promenade de Coney Island (ci-dessous)

Boardwalk Looking East from Steeplechase Pier, Coney Island, N. Y.

# 1950

L'Amérique entra dans la Seconde Guerre mondiale en 1941 (ci-dessous),

La Bourse (ci-dessus) reste une institution financière puissante

# *La seconde moitié du* XXe siècle

Durant ces cinq décennies, New York oscille entre booms économiques (années 1950, 1980, et 1990) et crises financières (années 1970). Sur le plan artistique, les peintres expressionnistes abstraits de New York inspirent le monde de l'art à la fin des années 1940, tandis que le pop art provoque chocs et ravissement de la fin des années 1950 aux années 1970. L'ouverture du Lincoln Center dans les années 1960 contribue à vitaliser la musique et le théâtre. Pour ce qui concerne la population, les communautés asiatique et hispanique croissent considérablement, détrônant les Afro-Américains du titre de première minorité de la ville. En 1989, New York élit son premier maire noir, David Dinkins. Si le crime connaît une inflation constante dans les années 1970 et 1980, le nombre de crimes annuels enregistrés tombe de 430 460 en 1993 à 161 956 en 2001 sous le mandat de Rudolph Giuliani, élu en 1994. La ville reprend confiance en son avenir.

Le mémorial des vétérans du Vietnam expose des lettres écrites par les soldats pendant la guerre

L'ancien maire, David Dinkins

**Greenwich Village**

Dans les années 1950, New York était le centre culturel de l'Amérique, et Greenwich Village, avec ses loyers modérés et son atmosphère bohême, attirait les meilleurs artistes et écrivains du pays. Le Cedar Street Tavern, au 24 University Place, était le lieu de rendez-vous favori des peintres Jackson Pollock ou Willem de Kooning. Le café San Remo, à l'angle de Bleeker Street et MacDougal Street, accueillait les écrivains James Baldwin, Allen Ginsberg, Jack Kerouac et William Burroughs. C'est ici que le mot « beatnik » fut inventé. Les écrivains Dylan Thomas et Norman Mailer préféraient le White Horse, au croisement de Hudson et de West11th Street. Le mépris de Mailer pour la beat generation donna naissance au mouvement hippie.

*1950*

Greenwich Village (ci-dessus)
Décompte de la dette (à droite)

## Une célébration inoubliable

Quand l'astronaute John Glenn, premier Américain à avoir effectué un vol orbital, arriva à New York en 1962, il eut droit à un accueil triomphal sur Broadway, digne de ceux normalement réservés aux chefs d'État, à l'armée ou aux équipes de base-ball victorieuses. Ce jour-là, les New-Yorkais lancèrent 3 474 tonnes de confettis, record jamais égalé depuis, du haut des immeubles et des gratte-ciel longeant le défilé. Quand, en 1969, les New York Mets battirent les Baltimore Orioles et remportèrent leur premier championnat national de base-ball, ils n'eurent droit qu'à une faible rafale de confettis, comparé à la tempête qui avait submergé le pionnier de l'espace (ci-dessous).

## Andy Warhol

Le pop art bouleversa le monde de l'art quand Andy Warhol (ci-dessous) créa sa Factory en 1963. Ses bouteilles de Coca-Cola, ses boîtes de conserve de soupe Campbell et ses sérigraphies multicolores de célébrités telles que Marilyn Monroe, Elvis Presley ou Jackie Kennedy, firent autant scandale que son homosexualité assumée à une époque où le mot « homophobe » n'existait même pas. Il se consacra par ailleurs à la réalisation cinématographique, dans les appartements d'amis du Lower East Side et de Greenwich Village. Il passa les treize dernières années de sa vie enfermé chez lui, au 57 de East 66th Street, et mourut en 1987, après une opération bénigne de la vésicule biliaire.

Andy Warhol

## Woody Allen

Quand il débute sa carrière de comique dans les clubs de Greenwich Village, Allen Konigsberg change de nom. À partir de 1965, il réalise en moyenne un film par an, la plupart sur et à New York, mais c'est en 1977 que le film *Annie Hall* porte aux nues cet acteur-réalisateur, quand il remporte les oscars de meilleur réalisateur et de meilleur scénariste. Pourtant, il n'assiste pas à la cérémonie. Vous aurez peut-être l'occasion d'assister à un concert de ce passionné de jazz, il joue de la clarinette le lundi soir au Michael's Pub (211, East 55th Street).

**Ed Koch et Ronald Reagan tenant un immense chèque du Trésor américain**

## Ed Koch

Dans les années 1970, New York était dans un tel marasme financier que seul un miracle semblait pouvoir éviter l'effondrement de son économie. En octobre 1975, incapable de rembourser sa dette s'élevant à 477 millions de dollars, la municipalité était à 53 minutes de déposer le bilan. C'est la caisse de retraite des enseignants qui permit à la ville d'éviter le pire. Lors de sa campagne, le candidat Ed Koch promit de ramener la prospérité ; il tint promesse après avoir remporté les élections de 1977, et fut réélu en 1981. Sa politique de réduction d'impôts associée à une refonte du réseau des banques d'investissement a restauré la confiance des entreprises américaines vis-à-vis de New York.

# 2000

Agents de la sécurité publique à Times Square, même si l'endroit est bien plus calme qu'autrefois

# *Le nouveau* millénaire

La situation financière de New York n'était pas reluisante au début du nouveau millénaire. Le maire, Rudolph Giuliani, avait réduit les impôts de 3 milliards de dollars, et la ville était lourdement endettée. Survint alors l'attaque terroriste du 11 septembre 2001, qui tua près de 3 000 personnes et détruisit le cœur symbolique de la ville. Le courage et l'attention dont fit preuve Giuliani furent admirés de tous. Élu en 2002, Michael Bloomberg eut du mal à trouver grâce aux yeux de la population et à faire oublier Giuliani. Mais l'homme d'affaires républicain milliardaire dépensa 70 millions de dollars pour sa première campagne électorale. Aujourd'hui, la ville s'est remise de l'impact du 11-Septembre et, avec le temps, les New-Yorkais ont appris à apprécier leur maire actuel.

### La criminalité

En 2003, New York se targuait d'être la ville la plus sûre des États-Unis. Vu son taux de criminalité passé, c'était plutôt une bonne nouvelle. Avec un nombre d'homicides au plus bas depuis 40 ans, la tendance actuelle ne s'inverse pas. La politique de maintien de l'ordre musclée et controversée de Giuliani a en effet contribué à réduire les crimes et délits de 62 %. Pour ce faire, le maire a renforcé les effectifs policiers de 4 000 hommes, ayant tous pour mission de lutter contre le crime mais aussi les délits mineurs comme traverser en dehors des passages piétons, dormir dans le métro, dégrader les biens publics, etc. Le maire Bloomberg est resté sur cette lancée.

### Remise en ordre

Entre les années 1960 et 1980, le quartier qui s'étendait de 40th Street à 53rd Sreet, entre 6th et 8th Avenues, était une zone mal famée tenue par les proxénètes et les parieurs professionnels.

Dans les années 1970 et 1980, une politique active a permis de fermer maisons closes, tripots et autres salons de massages. Puis, dans les années 1990, la politique volontariste du maire Giuliani a achevé de rendre la zone plus vivable, et les investissements dans le New Amsterdam Theater qui ont suivi ont encouragé un peu plus la revitalisation du quartier.

Grand Central Terminal (ci-dessous)
Giuliani (à gauche)

# *Aujourd'hui*

Les messages et les prières ont envahi New York après le 11-Septembre (à droite)

Néons et couleurs vives sont de rigueur à Times Square (ci-dessous)

# En route

# ARRIVER

## Par avion

La plupart des grandes villes d'Europe et des autres continents proposent des liaisons directes avec New York. Les compagnies internationales atterrissent à l'aéroport international John F. Kennedy, à 24 km de Manhattan, à Jamaica Bay, ainsi qu'à l'aéroport international de Newark Liberty, à 26 km à l'ouest du centre-ville. L'aéroport LaGuardia, situé à 13 km de Manhattan, dans le Queens, héberge les vols intérieurs.

**Aéroport international John F. Kennedy (aéroport JFK)**
JFK comporte neuf terminaux. Les terminaux 2 et 3 sont réservés à Delta Airlines, le terminal 7, à British Airways, le terminal 6, à jetBlue et le terminal 4, à Virgin Atlantic. Les autres terminaux sont réservés aux autres vols internationaux. Chaque terminal possède des guichets d'information, des restaurants et des boutiques. La navette AirTrain relie

**TRANSPORTS DEPUIS LES AÉROPORTS**

| | AÉROPORT INTERNATIONAL JOHN F. KENNEDY (JFK) | AÉROPORT LA GUARDIA (LGA) |
|---|---|---|
| **Distance de Manhattan :** | 24 km | 13 km |
| **Durée du trajet pour Manhattan :** | Taxi : 45-60 minutes<br>Métro : 60 minutes-1 heure 40 min. | Taxi : 20-35 minutes<br>Bus : 40-50 minutes |
| **Guichet d'information sur les transports :** | Dans la zone de retrait des bagages de tous les terminaux. | Dans la zone de retrait des bagages de tous les terminaux. |
| **Modes de transport** | **Connexion navette-métro**<br>• Les navettes gratuites « Long-Term Parking Lot », aux couleurs jaune, blanc et bleu, desservent Howard Beach Station, d'où l'on peut prendre la ligne A du métro pour Manhattan.<br>• La navette part toutes les 10 ou 15 minutes pendant les heures de pointe, et toutes les 20 minutes le reste du temps.<br>• Le ticket de métro coûte 2 $, mais la carte MetroCard est plus intéressante (▷ 43).<br>**Navette AirTrain**<br>• Achetez le billet (5 $ l'aller) à la gare ou dans une machine automatique à l'aéroport.<br>• Correspondance avec le LIRR à l'arrêt Jamaica, avec le métro aux arrêts Howard Beach/JFK Airport et Sutphin Blvd.-Archer Ave./Jamaica, et avec les lignes de bus de New York. | **Bus**<br>• Suivez les panneaux « Ground Transportation » à l'extérieur du terminal ; l'arrêt du M60 se trouve au bord du trottoir.<br>• Le billet coûte 2 $, mais vous économiserez en achetant une MetroCard (▷ 43).<br>• Le M60 va jusqu'à 106th Street, au niveau de Broadway.<br>• Descendez à Lexington Avenue pour les lignes de métro 4, 5 et 6 ; à Malcolm X Boulevard pour les lignes 2 et 3 ; à St. Nicholas Avenue pour les lignes A, B, C et D ; à 116th Street-Columbia University pour la ligne 1.<br>• Le bus fonctionne tous les jours de 4 h à 1 h ; départ toutes les 30 minutes.<br>• Pour de plus amples informations, voir le site www.mta.nyc.ny.us/nyct *FR*. |

l'aéroport aux réseaux du métro et des bus de New York, ainsi qu'au Long Island Railroad (LIRR).

**Aéroport LaGuardia (LGA)**
La majorité des vols intérieurs passent par LaGuardia, United Airlines et Continental Airlines se taillant la part du lion. Si vous avez besoin d'aide, cherchez un conseiller, reconnaissable à sa veste rouge, ou rendez-vous au guichet d'information entre les halls C et D, dans la zone des départs. Les terminaux de USAir et Delta, desservis par une navette gratuite, disposent de plusieurs restaurants.

**À SAVOIR**

• Dans les aéroports, évitez les taxis improvisés. Les taxis sous licence et les services voituriers sont plus sûrs et tout aussi pratiques ; vous les trouverez dans des zones réservées à l'extérieur des terminaux.

**Aéroport international de Newark Liberty (EWR)**
Cet aéroport héberge, entre autres, les compagnies Virgin Atlantic, British Airways, Lufthansa et Continental Airlines. Tous les terminaux (A, B, C et D) comportent des restaurants au niveau du hall. Le guichet d'information est à l'étage inférieur du terminal B. L'AirTrain, rapide et économique pour gagner la ville, relie l'aéroport au métro new-yorkais, au New Jersey Transit (NJ Transit, réseau des transports publics du New Jersey), à l'Amtrak (réseau ferré interurbain) et au Long Island Railroad (LIRR).

## QUITTER L'AÉROPORT

Après avoir récupéré vos bagages et passé la douane, plusieurs moyens s'offrent à vous pour rejoindre New York.

### TAXIS

Des bornes de taxis se trouvent à l'extérieur des terminaux.

**NUMÉROS DE TÉLÉPHONE ET SITES INTERNET UTILES**

**Aéroport international John F. Kennedy (JFK)**
718/244-4444
www.panynj.gov

**Aéroport LaGuardia**
718/533-3400
www.panynj.gov

**Aéroport international de Newark Liberty**
973/961-6000
www.panynj.gov

Des employés assurent la régulation durant les heures de pointe à JFK et LaGuardia, et 24 heures sur 24 à Newark. Pour des renseignements supplémentaires, ⊳ 51.
Le pourboire du chauffeur doit représenter entre 15 et 20 % de la course.

• Depuis JFK, tarif fixe de 45 $, hors péages.

**AÉROPORT INTERNATIONAL DE NEWARK LIBERTY (EWR)**

26 km

Taxi : 35-50 minutes
AirTrain : 30 minutes

Dans la zone de retrait des bagages.

**Navette AirTrain**

• Ce train monorail moderne et rapide géré par NJ Transit et Amtrak est confortable et commode, à condition de n'être pas pris d'assaut.
• Suivez les panneaux « AirTrain » présents dans tous les terminaux d'arrivée.
• Achetez le billet à la gare (trains NJ Transit : 11,55 $, gratuit pour les moins de 5 ans ; trains Amtrak : 27 $) ou dans une machine automatique à l'aéroport.
• Desserte de Penn Station, à l'angle de Eighth Avenue et de 31th Street, à Manhattan.
• Attention de ne pas confondre avec la Penn Station de Newark. Pour Manhattan, descendez à l'arrêt suivant, la Penn Station de New York. De là, vous trouverez facilement un taxi, ou vous pourrez prendre le bus ou le métro.
• Les trains NJ Transit partent deux ou trois fois par heure pendant les heures de pointe, sinon une fois par heure.
• À la station Newark International Airport, possibilité de correspondances pour les destinations au-delà de Manhattan. Pour plus de renseignements, appelez NJ Transit au 800/626-RIDE, ou consultez le site www.njtransit.com ; Amtrak : 800/USA-RAIL, www.amtrak.com.

**INFORMATIONS SUPPLÉMENTAIRES**

**Renseignements téléphoniques**
Le service des renseignements des transports au sol, au numéro 800/247-7433, donne le détail des moyens de transport depuis et vers ces trois aéroports. Opérateurs du lundi au vendredi, de 8 h à 18 h, informations vocales le reste du temps.

**NYC and Co.**
810 7th Avenue, New York, NY 10019
212/484-1200
www.nycvisit.com *FR*
Contactez le NYC and Co. pour commander l'Official NYC Guide (« Guide officiel de New York ») qui recense les hôtels, les restaurants, les théâtres et les différents événements culturels, et contient un plan de la ville, des prospectus, une lettre d'information et des renseignements sur les services.

- Depuis LaGuardia, paiement au compteur (entre 24 et 28 $), hors péages.
- Depuis Newark, tarif variable en fonction de la destination (entre 69 et 75 $, hors péages et 15 $ de supplément).

**AUTRES LIAISONS DEPUIS LES AÉROPORTS**

**Bus express New York Airport Service**
Tél. : 718/875-8200
www.nyairportservice.com
Suivre le panneau « Ground Transportation » pour rejoindre l'arrêt du bus express, à l'extérieur du terminal.

**Depuis JFK**
Le service de bus est assuré entre 6 h 15 et 23 h 10. La durée du trajet, en dehors des heures de pointe dure de 45 à 65 minutes. Pour le Port Authority Bus Terminal (gare routière), au croisement de 42nd Street et de Eighth Avenue, comptez 15 $ (27 $ l'aller-retour) ; même tarif pour les arrêts Grand Central Terminal, à l'angle de Vanderbilt Avenue et de 42nd Street, Bryant Park, et Penn Station. Pour les arrêts desservant les hôtels entre 31st Street et 60th Street, comptez 31 $ l'aller-retour.

**Depuis LaGuardia**
Le service est assuré de 7 h 20 à 23 h, pour un trajet d'une durée comprise entre 30 et 45 minutes, en dehors des heures de pointe. Comptez 12 $ (21 $ l'aller-retour) pour rejoindre le Port Authority Bus Terminal, au croisement de 42nd Street et de Eighth Avenue, ainsi que pour les arrêts Grand Central Terminal, à l'angle de Vanderbilt Avenue et de 42nd Street, et Bryant Park ; l'aller-retour pour les hôtels entre 31st Street et 60th Street coûte 26 $. Un bus assure la liaison avec Penn Station toutes les heures, de 8 h à 20 h ; durée du trajet : 40 minutes, pour 12 $.

**SuperShuttle**
Tél. : 800/451-0455 ou 212/315-3006
www.supershuttle.com
Dans la zone de retrait des bagages à JFK, LaGuardia ou Newark, rendez-vous au guichet des transports et appelez, gratuitement, le service SuperShuttle. Les navettes circulent 24 heures sur 24 et desservent les cinq districts de New York. Pas de réservation nécessaire ; billets entre 15 et 19 $.

**Coach USA**
Tél. : 877/8-NEWARK (639275)
www.coachusa.com
Service disponible uniquement à l'aéroport de Newark, Coach USA dessert Penn Station, à l'angle de 34th Street et de Eighth Avenue, Grand Central Terminal, à l'angle de Vanderbilt Avenue et de 42nd Street, le Port Authority Bus Terminal, au croisement de 42nd Street et de Eighth Avenue, ainsi que Chinatown et Lower Manhattan. Départ toutes les 15 minutes pour Midtown et toutes les 30 minutes pour Lower Manhattan ; 12 $ le trajet (20 $ aller-retour), gratuit pour les moins de 12 ans.

**SÉCURITÉ AUX DOUANES**
Depuis le 11-Septembre, la sécurité a été renforcée dans les aéroports et les tunnels, sur les ponts et dans les gares ferroviaires. Pour faciliter les contrôles, ne portez pas d'objets tranchants sur vous ou dans vos bagages à main ; videz vos poches avant de passer sous le portique de détecteur de métaux ; si un agent de la sécurité vous le demande, ouvrez votre sac et enlevez vos chaussures, et attendez-vous à être contrôlé au moyen d'un scanner portatif.

## En voiture

Arriver à Manhattan par la route est déconseillé aux âmes sensibles, et une fois en ville, trouver où se garer relève du défi. Les embouteillages sont fréquents sur les ponts et dans les tunnels qui rallient Manhattan, en particulier ceux qui traversent l'East River (pour cause de travaux). Évitez la voiture le matin, à midi et aux heures de sortie de bureau.

## Par le train

La plupart des trains de banlieue venant du Connecticut et du nord de la ville arrivent à Grand Central Station (sur 42nd Street à Park Avenue). Les trains longue distance du réseau Amtrak transitent à Penn Station, au croisement de 31st Street et de Seventh Avenue, de même que les réseaux depuis et vers Long Island (Long Island Railroad, LIRR) et le New Jersey (New Jersey Transit, NJ Transit).

*Un bus express du New York Airport Service*

# SE DÉPLACER

Pour découvrir Manhattan, rien ne vaut la marche à pied, d'autant que la plupart des quartiers sont sûrs, de jour comme de nuit. Cependant, marcher prend du temps, et si vous comptez visiter plusieurs musées ou plusieurs sites, ou bien si les conditions météorologiques ne sont pas de votre côté, le métro est préférable. Facile d'utilisation, il est peu cher et relativement propre et sûr. Quant au bus, il permet d'observer la vie des rues, mais il faut disposer de la somme exacte du prix du billet, et pendant les heures de pointe, c'est un mode de transport très lent, au point qu'on va parfois plus vite à pied !



## LES DIFFÉRENTS MOYENS POUR SE DÉPLACER

Si vous êtes à New York pour sept jours ou plus, procurez-vous une MetroCard afin d'économiser sur vos déplacements. La carte se glisse dans le portillon du métro ou dans le boîtier du bus ; elle permet en outre de ne pas se soucier de la petite monnaie. Les taxis sont le moyen de transport le plus rapide, mais le plus cher. Dans les taxis, pensez à donner au chauffeur un pourboire d'au moins 15 % du montant de la course.

Conduire dans New York est difficile. Outre les embouteillages, les places de parking sont rares, et les garages coûtent cher. Si vous arrivez dans la ville en voiture, mieux vaut laisser votre véhicule au garage jusqu'à ce que vous repartiez ; si vous optez pour les économies à défaut du confort, choisissez un garage en périphérie est ou ouest de Manhattan.

## MARCHER À NEW YORK

- Empruntez toujours les passages cloutés ; traverser en dehors des clous est un délit.
- Restez sur la droite de la chaussée, comme en voiture.
- Quand le feu passe au vert pour les piétons, vérifiez avant de traverser qu'un conducteur ou un cycliste ne va pas passer, comme cela arrive fréquemment.

## LA METROCARD

**Qu'est-ce que c'est ?**
Une carte magnétique qui déduit automatiquement de son crédit le coût d'un trajet à chaque passage dans le portillon du métro ou le boîtier du bus.

**Et pour les correspondances ?**
Avec une MetroCard, les correspondances entre métro et bus sont gratuites pendant deux heures.

**Où se la procurer ?**
Dans le métro, aux guichets (paiement en liquide uniquement), dans les machines automatiques présentes dans la plupart des stations (liquide ou carte de crédit), dans les drugstores tels Rite Aid, à l'Hudson News de Penn Station et à Grand Central Terminal, ainsi qu'au centre d'information (Visitors Center) de Times Square, au 1560 Broadway, entre 46th Street et 47th Street (liquide et carte de crédit). La plupart des hôtels en vendent aussi.

**Combien ça coûte ?**
La « Pay-Per-Ride MetroCard » : 10 $ les 6 trajets, 20 $ les 12. La carte « par trajet » peut être lue quatre fois de suite, ce qui permet à un groupe de quatre personnes de l'utiliser simultanément. Elle est rechargeable dans les machines automatiques du métro : insérez-y la carte, indiquez le nombre de trajets souhaité, puis payez en liquide ou par carte bancaire. La « Unlimited Ride MetroCard » : 7 $ le passe pour un jour (« 1-Day Fun Pass ») ; 24 $ la carte hebdomadaire (« 7-Day Card ») et 76 $ la carte mensuelle (« 30-Day Card »). Ces cartes ne peuvent être utilisées que par une seule personne (on ne peut pas la faire relire avant 18 minutes). Elles prennent effet à la première utilisation, non au jour de l'achat.

**Y a-t-il des tarifs réduits ?**
Les personnes âgées et les usagers à mobilité réduite bénéficient de tarifs réduits. Renseignements : 718/243-4999.

**Comment utilise-t-on la MetroCard ?**
Quand on passe la carte dans le portillon, s'affiche le nombre de trajets restants. Si vous glissez la carte trop vite ou trop lentement et que l'indicateur demande de la passer à nouveau, faites-le au même endroit ; si vous le faites dans un portillon différent, vous risquez d'être débité deux fois.

**Où obtenir des informations ?**
Tél. : 800/METROCARD ou 212/638-7622, du lundi au vendredi, de 9 h à 17 h. Site Internet : www.mta.nyc.ny.us/metrocard *FR.*

# Métro

La Metropolitan Transit Authority (MTA) gère le réseau du métro, qui fonctionne 24 heures sur 24, sept jours sur sept. Les heures de pointe s'étalent de 7 h 30 à 9 h 30, puis de 16 h 30 à 18 h 30, du lundi au vendredi, hors vacances. Le réseau est rapide, peu coûteux, pratique, en général sûr, et relativement facile à comprendre.

**À SAVOIR**

• Les New-Yorkais utilisent le mot « train » pour désigner les lignes de métro : « Prenez le train A » signifie « Prenez la ligne A ».

Un trajet coûte 2 $ (1 $ pour les personnes âgées et les personnes à mobilité réduite) ; les enfants mesurant moins de 1,13 m voyagent gratuitement. L'option la plus économique est la MetroCard (▷ 43).

Une campagne de communication encourage la politesse, et des affiches rappellent aux usagers de céder leur place aux personnes âgées

*Les lignes sont bien indiquées*

**COMPRENDRE LE PLAN DE MÉTRO**

Le plan du métro est simple à comprendre ; vous le trouverez dans toutes les stations, dans les offices de tourisme et dans les halls d'hôtel.

Sur le plan (▷ 45), chaque ligne est d'une couleur différente, mais vous devez connaître les numéros ou les lettres, car personne ne désigne les lignes par leur couleur.

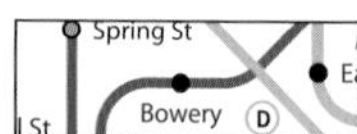


Les ronds noirs sur les lignes indiquent les arrêts des trains omnibus, plus nombreux que les arrêts des trains express.

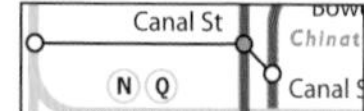


Les droites noires reliant des ronds noirs et blancs indiquent des correspondances gratuites.

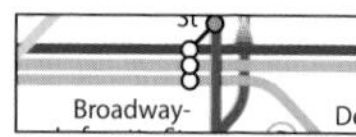


Les ronds blancs sur les lignes colorées indiquent les arrêts des trains express (environ un arrêt express pour trois arrêts omnibus).

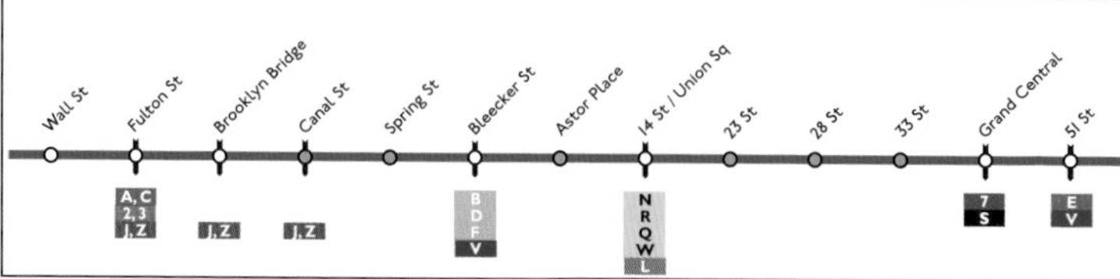


Les lettres ou les numéros figurant sous le nom de certaines stations indiquent les correspondances avec les autres lignes dans cette station. Les caractères gras, par exemple « **B** », indiquent une ligne qui fonctionne 24 h sur 24, et les caractères maigres, comme « B », un service partiel. À l'arrêt « 72nd Street », la mention « B, **C** » indique un service partiel sur la ligne B et à plein temps sur la C.

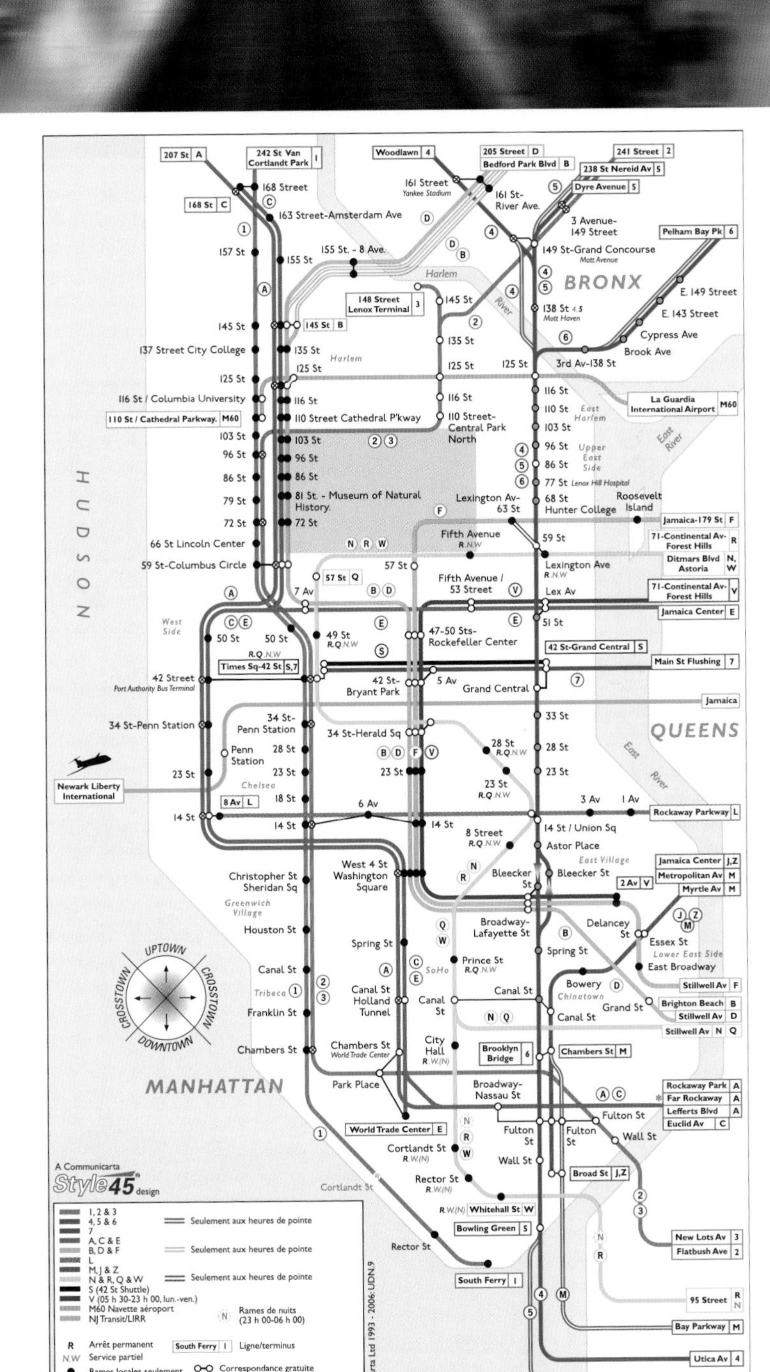
207 St A
242 St Van Cortlandt Park 1
Woodlawn 4
205 Street D
Bedford Park Blvd B
241 Street 2
238 St Nereid Av 5
Dyre Avenue 5
168 St C
168 Street
163 Street-Amsterdam Ave
161 Street
Yankee Stadium
161 St-River Ave.
3 Avenue-149 Street
Pelham Bay Pk 6
157 St
155 St
155 St. - 8 Ave.
149 St-Grand Concourse
Mott Avenue
BRONX
Harlem River
148 Street Lenox Terminal 3
145 St
E. 149 Street
E. 143 Street
138 St
Mott Haven
Cypress Ave
Brook Ave
145 St
145 St B
137 Street City College
135 St
135 St
3rd Av-138 St
Harlem
125 St
125 St
125 St
125 St
116 St
La Guardia International Airport M60
116 St / Columbia University
116 St
116 St
110 St
East Harlem
110 St / Cathedral Parkway. M60
110 Street Cathedral P'kway
110 Street-Central Park North
103 St
103 St
103 St
East River
96 St
96 St
96 St
Upper East Side
86 St
86 St
86 St
79 St
81 St. - Museum of Natural History.
77 St
Lenox Hill Hospital
Lexington Av-63 St
68 St Hunter College
Roosevelt Island
HUDSON
72 St
72 St
Jamaica-179 St F
66 St Lincoln Center
Fifth Avenue
R.N.W
59 St
71-Continental Av-Forest Hills R
59 St-Columbus Circle
57 St
Lexington Ave
R.N.W
Ditmars Blvd Astoria N, W
57 St Q
Fifth Avenue / 53 Street
Lex Av
71-Continental Av-Forest Hills V
7 Av
Jamaica Center E
West Side
50 St
50 St
R.Q.N.W
49 St
R.Q.N.W
47-50 Sts-Rockefeller Center
51 St
42 St-Grand Central S
Times Sq-42 St S,7
Main St Flushing 7
42 Street
Port Authority Bus Terminal
42 St-Bryant Park
5 Av
Grand Central
Jamaica
34 St-Penn Station
34 St-Penn Station
34 St-Herald Sq
33 St
QUEENS
Penn Station
28 St
28 St
R.Q.N.W
28 St
East River
23 St
23 St
23 St
23 St
R.Q.N.W
23 St
Newark Liberty International
Chelsea
8 Av L
18 St
3 Av
1 Av
14 St
6 Av
Rockaway Parkway L
14 St
14 St
14 St / Union Sq
8 Street
R.Q.N.W
Astor Place
East Village
Jamaica Center J,Z
Metropolitan Av M
Christopher St Sheridan Sq
West 4 St Washington Square
Bleecker St
Bleecker St
2 Av V
Myrtle Av M
Greenwich Village
Broadway-Lafayette St
Delancey St
Houston St
Essex St
Spring St
Spring St
Lower East Side
UPTOWN
CROSSTOWN
CROSSTOWN
DOWNTOWN
Prince St
R.Q.N.W
SoHo
East Broadway
Canal St
Bowery
Stillwell Av F
Tribeca
Canal St Holland Tunnel
Canal St
Canal St
Chinatown
Grand St
Brighton Beach B
Franklin St
Canal St
Stillwell Av D
Stillwell Av N Q
Chambers St
Chambers St
World Trade Center
City Hall
R.W.(N)
Brooklyn Bridge 6
Chambers St M
MANHATTAN
Park Place
Broadway-Nassau St
Rockaway Park A
Far Rockaway A
Lefferts Blvd A
Euclid Av C
World Trade Center E
Fulton St
Fulton St
Fulton St
Wall St
Cortlandt St
R.W.(N)
Wall St
A Communicarta
Style45 design
Rector St
R.W.(N)
Broad St J,Z
Cortlandt St
R.W.(N) Whitehall St W
Bowling Green 5
New Lots Av 3
Flatbush Ave 2
Rector St
South Ferry 1
95 Street R N
Bay Parkway M
Utica Av 4
Flatbush Ave 5
BROOKLYN
1, 2 & 3
4, 5 & 6
7
A, C & E
B, D & F
L
M, J & Z
N & R, Q & W
S (42 St Shuttle)
V (05 h 30-23 h 00, lun.-ven.)
M60 Navette aéroport
NJ Transit/LIRR
Seulement aux heures de pointe
Seulement aux heures de pointe
Seulement aux heures de pointe
Rames de nuits (23 h 00-06 h 00)
R Arrêt permanent
N.W Service partiel
Rames locales seulement
Arrêt toutes rames
Rames express uniquement
Arrêt permanent ligne 6
South Ferry 1 Ligne/terminus
Correspondance gratuite
Correspondance gratuite niveau rue, pour les porteurs de la MetroCard
© Communicarta Ltd 1993 - 2006: UDN.9
Map user Ref: 9C02117/KG/NYC/0805/PDE
Toutes les rames ne s'arrêtent pas à toutes les stations. À certaines heures, en particulier aux heures de pointe, circulent des rames express. Le New York Transit Authority améliore en permanence le réseau. Certaines parties de ligne sont souvent fermées ou déviées par des travaux d'entretien. Les lignes indiquées ici sont celles des services normaux, du lundi au vendredi.
* Descendre à Howard Beach/JFK Airport pour les navettes gratuites vers tous les terminaux

**À SAVOIR**

- Le Lower East Side et l'East Village sont mal desservis par le métro. Si vous venez de ce quartier ou vous y dirigez la nuit, il est préférable de prendre un taxi.

ou aux invalides, de ne pas entraver l'ouverture et la fermeture des portes, et d'éviter de courir.

**DEMANDER DE L'AIDE**

- Le personnel de station, présent dans presque toutes les gares, est très serviable.
- Pour des renseignements dans une autre langue que l'anglais, appelez le 718/330-4847, de 7 h à 19 h.

**TROUVER SA STATION**

- À l'extérieur des stations, les cercles de couleur indiquent les lignes (lettres et chiffres) qui passent par cette gare.
- Si vous cherchez une station, demandez à un agent de police, dans un hôtel, un musée ou un magasin. D'une façon générale, les New-Yorkais renseignent volontiers les touristes.

**TROUVER SA LIGNE**

- Une fois dans la station, suivez les panneaux indicatifs pour votre ligne. Sur le quai, des panneaux en hauteur précisent les trains à venir, leur destination et leurs horaires. Les incidents de trafic sont en général mentionnés, mais les panneaux étant petits, il faut regarder attentivement.
- Nord ou sud ? Si vous vous dirigez vers le nord de la ville, quel que soit l'endroit où vous vous trouvez, vous devez prendre un train « uptown » ; si vous allez vers le sud, il vous faut un train « downtown ». Attention : certaines stations indiquent « Uptown Only » (uniquement en direction du nord) ou « Downtown Only » (uniquement en direction du sud).

**BIEN VIVRE LE MÉTRO**

- Si le métro new-yorkais a eu, naguère, mauvaise réputation, il est aujourd'hui plus propre et plus sûr. Pourtant, les pickpockets et les voleurs n'ayant pas renoncé à leurs activités, surveillez bien vos affaires. Tenez votre argent bien caché, et ne portez pas de bijou de valeur, ni même

qui semble précieux.
- Tenez-vous éloigné de la bordure du quai.
- Si vous attendez le métro sur un quai désert, placez-vous sous le panneau « During Off Hours Trains Stop Here » : vous monterez ainsi dans le même wagon que celui où se trouve le chef de train.
- Laissez les passagers descendre du wagon avant d'y monter.
- Évitez les wagons vides.

- Après 23 h ou minuit, préférez le taxi si vous ne connaissez pas bien le trajet à faire en métro.
- Si vous êtes, par mégarde, dans un train express qui ne s'arrête pas à votre station, descendez à l'arrêt suivant et prenez le train se rendant dans la direction opposée, ou renseignez-vous au guichet. Il faut en général payer un supplément pour retourner sur le quai. À certaines stations, vous devrez sortir du métro, traverser la rue et entrer dans la station d'en face pour pouvoir prendre le train allant dans la direction que vous souhaitez.

*Distributeur de MetroCard*

Si, par exemple, vous allez vers le nord et trouvez une station où passe la ligne souhaitée, mais qu'il est indiqué « Downtown Only », ce n'est pas la bonne ; les trains en direction opposée passent par une station proche, en général, dans la même rue, en face.

- Pour être sûr de prendre le bon train, vérifiez quand il arrive en gare que le numéro ou la lettre affichée devant et sur le côté des wagons correspond à la ligne que vous souhaitez.
- Pour vous débarrasser du moindre doute quant à la destination de votre train, adressez-vous au chef de train (qui se trouve dans le wagon du milieu) quand la rame entre en gare.

### DESCENDRE AU BON ARRÊT

- Le chef de train fait une annonce avant chaque arrêt. Dans les rames les plus récentes, c'est une voix enregistrée qui l'énonce.
- Chaque voiture comporte un plan de métro, affiché près de la porte, qui permet de s'assurer qu'on se dirige dans la bonne direction, et du nombre d'arrêts restant.
- Vérifiez les panneaux affichés sur les murs de la station avant de descendre du train.

### QUITTER LE MÉTRO

Une fois sur le quai, prenez les escaliers ou l'escalier mécanique. Vous passerez ensuite par un tourniquet avant de sortir, mais il est inutile alors d'utiliser la MetroCard.

*Métro aérien, à Harlem*

### PERTURBATIONS DE TRAFIC

- Au moment de la rédaction de ce guide, les lignes reliant Coney Island (N, R et W) étaient détournées pour cause de travaux. Ceux-ci devraient être aujourd'hui certainement achevés, mais il est conseillé de vérifier auprès de la régie des transports (MTA).
- Le week-end, les lignes sont parfois perturbées pour cause d'entretien des voies ; les stations concernées signalent les perturbations éventuelles.

### EN CAS D'URGENCE

- Dans le train, rejoignez le wagon central pour prévenir le chef de train, ou le wagon de tête pour avertir le conducteur.
- Appelez le 911, c'est le numéro d'urgence gratuit.
- Adressez-vous au personnel du guichet.
- Partez en quête d'un des agents de police en patrouille dans le métro.

### PERSONNES À MOBILITÉ RÉDUITE

Tous les métros ne sont pas accessibles en fauteuil roulant. Pour connaître les quelque 30 stations équipées, consultez le site www.mta.nyc.ny.us *FR*.

| LIGNES LES PLUS UTILES POUR LES TOURISTES | |
|---|---|
| **4, 5 et 6** | Lignes parcourant l'est de Manhattan du nord au sud, et desservant le Bronx et Brooklyn. |
| **1, 2, 3, 9, A, B, C, D, E et F** | Lignes parcourant l'ouest de Manhattan du nord au sud, et desservant le Bronx et Brooklyn. |
| **N, R, Q et W** | Lignes assurant les liaisons avec Brooklyn et le Queens en passant par Manhattan. |
| **S** | Ligne entre Times Square et Grand Central Terminal, apparentée à une navette. |
| **L** | Ligne entre 14th Street et Brooklyn. |

*Station de Lexington Avenue*

# Bus

La régie des transports, la Metropolitan Transit Authority (MTA), gère le réseau de bus de la ville et applique des tarifs identiques à ceux du métro (▷ 44 – 47). Vous pouvez utiliser la MetroCard ou payer dans le bus (les conducteurs ne rendant pas la monnaie, prévoyez d'avoir des pièces de 25 cents sur vous). Les bus sont plus lents que le métro ; ils fonctionnent 24 heures sur 24 sur la plupart des lignes, mais sont moins fréquents la nuit et le week-end.

*Des trajets est-ouest et nord-sud*

### TROUVER UN BUS

- Les arrêts de bus sont signalés par un panneau bleu et blanc, sur un rebord de trottoir jaune.
- Sur le poteau, l'affiche « Guide-A-Ride » indique le trajet de la ligne et ses horaires.
- Les bus desservent les avenues du nord au sud et inversement.
- Idem pour les rues allant d'est en ouest.

### MONTER ET DESCENDRE

On monte à l'avant. La MetroCard doit être lue par le boîtier, ou on paie la somme exacte.
Les places à l'avant sont réservées aux personnes âgées, aux invalides et aux adultes accompagnés d'enfants en bas âge. Une bande tactile qui court le long des fenêtres permet d'indiquer, en appuyant dessus, que l'on souhaite descendre à l'arrêt suivant (appuyez environ un bloc avant votre arrêt). La porte avant s'ouvre automatiquement ; pour descendre à l'arrière, attendez que la lumière verte au-dessus de la porte s'allume, puis appuyez sur la bande jaune pour ouvrir les portes.

### LES LIGNES DE BUS

Les lignes détaillées ici sont les plus utiles aux visiteurs. Pour des informations plus développées, voyez le guide des bus à la page suivante, ou procurez-vous un plan de bus MTA dans un office de tourisme (▷ 324), une station de métro ou un hôtel.

### ADRESSES : SE REPÉRER

Pour connaître la rue qui coupe une avenue à un numéro donné :
- Supprimer le dernier chiffre du numéro de l'adresse.
- Diviser par 2.
- Ajouter ou soustraire le chiffre indiqué ci-dessous.
- On obtient approximativement la rue qui traverse l'avenue au numéro donné.

| AVENUES | | |
|---|---|---|
| A, B, C, D, First, Second | | + 3 |
| Third, Eighth | | + 10 |
| Fourth, Park Avenue South | | + 8 |
| Sixth | | - 12 |
| Seventh | | + 12 |
| Ninth | | + 13 |
| Tenth | | + 14 |
| Amsterdam | | + 60 |
| Broadway (23rd à | 192nd St) | - 30 |
| Fifth | jusqu'à 200 | + 13 |
| | jusqu'à 400 | + 16 |
| | jusqu'à 600 | + 18 |
| | jusqu'à 775 | + 20 |
| | jusqu'à 1286 | sup. le dernier chiffre et -18 |
| | jusqu'à 1500 | + 45 |
| | jusqu'à 2000 | + 24 |
| Central Park West | | diviser par 10 et + 60 |
| Columbus | | + 60 |
| Lexington | | + 22 |
| Madison | | + 26 |
| Park | | + 35 |

### Bus nord-sud

- Les lignes **M1, M2, M3 et M4** vont vers le nord sur Madison Avenue et vers le sud sur Fifth Avenue, surnommée « Museum Mile » pour sa concentration de musées. Le M4 pousse au nord jusqu'au musée des Cloîtres, à Fort Tryon Park (▷ 252).
- Le **M5** va de Houston Street, remonte Sixth Avenue, parcourt Riverside Drive et Broadway jusqu'à Washington Heights.
- Le **M6** part de Central Park et descend Broadway jusqu'à South Ferry, en passant par Times Square, Union Square, Greenwich Village, SoHo et Financial District, avant de remonter Sixth Avenue.
- Le **M7** circule entre Union Square et West 147th Street/Adam Clayton Powell Boulevard.

*Compagnie Coach USA*

Il remonte Sixth Avenue, emprunte Broadway, puis Amsterdam Avenue, et traverse le nord de Central Park avant de monter jusqu'à 147th Street. En direction du sud, il dessert Columbus Avenue, Seventh Avenue et Broadway, jusqu'à Union Square.

- Le **M9** va de Union Square à Battery Park en passant par le Lower East Side.
- Le **M10** part de West 31st Street/Seventh Avenue (Penn Station) et va jusqu'à West 159th Street /Frederick Douglass Boulevard. Il passe par West Central Park et dessert l'American Museum of Natural History (Muséum d'histoire naturelle).
- Le **M11** parcourt l'ouest de Manhattan vers le nord sur Tenth Avenue /Amsterdam Avenue, jusqu'à Harlem.
- Le **M15** part de South Ferry et remonte l'est de Manhattan jusqu'à Second Avenue/ East 126th Street.
- Le **M60** va de West 106th Street/Broadway jusqu'à l'aéroport LaGuardia.
- Le **M100** part de West 220th Street/Broadway et arrive à East 125th Street/Second Avenue.

### Bus est-ouest

- Le **M8** circule de l'Avenue D à West Street en passant par l'East Village et Greenwich Village.
- Les **M14A et M14D** vont de Chelsea Piers au Lower East Side.
- Le **M27** part de West 41st Street/Eighth Avenue (Port Authority Bus Terminal) et arrive East 42th Street /First Avenue.

## GUIDE DES BUS

### CHANGER À OU ALLER VERS/DE :

Union Square — Times Square — Broadway et East 8th/9th Streets — Central Park South — South Street

**P = trajet piéton F = South Ferry à partir de South Street**

Repérez votre point de départ et votre destination, puis suivez la colonne et la rangée correspondantes jusqu'à la case où elles se croisent, qui vous indiquera le ou les bus à prendre. Les numéros dans les cases blanches indiquent des trajets directs ; les cases de couleur signalent une correspondance de bus (prendre le premier bus en partant du haut et changer avec le deuxième) ou un trajet mi-bus, mi-piéton. La légende de couleur donne les endroits des correspondances ou des trajets piétons. Notez que les arrêts peuvent se trouver à quelques minutes de la destination.

Les lignes sont fréquemment modifiées et empruntent souvent des trajets différents le dimanche ; vérifiez les horaires ou les plans les plus récents avant de vous lancer.

| | American Museum of Natural History | Brooklyn Bridge | Central Park | East Village and Noho | Ellis Island Museum of Immigration and History Center | Empire State Building | Grand Central Terminal | Greenwich Village | Guggenheim Museum | Lincoln Center | Metropolitan Museum of Art | Rockefeller Center | Soho | South Street Seaport | Statue of Liberty | Times Square/Broadway | Trinity Church |
|---|---|---|---|---|---|---|---|---|---|---|---|---|---|---|---|---|---|
| Brooklyn Bridge | 7/9 | | | | | | | | | | | | | | | | |
| Central Park | P | 9/7 | | | | | | | | | | | | | | | |
| East Village and Noho | 7/9 | 9 | 1 | | | | | | | | | | | | | | |
| Ellis Island Museum of Immigration and History Center | 7/6, F | 9/F | 1/F | 9,15/F | | | | | | | | | | | | | |
| Empire State Building | 7 | 9/2 | 1, 7 | 2, 3 | F/6 | | | | | | | | | | | | |
| Grand Central Terminal | 7/5 | 9/2 | 1 | 103 | F/1 | 2, 3, 4 | | | | | | | | | | | |
| Greenwich Village | 7/1 | 9/1 | 1 | P | F/6 | 6 | 2, 3 | | | | | | | | | | |
| Guggenheim Museum | 79 | 9/1 | P | 1 | F/1 | 2, 3 | 1 | 1 | | | | | | | | | |
| Lincoln Center | 7 | 9/7 | P | 9/7 | F, 6/1 | 7 | 104 | 5 | 1/7 | | | | | | | | |
| Metropolitan Museum of Art | 79 | 9/1 | P | 1 | F/1 | 4 | 1 | 1 | 1 | 5/1 | | | | | | | |
| Rockefeller Center | 7 | 9/1 | 5 | 1 | F/1 | 5 | 1 | 3 | 1 | 5 | 1 | | | | | | |
| Soho | 7/1 | 9/6 | 6 | 21 | F/6 | 5 | 1 | W | 1 | 5 | 1 | 1 | | | | | |
| South Street Seaport | 7/9 | 9, 15 | 6/9 | 15 | F/9,15 | 6/9 | 1/9 | 1/9 | 1/9 | 7/9 | 1/9 | 1/9 | 1/9 | | | | |
| Statue of Liberty | 7/1, F | 9,15/F | 6, 1/F | 15/F | F | 1/F | 1/F | 1/F | 1/F | 7/1, F | 1/F | 5/6, F | 6/F | 9/F | | | |
| Times Square/Broadway | 7 | 9/7 | 5, 6, 7 | 1/7 | F/6 | 6 | 42 | 5 | 1/6, 7 | 5 | 5/6, 7 | 27 | 6 | 9/7 | F/6 | | |
| Trinity Church | 7/6 | 9, 15, P | 6 | 1 | F/P | 6 | 1 | 6 | 1 | 7/6 | 1 | 1 | 6 | 9/6 | F/6 | 6 | |
| Whitney Museum of Art | 79 | 9/1 | P | 1 | F/1 | 2, 3 | 1 | 2, 3 | 1 | 5/1 | 1 | 1 | 1 | 9/1 | F/1 | 5/1 | 1 |

EN ROUTE

EN ROUTE

## PRINCIPALES LIGNES DE BUS TOURISTIQUES

Ces lignes relient des sites majeurs et font une boucle (pour le M15, section nord-sud indiquée uniquement). Sont notés les terminus de départ et d'arrivée et les arrêts proches des principaux sites.

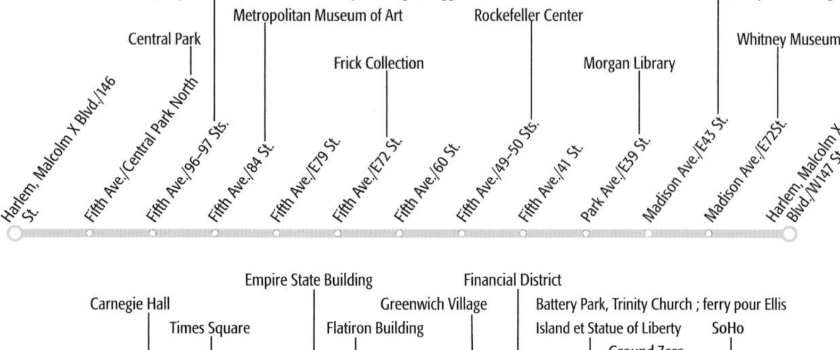


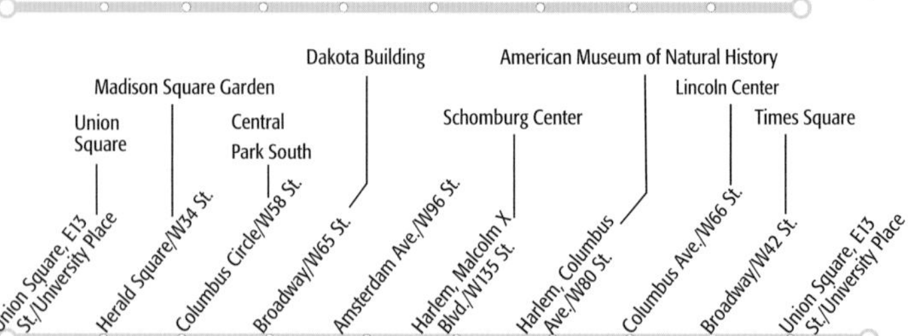


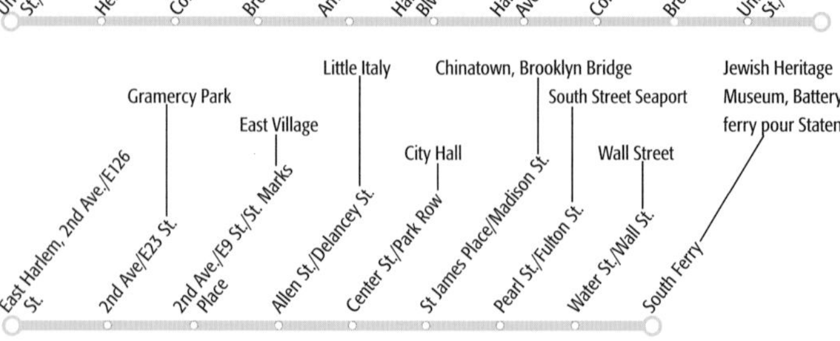


• Le **M34** relie le Jacob Javits Convention Center, sur Eleventh Avenue/West 34th Street, et East 34th Street /FDR Drive.
• Le **M42** suit 42th Street, de Circle Line Pier au siège des Nations Unies.
• Le **M72** va de l'Upper West Side à l'Upper East Side, en partant de West 68th Street /Freedom Place jusqu'à East 72nd Street/York Avenue.
• Le **M79** va de West 79th Street/Riverside Drive à East 79th Street/East End Avenue.

### SÉCURITÉ

Le jour, les bus sont sûrs. Après 22 h, il est préférable de prendre un taxi plutôt que d'attendre un bus dans une rue déserte. Si on vous demande l'aumône, hochez simplement la tête et ne vous engagez pas dans une discussion.

### PERSONNES À MOBILITÉ RÉDUITE

Les bus sont équipés d'un élévateur pour fauteuil roulant, outre une plate-forme à l'avant du véhicule qui s'abaisse pour aider les personnes à mobilité réduite à monter.

# Taxis et services voituriers

Les taxis de New York possèdent une licence de la Taxi and Limousine Commission (TLC). Identifiables grâce à leur couleur jaune, ils affichent leurs tarifs sur la portière, possèdent une petite lumière sur le toit et un médaillon de bronze sur le capot. Ne prenez que les taxis possédant ces signes distinctifs. Des voituriers de compagnies privées louent par ailleurs leurs services à l'heure. Ils ne sont pas autorisés à prendre des passagers dans la rue. Des limousines peuvent également être louées.

*Un taxi new-yorkais*

### TROUVER UN TAXI

On hèle les taxis dans la rue en levant le bras au bord du trottoir. La veilleuse du toit allumée indique que le véhicule est libre. Vous ne devriez pas trop attendre avant d'en trouver un, sauf à la sortie des spectacles dans le quartier des théâtres, et presque partout pendant l'heure de pointe (aux alentours de 16 h). Autant que faire se peut, prenez un taxi qui se dirige dans la direction de votre destination, afin de gagner du temps et de l'argent.

Pour guider le chauffeur, indiquez d'abord le croisement de la rue et de l'avenue où vous vous rendez (ex. : 42nd Street /Fifth Avenue), puis précisez l'adresse exacte à l'approche de votre destination. De nombreux chauffeurs ne maîtrisent pas bien l'anglais et il vous faudra donc parler clairement et lentement.

### LES TARIFS

- Pour toute prise en charge, le tarif de départ au compteur est de 2,50 $.
- Ensuite, le tarif est de 40 cents tous les 0,3 km, ou 20 cents par minute dans un trafic très ralenti ou immobilisé.
- Les péages, tunnels et ponts, sont à la charge du client. Le chauffeur vous demandera la somme à l'approche du péage, ou il paiera lui-même et l'ajoutera à la fin du trajet. Les péages coûtent de 2 à 6 $. Pour plus d'informations sur les péages, voir le site www.panynj.gov.
- Entre 20 h et 6 h, une majoration de nuit de 50 cents est appliquée ; pendant les heures de pointe (16 h à 20 h) en semaine, le supplément est de 1 $.
- Le pourboire pour le chauffeur doit représenter entre 15 et 20 % de la note, péages exclus.
- Relevez le numéro d'identification à quatre chiffres du taxi, affiché sur la cloison de séparation derrière la tête du chauffeur, et demandez un reçu. Cela vous servira si vous égarez un objet dans le véhicule ou si vous avez un motif de plainte.
- Pas de supplément par passager, mais les taxis ne sont pas autorisés à en charger plus de quatre. Il n'y a pas non plus de supplément pour les bagages.

### VOS DROITS

Les chauffeurs sont tenus, par la loi :

- D'être polis.
- D'accepter les passagers n'importe où dans les cinq districts, et jusqu'aux comtés de Westchester et de Nassau, ainsi qu'à l'aéroport de Newark.
- D'être équipés de la climatisation.
- D'éteindre la radio si le client le demande.
- De ne pas fumer pendant qu'un client est dans le véhicule.

### PERSONNES À MOBILITÉ RÉDUITE

Les taxis n'ont pas le droit de refuser les clients en chaise roulante pliable ou accompagnés d'un chien guide.

*Les taxis sont très nombreux dans la ville*

**À SAVOIR**

- Pensez à attacher votre ceinture. Les taxis ont l'obligation légale d'en posséder dans leur véhicule, et les passagers avant sont légalement tenus de l'attacher.

### SERVICES VOITURIERS

La plupart de ces services exigent une durée de location minimale de deux heures, le premier prix horaire s'établissant à 35 $. Vous avez le choix entre Allstate Car and Limousine Service (tél. : 212/741-7440), Carmel (tél. : 212/666-6666) ou Tel Aviv (tél. : 212/777-7777), parmi de nombreuses autres compagnies figurant dans l'annuaire.

Les concierges d'hôtel ou d'immeuble peuvent également mettre en contact avec des services voituriers. Il est possible de se mettre d'accord sur un forfait pour un déplacement spécifique.

## Conduire

Conduire à New York est coûteux : une place de parking revient au minimum à 25 $ par jour, et trouver une place dans la rue relève de l'utopie. En outre, si votre véhicule est emporté vers la fourrière, il vous faudra payer une amende douloureuse, en liquide, pour le récupérer, dans un quartier que vous n'auriez certainement pas eu l'idée de visiter.
La circulation est éprouvante pendant les heures de pointe, de 7 h 30 à 9 h 30 et de 16 h 30 à 18 h 30, sans parler des conducteurs, agressifs et imprévisibles.

### RÈGLES ET USAGES

- La plupart des rues new-yorkaises sont à sens unique, et on roule toujours à droite.
- Au feu, on ne peut pas tourner à droite.
- Le port de la ceinture est obligatoire pour le conducteur, pour le passager avant et pour les enfants entre 4 et 10 ans à l'arrière. Les enfants de moins de 4 ans doivent être assis dans un siège adapté.
- Sur les autoroutes inter-États, on peut doubler par l'intérieur et par l'extérieur.

| LIMITATIONS DE VITESSE | |
|---|---|
| Grandes rues | 30 mph (48 km/h) |
| Zones résidentielles | 25 mph (40 km/h) |
| Voies express | 65 mph (104 km/h) |
| Routes nationales en dehors de la ville | 55 mph (88 km/h) |
| *mph = miles/heure* | |

### SE GARER

- Observez bien les panneaux : le stationnement est alterné sur chaque côté de la rue, selon les jours.
- Dans la rue, on paie sa place à l'horodateur, parfois par tranches d'heure. Dans Midtown, les « Mini Meters » délivrent des reçus indiquant le temps de stationnement payé, qu'il faut placer bien en vue à l'intérieur de la voiture, près du pare-brise.
- Il est interdit de se garer à moins de 4,50 m d'une bouche d'incendie.
- Ne laissez aucun objet dans une voiture garée dans la rue, pas même dans le coffre ; un simple

*Ça bloque sur Madison Avenue !*

### SIGNALISATION ROUTIÈRE

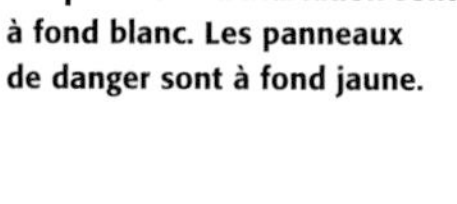

**Les panneaux d'indication sont à fond blanc. Les panneaux de danger sont à fond jaune.**

Succession de virages dont le premier est à gauche

Virage dangereux à droite

Croisement dans un virage

Cédez le passage

Voies affectées à l'approche d'une intersection

Pré-signalisation d'un carrefour en Y

Pré-signalisation d'un carrefour en T

Pré-signalisation d'un cédez le passage

Voie réservée aux véhicules multi-occupants

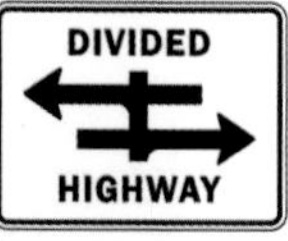


Route à chaussées séparées

Pré-signalisation d'une route à chaussées séparées

Pré-signalisation d'un panneau stop

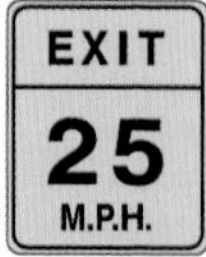


Vitesse limitée dans la voie de décélération

*Les sorties sont clairement indiquées (ci-dessus)*

sac vide peut tenter les voleurs et vous valoir une vitre brisée ou une serrure fracturée.

- Les parkings sont faciles à trouver mais ils sont chers : de 15 $ la première heure à 40 $ la journée, avec des prix spéciaux quand on arrive avant 10 h ou 11 h. Midtown est le quartier le plus cher, les zones les plus économiques étant celles proches des rivières.

**COMPAGNIES DE LOCATION DE VOITURE**

| NOM | TÉLÉPHONE | SITE INTERNET |
|---|---|---|
| Alamo | 800/462-5266 | www.alamo.fr |
| Avis | 800/331-1212 | www.avis.fr |
| Budget | 800/527-0700 | www.budget.fr |
| Dollar | 800/800-3665 | www.dollar.com |
| Hertz | 800/654-3131 | www.hertz.fr |
| National | 212/875-8204 | www.nationalcar.fr |

**LOCATION DE VOITURES**

Les compagnies de location de voiture sont installées dans les trois aéroports principaux ainsi qu'à divers points stratégiques de la ville. Les tarifs sont très variables, mais en moyenne, une journée en semaine coûte entre 75 et 100 $, une semaine entre 277 et 300 $, et le week-end, 65 $ la journée et 175 $ les deux jours. Si vous souhaitez un type de voiture spécifique, assurez-vous que la compagnie le possède, car le plus souvent, on réserve en fonction du tarif et non du modèle. Pour calculer les tarifs, pensez à la taxe de 13,63 % appliquée aux prix indiqués, et n'oubliez pas que ceux-ci sont calculés sur la base de 24 heures.

La plupart des compagnies proposent des assurances, comme la « Collision Damage Waiver » (CDW, assurance collision), la « Loss Damage Waiver » (LDW, assurance pertes et dommages), la Physical Damage Waiver (PDW, assurance dommages physiques) ou l'Additional Liability Insurance (ALI, assurance responsabilité civile). Voyez également combien coûte l'option « dropping off » (remise du véhicule à un endroit différent de celui de sa prise en charge) ; le prix est en général minime, mais il augmente fortement quand le véhicule est remis dans un État différent. La plupart des compagnies possèdent des sièges pour enfant, mais il faut les demander lors de la réservation.

**À SAVOIR**

Pour pouvoir louer une voiture, il faut :

- Avoir au moins 25 ans pour la plupart des compagnies (voire plus pour certaines).
- Posséder un permis de conduire en règle avec photo d'identité.
- Présenter une carte de crédit et, pour les non-Américains, un passeport.
- Posséder sa propre assurance ou souscrire à celle de la compagnie de location.
- Remettre la voiture avec le plein d'essence, sans quoi la compagnie s'en charge et le facture avec des frais.

# Autres transports

Pour une autre manière de découvrir la ville...



## LE FERRY

Le ferry est un mode de transport confortable qui permet de découvrir des points de vue spectaculaires.

Le ferry de Staten Island, gratuit, est en service depuis 1905 et offre une vue imprenable sur la statue de la Liberté et le port de New York. Les départs se font depuis le Whitehall Terminal 1 (Whitehall Street, tél. : 718/727-2508, www.nyc.gov), et les embarcations circulent entre Staten Island et Manhattan de 6 h à 22 h, et entre Manhattan et Staten Island de 6 h 30 à 23 h. L'embarquement d'une voiture coûte 3 $. Le trajet est de 8,5 km et dure 20 minutes.

Vous trouverez ci-dessous quelques ferries assurant une liaison avec la banlieue. Pour les excursions touristiques, ▷ 260.

NY Waterway (tél. : 800/53-FERRY, www.nywaterway.com) gère le service de ferries partant du New Jersey vers Manhattan, et de Manhattan vers le Yankee Stadium et le Shea Stadium à partir de plusieurs embarcadères (*pier*) : Pier 78, sur West 38th Street, Pier 11 à Wall Street, et World Financial Center. Les embarcations circulent de 6 h à 21 h 30 selon les endroits. Des excursions touristiques dans le port sont également possibles.

New York Water Taxi (tél. : 212/742-1969, www.nywatertaxi.com) assure la liaison entre plusieurs embarcadères autour de Manhattan, dont les Chelsea Piers, sur West 23rd Street, et le Circle Line, sur West 42nd Street. Possibilité de visites organisées.

Circle Line organise des excursions (▷ 260).

Le département des Transports de New York (NYC Department of Transportation, tél. : 311) donne des renseignements sur tous les ferries de la ville.

## LE CYCLOPOUSSE

Le week-end et le soir, à Greenwich Village, SoHo, Times Square, Midtown et East Village, le cyclopousse n'a pas son pareil pour une visite de la ville. Certains chauffeurs sont aussi des guides officiels de New York. La société Manhattan Rickshaw (tél. : 212/604-4729) propose ses services pour 50 $ de l'heure. Les cyclopousses peuvent être hélés dans la rue, il n'y a pas de borne spécifique.

## LA CALÈCHE

Quoi de plus romantique qu'une balade en calèche dans Central Park ? Elles sont à l'angle de Fifth Avenue et de South Central Park. Tarif : 40 $ les 20 minutes. Pour tout renseignement : Central Park Carriages, 547 West 37th Street, tél. : 212/736-0680, www.centralparkcarriages.com.

*Un cyclopousse*

*Les ferries New York Water Taxi*

# QUITTER NEW YORK



Si vous voulez vous échapper de la métropole le temps d'une journée, visitez les autres districts de New York. Pour aller vers le nord, dans la superbe vallée de l'Hudson, ses charmants villages et ses monuments historiques, ou vers le sud, à Philadelphie ou Washington, il vous faudra davantage de temps. Sachez que, dans tous les cas, les réseaux de train et de bus sont parfaitement au point.

*Bus Greyhound*

## EN TRAIN

New York possède deux gares : Grand Central Terminal côté est et Pennsylvania Station côté ouest.

- Le réseau « Metro-North » transite par Grand Central Terminal et dessert les banlieues de New York et du Connecticut. Renseignements : 212/532-4900 ou 800/METRO-INFO ; www.mta.info/mnr *FR*.
- Le « Long Island Railroad » (LIRR) assure les liaisons avec Long Island. Renseignements : 718/217-5477 ; www.mta.nyc.ny.us/lirr *FR*.
- Le Port Authority Trans-Hudson (PATH) relie Manhattan aux villes du New Jersey. Renseignements : 201/216-6000 ou 800/234-7284 ; www.panynj.gov/path.
- Les trains express Acela du réseau Amtrak desservent Penn Station, Boston, Philadelphie et Washington. Les trains quotidiens d'Amtrak relient d'autres villes des États-Unis. Renseignements : 800/872-7245 ou 212/630-6400 ; www.amtrak.com.

## EN BUS

Les bus de banlieue, longue distance, et les navettes desservant les aéroports, partent du Port Authority Bus Terminal (angle de 42nd Street et de Eighth Avenue, tél. : 212/564-8484), principale gare routière de New York.

Les bus Greyhound assurent des liaisons entre plusieurs villes des États-Unis. Renseignements : 800/231-2222 ; www.greyhound.com *FR*.

### TRAIN ET BUS : COMPARATIF

Les tarifs indiqués sont ceux d'allers simples. Il est conseillé de réserver vos trajets au moins 24 heures à l'avance. Pour connaître les correspondances ; contactez Amtrak.

**ALBANY-VALLÉE DE L'HUDSON**
**Train** 2 heures 30 min. 50 $
**Bus** 2 heures 49 min. 33,50 $

**HARTFORD**
**Train** 2 heures 45 min. 45 $
**Bus** 2 heures 45 min. 24 $

**BOSTON**
**Train** express Acela 3 heures 30 min. 99 $
**Bus** 5 heures. 49 $

**PHILADELPHIA**
**Train** 1 heure 30 min. 50 $
**Bus** 2-3 heures. 18 $

**WASHINGTON, D. C.**
**Train** 3 heures 15 min. 76 $
**Bus** 4 heures 20 min. 35 $

**CHICAGO**
**Train** 19 heures, réservation indispensable. 85 $
**Bus** 17 heures 15 min, réservation indispensable. 85 $

**ATLANTA**
**Train** 18 heures, réservation indispensable. 162 $
**Bus** 18–22 heures. 95 $

Les distances entre les villes indiquées ci-dessous correspondent aux trajets recommandés et non aux routes les plus courtes.

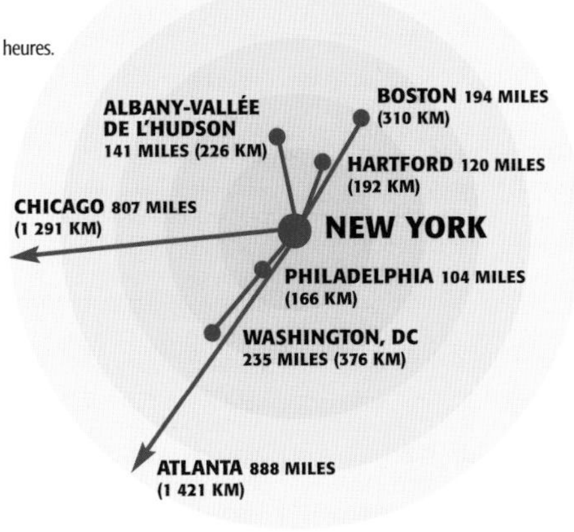

# VOYAGEURS HANDICAPÉS

Grâce à l'Americans with Disabilities Act (Loi pour les personnes handicapées), New York est assez accessible : la plupart des trottoirs et des bus sont aménagés, et les taxis sont tenus d'accepter les personnes en fauteuil roulant ainsi que celles accompagnées d'un chien guide.



## SE DÉPLACER

Les trois aéroports de New York sont aménagés pour les fauteuils roulants et possèdent des salles de repos adaptées ainsi que des téléphones pour malentendants, dans tous les terminaux.

La majorité des stations de métro sont équipées d'ascenseurs et de rampes, et les machines automatiques possèdent des fonctions tactiles et auditives. Si vous êtes en fauteuil roulant, prévenez le chef de station, qui vous ouvrira la porte adjacente au tourniquet. En outre une MetroCard spéciale est prévue (▷ 43).

Les bus de la ville sont équipés d'une plate-forme élévatrice pour fauteuil roulant, à l'arrière du véhicule, qui est actionnée par le conducteur. Les bus comportent par ailleurs un mécanisme permettant d'abaisser l'avant du véhicule, de manière à ce que les usagers invalides puissent monter et descendre plus facilement.

Les compagnies de location de voitures Avis et Hertz proposent quelques véhicules adaptés aux conducteurs handicapés (▷ 53).

De nombreux théâtres proposent des tarifs réduits pour les personnes à mobilité réduite, et la plupart des événements culturels sont traduits en langue des signes. Les musées sont généralement aménagés, à l'exception de certains bâtiments anciens.

## CONTACTS UTILES

Pour tout renseignement sur l'accessibilité des sites, contactez les endroits concernés ou les organismes suivants :

**Le service municipal pour les personnes à mobilité réduite** (Mayor's Office for People with Disabilities) adresse gratuitement le livre *Access New York* sur demande téléphonique (212/788-2830). Cet ouvrage contient de bonnes informations.

**La Metropolitan Transit Authority** (tél. : 718/596-8585, télétype : 718/596-8273 ; 718/330-3322 pour des plans de métro en braille ; 646/252-5252 pour les services d'assistance) renseigne sur les transports de New York.

**Le service de navettes Gray Line Air Shuttle** (tél. : 212/315-3006) assure la liaison entre les trois aéroports et les zones hôtelières sous réservation 24 heures à l'avance.

**Travel Information Center for Hearing Impaired Visitors** (tél./télétype : 718/596-8273) : centre d'information pour les touristes malentendants.

**La Society for Accessible Travel and Hospitality** (SATH ; télétype : 212/447-7284 ; www.sath.org) promeut l'accessibilité en voyage.

**Big Apple Greeter** (tél. : 212/669-8159, 212/669-3602, télétype : 212/669-8273 ; www.bigapplegreeter.org *FR*) propose des visites gratuites des quartiers de New York avec des New-Yorkais de souche. Vous pouvez demander un guide handicapé. Réservation au moins une semaine à l'avance.

**Scoot Around** (tél. : 888/441-7575 ; www.scootaround.com) loue des fauteuils roulants et des scooters aménagés.

**Hospital Audiences** (tél. : 212/575-7676, 888/424-4685, télétype : 212/575-7673 ; www.hospitalaudiences.org) encourage l'accessibilité de la vie culturelle new-yorkaise.

**Hands On Sign Interpreted Performances** (tél. : 212/740-3087 ; www.handson.org). Pour contacter des traducteurs en langue des signes (expositions, spectacles et films).

**La New York City Sports Commission** (tél. : 877/NYC-SPORTS ; www.nyc.gov/sports) indique les événements sportifs accessibles aux handicapés.

**AT & T Relay Operator** (Usager vocal : 800/421-1220, usager télétype : 800/662-1220 ; www.consumer.att.com/relay). Les opérateurs font office d'interprètes entre les utilisateurs télétype et les utilisateurs vocaux en lisant les messages tapés par les premiers aux seconds.

Ce chapitre comporte trois parties :
Les quartiers incontournables (cinq zones entourées d'un cercle bleu en deuxième de couverture).
Tous les sites de A à Z (un répertoire des sites new-yorkais à visiter et représentés sur les cartes des p. 58-61)
Un peu plus loin (une liste descriptive des attractions situées en dehors de New York (se référer la carte proposée p. 6-7).

# Les sites



Dans la liste ci-dessous, les sites les plus importants figurent en gras.

# LES SITES : SE REPÉRER

East Harlem, El Museo del Barrio, Museum of the City of New York, Studio Museum in Harlem, Schomburg Center for Research in Black Culture
E
F
G
13
14
15
16
17
Mill Rock Park
Jewish Museum
Cooper-Hewitt National Design Museum
National Academy of Design
Guggenheim Museum
Neue Galerie
The Metropolitan Museum of Art
Whitney Museum of American Art
Frick Collection
Asia Society and Museum
FIFTH AVENUE
Mount Vernon Hotel Museum and Garden
Gracie Mansion
Carl Schurz Park
John Jay Park
ROOSEVELT ISLAND
QUEENSBORO BRIDGE
HIGHWAY 25
FRANKLIN DELANO ROOSEVELT DRIVE
Trump Tower
Dahesh Museum of Art
Museum of Modern Art
Museum of Arts and Design
Museum of Television and Radio
Seagram Building
St Patrick's Cathedral
Municipal Art Society
Radio City Music Hall
G E Building
Rockefeller Center
DIAMOND DISTRICT
MIDTOWN MANHATTAN
United Nations Headquarters
5th Avenue
Madison Avenue
PARK AVENUE
Lexington Avenue
3rd Avenue
2nd Avenue
1st Avenue
York Avenue
Sutton Place
Avenue of the Americas (6th Avenue)
Rockefeller Plaza
Mitchell Pl
Transverse Road
East Drive
Park
86th Street
77th Street
68th Street Hunter College
Lexington Avenue
59th Street
51st Street
57th Street
7th - 50th Streets Rockefeller Center
East 95th Street
East 94th Street
East 93rd Street
East 92nd Street
East 91st Street
East 90th Street
East 89th Street
East 88th Street
East 87th Street
East 86th Street
East 85th Street
East 84th Street
East 83rd Street
East 82nd Street
East 81st Street
East 80th Street
East 79th Street
East 78th Street
East 77th Street
East 76th Street
East 75th Street
East 74th Street
East 73rd Street
East 72nd Street
East 71st Street
East 70th Street
East 69th Street
East 68th Street
East 67th Street
East 66th Street
East 65th Street
East 64th Street
East 63rd Street
East 62nd Street
East 61st Street
East 60th Street
East 59th Street
East 58th Street
West 58th Street
WEST 57TH STREET
EAST 57TH STREET
West 56th Street
East 56th Street
West 55th Street
East 55th Street
East 54th Street
West 53rd Street
East 53rd Street
West 52nd Street
East 52nd Street
West 51st Street
East 51st Street
West 50th Street
East 50th Street
West 49th Street
East 49th Street
West 48th Street
East 48th Street
West 47th Street
East 47th Street
West 46th Street
East 46th Street
West 45th Street
East 45th Street
Main Street
West Road
East Road
River Road
Roosevelt Island

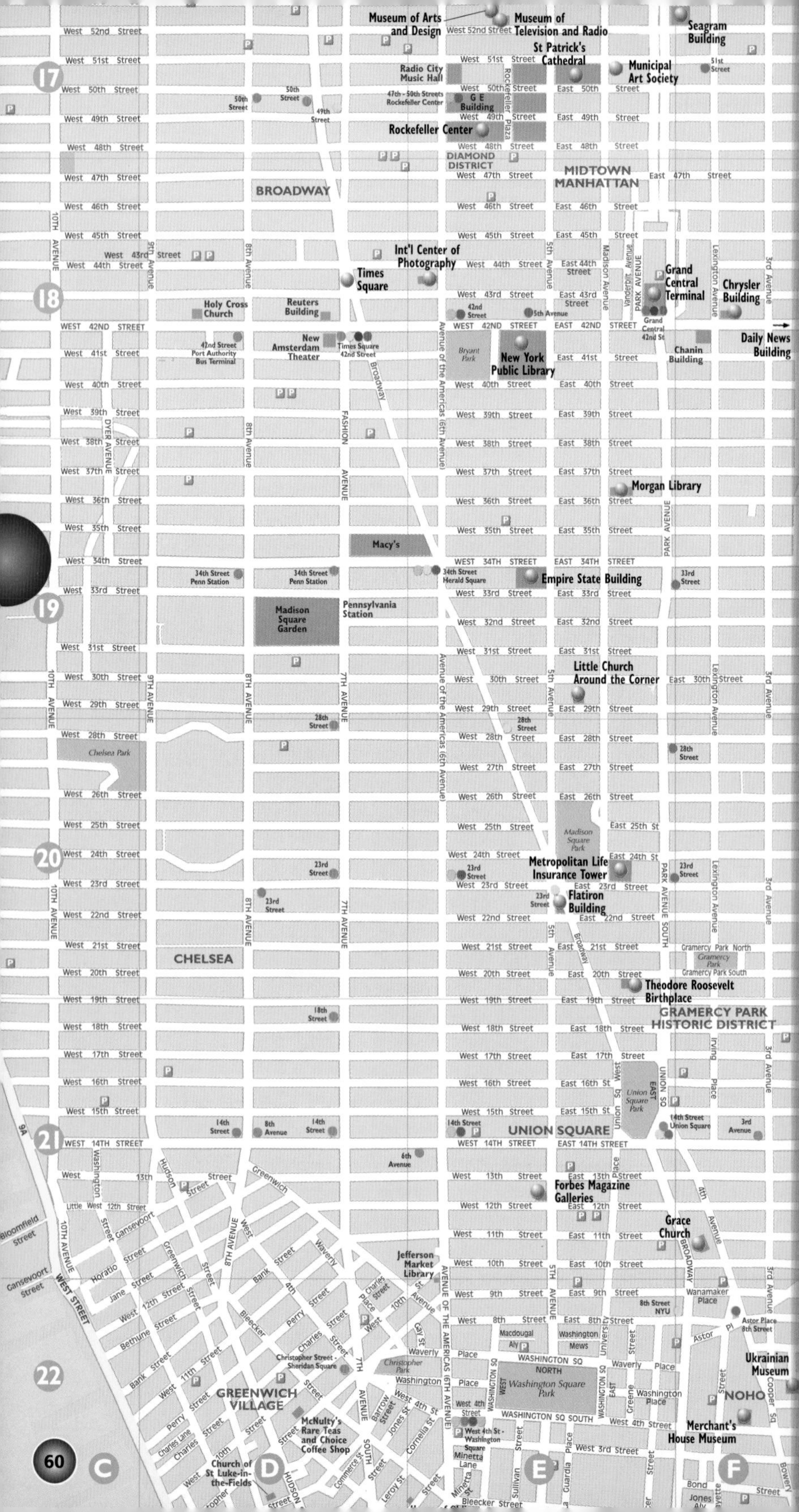
Museum of Arts and Design
Museum of Television and Radio
Seagram Building
St Patrick's Cathedral
Municipal Art Society
Radio City Music Hall
G E Building
Rockefeller Center
DIAMOND DISTRICT
MIDTOWN MANHATTAN
BROADWAY
Int'l Center of Photography
Times Square
Grand Central Terminal
Chrysler Building
Holy Cross Church
Reuters Building
New Amsterdam Theater
Bryant Park
New York Public Library
Daily News Building
Chanin Building
42nd Street Port Authority Bus Terminal
Morgan Library
Macy's
Empire State Building
34th Street Penn Station
34th Street Herald Square
Madison Square Garden
Pennsylvania Station
Little Church Around the Corner
Chelsea Park
Madison Square Park
Metropolitan Life Insurance Tower
Flatiron Building
CHELSEA
Gramercy Park
Theodore Roosevelt Birthplace
GRAMERCY PARK HISTORIC DISTRICT
Union Square Park
UNION SQUARE
Forbes Magazine Galleries
Grace Church
Jefferson Market Library
Christopher Park
Washington Square Park
Ukrainian Museum
NOHO
Merchant's House Museum
GREENWICH VILLAGE
McNulty's Rare Teas and Choice Coffee Shop
Church of St Luke-in-the-Fields
17
18
19
20
21
22
C
D
E
F

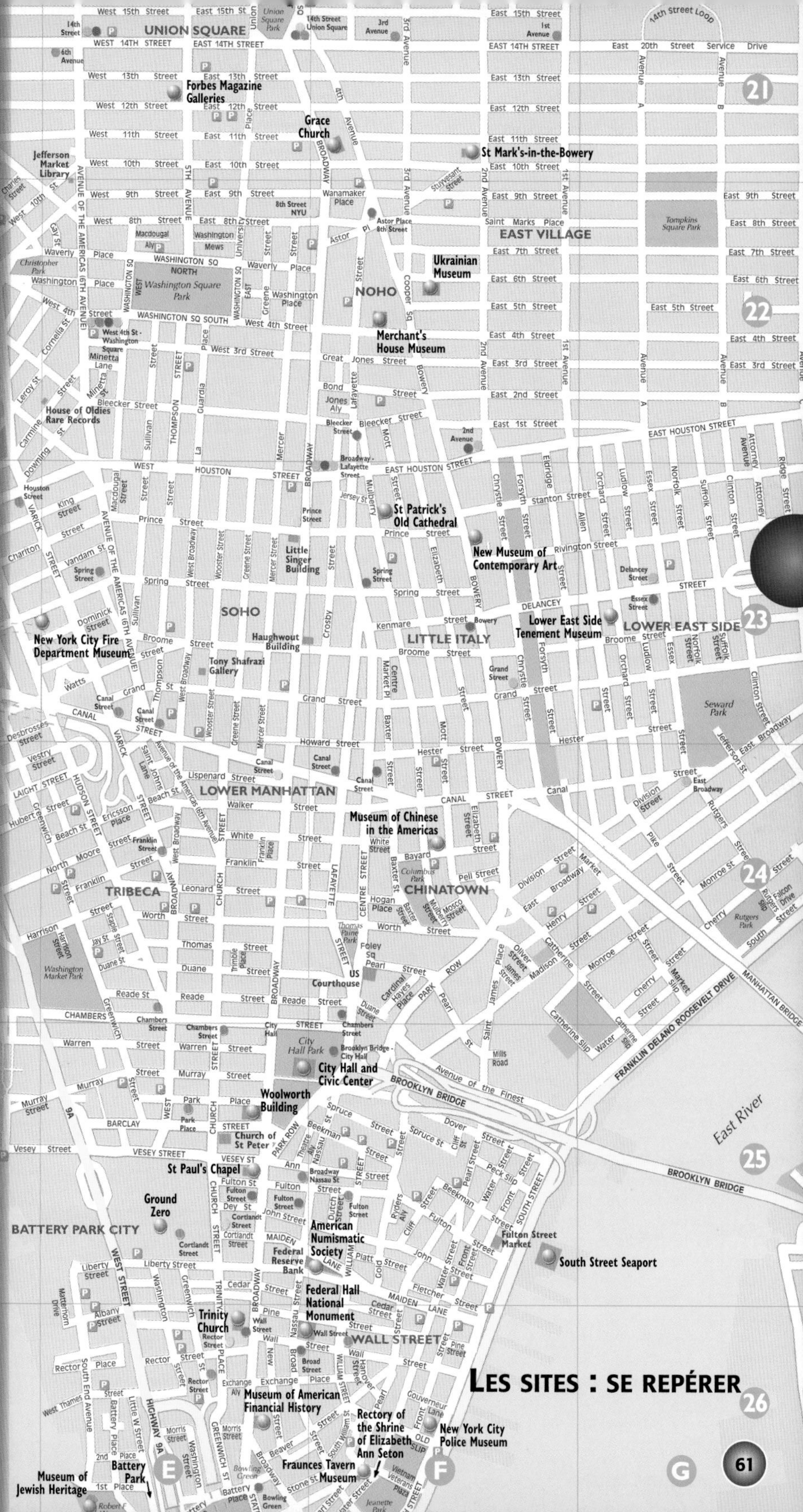

LES SITES : SE REPÉRER
UNION SQUARE
EAST VILLAGE
NOHO
SOHO
LITTLE ITALY
LOWER EAST SIDE
LOWER MANHATTAN
TRIBECA
CHINATOWN
BATTERY PARK CITY
WALL STREET
Forbes Magazine Galleries
Grace Church
St Mark's-in-the-Bowery
Jefferson Market Library
Washington Square Park
Tompkins Square Park
Ukrainian Museum
Merchant's House Museum
House of Oldies Rare Records
St Patrick's Old Cathedral
New Museum of Contemporary Art
Little Singer Building
New York City Fire Department Museum
Haughwout Building
Tony Shafrazi Gallery
Lower East Side Tenement Museum
Seward Park
Museum of Chinese in the Americas
Columbus Park
Rutgers Park
Washington Market Park
Thomas Paine Park
US Courthouse
City Hall Park
City Hall and Civic Center
Woolworth Building
Church of St Peter
St Paul's Chapel
Ground Zero
American Numismatic Society
Federal Reserve Bank
Federal Hall National Monument
Trinity Church
Museum of American Financial History
Rectory of the Shrine of Elizabeth Ann Seton
New York City Police Museum
Fraunces Tavern Museum
Fulton Street Market
South Street Seaport
Museum of Jewish Heritage
Battery Park
Bowling Green
East River
BROOKLYN BRIDGE
MANHATTAN BRIDGE
FRANKLIN DELANO ROOSEVELT DRIVE
14th Street Loop
21
22
23
24
25
26
E
F
G

# Museum Mile

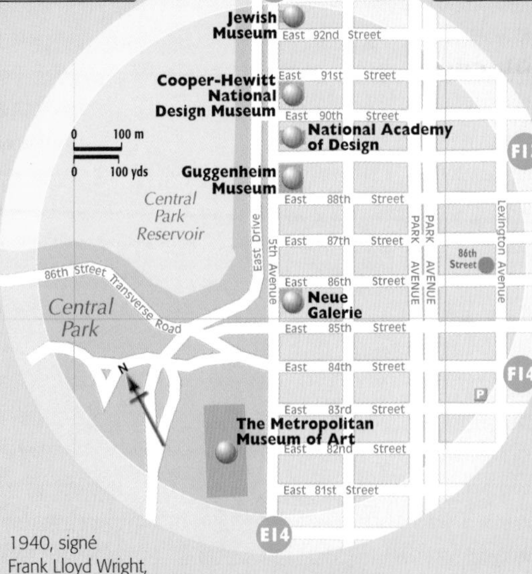


**COMMENT S'Y RENDRE ?**

M1, M2, M3, M4

4, 5, 6

**Nombre d'excellents musées new-yorkais se trouvent sur Fifth Avenue, au nord de 79th Street.**

Ce quartier huppé, baptisé Museum Mile ou Carnegie Hill Historic District, s'appelait autrefois Millionaires' Row. Délimité par 86th Street, 98th Street, Fifth Avenue et Lexington Avenue, Carnegie Hill regroupe d'imposants hôtels particuliers, œuvres d'illustres architectes new-yorkais.

Les somptueuses demeures qui appartenaient à de riches industriels, établis là dans les années 1890, sont transformées en musées.

## LES INCONTOURNABLES

Outre le Metropolitan Museum of Art, le Guggenheim Museum

*Le Guggenheim Museum, chef-d'œuvre de Frank Lloyd Wright*

et le Jewish Museum, divers musées situés au nord de 79th Street méritent aussi une visite.

### Metropolitan Museum of Art

Le hall principal (Great Hall) de cet immense édifice – le troisième plus grand musée au monde – est un des lieux publics les plus remarquables de la ville ; on peut l'admirer sans bourse délier. Il faudrait des semaines pour faire le tour des collections (▷ 114-119).

### Guggenheim Museum

Pour apprécier pleinement cet inimitable édifice des années 1940, signé Frank Lloyd Wright, entrez, prenez à droite et levez les yeux. Disposées dans une galerie en forme de spirale, la collection permanente et les expositions temporaires méritaient bien ce superbe cadre (▷ 110-111).

### Jewish Museum

Ancienne demeure du financier Felix Warburg, construite par Charles P. H. Gilbert en 1908, ce château rappelle ceux de la Vallée de la Loire. Reconverti en musée de l'art et de la culture juifs, il met en lumière la vie des juifs américains et européens aux XIXe et XXe siècles (▷ 109).

## À VOIR ÉGALEMENT

### Cooper-Hewitt National Design Museum

Erigée en 1902, d'après les plans du cabinet d'architectes Babb, Cook & Willard, cette splendide demeure georgienne fut habitée par Andrew et Louise Carnegie jusqu'à la mort de l'industriel, en 1919. Elle appartient désormais à la Smithsonian Institution et renferme une remarquable collection dédiée au design (▷ 77).

### National Academy of Design

Ce musée est également une école des beaux-arts depuis 1826. Son imposante collection regroupe des œuvres d'art américaines des XIXe et XXe siècles, réalisées par d'anciens élèves (▷ 124).

### Neue Galerie

Construite en 1914 par Carrère & Hastings, dans le style des hôtels particuliers de la place des Vosges, à Paris, cette galerie fut la demeure d'une dame

*Renseignez-vous sur la visite du Metropolitan Museum of Art dans le hall principal (Great Hall)*

du grand monde : Mme Cornelius Vanderbilt III. Elle abrite les œuvres d'artistes et de designers allemands et autrichiens du XXe siècle (▷ 124).

**OÙ MANGER ?**

Sarabeth's

Petits-déjeuners délicieux et déjeuners copieux (▷ 286).

**À SAVOIR**

- **Le Whitney Museum of American Art (▷ 148-151) et la Frick Collection (▷ 100) jouxtent aussi Fifth Avenue, un peu plus au sud.**

# Autour de la St. Patrick's Cathedral

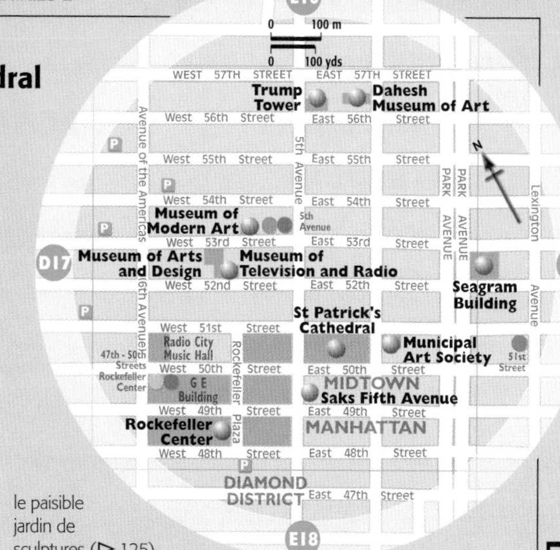


**COMMENT S'Y RENDRE ?**

M1, M2, M3, M4, M5, M6, M7

B, D, E, F, V

**En traçant les plans de la cathédrale Saint-Patrick (1878), James Renwick Jr. aurait-il eu une vision prémonitoire des futurs gratte-ciel ?**

À la différence des rues de Lower Manhattan, qui portent généralement un nom, celles de Midtown sont numérotées, ce qui facilite la visite. Vous passerez aisément une journée entière dans ce quartier aux multiples attractions.

### LES INCONTOURNABLES

La cathédrale Saint-Patrick se dresse au centre de ce secteur, flanquée du Rockefeller Center, des Museum of Modern Art, Museum of Arts and Design et de l'incroyable Seagram Building.

*Les deux flèches de la cathédrale catholique Saint-Patrick*

**St. Patrick's Cathedral**

Hautes de 100 m et coiffées de flèches blanches très ouvragées, les deux tours identiques demeurent impressionnantes et photogéniques, malgré la concurrence des gratte-ciel environnants. Les vitraux et la maçonnerie superbes ajoutent à la majesté de cet espace (▷ 131).

**Museum of Modern Art**

Ne ratez pas les magnifiques toiles impressionnistes et post-impressionnistes de la principale collection d'art contemporain de la ville, et allez vous relaxer dans le paisible jardin de sculptures (▷ 125).

**Seagram Building**

Sur l'esplanade de ce colosse de bronze et de verre (1958), les New-Yorkais viennent lézarder pendant leur pause déjeuner (▷ 141).

**Trump Tower**

Avec sa débauche de boutiques, de cascades, de marbre et de cuivre, cet édifice incarne le *nec plus ultra* des centres commerciaux (▷ 144).

**Museum of Television and Radio**

Dans les salles de conférence et de projection et sur les consoles individuelles, découvrez 75 ans d'émissions et de publicités (▷ 124).

**Rockefeller Center**

Cette ville dans la ville, dédiée aux loisirs, au shopping et à la restauration, abrite une patinoire (en hiver) et accueille le *Today Show* de la NBC. Admirez ses magnifiques sculptures, fresques et frises (▷ 128-130).

### À VOIR ÉGALEMENT

**Dahesh Museum of Art**

Un musée dédié à l'art académique européen des XIX^e^ et XX^e^ siècles (▷ 77).

**Museum of Arts and Design**

Une immense collection consacrée au design du XX^e^ siècle (▷ 123).

**Saks Fifth Avenue**

Un magasin vedette (▷ 176).

**OÙ MANGER ?**

**'21' Club**

Des personnalités telles que Humphrey Bogart et F. Scott Fitzgerald ont fréquenté cet ancien bar clandestin (▷ 289).

*Trump Tower ou le triomphe du clinquant*

**Oceana**

Cuisine franco-asiatique et grand choix de vins servis au verre (▷ 283).

**À SAVOIR**

- Un arrêt chez Saks Fifth Avenue, Thomas Pink ou Cartier agrémentera la visite.
- Essayez d'assister à une représentation au Radio City Music Hall ou dans les studios TV.

# Flatiron District, Union Square et Gramercy Park

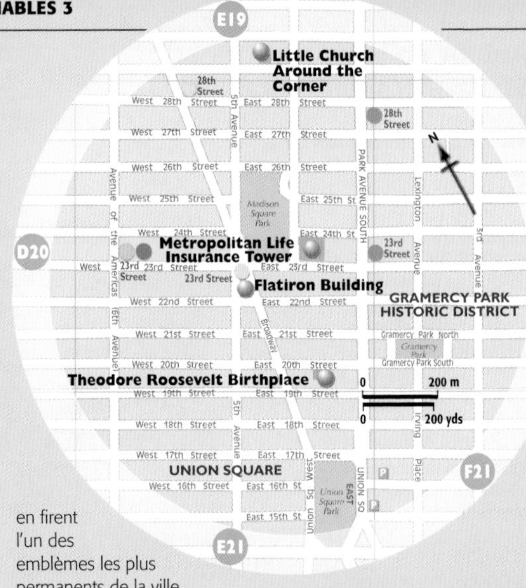


**COMMENT S'Y RENDRE ?**

M1, M2, M3, M5, M6, M7

4, 5, 6 ou N, Q, R, W

**Ces trois quartiers se chevauchent partiellement et s'étirent au sud de Midtown Manhattan, et à l'est de Sixth Avenue (Avenue of the Americas), entre 15th Street et 28th Street.**

Chacun a conservé une partie de son charme d'antan. Dans le Flatiron District, Madison Square Park est toujours entouré des gratte-ciel typiques du début du XXe siècle, tandis que Gramercy Park Historic District a conservé ses places arborées et ses vieux bâtiments de grès brun. Quant à Union Square, il abrite certains des premiers théâtres. On trouve aussi des restaurants très courus, ainsi que des boutiques chic.

LES SITES

*Le Flatiron fut construit pour la Fuller Construction Company*

### LES INCONTOURNABLES

Le Flatiron District, Gramercy Park, la maison natale de Theodore Roosevelt et Union Square sont regroupés autour du Flatiron Building.

### Flatiron Building et Flatiron District

Le gratte-ciel triangulaire à charpente métallique de Daniel Burnham a surgi, en 1902, dans la partie la plus en vue de Madison Square. On le surnomma aussitôt « the Flatiron » (fer à repasser) en référence à sa forme, tandis que peintres et photographes en firent l'un des emblèmes les plus permanents de la ville (▷ 87).

### Gramercy Park Historic District

L'accès à ce parc est réservé aux riverains et aux clients des hôtels alentour, mais vous pourrez l'admirer de l'extérieur. De belles rangées de maisons des années 1840 en bordent les flancs ouest et sud (▷ 101).

### Maison natale de Theodore Roosevelt

Il ne s'agit pas exactement de la maison natale du 26e président des États-Unis, mais d'une réplique construite en 1923 pour la Women's Roosevelt Memorial Association (▷ 141).

### Union Square

Tous les samedis à 14 h, on peut se joindre à une visite guidée, gratuite, de ce quartier rempli de théâtres, restaurants et lieux de divertissement. Elle part de la statue de Lincoln, dans Union Square Park. Les lundis, mercredis, vendredis et samedis se tient l'un des plus beaux marchés de produits agricoles de la ville. (▷ 145).

### À VOIR ÉGALEMENT

### Little Church Around the Corner (« La petite église du coin »)

En 1870, refusant de présider la cérémonie funèbre d'un acteur dans son église, un pasteur suggéra aux proches du défunt de s'adresser à la « little church around the corner » (▷ 109).

### Metropolitan Life Insurance Tower

Conçu en 1907 par Pierre Le Brun, il fut le plus haut gratte-ciel du monde (214 m) avant d'être éclipsé par le Woolworth Building. On le reconnaît aisément à ses quatre pans ornés d'une horloge (▷ 120).

*Le National Arts Club, dans le Gramercy Park Historic District*

**OÙ MANGER ?**

**Eleven Madison Park**
Cuisine internationale (▷ 276).

**Veritas**
Un vaste choix de vins et une carte alléchante (▷ 290).

**À SAVOIR**

- L'Empire State Building (▷ 94-96) se dresse à l'angle de East 33rd Street et de Fifth Avenue, quelques rues plus au nord.

# SoHo et Little Italy

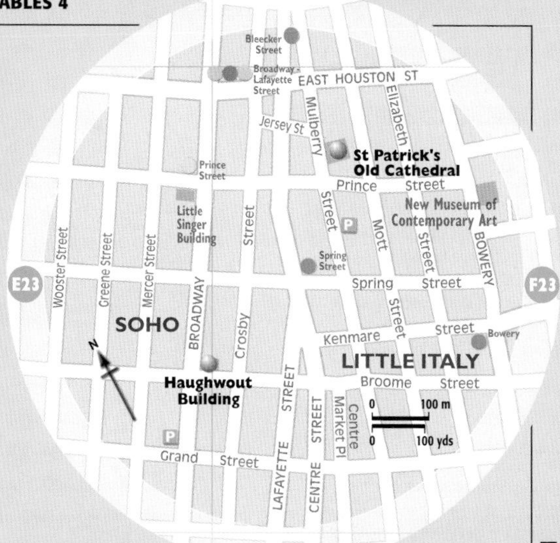


## COMMENT S'Y RENDRE ?

M1, M5, M6
4, 5, 6 ou N, Q, R, W

**Outre de nombreux monuments, ces quartiers limitrophes abritent de magnifiques galeries d'art contemporain, dédiées à des artistes avant-gardistes du monde entier.**

Situé entre Broadway, Sixth Avenue, West Houston Street et Canal Street, SoHo doit son attrait à ses immeubles de style italien et Second Empire à façades en fonte (milieu du XIXe siècle). Les anciens bâtiments industriels ont été reconvertis en appartements et les ateliers d'artistes font toujours fureur mais ne sont plus à la portée des artistes démunis… Le week-end, boutiques et restaurants chics attirent les foules.

Little Italy, à l'est de SoHo, est délimitée par East Houston Street, Canal Street, Broadway et Bowery. Mulberry Street, son artère principale, était habitée presque exclusivement par des Italiens avant d'accueillir une importante communauté chinoise. Ce changement a coïncidé avec le déplacement des commerces et restaurants à la mode vers le quartier de NoLita (contraction de « North of Little Italy »), au nord de Little Italy.

Little Italy conserve néanmoins quelques *salumerias* (épiceries-traiteurs) dignes d'intérêt : Di Palo's, au 206 Grand Street (près de Mott Street), et Italian Food Center, au 186 Grand Street (près de Mulberry Street).

*À SoHo, shopping rime avec insolite*

## LES INCONTOURNABLES

Hormis les nombreuses galeries de SoHo, découvrez la St. Patrick's Old Cathedral, un important édifice du début du XIXe siècle.

**St. Patrick's Old Cathedral**
À l'intérieur, des colonnes en fonte soutiennent la voûte en bois de ce majestueux édifice gothique. Il s'agit de la doyenne des églises catholiques romaines de New York. Sa construction date de 1809, mais elle a été restaurée en 1866, à la suite d'un grave incendie. En 1879, elle fut renommée en raison de l'édification d'une nouvelle cathédrale sur Fifth Avenue, et reléguée au rang d'église paroissiale (▷ 131).

## À VOIR ÉGALEMENT

**New York City Fire Museum**
Situé au 278 Spring Street, dans une caserne de pompiers de style « Beaux Arts », ce musée retrace l'histoire de la lutte contre les incendies du XVIIIe au XXe siècle (▷ 124).

**Haughwout Building**
À l'angle de Broadway et de Broome Street, cet édifice restauré est l'exemple type des immeubles en fonte de SoHo. Il date de 1857 (▷ 242).

## OÙ MANGER ?

**Bread**
Soupes et salades (▷ 273).

*Les Italiens de Little Italy cohabitent désormais avec les Chinois*

**Honmura An**
Cet établissement, vivement recommandé, sert toutes sortes de nouilles (▷ 278).

**Nyonya**
Un restaurant malais très prisé (▷ 283).

## À SAVOIR

- **En septembre, Little Italy festoie et se régale durant 10 jours en l'honneur de San Gennaro (Feast of San Gennaro).**

# Financial District

**COMMENT S'Y RENDRE ?**

M9, M15

2, 3, 4, 5, 6 ou J, M, Z

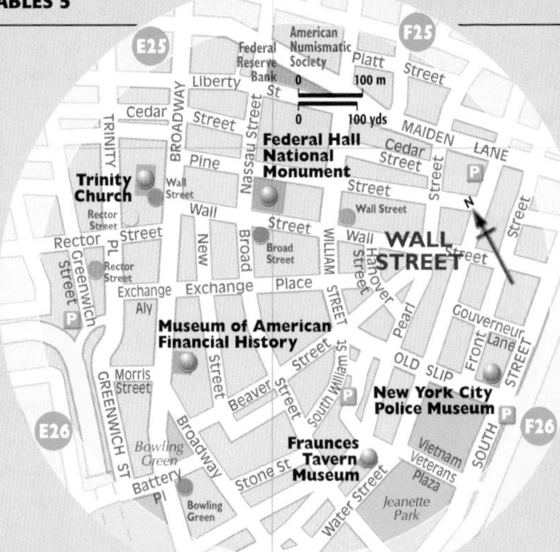


**Quartier le plus ancien de Manhattan, Financial District est devenu un pôle international de la finance et du commerce à partir des années 1800.**

Il regorge de monuments historiques, d'édifices néoclassiques et d'imposants gratte-ciel en métal et en verre. Une visite s'impose, notamment en semaine, pour apprécier son animation.

LES SITES

## LES INCONTOURNABLES

Wall Street est synonyme de haute finance depuis l'époque du gouverneur hollandais, Peter Stuyvesant. Le Federal Hall National Monument et le Museum of American Financial History se trouvent dans ce secteur, et la Trinity Church constitue un havre de paix.

*George Washington veille sur la bourse de New York*

### Wall Street

Même par grand soleil, cette rue reste noyée dans l'ombre lugubre des gratte-ciel. Mais l'étroite voie express, le « canyon », est devenue la rue la plus célèbre de la ville grâce à la frénésie financière qui l'anime en permanence. Décorée de nombreux drapeaux américains, Wall Street abrite la Bourse (▷ 146-147).

### Federal Hall National Monument

En flânant le long de Wall Street, vous ne pourrez pas manquer l'imposante statue de bronze de George Washington, sur les marches du Federal Hall National Monument, face à la Bourse. C'est là que le premier président des États-Unis prêta serment. À l'intérieur, la superbe rotonde est un des plus beaux exemples d'architecture Greek Revival (néoclassicisme américain) de New York. L'accès est libre et on peut voir la Bible sur laquelle Washington prêta serment (▷ 97).

### Trinity Church

Cette église se dresse à l'extrémité ouest de Wall Street depuis 1846. Ses portes sculptées, son autel en marbre blanc et sa voûte en bois méritent le détour. Du haut de ses 85 m, la Trinity Church a dominé les autres édifices de Manhattan de 1846 à 1890 (▷ 142-143).

### Museum of American Financial History

Ce musée de l'histoire de la finance se trouve sur Broadway, face à la statue de bronze *Charging Bull*. Il renferme des monnaies, des documents et d'autres objets intéressants. L'écran interactif où s'affichent les informations financières enchantera les enfants (▷ 120).

## À VOIR ÉGALEMENT

### Fraunces Tavern Museum

C'est ici que George Washington dit adieu à ses officiers, à la fin de la guerre d'Indépendance (1783). Les incendies du XIXᵉ siècle ont en partie ravagé l'édifice d'origine.

En 1904, ses vestiges furent rachetés par les Sons of the Revolution (les Fils de la Révolution), puis rénovés dans le style Colonial Revival. Le bâtiment abrite un musée et un restaurant (▷ 99).

*Les somptueux vitraux de la Trinity Church*

### New York City Police Museum

Ce musée rend hommage aux prouesses de la police new-yorkaise. Il présente des cas d'arrestation de criminels célèbres et offre une introduction à la médecine légale (▷ 126).

**OÙ MANGER ?**

**Mark Joseph Steakhouse**

Un grill fréquenté par les éminences grises (▷ 281).

**À SAVOIR**

- Century 21 vend des vêtements de marque à prix dégriffés. (▷ 176).

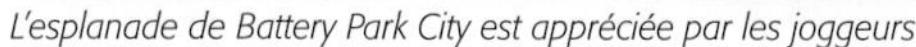

*L'esplanade de Battery Park City est appréciée par les joggeurs*

*Sculptures sur la façade de la Cathedral of St. John the Divine*

## AMERICAN ACADEMY AND INSTITUTE OF ARTS AND LETTERS

Hors plan 58 C12 • Broadway et 155th Street 10032 212/368-5900 Jeu.-dim. 13 h-16 h M4, M5 B, C, D

Il s'agit de l'un des premiers centres culturels du continent américain. Aujourd'hui appelé Audubon Terrace Historic District, ce complexe de style néo-Renaissance est l'œuvre d'Archer M. Huntington, fils de Collis P. Huntington, constructeur de la ligne ferroviaire Central Pacific Railroad et fondateur de la Hispanic Society of America en 1904 (▷ 101). L'American Academy of Arts and Letters attribue des bourses et des prix aux artistes, et expose leurs travaux deux fois par an (en avril et de mi-mai à mi-juin).

## AMERICAN MUSEUM OF NATURAL HISTORY

Voir p. 68-72.

## AMERICAN NUMISMATIC SOCIETY, FEDERAL RESERVE BANK OF NEW YORK

61 F25 • 96 Fulton Street 10038 212/571-4470 Lun.-ven. 10 h-16 h Gratuit M1, M6, M15 Wall Street (2, 3, 4, 5) www.amnumsoc.org

Cette société « promeut l'étude et l'appréciation des pièces de monnaie, médailles et objets connexes de toutes provenances ». Installée dans une somptueuse banque aux airs de palais florentin, elle possède une immense collection de quelque 800 000 pièces de monnaie, des cartes et des photographies. Les objets exposés relatent l'histoire des monnaies et médailles américaines et celle de l'argent en général, sujet fort à-propos au royaume du commerce.

## ASIA SOCIETY AND MUSEUM

59 F15 • 725 Park Avenue et 70th Street 10021 212/288-6400 Mar.-dim. 11 h-18 h, ven. 11 h-21 h Ad. 10 $, moins de 16 ans et adhérents gratuit, ven. 18 h-21 h gratuit pour tous M1, M2, M3, M4, M66, M72 6 www.asiasociety.org

Fondée par John D. Rockefeller III, en 1956, pour favoriser les échanges entre l'Amérique et l'Asie, cette société organise des expositions, des conférences, des colloques, des concerts et des ateliers. D'un montant de 30 millions de dollars et achevés en 2001, les travaux de rénovation du bâtiment datant de 1981 ont permis de doubler la superficie de la zone d'exposition.

La collection se compose de pièces données par Rockefeller et provenant de toute l'Asie : céramiques chinoises du XIe siècle av. J.-C., estampes japonaises, sculptures cambodgiennes…

## BATTERY PARK

Voir p. 73.

*Sculpture népalaise du XIVe siècle, exposée à l'Asia Society and Museum*

## BATTERY PARK CITY

61 E25 • Pointe sud-ouest de Manhattan M20, M22 1, 2, 3, 9, E, N, R www.batteryparkcity.org

Battery Park City s'étend sur 37 ha. Son aménagement a été réalisé avec les remblais extraits lors de la construction du World Trade Center, dans les années 1970. La promenade le long de l'Hudson vous enchantera. Le World Financial Center (1987) de Cesar Pelli se dresse au cœur des tours d'habitation, des places et des parcs. Les Gardens of Remembrance (Jardins du souvenir) ont été créés à cet endroit deux mois après les attentats du 11-Septembre.

## BROOKLYN BRIDGE

Voir p. 74-75.

## CARNEGIE HALL

Voir p. 76.

## CATHEDRAL CHURCH OF ST. JOHN THE DIVINE

Hors plan 58 C12 • 1047 Amsterdam Avenue et 112th Street 10025 212/316-7540 Messe lun.-sam. 8 h, 8 h 30, 12 h 15, 17 h 30, dim. 8 h, 9 h, 11 h, 18 h Visite payante M3, M4, M7, M11 B, C Mar.-sam. 11 h, dim. 13 h ; 5 $ www.stjohndivine.org

Il s'agit du siège du diocèse épiscopal de New York dont la construction a débuté en 1892. Admirez ses proportions vertigineuses, ses styles architecturaux contrastés, ainsi que les tapisseries de Barberini ou de Mortlake, tissées en 1623 selon un dessin de Raphaël. Autour de la cathédrale, des chapelles sont dédiées à différentes communautés chrétiennes et des monuments rendent hommage aux victimes des génocides, du racisme et des attentats du 11-Septembre.

THE SEARCH FOR LIFE
...ARE WE ALONE?

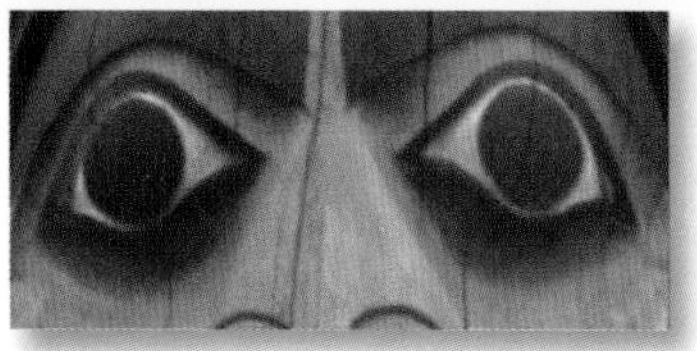

# American Museum of Natural History

**Des expositions hors pair et 36 millions de pièces, des fossiles de dinosaures aux roches lunaires.**

*Entrée principale du musée, sur Central Park West*

*Biologie et évolution humaines*

*Salle de la Biodiversité*

## DÉCOUVRIR L'AMERICAN MUSEUM OF NATURAL HISTORY

L'entrée principale du musée se trouve sur Central Park West, où trône l'impressionnante statue équestre du président Roosevelt. On peut également y accéder par Columbus Avenue, au niveau de West 77th Street, ou par West 81st Street, en passant par le Rose Center for Earth and Space (un planétarium dans lequel nous est contée l'histoire de l'univers). Le musée s'étant agrandi au fil des ans, il ne comporte pas moins de 40 salles superbes. Il faudra donc faire un choix. Commencez de préférence par la visite gratuite, appelée Highlights Tour, qui vous fournira des indications sur la disposition du musée et ses pièces maîtresses. Renseignez-vous à l'accueil, dans l'entrée principale. C'est là que débute la visite, mais vous pourrez la prendre en cours. Les guides sont sympathiques et amusants, bien informés et facilement reconnaissables à leur drapeau jaune.

## L'ESSENTIEL

### LA ROTONDE

La rotonde est une salle classée, située dans l'entrée principale. Ses fresques colorées relatent les grandes réalisations de Theodore Roosevelt, premier président new-yorkais du pays. Au centre, se tient le plus haut dinosaure sur pied du monde (15 m) : le barosaure. Il s'agit en fait d'une réplique réalisée à partir des os de l'original.

### ROSE CENTER FOR EARTH AND SPACE

Hayden Sphere

Cube en verre de 4 étages, conçu par James Polshek,

| LES PLUS | |
|---|---|
| Pour les enfants | ●●●● |
| Histoire | ●●●● |
| Shopping | ●●●● |
| Prix justifié | ●●●● |

**À SAVOIR**

- Le Highlights Tour est une visite guidée gratuite.
- Les visiteurs sont moins nombreux le vendredi soir.
- Chaque 1er vendredi du mois, d'excellents musiciens de jazz jouent à 17 h 30 et à 19 h 15 (gratuit). On peut consommer des tapas et des boissons.
- Valable 9 jours, le CityPass (▷ 317) permet de faire des économies et évite l'attente aux billetteries.
- La boutique de souvenirs offre un grand choix de bijoux, poteries, objets en métal et en verre du monde entier.

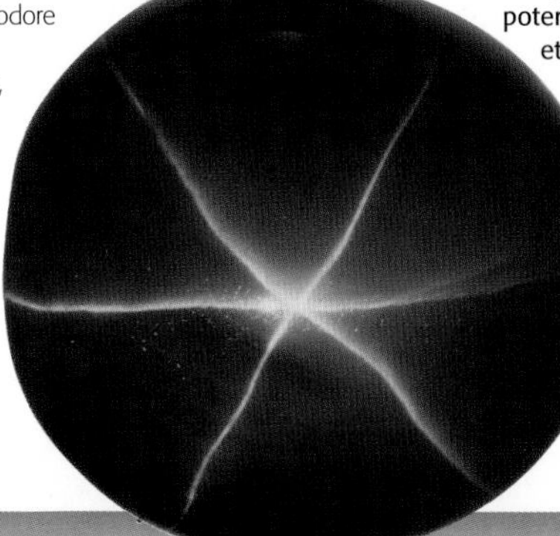

*Saphir « Star of India » de 563 carats exposé dans le Hall of Gems (ci-contre)*

*Barosaure exposé dans la rotonde (page de gauche)*

*Diorama, dans la salle des Indiens de la côte nord-ouest*

*Totem amérindien*

*La salle de l'Univers, au sous-sol du Rose Center*

le Rose Center for Earth and Space a ouvert en l'an 2000 et coûté 210 millions de dollars. Sa superbe sphère abrite un planétarium. Offrez-vous une visite virtuelle de la voie lactée (30 min.) et découvrez de lointaines planètes et des supergalaxies représentées à l'aide d'effets spéciaux et de commentaires passionnants. Le parcours cosmique (Cosmic Pathway) en forme de spirale serpente le long de la sphère.

**REZ-DE-CHAUSSÉE**

**Forêt pluviale de Dzanga-Sangha** (salle de la Biodiversité , ou Hall of Biodiversity)
Le diorama grandeur nature (27 m de long sur 8 m de large et 6 m de haut) représente une forêt pluviale centrafricaine. Derrière la vitre, une forêt plus vraie que nature attend le visiteur, grâce aux images de haute résolution, aux sons et aux odeurs. Au premier plan, vous verrez des insectes, des reptiles et de petits mammifères surgir des fourrés, arbustes, herbes, fougères et feuilles mortes, mais aussi un ruisseau et, dans l'entrelacs de lianes, de branches et de troncs d'arbres, des oiseaux et des primates. Au loin, vous apercevrez peut-être des éléphants.

**Baleine bleue** (salle de la Vie océanique ou Hall of Ocean Life)
Cette réplique de baleine bleue (31 m), l'une des pièces vedettes du centre, domine la somptueuse salle. Les projections de vidéos et les ordinateurs interactifs aident à se familiariser avec les mondes marins.

**Discovery Room** (salle de la Découverte)
Dans cette salle, les enfants de 5 à 12 ans pourront résoudre des énigmes, jouer, examiner des spécimens et se pencher sur des questions et des défis scientifiques.

**PREMIER ÉTAGE**

**Diorama d'éléphants** (salle Akeley des mammifères africains ou Akeley Hall of African Mammals)
Ce vénérable diorama date des années 1930 et a été imité dans bien d'autres musées d'histoire naturelle. Une végétation typique de leur environnement naturel entoure les éléphants. Dans la même salle, d'autres dioramas représentent l'étonnante faune africaine.

*Masque décoratif*

## PLAN DU MUSÉE

### TROISIÈME ÉTAGE

- 1 : bibliothèque de recherche
- 2 : origines des vertébrés
- 4 : mammifères évolués
- 5 : mammifères primitifs
- 7 : dinosaures ornithischiens (stégosaure et tricératops)
- 9 : dinosaures saurischiens (tyrannosaure et apatosaure)

### DEUXIÈME ÉTAGE

- 1 : peuples du Pacifique
- 2, 3 : Indiens des plaines et des régions forestières
- 4 : primates
- 5 : oiseaux d'Amérique du Nord
- 6 : mammifères de l'État de New York
- 7 : oiseaux de New York
- 8 : mammifères d'Afrique
- 9 : reptiles et amphibiens (dont le plus grand lézard du monde : le dragon de Komodo)
- 10 : Hayden Planetarium Space Theater

### PREMIER ÉTAGE

- 1 : peuples d'Amérique du Sud
- 2 : Mexique et Amérique centrale
- 3 : oiseaux du monde
- 4 : peuples d'Asie
- 5 : mammifères d'Asie
- 6 : entrée principale et rotonde
- 7 : oiseaux océaniques
- 8 : de l'infiniment grand à l'infiniment petit
- 9 : parcours cosmique
- 10 : Big Bang
- 11 : mammifères d'Afrique
- 13 : peuples d'Afrique

### REZ-DE-CHAUSSÉE

- 1 : salle des météorites
- 2 : biologie et évolution humaines
- 3 : salle de découverte
- 4 : environnement naturel de l'État de New York
- 5 : forêts d'Amérique du Nord
- 6 : salle de la biodiversité
- 7 : salle Theodore Roosevelt
- 8 : salle de la planète Terre
- 9 : parcours cosmique
- 10 : Rose Gallery
- 11 : mammifères d'Amérique du Nord
- 12 : salle de la vie océanique
- 14 : Indiens de la côte nord-ouest
- 15 : cinéma IMAX
- 19, 20 : pierres et minéraux (saphir « Star of India »)

Café
Dinoboutique
(accès par le rez-de-chaussée)
Dana Education Wing
Terrasse
Boutique du musée
COLUMBUS AVENUE
WEST 81st STREET
WEST 77th STREET
CENTRAL PARK WEST

**MÉMO**

58 D14 • Central Park West et 79th Street 10024-5912
212/769-5100
Tlj 10 h-17 h 45 (ven. jusqu'à 20 h 45). « Space Show » dim.-jeu., sam. 10 h 30-16 h 30, ven. 10 h 30-19 h (achetez vos places à l'avance sur Internet ou au 212/769-5200 pour être sûr d'en trouver)
Don suggéré pour le musée et le Rose Center : ad. 13 $, enf. 7,50 $. Don suggéré pour l'entrée et le « Space Show » : ad. 22 $, enf. 13 $. Le cinéma IMAX et certaines expositions sont payants
M7, M10, M11
B, C
Audiotour gratuit du Rose Center, à partir du comptoir proche de la boutique du planétarium, au sous-sol. Visite guidée Highlights Tour toutes les heures, de 10 h 15 à 15 h 15, 60 min., gratuit. Les visites thématiques Spotlight Tours changent chaque mois, gratuit
Aire de restauration au sous-sol (tlj 11 h-16 h 45) ; café au 3e étage, salle 4 (généralement 10 h-17 h) ; Café 77 au rez-de-chaussée (tlj 11 h-16 h 45) ; bar à tapas au sous-sol (ven. 17 h 30-20 h)

www.amnh.org
Sur ce site, vous trouverez une foule d'informations, un plan du quartier et du musée, un guide des expositions en cours, des indications sur le stationnement et une billetterie en ligne.

*Le cube du Rose Center est composé de 736 panneaux de verre*

**DEUXIÈME ÉTAGE**

**Colombe voyageuse** (salle des Oiseaux de New York ou Hall of New York City Birds)
Il y a deux siècles, la colombe voyageuse était encore l'un des volatiles les plus répandus en Amérique du Nord. De captivantes expositions relatent l'histoire de cet oiseau aujourd'hui disparu.

**TROISIÈME ÉTAGE**

**Stégosaure et tricératops** (salle des Dinosaures ornithischiens ou Hall of Ornithischian Dinosaurs)
Ces deux gigantesques dinosaures végétariens se défendaient contre leurs prédateurs grâce à leurs énormes mâchoires. Commencez par le Wallach Orientation Center, où vous sont présentées les six salles des fossiles.

**Tyrannosaure et apatosaure** (salle des Dinosaures saurischiens ou Hall of Saurischian Dinosaurs)
Comment ne pas se sentir minuscule devant les mastodontes exposés dans la salle des dinosaures saurischiens ? Le tyrannosaure rex est terrifiant, avec ses horribles crocs de carnassier.

**HISTOIRE**

Face à l'intérêt croissant du public pour l'histoire naturelle et à la découverte de fossiles, notamment ceux de dinosaures, dans tout le pays, Albert S. Bickmore eut l'idée de créer ce magnifique musée en 1869. Il se trouvait initialement dans l'Arsenal, à Central Park. Exécutée selon les plans de Calvert Vaux et J. Wrey Mould, la construction de l'édifice actuel a débuté en 1874. Le président Ulysses S. Grant en a posé la première pierre et son successeur, Rutherford B. Hayes, l'a inauguré en 1877. Des extensions de styles divers ont été ajoutées depuis. Signé John Russell Pope, le Theodore Roosevelt Memorial Hall date de 1936. Chasseur et collectionneur passionné, Roosevelt a fait don de plusieurs spécimens dont une chauve-souris et un crâne d'écureuil rouge. Le musée comporte notamment un centre de recherche doté de nombreux laboratoires, des salles de cours et la plus grande bibliothèque d'histoire naturelle du monde occidental. La collection de dinosaures et de fossiles, pour la plupart originaux, est la plus importante du monde.

*Les visiteurs viennent profiter de la relative tranquillité de Battery Park*

# BATTERY PARK

**Une vue spectaculaire sur la baie de New York, au sud, et les gratte-ciel du Financial District, au nord, s'offre au regard.**

Situé à la pointe sud de Manhattan, ce parc de 8,5 ha abrite un monument historique appelé Castle Clinton, où se vendent les places de ferry pour Liberty Island (▷ 136-137) et Ellis Island (▷ 90-93). Les sentiers sinueux du parc sont parsemés de monuments émouvants à la mémoire des victimes des guerres des deux siècles passés. L'endroit est agréable pour profiter de la vue époustouflante sur le port, loin de l'effervescence et des buildings du Financial District. Ancien tertre rocheux, Battery Park fut créé avec des remblais pour protéger l'île de Manhattan contre les attaques des Britanniques en 1811. Il doit son nom aux canons qui s'y trouvaient autrefois.

### CASTLE CLINTON

Castle Clinton est un ouvrage défensif, bâti entre 1807 et 1809. Cédé à la ville par le gouvernement américain en 1823, il accueillit des spectacles de musique et de théâtre, dont la mémorable représentation de la soprano suédoise Jenny Lind, en 1850. De 1855 à 1890, près de 8 millions de personnes fraîchement débarquées transitèrent par Castle Clinton, comme en témoigne la statue *The Immigrants* de Luis Sanguino, face au fort. En 1889, le centre de transit fut transféré à Ellis Island. De 1896 à 1911, Castle Clinton a abrité le premier aquarium de New York, avant son déplacement sur Coney Island. Les dioramas du petit musée relatent son histoire.

### LE PORT

La pointe sud de Battery Park, reliée par ferry à Staten Island, offre une vue exceptionnelle sur le port de New York, la Statue de la Liberté, Ellis Island, Governors Island, le pont Verrazano-Narrows et, au loin, l'Atlantique. Juste après la rampe 6 (Slip 6), une sculpture de Marisol, intitulée *American Merchant Mariners Memorial*, perpétue le souvenir des marins de la marine marchande qui servirent le pays depuis la guerre d'Indépendance. Les boutiques du parc vendent T-shirts et glaces.

*Le taureau en bronze d'Artruro Di Modica qui trône dans le quartier de la finance*

*La sphère de Fritz Koenig sur son nouveau site*

**LES PLUS**

| | |
|---|---|
| Pour les enfants | ●●●● |
| Histoire | ●●●●● |
| Photo | ●●●● |
| Facilité d'accès | ●●●●● |

**MÉMO**

344 E26 • Pointe sud-ouest de Manhattan, sur la rive de l'Hudson
M9, M15, M20, M22
1, 4, 5, 9, N, R

**À SAVOIR**

• Si vous entrez dans le parc en venant de la station de métro Bowling Green, vous verrez la sphère de bronze (22 t) endommagée qui se tenait entre les deux tours du World Trade Center avant le 11-Septembre. Elle a été provisoirement placée dans le parc en hommage aux victimes de l'attentat.

# Brooklyn Bridge

**Symbole par excellence de l'esprit novateur de la ville, le Brooklyn Bridge offre au promeneur une vue inoubliable sur Lower Manhattan et le port de New York.**

*Le pont a été décrit comme le fleuron d'une ère de grandes réalisations industrielles*

*La passerelle offre une excellente vue sur New York*

**LES PLUS**

| | |
|---|---|
| Histoire | ●●●● |
| Photo | ●●●●● |

**MÉMO**

61 G25 • Sur l'East River, entre le sud de Manhattan et Brooklyn
Gratuit
M9, M15, M103
2, 3, 4, 5, 6, N, R

**À SAVOIR**

- En été, venez sur le pont à l'heure où le soleil se couche derrière Liberty Island et où les lumières de la ville commencent à s'allumer.

Réalisé par John Roebling entre 1867 et 1883, le premier pont métallique suspendu du monde fut une formidable prouesse technique. Long de 1,6 km, il enjambe l'East River, entre Cadman Plaza, à Brooklyn, et Park Row, à Manhattan.

**UN CHANTIER PONCTUÉ DE DRAMES**

La construction du pont a coûté la vie à plusieurs hommes, dont l'ingénieur en chef, John Roebling. En finalisant son chantier, celui-ci subit une grave blessure au pied. Il survécut à l'amputation de son orteil, mais décéda du tétanos le 22 juillet 1869. Son fils, Washington Roebling, ingénieur dans l'armée nordiste durant la guerre de Sécession, prit le relais. En 1872, après une intervention sous-marine sur les caissons du pont, Washington remonta trop rapidement à la surface et fut frappé de paralysie partielle due au choc de la décompression. À l'aide d'un télescope, il continua de diriger la construction du pont depuis ses fenêtres, à Brooklyn Heights, tandis que sa femme Emily faisait la navette pour communiquer ses instructions aux ouvriers. Sur les 600 hommes employés sur ce chantier, 20 perdirent la vie.

Lors de l'ouverture du pont, en mai 1883, le public admira ses travées d'inspiration gothique, ses piles en pierre et sa trame de câbles métalliques. Roebling avait une très bonne connaissance de la stabilité aérodynamique, pour son époque. Il introduisit l'utilisation de haubans transversaux du sommet des tours, à l'extrémité des câbles de suspension.

Le jour de son ouverture, environ 150 000 piétons franchirent le pont de Brooklyn, sans Roebling, qui refusa de se déplacer en raison d'une dispute avec l'entreprise commanditaire. Quelques jours plus tard, une femme trébucha sur le pont et tomba dans le vide. Il s'ensuivit une immense bousculade dans la foule présente en ce jour de fête nationale commémorant la mort des soldats américains (Memorial Day).

Une rumeur annonçant l'écroulement imminent du pont provoqua un mouvement de panique et chacun s'élança vers les rives. Douze personnes moururent piétinées et on compta de nombreux blessés. Dans un registre plus gai, les 21 éléphants de cirque de P. T. Barnum traversèrent le pont sans encombre en 1884 !

## BROOKLYN BRIDGE AUJOURD'HUI

Sur la passerelle piétonne en bois, une plaque de bronze fournit des informations sur Roebling père et fils. Au même endroit, un plan en métal indique le nom des gratte-ciel qui se profilent au loin.

Le poète américain Walt Whitman considérait le pont et le panorama alentour comme le meilleur remède aux maux de l'âme. Peut-être regretterait-il aujourd'hui la prolifération des tours, et l'omniprésence des cyclistes, patineurs et autres joggeurs… Mais ceux-ci disposent de leur propre couloir, ce qui permet aux piétons de flâner tranquillement et en toute sécurité.

Identiques et hautes de 84 m, les deux arches gothiques se dressent au-dessus de l'East River. En 1973, le pont a été repeint aux couleurs d'origine : beige et marron clair. La passerelle a été reconstruite en 1983.

*De nombreux New-Yorkais font leur jogging sur le pont, long de 1,6 km*

*Les œuvres de Gershwin, de Stravinski et de bien d'autres compositeurs ont été jouées sur cette scène fascinante*

*La façade en brique rouge du Carnegie Hall*

# CARNEGIE HALL

**La merveilleuse acoustique de cette salle de concert de renommée mondiale attire des virtuoses du monde entier.**

Cette superbe salle de 2 804 places développe une architecture inspirée de la Renaissance italienne. Son inauguration remonte à 1891 et sa construction dura sept ans. Son excellente acoustique en fait l'une des salles de concert les plus courues de New York. Au 1er étage, le Rose Museum *(tlj 11 h-16 h 30 et ouvert aux spectateurs, en soirée ; gratuit)* abrite de précieuses archives relatives à l'histoire de l'édifice et aux illustres musiciens qui s'y sont produits.

## HIER

Malgré sa croissance fulgurante, le New York de la fin du XIXe siècle était dépourvu de salle de concert. Pour y remédier, Andrew Carnegie, le magnat de l'industrie du fer et de l'acier, offrit 2 millions de dollars pour la construction d'une salle sur un terrain cédé par la ville. Celle-ci regorgeait alors de parcelles et de maisons inoccupées, et de dépôts de charbon désaffectés. Violoncelliste averti, l'architecte en chef William B. Tuthill soigna particulièrement l'acoustique du bâtiment. En 1891, Tchaïkovski dirigea le concert d'ouverture, débutant ainsi sa carrière aux États-Unis. Depuis, les plus grands musiciens ont joué à Carnegie Hall : Rachmaninoff, Horowitz, Stravinski, Ravel, Gershwin… Le New York Philharmonic a élu domicile dans cette salle avant de s'installer au Lincoln Center (▷ 112-113), dans l'Upper West Side, en 1962.

Construit en 1894, le second édifice a accueilli des musiciens, des architectes et des écoles de danse célèbres. En 1894, le toit vert en mansarde du bâtiment principal a été supprimé pour permettre la construction du studio. Le bâtiment initial abrite une petite salle de récitals et un élégant auditorium.

## AUJOURD'HUI

Dans les années 1960, le violoniste Isaac Stern a amplement contribué à sauver le Carnegie Hall de la démolition. La salle principale porte, à juste titre, son nom. Le Weill Recital Hall accueille des chanteurs et des ensembles de musique de chambre. Le Zankel Hall est dédié aux œuvres contemporaines. Entre 1981 et 1990, 50 millions de dollars ont permis la rénovation du Carnegie Hall. Depuis 1990, celui-ci jouxte une tour de bureaux de 60 étages, conçue par Cesar Pelli.

**LES PLUS**

| | |
|---|---|
| Pour les enfants | ●● |
| Histoire | ●●●● |
| Prix justifié | ●●●●● |

**MÉMO**

58 D17 • 156 West 57th Street et 7th Avenue 10019
212/247-7800
Consultez le programme sur le site Internet ou au 212/903-9765
Consultez le site Internet ou composez le 212/247-7800
Visites guidées d'une heure, lun.-ven., 11 h 30, 14 h, 15 h, selon le programme des concerts
M7, M10, M20, M30
N, Q, R, W
www.carnegiehall.org

Le Civic Center date du XIXe siècle

Statue de l'Alma Mater ou « mère nourricière », Columbia University

Toile de Francois-Xavier Fabre, Dahesh Museum of Art



## CENTRAL PARK

Voir p. 78-83.

## CHELSEA

60 D20 • 7th Avenue à 11th Avenue, entre 14th Street et 28th Street M20 C, E

Galeries, studios de répétion et écoles de danses confèrent à ce quartier un vernis artistique. Le Kitchen, au 512 West 19th Street, programme des films, de la musique et de la danse. Parmi les nombreuses galeries à visiter, mentionnons Gagosian *(555 West 24th Street, tél. : 212/741-1111)* et Cheim & Read *(547 West 25th Street, tél. : 212/242-7727)*. La vilaine façade du Dia Center for the Arts *(548 West 22nd Street, tél. : 212/989-5566 ; www.diacenter.org)* abrite de superbes expositions.

À l'ouest de la West Side Highway, les Chelsea Piers, une série de jetées sur l'Hudson, abritent un complexe sportif et de loisirs

## CHINATOWN

Voir p. 84.

## CHRYSLER BUILDING

Voir p. 85.

## CITY HALL ET CIVIC CENTER

61 E25 • Broadway et Chambers Street 10007 212/788-3000 M1, M6, M15 2, 3, 4, 6, N, R Visites sur rendez-vous, tél. : 212/788-6865

Bâti entre 1802 et 1812, dans le style Federal mâtiné d'influences françaises, le City Hall est l'un des édifices les plus élégants de New York. C'est là que siège le conseil municipal (City Council) et qu'officie le maire. Depuis les attentats du 11-Septembre, le public ne peut le voir que de l'extérieur. Le quartier alentour s'appelle Civic Center. Il englobe le City Hall Park, Foley Square, les bureaux administratifs de l'État de New York, de la ville et de l'État fédéral, le QG de la police, la cour suprême de l'État de New York (New York State Supreme Court), le palais de justice fédéral (U.S. Courthouse) et le bâtiment de la cour criminelle (New York City Criminal Courts Building).

## THE CLOISTERS

Voir p. 86.

## COLUMBIA UNIVERSITY

Hors plan 58 C12 • West 114th Street à West 120th Street 10027 212/854-4900 M4, M11, M60, M104 Visite guidée gratuite en sem.
www.columbia.edu

Créé en 1754, le King's College, devenu Columbia University, fut la première université de New York et la cinquième du pays. Elle compte parmi les établissements de la Ivy League (groupement de huit universités parmi les plus prestigieuses du pays). Elle occupa d'abord l'école de la Trinity Church (▷ 142-143), avant de s'installer dans divers endroits de Manhattan. Depuis 1897, elle occupe le site qui fut celui de l'asile psychiatrique de Bloomingdale. Entourée de bâtiments et point focal du campus, l'ancienne bibliothèque (Low Library), centre administratif depuis 1934, rappelle le Panthéon romain.

## COOPER-HEWITT NATIONAL DESIGN MUSEUM

59 E13 • 2 East 91st Street 10128-9990 212/849-8400 Mar.-jeu. 10 h-17 h, ven. 10 h-21 h, sam. 10 h-18 h, dim. midi-18 h Ad. 10 $, moins de 12 ans gratuit M1, M2, M3, M4 4, 5, 6
http://ndm.si.edu

Ancienne résidence de l'industriel et philanthrope Andrew Carnegie, cette élégante demeure lambrissée de 64 pièces fut construite entre 1899 et 1902 dans le style géorgien. Œuvre du cabinet d'architectes Babb, Cook & Willard, elle fut la première habitation new-yorkaise dotée d'un ascenseur Otis et de la climatisation. Aujourd'hui, elle renferme l'une des plus grandes collections de design au monde. En 1967, ces quelque 250 000 pièces furent données par la Cooper Union School for the Advancement of Science à la Smithsonian Institution, qui les transféra ici. On peut voir un dessin de Michel-Ange, du mobilier signé Frank Lloyd Wright et les dessins industriels de Donald Deskey et Henry Dreyfuss.

## DAHESH MUSEUM OF ART

59 E17 • 580 Madison Avenue 10017 212/759-0606 Mar.-sam. 11 h-18 h Ad. 9 $, moins de 12 ans gratuit M1, M2, M3, M4 F4, 5, 6
www.daheshmuseum.org

Ce musée occupe trois étages de l'immeuble IBM, en granite noir, signé Edward Larrabee Barnes. Créé en 1995, le Dahesh est le seul musée d'Amérique dédié à l'art académique européen des XIXe et XXe siècles.

En réalité, Dr Dahesh était l'écrivain et philosophe libanais Salim Achi. Au début de la guerre du Liban, en 1975, il fit transférer ses quelque 3 000 œuvres d'art depuis Beyrouth. Une salle souterraine est réservée aux expositions, aux activités pédagogiques et aux événements publics. Le bureau d'accueil et la boutique du musée se trouvent au rez-de-chaussée. Des dîners informels et certaines manifestations se tiennent sur la mezzanine, avec vue sur Madison Avenue et la forêt de bambous du patio.

# Central Park

**Conçu par Frederick Law Olmsted et Calvert Vaux en 1851, le vaste « poumon » new-yorkais couvre 340 ha d'espaces verts, de bois, de jardins, de terrains de jeu et de chemins (95 km). Il abrite un zoo et ravira les adeptes d'ornithologie, de canotage, de vélo, de patinage à roulettes ou à glace, de promenade ou de jogging.**

*Joueurs de softball sur la grande pelouse (Great Lawn)*

*340 ha de verdure, rien que pour se dégourdir les pattes !*

*Le week-end, place aux cyclistes !*

| LES PLUS | |
|---|---|
| Pour les enfants | ●●●●● |
| Histoire | ●●● |
| Photo | ●●●● |
| Facilité d'accès | ●●●●● |

**À SAVOIR**

- Central Park est assez sûr en journée, mais ne vous promenez pas seul dans les endroits déserts. Après la tombée de la nuit, évitez le parc, sauf pour gagner des lieux très fréquentés, pour assister à une pièce de théâtre ou à un concert. Des policiers et des gardes patrouillent en voiture, à cheval ou en rollers.
- Selon ce que vous comptez voir, vous pourrez passer une demi-journée ou bien plus dans le parc.
- Sur les routes, traversez avec prudence et gare aux vélos…
- Le parc compte 21 terrains de jeu pour enfants, tous différents et le plus souvent superbes.

## DÉCOUVRIR CENTRAL PARK

Hormis les entrées nord et sud, situées respectivement sur Central Park South (59th Street) et 110th Street, il existe d'autres accès à Central Park. La plus empruntée se trouve sur Grand Army Plaza, au niveau de 59th Street et de Fifth Avenue. Sur cette même avenue, située à l'est, plusieurs entrées sont à la hauteur de 66th St, 72nd St, 79th St, 85th St, 97th St et 102nd St. À l'ouest, on peut entrer par Central Park West, au niveau de 66th St, 72nd St, 81st St, 86th St, 96th St et 100th St. Au nord de 96th Street, le parc est plus accidenté et moins accessible aux visiteurs handicapés. Avant d'accéder au parc et de choisir un itinéraire, étudiez le plan et déterminez ce que vous souhaitez voir. Les week-ends d'été, plusieurs axes sont fermés aux véhicules à moteur, au grand plaisir des joggers, cyclistes, patineurs et bébés en poussettes. Central Park est ponctué de statues de bronze, dont celle de Beethoven, Christophe Colomb, William Shakespeare et… de ma Mère l'Oye, au sud. De belles statues de Roméo et Juliette et de Prospero et de sa fille Miranda (personnages de *La Tempête* de Shakespeare) gardent l'entrée du Delacorte Theater. Des jumelles vous seront utiles, surtout dans le secteur du Ramble ou sur le lac.

## L'ESSENTIEL

### SOUTH QUADRANT

En entrant par Grand Army Plaza, on découvre tout d'abord le ravissant étang (Pond) de Central Park. La superbe statue équestre en bronze doré d'Augustus Saint-Gaudens représente William Tecumseh Sherman (général nordiste, célébrité de la guerre de Sécession). Le long de Central Park South, des calèches attendent d'éventuels passagers. À deux pas de là, le Hallett Nature Sanctuary avance sur l'étang. Cette réserve boisée comprend une île habitée par des tortues et des oiseaux, et une jolie cascade.

**Le Wildlife Center** s'étire sur 2 ha, juste au nord de Grand Army Plaza. Ce magnifique zoo *(tél. : 212/439-6500 ; avr.-fin oct. lun.-ven. 10 h-17 h, sam.-dim. 10 h-17 h 30 ; reste de l'an. tlj 10 h-16 h 30 ; ad. 6 $, enf. de 3 à 12 ans 1 $)* héberge plus de 130 espèces provenant de trois zones climatiques : singes, crocodiles et serpents de la forêt pluviale (Rain Forest), animaux d'Asie et d'Amérique du Nord (Temperate Territory), ours polaires, pingouins et renards polaires (Polar Circle). Le bassin des otaries, dans la cour centrale, attire les curieux, surtout aux heures des repas *(tlj 11 h, 14 h, 16 h)*. Les jeunes enfants pourront nourrir les chèvres, les brebis et la vache du Children's Zoo. Des spectacles animaliers ont lieu tous les jours à l'Acorn Theater. Au nord du zoo, l'horloge de George Delacorte marque les heures par une chanson enfantine, tandis que ses animaux miniatures virevoltent en jouant de la musique. On trouve aussi un café.

De vénérables arbres bordent le lac du Ramble

**La Wollman Memorial Rink** *(tél. : 212/439-6900, www.wollmanskating-rink.com ; lun.-mar. 10 h-14 h 30, mer.-jeu. 10 h-22 h, ven.-sam. 10 h-23 h, dim. 10 h-21 h ; lun.-jeu. ad. 8,50 $, enf. 4,25 $, ven.-dim. ad./enf. 11/4,50 $, location de patins 4,75 $)* est bondée en hiver. Cette magnifique patinoire s'agrémente d'une vue typique sur les gratte-ciel de New York, d'une terrasse et d'une boutique d'en-cas. Il est possible d'y prendre des cours de patinage.

**The Dairy** *(avr.-oct. tlj 11 h-17 h, reste de l'an. tlj 11 h-16 h)* est un bâtiment du XIXe siècle, qui donne sur la patinoire et où le visiteur peut s'informer sur l'histoire et la conception du parc, représenté sur une maquette de 4 m de longueur.

**Le Friedsam Memorial Carousel** *(tél. : 212/879-0244 ; avr.-fin nov. tlj 10 h-18 h ; reste de l'an. sam.-dim. 10 h-16 h 30, s'il fait beau)* est l'un des plus grands manèges du pays, il se trouve dans le parc, au niveau

Avant le théâtre, offrez-vous un dîner au Tavern on the Green

*Les promenades en calèche sont appréciées en toute saison*

**MÉMO**

58 D14 • Central Manhattan, de 59th Street à 110th Street et de 5th Avenue à 8th Avenue
Administration 212/794-6564
30 min. avant l'aube et jusqu'à 1 h
M1, M2, M3, M4 pour gagner la 5th Avenue (côté est) et M10 (côté ouest)
A, B, C, D, 1, 9 pour rallier Columbus Circle (angle sud-ouest)
Repérez votre position sur les mâts d'éclairage du parc : les deux premiers chiffres correspondent à la rue la plus proche. Des téléphones d'urgence avec ligne directe sont disséminés dans le parc et vous pouvez composer le numéro de celui-ci 24h/24 (tél. : 212/570-4820) sur votre téléphone portable.
Le magnifique Tavern on the Green ▷ 288, réservation conseillée
Le Boathouse Café est un établissement en plein air, ouvert du début du printemps à fin octobre. Il sert une cuisine américaine contemporaine. Vous trouverez d'autres cafés et stands de nourriture dans le parc
Visites guidées à pied (Guided Central Park Conservancy Walking Tours, tél. : 212/360-2726) ou à vélo (Central Park Bicycle Tours, tél. : 212/541-8759) ; taxis-calèches (tél. : 212/246-0520)

www.centralparknyc.org
Les excellentes visites virtuelles du parc vous font découvrir les sites importants, les plans, les manifestations et les activités possibles.

*Les occasions de faire une pause pour se restaurer ne manquent pas*

*Le paradis des joggeurs (haut) Le Bow Bridge (ci-dessus)*

de 64th Street. Chaque année, près de 250 000 personnes s'offrent un moment de magie en enfourchant l'un de ses 58 chevaux de bois sculptés et peints à la main.

**MID-PARK QUADRANT**

**Le Sheep Meadow** est un pré de 6 ha, où l'on pique-nique, bronze ou joue au cerf-volant. L'herbe reste bien verte grâce à quelque 300 arroseurs automatiques. Des brebis paissaient ici jusqu'en 1934. Depuis, la bergerie est devenue le restaurant Tavern on the Green. À l'est du pré, de talentueux patineurs font des figures sur le dallage.

**La Bethesda Terrace** devait être le « cœur du parc », selon Olmsted et Vaux, les créateurs du lieu. Dans les années 1980, son délabrement nécessita sa reconstruction. Depuis la terrasse supérieure, admirez la vue sublime sur le lac et les bois du Ramble. La fontaine *Angel of the Waters* (1870) a été sculptée par Emma Stebbins.

**Strawberry Fields** a été créé en 1981 et financé par Yoko Ono, l'épouse de John Lennon, après l'assassinat de ce dernier en 1980. *Strawberry Fields Forever* est le titre d'une chanson du célèbre ex-Beatles. Des artisans italiens ont réalisé la mosaïque noire et blanche qui orne le chemin, près de l'entrée côté West 72nd Street, juste en face de l'immeuble Dakota au pied duquel le chanteur a été tué. Au centre, figure le mot « imagine », une autre chanson culte de Lennon. Chaque année, Yoko Ono remet 1 million de dollars à l'administration du parc pour l'entretien de cette parcelle de 1 ha. De nombreux fans s'y arrêtent pour se recueillir et déposer des fleurs ou des bougies, et une foule immense vient tous les 9 octobre, jour anniversaire du musicien, pour chanter, prier et rendre hommage à sa vie et à son œuvre.

**Loeb Boathouse** loue des canots et des vélos *(avr.-fin oct. tlj 10 h-17 h)*. Pour les canots (à 5 places), comptez 10 $ la première heure et 2,50 $ les 15 min. supplémentaires. Une caution de 30 $ vous sera demandée. La location des vélos coûte de 9 à 15 $ l'heure et il faudra laisser votre carte bancaire, votre passeport ou votre permis de conduire en caution. En juin et août, s'il fait beau, une promenade inoubliable en gondole vous coûtera 30 $ les 30 min. Un fast-food vend des boissons

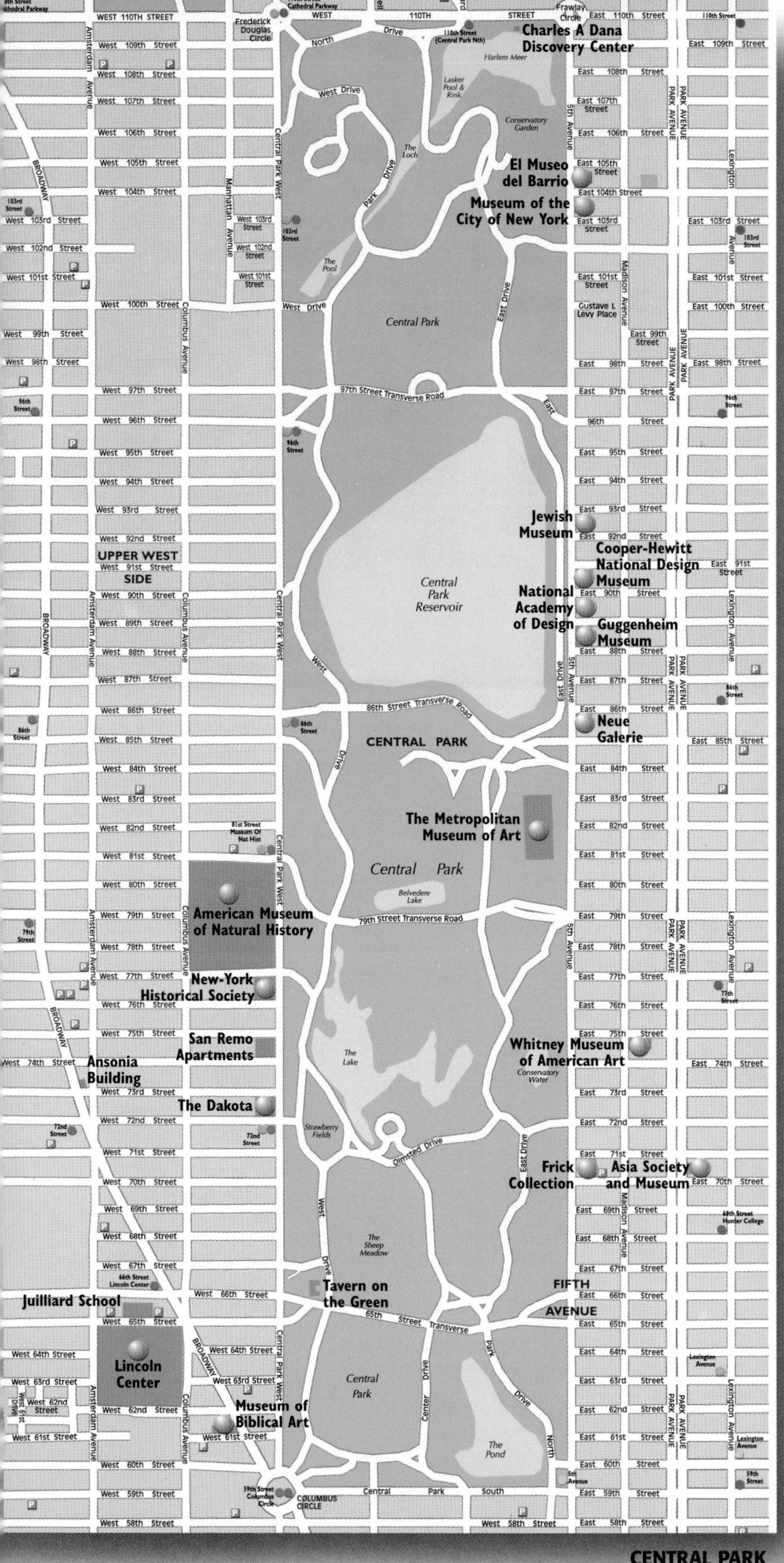
Charles A Dana Discovery Center
Harlem Meer
Lasker Pool & Rink
Conservatory Garden
The Loch
El Museo del Barrio
Museum of the City of New York
The Pool
Central Park
Frederick Douglas Circle
Frawley Circle
97th Street Transverse Road
Central Park Reservoir
Jewish Museum
Cooper-Hewitt National Design Museum
National Academy of Design
Guggenheim Museum
86th Street Transverse Road
Neue Galerie
UPPER WEST SIDE
CENTRAL PARK
The Metropolitan Museum of Art
Central Park
Belvedere Lake
79th Street Transverse Road
American Museum of Natural History
New-York Historical Society
San Remo Apartments
Ansonia Building
The Dakota
The Lake
Whitney Museum of American Art
Conservatory Water
Strawberry Fields
Olmsted Drive
Frick Collection
Asia Society and Museum
The Sheep Meadow
Tavern on the Green
Juilliard School
FIFTH AVENUE
65th Street Transverse
Lincoln Center
Museum of Biblical Art
Central Park
The Pond
COLUMBUS CIRCLE
Central Park South
BROADWAY
Amsterdam Avenue
Columbus Avenue
Central Park West
Manhattan Avenue
5th Avenue
Madison Avenue
PARK AVENUE
Lexington Avenue

LES SITES

*Les enfants adorent escalader* Alice aux pays des merveilles, *une sculpture de Jose de Creeft, proche du Conservatory Water*

fraîches et des en-cas. Le joli Boathouse Restaurant sert le brunch et le déjeuner toute l'année, et le dîner de mai à fin octobre *(réservation indispensable, tél. : 212/517-2233)*.

**Le Conservatory Water** est un plan d'eau très connu. Les samedis à 10 h, sauf en hiver, le Model Yacht Club organise une course de bateaux téléguidés. On peut louer des bateaux miniatures. Au nord, se dresse la belle sculpture intitulée *Alice in Wonderland* (*Alice au pays des merveilles*). Près de la statue d'Andersen, à l'ouest, des lectures de contes ont lieu le samedi à 11 h, en été.

**Le Belvedere Castle** *(mer.-lun. 11h-16 h)*, folie conçue par Olmsted et Vaux, est une fantaisie architecturale qui surplombe le lac. Lors d'une importante restauration, au début des années 1980, on lui adjoignit des fenêtres et des portes et il devint le Henry Luce Nature Observatory. Les enfants y verront des télescopes, microscopes, squelettes, plumes, destinés à leur montrer le point de vue des naturalistes sur le monde. Un dispositif météorologique (US Weather Bureau) est installé au château depuis 1919 et l'on peut se procurer un bulletin météo instantané au 1er étage. Au même niveau, un arbre factice supporte de superbes spécimens en papier mâché de l'avifaune du parc.

**Le Delacorte Theater** date de 1962 et son festival Shakespeare in the Park (gratuit) déplace chaque été une foule nombreuse. L'attente fait partie du plaisir ! Dès 10 h, les New-Yorkais prennent place dans la longue file, avec pique-niques et lecture. La distribution des billets débute à 13 h. On peut également s'en procurer au Public Theater, 425 Lafayette Street, le jour de la représentation, entre 13 h et 15 h.

**RESERVOIR QUADRANT**

**Le Jacqueline Kennedy Onassis Reservoir** porte le nom de la veuve du président Kennedy, qui aimait cet endroit et a fait de nombreux dons à la ville. Des milliers de coureurs et de marcheurs empruntent chaque jour le chemin de 2,5 km qui le longe. Ce plan d'eau de 43 ha n'alimente plus Manhattan en eau depuis longtemps, mais se déverse dans les autres lacs du parc. Au printemps, de superbes cerisiers ornementaux fleurissent sur ses pentes.

## NORTH QUADRANT

Les jardins structurés et ornés de jolies fontaines du **Conservatory Garden** couvrent 2,5 ha d'une partie aménagée dans un style plus naturel et plus rustique que le sud du parc. En entrant par Fifth Avenue et East 104th Street, vous franchirez les immenses grilles « parisiennes » en fer forgé, vestiges de la demeure de Cornelius Vanderbilt II.

**Harlem Meer** (« petite mer » en hollandais) est un joli lac, peuplé de quelque 50 000 poissons ! La pêche avec remise à l'eau des prises *(avr.-fin oct. mar.-dim. 11 h-17 h)* enchantera les enfants de tous âges. Le Charles A. Dana Discovery Center loue des cannes à pêche.

**Lasker Memorial Rink and Pool** *(tél. : 212/534-7639 ; lun., mer., jeu. 10 h-15 h 45, mar., ven. 10 h-22 h, sam. 12 h 30-22 h, dim. 12 h 30-16 h 30 ; ad. 4,50 $, enf. de moins de 12 ans 2,25 $)*. Cette formidable patinoire des années 1960 est réservée au patinage à glace de novembre à mars et au patinage à roulettes le reste de l'année. Il est possible de louer des patins. Très courue en été, la piscine ouvre du 1er juillet au premier lundi de septembre.

*Vue sur la ville, du haut du Bow Bridge*

*Détente sur les plans d'eau de Central Park*

*La Chess and Checkers House est chère aux enfants*

## HISTOIRE

Dans les années 1850, face à l'expansion de leur ville, les New-Yorkais ressentirent le besoin d'avoir leur parc. On choisit un vaste site central et 33 projets furent mis en compétition en 1858. Respectivement agriculteur et architecte, Frederick Law Olmsted et Calvert Vaux remportèrent le prix de 2 000 $. Olmsted fut nommé directeur de Central Park. Jacob Wrey Mould se chargea du volet ornemental et dessina les ponts, le belvédère et la terrasse. Le chantier dura 16 ans et coûta plus de 14 millions de dollars. Trois mille ouvriers, pour la plupart des immigrants irlandais sans emploi, et 400 chevaux, charrièrent les pierres et la terre et plantèrent 500 000 arbres, arbustes et plantes grimpantes. Le parc se dota de sa propre police pour y faire respecter la loi. En 1925, le Heckscher Playground, le premier des 19 terrains de jeu, fut créé à la hauteur de 61st Street et de 7th Avenue. Entre 1913 et 1919, certains beaux ouvrages tombèrent en ruine. Vers 1934, le pont en marbre de Vaux dut être démoli en raison de son mauvais état. En 1934, lorsque le responsable des parcs, Robert Moses, transféra les brebis de Sheep Meadow vers le Prospect Park de Brooklyn, la bergerie de Mould fut transformée en restaurant, l'actuel Tavern on the Green. La patinoire Wollman Skating Rink et le Delacorte Theater ont ouvert respectivement en 1951 et en 1963.

Des statues ont également été ajoutées au fil des ans. Le manque d'entretien et l'insécurité refirent leur apparition dans les années 1970. Toutefois, lors de la décennie suivante, l'instance administrative du parc (Central Park Conservancy), dirigée par Elizabeth Barlow Rogers, décida de collecter des fonds pour le nettoyer et le rendre plus sûr. Le Sheep Meadow bénéficia le premier de cette initiative et rouvrit en 1981. Depuis, ce pré est l'un des endroits les plus agréables et les plus sûrs du parc.

**GUIDE DU PARC**

### SOUTH QUADRANT

L'Arsenal (*lun.-ven. 9 h-17 h*) est l'ancien dépôt de munitions de la garde nationale de l'État de New York. Cet édifice classé fut construit entre 1847 et 1851. Une vitrine du 2e étage renferme le plan original de Central Park, intitulé Greensward Plan et conçu par Olmsted et Vaux.

### MID-PARK QUADRANT

Le Dairy est un cottage de style néogothique où les enfants d'autrefois pouvaient demander un verre de lait frais. C'est désormais un centre d'accueil des visiteurs, avec bornes vidéo et exposition permanente sur l'histoire du parc. À l'ouest du Dairy se dresse un bâtiment octogonal appelé Chess and Checkers House. On peut s'asseoir à l'une de ses 24 tables pour jouer aux échecs.

### RESERVOIR QUADRANT

En longeant le réservoir, notez les trois ponts piétons en fer forgé (désignés par les n° 24, 27, 28). Les New-Yorkais surnomment le pont 28 The Gothic Arch (l'Arche gothique) à cause de son aspect en dentelle.

### NORTH QUADRANT

Le Charles A. Dana Discovery Center, ouvert en 1993 sur la rive nord du Harlem Meer, est un bureau d'accueil des visiteurs et un centre municipal qui organise des expositions gratuites et à but pédagogique sur le parc.

*Les rues commerçantes et leurs enseignes en cantonais et en anglais*

*Que serait Chinatown sans ses marchés en plein air ?*

# CHINATOWN

**Coloré, bruyant et exotique, Chinatown est le plus grand quartier asiatique du pays et il compte 300 restaurants.**

Situé au nord-est de City Hall et au sud de Canal Street, Chinatown accueille, depuis plus de 150 ans, des générations d'immigrants venues de Chine, de Hong-Kong, de Taiwan, de Corée, du Vietnam et de bien d'autres pays asiatiques. Il s'étire sur 8 km² et, aujourd'hui, absorbe pratiquement Little Italy et Lower East Side. Au chapitre des restaurants bon marché, des vêtements à petits prix, des souvenirs, des herbes ou des épices exotiques, Chinatown supplante tous ses voisins.

Le quartier, densément peuplé, occupe ce qui fut, du XVIIe siècle au début du XVIIIe siècle, celui des bouchers. Les plus notables ont d'ailleurs donné leur nom à certaines rues – tels Joshua Pell et John Mott. Au XIXe siècle, des immigrants vinrent d'Irlande et d'Allemagne. Certains des immeubles les plus surpeuplés de la ville se dressaient au croisement de Mosco Street, Worth Street et Baxter Street, alors appelé Five Points. C'est là que Martin Scorsese a planté le décor de *Gangs of New York* (2002). Les immigrants chinois sont arrivés à la fin des années 1870.

### À VISITER

De style géorgien et ornée de vitraux gothiques, la Church of the Transfiguration se trouve au 25 Mott Street. Elle fut construite en 1801 par l'église luthérienne d'Angleterre avant de devenir une église épiscopale protestante de Sion, puis une église romaine catholique en 1853. Situé entre Mulberry Street et Baxter Street et au sud de Bayard Street, Columbus Park date de 1897. Le matin, des groupes nombreux viennent y pratiquer le tai-chi, tandis que certains plus âgés s'adonnent aux jeux de cartes ou de mah-jong.

Le Museum of Chinese in the Americas (▷ 123) traite de l'histoire et de la culture des Chinois d'outre-mer et de leurs descendants. Le Kim Lau Chinese Memorial Arch, sur Chatham Square, rend hommage aux soldats sino-américains tués pendant la Seconde Guerre mondiale. En face de cette arche, se tient la statue du commissaire impérial et lieutenant B. R. Kim Lau, qui lutta contre le trafic responsable des guerres de l'opium. Haute de 4,5 m, la statue de Confucius se dresse sur Confucius Plaza et Bowery depuis 1976. Elle a été sculptée par Liu Shih et un proverbe inscrit sur sa base loue les vertus d'un pouvoir au service des faibles. L'Edward Mooney House, au 18 Bowery, est la plus ancienne maison mitoyenne de New York.

| LES PLUS | |
|---|---|
| Histoire | ●●● |
| Photo | ●●● |
| Shopping | ●●●● |
| Facilité d'accès | ●●●● |

**MÉMO**

61 F24 • Entre Little Italy et Lower East Side, délimité par Canal St, Worth St, Broadway et Bowery

M1, M6, M103

J, M, N, Q, R, W, Z, 6

Des centaines de restaurants

Saint's Alp Teahouse, 51 Mott Street 10013, tél. : 212/766-9889

Centre d'accueil des visiteurs de Lower East Side, 261 Broome St, entre Orchard St et Allen St

Certaines des nombreuses boutiques de souvenirs sont regroupées dans le petit centre commercial du 15 Elizabeth Street

*L'étincelante flèche en inox du mythique Chrysler Building*

# CHRYSLER BUILDING

**Le gratte-ciel Art déco le plus remarquable de New York comporte un somptueux hall habillé de marbre africain et de métal.**

Poli au diamant, l'acier Enduro KA-2 de l'immeuble Chrysler (1929) brille toujours de mille feux. Levez la tête pour voir sa flèche percée de 30 fenêtres triangulaires et ornée « d'ananas » de 3 m de haut. Notez aussi les superbes têtes d'aigles aux allures de gargouilles, aux angles de l'édifice. Vers le 30e étage, une frise en brique représente des enjoliveurs… Dans le hall, vous verrez de somptueux murs parés de marbre africain et d'acier et des ascenseurs dits « à la parisienne ». Très travaillé, le plafond a été peint par Edward Trumbull.

Walter Chrysler fut mécanicien une grande partie de sa vie et étudia peu, mais les machines n'avaient pas de secret pour lui. Après avoir fait économiser de véritables fortunes à General Motors par ses innovations techniques, il déménagea de Chicago à New York à l'âge de 45 ans. Gagnant déjà un million de dollars par an, il lança sa première gamme d'automobiles en janvier 1924. Symboles du luxe, ces voitures plaisaient aux clients fortunés et arrivaient à point nommé pour accompagner le boom des années 1920. Troisième constructeur automobile du pays, Chrysler acheta un terrain pour 2 millions de dollars, avec l'intention de construire le plus extraordinaire des gratte-ciel.

### LE PLUS HAUT BUILDING DU MONDE

À la fin de l'année 1929, sous le regard anxieux de l'architecte William Van Alen, on posa la flèche au sommet des 77 étages. Le Chrysler Building (320 m) allait ainsi éclipser l'immeuble de la Bank of Manhattan (40 Wall Street) et les autres buildings du monde. Pour peu de temps, car l'Empire State Building (381 m) le supplanta le 1er mai 1931. La pose d'une structure à une telle hauteur fut une première et sa date demeura secrète afin de ne pas attirer les journalistes le jour J, sans doute le 24 octobre 1929, veille du crash boursier de Wall Street. Réalisation d'une grande audace et d'une tout aussi grande ingéniosité, elle surprit toute la ville. Après avoir été considéré comme une forme de publicité tapageuse, le Chrysler Building est désormais le symbole d'une époque où tout était possible.

L'immeuble est classé depuis 1978. En 1997, Tishman Speyer Properties l'a racheté et a fait restaurer son hall Art déco. Sa pointe a été illuminée pour la première fois en 1981.

*Le hall du célèbre building (ci-dessous)*

| LES PLUS | |
|---|---|
| Pour les enfants | ●● |
| Histoire | ●●●● |
| Photo | ●●●●● |

**MÉMO**

60 F18 • 405 Lexington Avenue et 42nd Street
212/682-3070
Lun.-ven. 8 h 30-17 h 30
M98, M101, M102, M103
4, 5, 6, 7, S

Les cloîtres, au milieu du luxuriant Fort Tryon Park (ci-dessus)
Cloître de Bonnefont (ci-contre à gauche)

LES SITES

**LES PLUS**

| | |
|---|---|
| Histoire | ●●●●● |
| Photo | ●●●●● |
| Shopping | ●●●● |
| Facilité d'accès | ●●●●● |

**MÉMO**

Hors plan 58 C12 • Fort Tryon 10040
212/923-3700
Mars-fin oct. mar.-dim. 9 h 30-16 h 45, reste de l'an. mar.-dim. 9 h 30-17 h 15
Ad. 15 $, moins de 12 ans gratuit. Le ticket comprend l'accès le jour même au Metropolitan Museum of Art
M4
A
New Leaf Café, dans le parc du Fort Tryon, tél. : 212/568-5323 ; mar.-sam. midi-15 h, 18 h-22 h, dim. 11 h-15 h, 17 h 30-21 h 30
Visites guidées gratuites mar.-dim. 15 h ; audioguide ad. 6 $, moins de 12 ans 4 $
www.metmuseum.org

**À SAVOIR**

- Si vous êtes pressé, prenez le métro, descendez à 190th Street et remontez à la surface par l'ascenseur. Entrez dans le Fort Tryon Park et remontez la promenade jusqu'aux cloîtres.
- L'été, un bus direct dessert les cloîtres depuis le Metropolitan Museum of Art. Il est plus cher mais plus rapide que les transports publics.

# THE CLOISTERS

**Une fabuleuse collection portant sur l'art et l'architecture de l'Europe médiévale est installée dans Fort Tryon.**

Perché au-dessus de l'Hudson River, ce musée défendu par le Fort Tryon Park se trouve à Washington Heights, à la pointe nord de Manhattan. Il offre une vue sublime sur les Palisades, falaises situées sur la rive opposée. The Cloisters est une annexe du Metropolitan Museum of Art (▷ 114-119), ouverte en 1938 et dédiée à l'art et l'architecture de l'Europe médiévale. Semblable à un monastère fortifié, le bâtiment a été construit avec de grands fragments de cloîtres du midi de la France et d'Espagne, datant du XIIe au XVe siècle.

Le musée renferme surtout des sculptures médiévales et des pièces architecturales acquises par le sculpteur américain George Grey Barnard lors de ses voyages en Europe. Vous pourrez voir 5 000 sculptures, des tapisseries, des manuscrits enluminés, des peintures, des vitraux et bien d'autres merveilles. À l'origine, le sculpteur exposa sa collection dans un immeuble en brique de Fort Washington Avenue. En 1925, John D. Rockefeller remit une importante somme au Met pour lui permettre d'acquérir la collection. Puis, en 1930, Rockefeller lui fit don du superbe Fort Tryon à condition que le Met fasse construire un bâtiment en adéquation avec la collection médiévale qu'il devait abriter.

**L'ESSENTIEL**

Au niveau principal, la chapelle Fuentidueña comporte une abside datant de 1160 et provenant de l'église San Martin, en Castille. À droite, un chapiteau représente *Daniel dans la fausse aux lions*, tandis que celui de gauche montre *L'Adoration des mages*. La fresque de la *Vierge à l'Enfant* qui orne le demi-dôme provient d'une église catalane des Pyrénées. Le portail roman de la nef de la chapelle a été sculpté en Toscane, vers 1175. Au même niveau, se trouve le cloître de Saint-Guilhem dont l'imposante galerie faisait partie d'une abbaye de bénédictins, proche de Montpellier. Les chapiteaux des colonnes sont finement sculptés et datent des XIIe et XIIIe siècles.

Au centre du niveau principal, le cloître de Cuxa provient d'un monastère bénédictin proche de Prades. Le cloître a été abandonné pendant la Révolution française. Barnard parvint à se procurer la moitié des chapiteaux. La salle Nine Heroes Tapestries renferme quelques-unes des plus vieilles pièces d'un ensemble de tapisseries datant de 1385.

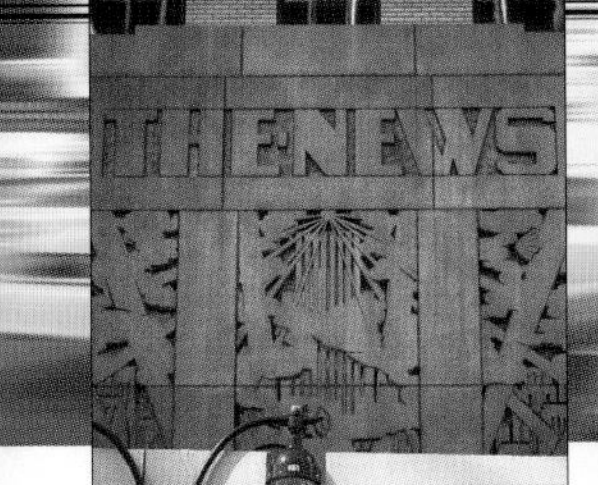
Détail de la façade du Daily News Building

Le Dakota Building fut le premier immeuble de luxe de New York

De forme triangulaire, le Flatiron Building date de 1902

## DAILY NEWS BUILDING

338 F18 • 220 East 42nd Street 10036 Tlj 9 h-17 h, hall uniquement M42, M104 4, 5, 6, 7

En 1925, le fondateur du *Daily News*, James Patterson, a fait ériger cette tour moderniste de béton et d'acier, à la gloire du journalisme populaire. Contrairement à la plupart des gratte-ciel new-yorkais d'alors, elle n'était pas de style gothique. À l'extérieur et à l'intérieur du rez-de-chaussée, les motifs Art déco contrastent avec les lignes verticales, plus modernes, de la façade supérieure. Le hall est en grande partie d'origine. Notez le globe pivotant de 3,5 m de diamètre, la frise relatant les débuts du journal et l'horloge réglée sur 17 fuseaux horaires. Le sol a été conçu comme une énorme boussole.

En 1995, le *Daily News* a déménagé et l'immeuble a été rebaptisé News Building.

## THE DAKOTA

58 D15 • 1 West 72nd Street 10023 M7, M10, M11 B, C

D'allure germanique, cet édifice classé de l'Upper West Side, au sol de marbre et aux panneaux d'acajou, fut le premier immeuble de luxe de Central Park.

Naguère aussi éloigné des néons de la ville et de ses commodités que le lointain État dont il porte le nom, le Dakota Building ne resta pas longtemps isolé. Les prix flambèrent et les membres de la jet-set affluèrent, dont le musicien Leonard Bernstein et l'actrice Lauren Bacall. John Lennon fut assassiné devant la porte de l'immeuble alors qu'il rentrait chez lui. Sa veuve, Yoko Ono, y vit toujours.

Personne ne peut s'installer dans le Dakota Building sans la cooptation des autres résidents.

## EAST HARLEM

Hors plan 59 E12 • 5th Avenue à 1st Avenue, East 97th St à East 125th St M15, M101, M102, M103 4, 5, 6

Situé au-dessus de l'Upper East Side, l'actuel East Harlem, ou El Barrio (« le quartier »), s'appelait autrefois Spanish Harlem. Contrairement à Central Harlem, il s'est développé dans les années 1870 et 1880. Ses habitations abritèrent des immigrants irlandais, puis italiens, à partir des années 1890. Les Portoricains ayant bénéficié d'une relative ascension sociale suivirent et s'installèrent en nombre dans le quartier. Ils étaient 45 000 dans les années 1930, 600 000 trente ans plus tard et plus de un million aujourd'hui. L'espagnol est d'ailleurs la deuxième langue (non officielle) du pays. El Barrio possède un charme latino-américain, avec ses avenues et ses rues animées et bordées d'échoppes et de restaurants.

## EAST VILLAGE AND NOHO

Voir p. 88-89.

## ELLIS ISLAND IMMIGRATION MUSUEM

Voir p. 90-93.

## EL MUSEO DEL BARRIO

Hors plan 59 E12 • 1230 Fifth Avenue 10029, entre 104th St et 105th St 212/831-7272 Mer.-dim. 11 h-17 h (jeu. jusqu'à 20 h) Don suggéré : ad. 7 $ (gratuit jeu. 16 h-20 h), moins de 12 ans gratuit. Tarifs spéciaux pour certaines expositions M1, M2, M3, M4 6
www.elmuseo.org

Seul musée du pays à traiter de culture et d'art portoricains, latino-américains et caribéens, il a été créé en 1969, à partir d'une exposition organisée dans une salle de classe. Vous y verrez une exposition permanente de statuettes religieuses sculptées à la main et appelées *santos de palo*, ainsi que des pièces appartenant aux peuples caraïbes qui accueillirent Christophe Colomb dans le Nouveau Monde.

Des expositions temporaires d'art et d'artisanat latino-américains et caribéens s'enchaînent en permanence. Conférences et ateliers font de ce musée un lieu culturel important.

## EMPIRE STATE BUILDING

Voir p. 94-96.

## FEDERAL HALL NATIONAL MONUMENT

Voir p. 97.

## FIFTH AVENUE

Voir p. 98.

## FLATIRON BUILDING ET DISTRICT

60 E20 • 175 Fifth Avenue, à l'angle de Broadway 10017 M2, M3, M5, M6 N, R

Le Flatiron Building forme le triangle d'intersection entre Fifth Avenue et Broadway. Ses 87 m ne lui ont jamais permis de prétendre à un record de hauteur. Initialement appelé Fuller Building, il fut construit selon les plans de Daniel Burnham, en 1902. Ses proportions originales et son architecture élaborée suscitent la curiosité des photographes depuis plus d'un siècle. En deçà de 23rd Street, Fifth et Sixth Avenues et Broadway formaient, autrefois, la zone commerçante la plus chic de New York. Cette partie de Sixth Avenue s'appelait d'ailleurs le Ladies' Mile (« le km des dames »). Avec les grands magasins, le prestige et un nouveau style architectural prirent pied dans le quartier. Madison Square Park se trouve juste au nord-est du Flatiron Building.

# East Village et NoHo

**Un quartier à la mode, où les boutiques de vêtements « vintage » côtoient les restaurants exotiques ou de nouvelle cuisine, les clubs branchés et moult sites historiques.**

*Le Joseph Papp Theater* — *Ambiance bobo sur St. Mark's Place* — *Musicien au cœur du Village*

| LES PLUS | |
|---|---|
| Histoire | ●●●●● |
| Photo | ●●●● |
| Shopping | ●●●● |
| Facilité d'accès | ●●●●● |

L'East Village et NoHo (North of Houston) s'étirent entre 14th Street, Houston Street, Broadway et Avenue B. Cet ancien domaine agricole du gouverneur hollandais Peter Stuyvesant a vu s'installer des immigrants irlandais, allemands, juifs, ukrainiens et italiens aux XIXe et XXe siècles. À l'Ukrainian Museum (▷ 144), vous découvrirez les richesses de la culture des immigrants ukrainiens.

Située sur 2nd Avenue, au niveau de 10th Street, St. Mark's in the Bowery (▷ 131) est la deuxième église la plus ancienne de New York. Elle fut construite sur une des terres de Peter Stuyvesant, et son cimetière abrite la sépulture de ce dernier. Paroissien de l'église, le poète W. H. Auden vécut au 77 St. Mark's Place de 1953 à 1972.

Dans les années 1830, les New-Yorkais les plus fortunés tels John Jacob Astor, certains Vanderbilt ou la famille Delano vivaient aux 428-434 Lafayette Street ou Colonnade Row, au sud d'Astor Place. Aujourd'hui, seules quatre des neuf maisons d'origine subsistent. L'établissement universitaire Cooper Union, au 51 Astor Place, est l'œuvre d'un génie de l'ingénierie : Peter Cooper. Cet édifice classé a été achevé en 1859. C'est là qu'Abraham Lincoln prononça son discours contre l'esclavage, ce qui lui valut l'investiture du parti républicain. Dans les années 1870, les riches New-Yorkaises assistaient aux messes de la Grace Church (▷ 99), une des plus belles églises néogothiques du pays, dessinée par l'architecte James Renwick, Jr.

*Créations d'artistes vendues sur les trottoirs de l'East Village*

### JUIFS, RUSSES ET TURCS

Au début du XXe siècle, le secteur de Second Avenue, délimité par Houston Street et 14th Street, devint un pôle culturel yiddish appelé Jewish Rialto. Edward G. Robinson et Walter Matthau ont fait leurs débuts dans le théâtre yiddish, dans ce même quartier. Devant le Second Avenue Deli (156 Second Avenue), réputé pour ses succulents plats juifs, des plaques rendent hommage aux vedettes du théâtre local. La Christadora House, à l'angle de 9th Street et d'Avenue B, a accueilli le premier récital public de George Gershwin. Sur 10th Street, entre First Avenue et Avenue A, les bains russes et turcs *(tél. : 212/674-9250)* existent depuis 1892. Contrairement à quantité d'autres bains, ceux-ci ont survécu et sont devenus une véritable institution. L'intérieur n'est pas vraiment très luxueux, mais évoque de façon émouvante le New York du XIXe siècle.

**UN QUARTIER BOHÈME**

Dans les années 1960-1970, l'East Village fut le cœur battant de la culture hippie américaine. L'anarchiste Abbie Hoffman vivait sur St. Mark's Place, tandis qu'Allen Ginsberg, Timothy Leary, Andy Warhol et une foule bigarrée de Hell's Angels, de bouddhistes et de contestataires hantaient le secteur, se retrouvant régulièrement pour des meetings de protestation et des concerts de rock à Tompkins Square Park. Jusqu'à sa réhabilitation dans les années 1990, l'East Village a longtemps attiré les sans-abri et les toxicomanes. Désormais, le quartier est agréable en journée, mais mieux vaut l'éviter après le crépuscule.

Sur Lafayette Street, le Joseph Papp Public Theater est l'un des théâtres (hors Broadway) les plus réputés de New York. L'imprésario Joseph Papp a sauvé l'Astor Library de la démolition et, en 1967, son théâtre a levé son premier rideau sur la comédie musicale *Hair*.

Dans les divers restaurants exotiques de l'East Village, vous vous régalerez sans vous ruiner. Si vous préférez les tables plus haut de gamme, mettez le cap sur NoHo, un quartier situé autour de Lafayette et Broadway, entre Bleecker Street et 4th Street.

Plus à l'est, des boutiques chic et bistrots à la mode vous attendent à Alphabet City, surnommé ainsi car ses rues sont identifiées par des lettres. Le quartier étant peu accessible en métro, optez pour un taxi.

*Les bouquinistes d'Avenue A rappellent le passé littéraire de l'East Village*

**MÉMO**

61 F22 • Sud de 14th Street, est de Bowery

M8, M15

4, 5, 6

**À SAVOIR**

- Évitez l'est d'Avenue B, il offre peu d'intérêt et n'est guère rassurant.
- Consultez les affichages pour connaître la programmation des théâtres.
- Venez en fin d'après-midi ou en début de soirée pour flâner et dîner sans vous ruiner.

# Ellis Island Immigration Museum

**Très émouvant, ce musée est dédié aux 12 millions d'immigrants venus de pays lointains, entre 1892 et 1924. Parmi les objets exposés se trouvent des passeports, des vêtements, des bagages et des biens de famille donnés par les immigrants et leurs proches.**

LES SITES

**MÉMO**

Page 6 • Ellis Island, New York 10004 Information 212/363-3200, ferry 212/269-5755 ; audiotours, café et boutique de souvenirs 212/344-0996
Tlj 9 h-17 h, dernier ferry à 15 h 30
Musée et film gratuits. Place de ferry : ad. 10 $, enf. de 4 à 12 ans 4 $. Audiotours gratuits
Achetez vos billets au Castle Clinton, Battery Park. Le ferry circule environ toutes les 30 min., tlj 9 h-15 h 30, selon la saison
M1, M6, M9, M15
1, 4, 5, 9 pour Bowling Green
Des gardes effectuent régulièrement des visites guidées, consultez les horaires à l'arrivée.
Installé en plein air, l'Ellis Island Café sert des burgers, des pizzas, des sandwichs, des boissons sans alcool, de la bière et du vin.

www.ellisisland.com
Le site du musée propose des détails pratiques, un plan et une visite virtuelle de l'île. Il est un peu confus, mais regorge d'informations et de liens utiles.

www.ellisisland.org
Ce site dédié à l'histoire des familles d'immigrants (le centre se trouve au rez-de-chaussée du musée) contient les dossiers des passagers arrivés entre 1892 et 1924.

## DÉCOUVRIR ELLIS ISLAND

Achetez vos places de ferry pour Ellis Island au Castle Clinton, situé dans Battery Park (▷ 73). Présentez-vous tôt à l'embarcadère, surtout en été et au printemps, pour éviter les longues files d'attente. De Battery Park, prenez le ferry Circle Line-Statue of Liberty. En chemin, vous pourrez descendre à Liberty Island (▷ 136-137). Au débarcadère d'Ellis Island, empruntez la galerie en verre et en métal jusqu'au musée, un édifice de style Beaux Arts, coiffé de curieuses tourelles à coupoles de cuivre. Les splendides portails voûtés ont certainement impressionné les immigrants fraîchement débarqués. Les trois étages abritent des expositions permanentes et temporaires sur les formalités d'immigration, les conditions de confinement, l'édifice et sa restauration. Dès l'entrée, prenez un ticket pour assister à la projection gratuite du film *Island of Hope, Island of Tears* (« Île de l'espoir et des larmes », 30 min.). L'audiotour vous intéressera également.

## L'ESSENTIEL

### REZ-DE-CHAUSSÉE

Dans la billetterie de l'ancienne gare, l'**exposition Peopling of America** (« Peuplement de l'Amérique ») fournit des statistiques sur l'immigration aux États-Unis depuis le XVIIe siècle. Les mouvements migratoires depuis le XVIIIe siècle sont représentés sur un globe de 1,80 m de diamètre.

Les équipements sophistiqués de l'**American Family Immigration History Center** permettent aux descendants d'immigrants d'effectuer des recherches sur ces derniers. Consultez le site www.ellisislandrecords.org.

### PREMIER ÉTAGE

La **Registry Room** est le grand hall situé en haut d'un escalier que les immigrants gravissaient sous l'œil scrutateur de médecins à l'affût d'éventuelles déficiences physiques. Les voix de milliers d'hommes et de femmes d'origines diverses emplissaient ce hall tandis que les examinateurs et leurs interprètes interrogeaient tous les adultes et les enfants en âge de décliner leur nom. Chacun devait répondre aux 29 questions déjà posées sur une fiche remplie avant de débarquer. Si les réponses ne concordaient pas, les immigrants étaient retenus et soumis à des interrogatoires supplémentaires. Ils subissaient cette nouvelle épreuve après avoir quitté biens et familles et enduré une longue et épuisante traversée de l'Atlantique. Les grilles qui obligeaient la foule à se tenir en rang ont été retirées en 1911 et remplacées par des bancs. Dans cette salle, désormais silencieuse, les visiteurs viennent rendre hommage à ces exilés.

La remarquable voûte Guastavino et le carrelage Ludowici rouge datent de 1916. Sur les 28 000 carreaux, seuls 17 ont dû être remplacés lors de la restauration réalisée dans les années 1980.

Dans l'aile ouest (West Wing), une exposition relate chaque étape des formalités d'immigration. Dans l'aile est (East Wing), des photographies et des souvenirs montrent les espoirs, les craintes

*Portraits émouvants de la collection Treasures from Home*

et les difficultés des immigrants. Vous pourrez également écouter des témoignages.

**DEUXIÈME ÉTAGE**

La collection **Treasures from Home** regroupe plus de 1 000 objets ; vêtements, bijoux, biens de famille et clichés donnés par les immigrants et leurs descendants. Les souvenirs du passé laissé derrière eux mettent en relief la force des espoirs caressés. Une robe de mariée, le bracelet d'une grand-mère, la peluche d'un enfant, tout témoigne des sacrifices démesurés, consentis pour accéder à la liberté et à la prospérité.

**JARDIN**

Sur l'**American Immigrant Wall of Honor**, figurent les noms des quelque 500 000 immigrants dont les descendants contribuèrent à financer la restauration d'Ellis Island. Il s'agit d'un monument à la mémoire de toutes les personnes débarquées dans ce centre, tandis qu'elles fuyaient les persécutions, les maladies et la pauvreté.

## HISTOIRE

Les colons hollandais nommèrent Oyster Island (« île aux Huîtres ») cette île de 1,2 ha en raison de l'abondance de ses huîtrières. Dans les années 1760, on la baptisa Gibbet Island (« île du Gibet ») : on y pendait les pirates. Puis elle devint la propriété de Samuel Ellis. À la mort de ce dernier, en 1807, la ville de New York la racheta. Sur l'île, agrandie par des remblais (110 ha), on bâtit le Fort Gibson et on stocka des munitions. Le fort en bois brûla en 1897.

**IMMIGRATION**

En 1892, le centre de tri des immigrants fut transféré de Castle Clinton à Ellis Island. Le cabinet d'architectes Boring & Tilton conçut ses bâtiments de style Beaux-Arts. Jusqu'en 1924, 70 % des immigrants en route pour les États-Unis passèrent par ce centre doté d'un hôpital, de locaux de détention et d'une station de transports. Les passagers de 1re et de 2e classe étaient « triés » sur le bateau, dans de meilleures conditions que les passagers de 3e classe, débarqués et parqués sur l'île. Supposés venir de pays à l'hygiène douteuse, ils ne pouvaient s'étendre sur les lits de l'Oncle Sam qu'après un passage sous la douche. Des médecins

| LES PLUS | |
|---|---|
| Pour les enfants | ●●●● |
| Histoire | ●●●●● |
| Shopping | ●●●● |
| Prix justifié | ●●●●● |

**À SAVOIR**

- La visite du musée prend au minimum 3 heures. Si vous vous intéressez à l'immigration ou à la généalogie, consacrez un temps supplémentaire à la boutique de souvenirs.

*La Registry Room ou l'antichambre de l'Amérique*

*Les immigrants arrivaient avec tous leurs biens*

*En arrivant, les visiteurs découvrent la salle des bagages*

*Les tourelles à coupoles en cuivre se dressent au-dessus des flots*

**ELLIS ISLAND ET LIBERTY ISLAND**

Votre billet de ferry vous permet également de gagner Liberty Island pour voir la Statue de la Liberté (▷ 136-137). Téléphonez au préalable car celle-ci est souvent fermée depuis l'attentat du 11-Septembre. Si vous ne gravissez pas les 354 marches jusqu'au sommet de la statue, vous verrez cette dernière de près en vous promenant dans l'île.

traquaient sur les nouveaux arrivants les signes de problèmes cardiaques ou mentaux, susceptibles de justifier leur renvoi dans leur pays d'origine. Ils étaient également à l'affût du trachome, maladie ophtalmologique très contagieuse pouvant causer la cécité ou la mort. Surnommés « buttonhook men » (« tire-boutons »), ces médecins trituraient les paupières avec les doigts ou un tire-bouton, à la recherche de rougeurs inflammatoires. Des interprètes traduisaient les réponses des immigrants sur leurs finances, leur future résidence ou les proches qui les attendaient. Ils devaient prouver leur robustesse, leur intelligence et leur aptitude à trouver un emploi. Effrayés, nombre d'entre eux donnaient des réponses contradictoires et des fonctionnaires corrompus en profitaient pour monnayer leur indulgence. Les examinateurs interrogeaient 400 à 500 personnes par jour. La bureaucratie était décourageante et Ellis Island fut baptisée Island of Tears (« l'île des larmes »). Pourtant, la plupart des nouveaux arrivants furent admis sur le territoire américain. Ayant dépensé leurs maigres économies pour financer le voyage, la plupart d'entre eux débutaient leur nouvelle vie dans les taudis new-yorkais.

**APRÈS LA PREMIÈRE GUERRE MONDIALE**

Pendant la guerre de 1914-1918, l'île passa sous le contrôle de l'armée américaine et servit d'hôpital. En 1924, une loi imposa l'examen des candidats à l'immigration dans les consulats américains et Ellis Island devint un centre de déportation pour les immigrants clandestins.

De 1934 à 1936, un bâtiment administratif, un débarcadère et un édifice réservé aux loisirs furent construits dans le cadre d'un programme de grands travaux (Public Works Administration). Pendant la guerre de 1940, l'armée américaine emprisonna sur l'île des ressortissants de pays ennemis. Entre 1945 et 1954, les bâtiments abandonnés se détériorèrent. En 1952, malgré la proposition de transformer le bâtiment principal en musée, il demeura inutilisé et fut fermé en 1954. En 1965, le président Lyndon Baines Johnson classa l'île en la rattachant au Statue of Liberty National Monument. Dans les années 1980, les architectes Beyer Blinder Belle dirigèrent un vaste projet de restauration. L'ouverture du musée date de 1990.

*Le ferry Circle Line-Statue of Liberty longe Ellis Island*

## PRINCIPALES SALLES

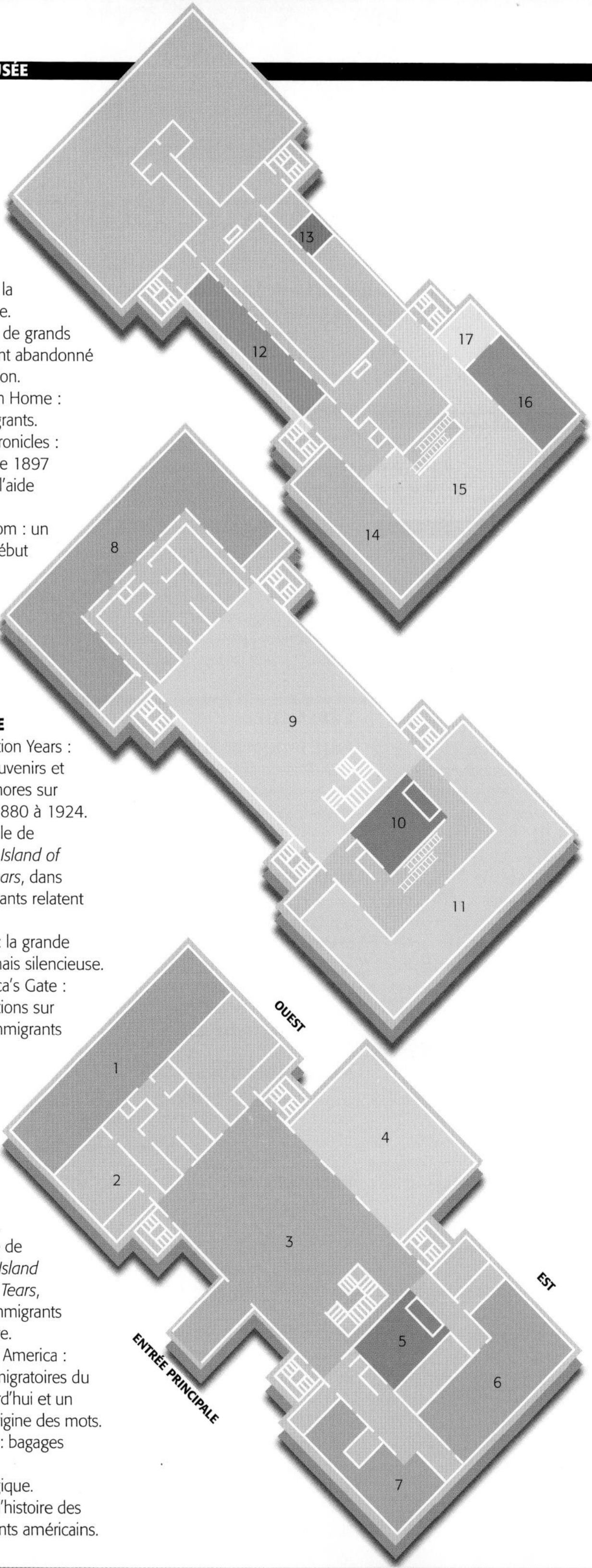

### DEUXIÈME ÉTAGE

**17.** Restoring a Landmark : photographies de la restauration du site.
**16.** Silent Voices : de grands clichés du bâtiment abandonné avant sa restauration.
**15.** Treasures from Home : souvenirs d'immigrants.
**14.** Ellis Island Chronicles : l'histoire de l'île, de 1897 à 1940, relatée à l'aide de maquettes.
**13.** Dormitory Room : un dortoir exigu du début du XXe siècle.
**12.** Expositions temporaires.

### PREMIER ÉTAGE

**11.** Peak Immigration Years : photographies, souvenirs et commentaires sonores sur l'immigration de 1880 à 1924.
**10.** Theater 2 : salle de projection du film *Island of Hope, Island of Tears*, dans lequel des immigrants relatent leur histoire.
**9.** Registry Room : la grande salle de tri désormais silencieuse.
**8.** Through America's Gate : 14 salles d'expositions sur l'inspection des immigrants et les « Stairs of Separation » (« Escaliers de la séparation »).

### REZ-DE-CHAUSSÉE

**7.** Boutique.
**6.** Ellis Island Café.
5. Theater 1 : salle de projection du film *Island of Hope, Island of Tears*, dans lequel des immigrants relatent leur histoire.
**4.** The Peopling of America : les mouvements migratoires du XVIIe siècle à aujourd'hui et un arbre indiquant l'origine des mots.
**3.** Baggage Room : bagages d'immigrants.
**2.** Centre pédagogique.
**1.** Centre dédié à l'histoire des familles d'immigrants américains.

# Empire State Building

**Emblème de New York, l'Empire State Building est le gratte-ciel le plus connu au monde. Chaque année, des millions de visiteurs viennent admirer la sublime métropole du haut du 86e étage.**

LES SITES

**LES PLUS**

| | |
|---|---|
| Pour les enfants | ● ● ● ● ● |
| Photo | ● ● ● ● ● |
| Prix justifié | ● ● ● ● |

**MÉMO**

60 E19 • 350 Fifth Avenue 10118
212/736-3100
Tlj 9 h 30-minuit, accès à l'ascenseur jusqu'à 23 h 15
Ad. 13 $, enf. de 12 à 17 ans 10 $, enf. de 6 à 12 ans 8 $, moins de 6 ans et militaires en tenue gratuit
M1, M2, M3, M4, M6, M7
6 pour 33rd Street ou B, D, F pour 34th Street/Herald Square
Audiotour de l'observatoire 6 $ (un marquage permet d'identifier les immeubles)

www.esbnyc.com *FR*
Écoutez un extrait de l'audiotour, faites une visite ou du shopping en ligne, achetez des tickets, consultez le programme des illuminations et des manifestations et découvrez la place de l'ESB dans l'actualité et le cinéma.

**À SAVOIR**

- Pour éviter de faire la queue, achetez votre ticket à l'avance sur Internet ou au NYC & Company Visitor Center (tél. : 212/484-1200), au 810 Seventh Avenue, entre 52nd Street et 53rd Street
- Venez par temps clair, avec des pièces de 25 cents pour les jumelles.
- Armez-vous de patience car les ascenseurs ne transportent que 16 personnes à la fois.
- Si vous venez au crépuscule, comme nombre de visiteurs, achetez votre billet à l'avance. Les nuits étoilées sont vraiment magiques. La durée de la visite est illimitée (jusqu'à la fermeture).

## DÉCOUVRIR L'EMPIRE STATE BUILDING

L'entrée principale se trouve sur Fifth Avenue. Il faut passer un point de contrôle similaire à ceux des aéroports (il n'y a pas de vestiaires). Si vous n'êtes pas muni de votre billet, descendez à la billetterie de l'observatoire en prenant l'escalator ou l'ascenseur jusqu'au niveau Concourse (hall). Des panneaux indiquent le temps d'attente et la visibilité. Une fois muni du billet, remontez au rez-de-chaussée par l'escalator et suivez les pancartes jusqu'aux ascenseurs de l'observatoire, au 1er étage. Gagnez le 80e étage, puis laissez-vous guider par le personnel jusqu'à l'ascenseur qui mène au 86e étage de la tour. La plate-forme est partiellement couverte.

## L'ESSENTIEL

### HALL DONNANT SUR FIFTH AVENUE

Ce hall abrite des œuvres d'art intéressantes, provenant de musées new-yorkais, de galeries ou appartenant à des artistes. Les murs en marbre sont somptueux et une superbe sculpture métallique en relief représente l'Empire State Building.

### HALL DONNANT SUR 34TH STREET

Les huit énormes panneaux de Roy Sparkia et Renee Nemerov représentent les Sept Merveilles du monde antique et la huitième merveille du monde moderne : la Grande Pyramide de Chéops, les jardins suspendus de Babylone, la statue de Zeus, le temple de Diane, le phare de Pharos, le colosse de Rhodes, la tombe du roi Mausole et... l'Empire State Building. Le phare de Pharos était, alors, la plus haute merveille du monde (183 m).

### NIVEAU CONCOURSE

Outre la billetterie de l'observatoire, on y trouve des photographies de visiteurs illustres, dont la reine Elizabeth II, Fidel Castro, et le célèbre footballeur Pelé.

### PREMIER ÉTAGE

Il abrite des expositions temporaires sur New York, ses musées, ses institutions culturelles et ses attractions touristiques. Offrez-vous une visite virtuelle et palpitante de la ville, à bord d'un simulateur pour pilotes de 747 *(NY SKYRIDE, tél. : 212/279-9777, www.skyride.com, tlj 10 h-22 h)*.

### PLATE-FORME D'OBSERVATION, 86e ÉTAGE

De la plate-forme en plein air, vous verrez de près les gratte-ciel et le quartier environnants à l'aide des puissantes jumelles. S'il pleut, réfugiez-vous sur la plate-forme couverte.

### ILLUMINATIONS

Tous les jours, de 21 h à minuit, de puissants projecteurs illuminent les 30 derniers étages. Certains soirs, les illuminations ont des couleurs spécifiques : rouge, blanc et bleu pour la fête de l'Indépendance (4 juil.), vert pour la Saint-Patrick (17 mars), rouge,

noir et vert pour le Martin Luther King Day (3e lun. de juin), jaune et blanc pour Pâques, mauve et blanc pour la Gay Pride (juin). Quant aux châssis en inox des fenêtres, ils scintillent jour et nuit. Au printemps et en automne, l'immeuble n'est pas illuminé les soirs de brouillard afin de ne pas désorienter les oiseaux migrateurs.

### LA TOUR

Installées sur les côtés est et ouest du gratte-ciel, des caméras et des antennes de relais hertzien transmettent des informations sur le trafic aux grandes chaînes de télé et aux stations de radio. C'est d'ici que la NBC a réalisé la première transmission télévisée du pays, le 22 décembre 1931. Depuis 1965, une radio FM émet du haut de la tour, à l'instar de la New York Telephone Company. Le public n'y a pas accès.

*L'Empire State Building resplendit au crépuscule (ci-dessus)*
*Les visiteurs se pressent sur la plate-forme du 86e étage (vignette gauche)*
*Dans le hall donnant sur Fifth Avenue, la sculpture en relief du gratte-ciel attire le regard (vignette droite)*

**CHIFFRES**

- L'Empire State Building pèse 365 000 t, dont 60 000 t de métal. Il comporte 790 000 m de câbles électriques, 10 millions de briques, 100 km de canalisations, 6 500 fenêtres, 72 ascenseurs, 11 km de gaines d'ascenseurs, 1 860 marches et des fondations creusées à 17 m de profondeur. Sa construction a nécessité 7 millions d'heures de travail.

- Le terrain (site de l'ancien Waldorf-Astoria Hotel) et la construction ont coûté respectivement 16 millions et 25 millions de dollars. Le chantier n'a duré que 14 mois ! L'édifice a été inauguré le 1er mai 1931.

- Le 102e étage de l'Empire State Building se dresse à 436 m du sol. Quatre-vingt-six étages abritent des bureaux. La tour se compose de 16 étages.

- L'antenne de télé installée en 1985 est haute de 22 étages.

- 3 millions de visiteurs montent chaque année à l'observatoire. La formidable vue à 360° s'étend jusqu'à 130 km par temps clair.

- La Fleet Empire State Building Run-Up Race, une compétition organisée par le New York Road Runners Club a lieu chaque année en février depuis 1978. Les participants doivent gravir 1 567 marches en courant. Le temps record est de 9 min. et 33 s.

## HISTOIRE

En 1827, William B. Astor acheta pour 16 000 $ la ferme alors située sur le site actuel de l'Empire State Building, et y fit bâtir le premier hôtel Waldorf-Astoria. En 1928, l'hôtel fut revendu 20 millions de dollars et démoli pour permettre la construction du gratte-ciel. Les travaux de terrassement débutèrent en 1930 sous la houlette du vice-président de General Motors, John Jacob Raskob, déterminé à bâtir le plus vite possible l'ouvrage le plus haut du monde. C'est pourquoi les motifs décoratifs de la façade en calcaire et des fenêtres en acier chromé ont été réalisés en usine. Achevé en 1931, avec une économie de 5 millions sur le budget prévu, l'Empire State Building a ravi le titre du gratte-ciel le plus haut du monde au Chrysler Building, avant d'être éclipsé par le World Trade Center, en 1971. Depuis l'attentat du 11-Septembre, il domine de nouveau New York.

La crise de 1929 et la Seconde Guerre mondiale sonnèrent le glas de la prospérité new-yorkaise. Les bureaux du plus haut building du monde restèrent en grande partie vacants, ce qui lui valut le sobriquet de Empty State Building (*empty* signifiant vide). Toutefois, la forte fréquentation de la plate-forme d'observation permit de régler ses taxes à la ville. En 1933, la sortie de *King Kong* propulsa l'Empire State Building au rang de star du grand écran. Les doutes sur sa stabilité s'envolèrent le 28 juillet 1945, lorsqu'un bombardier B-25 de l'armée nationale percuta les 78e et 79e étages, tuant 13 personnes et provoquant d'importants dégâts matériels.

*Vue sur New York et le Bronx (est) du haut de l'Empire State Building*

Le Federal Hall actuel date de 1842

# FEDERAL HALL NATIONAL MONUMENT

**Premier capitole des États-Unis, où le président George Washington prêta serment à la nation naissante.**

En approchant des marches du Federal Hall National Monument, impossible de manquer la statue de bronze de George Washington, œuvre de John Quincy Adams Ward. Cet édifice néoclassique à colonnes ressemble à un Parthénon simplifié et tranche quelque peu avec les immeubles massifs de Wall Street. À l'intérieur, 16 colonnes corinthiennes en marbre supportent le dôme de la rotonde pourvue de grilles en bronze. Vous pourrez voir une exposition sur la Constitution, ainsi que la bible sur laquelle George Washington prêta serment.

**UN SITE HISTORIQUE**

Le premier hôtel de ville (City Hall) de New York fut bâti sur ce site en 1699. En 1789, l'édifice fut reconstruit par Pierre L'Enfant et accueillit le premier Congrès pour l'élaboration du Bill of Rights, ces amendements constitutionnels garantissant la liberté de culte, d'expression, de la presse, de réunion, de port d'armes, la protection des biens et des personnes et le jugement par un jury. Pierre L'Enfant traça également les plans de la ville de Washington. Le 30 avril 1789, date de la prestation de serment de George Washington, fut un jour de grandes festivités. L'édifice fut le premier capitole de la nation jusqu'en 1790, date à laquelle Thomas Jefferson et Alexander Hamilton décidèrent de transférer le siège du gouvernement sur la rive du Potomac.

Bien d'autres événements majeurs se sont déroulés en ce lieu. John Peter Zenger, un homme de presse, y fut emprisonné pour diffamation en 1734. Le brillant plaidoyer d'Alexander Hamilton lui fit gagner son procès et constitua un pas important vers la liberté de la presse (▷ 27). En 1765, le Stamp Act Congress s'y réunit pour protester contre la série de taxations décidée par Londres (▷ 28). En 1787, après l'indépendance, le premier Congrès continental se réunit ici pour fixer les modalités de création de nouveaux États. L'édifice a également abrité les départements d'État, de la Guerre et du Trésor, ainsi que la Cour Suprême. Les douanes ont occupé ses murs durant vingt ans avant de déménager vers Wall Street. Puis, le bâtiment a été classé monument national le 26 mai 1939, avant de devenir un mémorial dédié à George Washington le 11 août 1955.

Le « temple dorique » renferme une ravissante rotonde

**LES PLUS**

| | |
|---|---|
| Pour les enfants | ●●● |
| Histoire | ●●●● |
| Photo | ●●●● |
| Facilité d'accès | ●●●●● |

**MÉMO**

- 61 E26 • 26 Wall Street 10005
- 212/825-6870
- Lun.-ven. 9 h-17 h
- Gratuit
- M9
- 4, 5

*L'une des avenues les plus célèbres au monde*

# FIFTH AVENUE

**Cette artère jalonnée de magasins, de musées et de gratte-ciel classés est l'une des avenues les plus courues de New York.**

Achevé en 1931, l'Empire State Building (▷ 94) se trouve sur Fifth Avenue, au niveau de 34th Street. La plate-forme du 86e étage offre une vue imprenable sur la célèbre artère, qui part de Washington Square Park, plus au sud. Au n° 47, un édifice de style italien en pierre brune abrite le plus vieux club d'artistes d'Amérique : le Salmagundi Club (1871). Au n° 62, se tiennent les Forbes Magazine Galleries (▷ 99). À l'angle de 23rd Street, se dresse la silhouette triangulaire du premier gratte-ciel de Manhattan : le Flatiron Building (▷ 87).

La St. Patrick's Cathedral (▷ 131) se tient entre 50th Street et 51st Street. Au n° 645, l'Olympic Tower, siège de l'ancien empire Onassis, abrite des boutiques, des bureaux, des appartements et un restaurant.

Ces deux importants édifices se trouvent au cœur d'un célèbre quartier de magasins de luxe, situé entre 49th Street et 59th Street. Créé en 1837, Tiffany & Co. se situe à la hauteur de 57th Street. Saks Fifth Avenue (entre 50th Street et 51st Street) avoisine Bergdorf Goodman (57th Street), Disney Store et bien d'autres enseignes. Au-delà de la Trump Tower (▷ 144), Central Park (▷ 78-83) se détache à l'ouest.

### HÔTELS PARTICULIERS ET MUSÉES

Dès le XIXe siècle, Henry Clay Frick, le magnat du charbon et de l'acier, James Duke, le roi du tabac, Jay Gould, le prince des transports ferroviaires, et nombre d'autres grandes fortunes avaient pris leurs quartiers sur Fifth Avenue et bâti d'immenses demeures. Certaines ont été démolies dans les années 1920 pour faire place à des appartements de luxe, mais il en subsiste un grand nombre. Copiée des centaines de fois, la première (au n° 998) date de 1912. La présence de concierges guindés témoigne de la richesse des hôtes de ces résidences avec une vue superbe sur Central Park. La demeure de Henry Clay Frick, au niveau de 70th Street, est ouverte au public et renferme une formidable collection d'art européen. L'ancienne résidence de 64 chambres d'Andrew Carnegie (91st Street) abrite le Cooper-Hewitt National Design Museum (▷ 77). Le musée du judaïsme occupe une autre belle maison ancienne, au niveau de 92nd Street. Émaillé de musées, le secteur délimité par 79th Street et 104th Street est appelé Museum Mile. On y trouve le Metropolitan Museum of Art (▷ 114-119), le Guggenheim Museum (▷ 110-111) et le Museum of the City of New York (▷ 123).

**LES PLUS**

| | |
|---|---|
| Histoire | ●●●●● |
| Photo | ●●●●● |
| Shopping | ●●●●● |
| Facilité d'accès | ●●●●● |

**MÉMO**

59 E16 • De Washington Square à Harlem River, au nord
M1, M2, M3, M4
4, 5, 6

**À SAVOIR**

- Les défilés de Fifth Avenue méritent le coup d'œil. Le plus important a lieu le 17 mars, jour de la Saint-Patrick, mais il y en a bien d'autres. Les trottoirs sont alors si bondés qu'il est impossible de circuler. Pour plus de détails, consultez le programme NYC & Company.

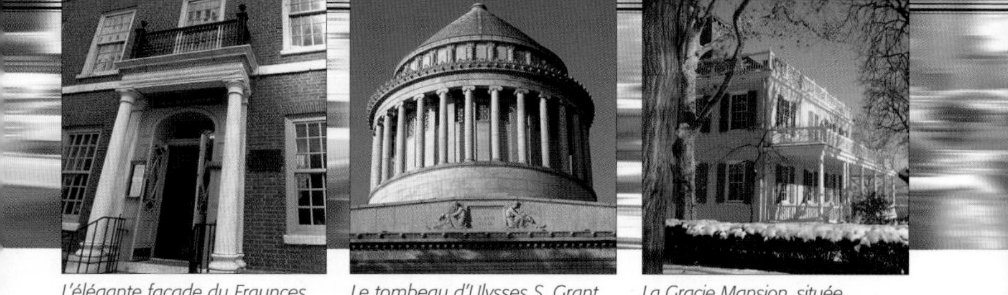

*L'élégante façade du Fraunces Tavern Museum*

*Le tombeau d'Ulysses S. Grant date de 1897*

*La Gracie Mansion, située à proximité de l'East River*

### FORBES MAGAZINE GALLERIES

60 E21 • 60-62 Fifth Avenue 10011 212/206-5548 Mar.-mer., ven.-sam. 10 h-16 h Gratuit M2, M3, M5, M7 F, L, V www.forbescollection.com

Magnat de l'édition et aventurier, Malcolm Forbes (1919-1990) fut un collectionneur passionné. L'ancien siège des éditions Macmillan abrite désormais les bureaux du magazine Forbes ainsi que sa collection : jeux de Monopoly anciens, maquettes de bateaux, champs de bataille et soldats miniatures, environ 3 000 documents historiques (dont la proclamation d'émancipation des esclaves par Abraham Lincoln) et, parmi les objets d'art, une douzaine de célèbres œufs de Pâques incrustés de joyaux et fabriqués pour les tsars par la maison Fabergé.

Les enfants adoreront la collection de jouets anciens et les maquettes de bateaux.

### FRAUNCES TAVERN MUSEUM

61 F26 • 54 Pearl Street 10004 212/425-1778 ; restaurant 212/968-1776 Mar.-ven. 10 h-16 h 45, sam. 10 h-17 h Ad. 3 $, enf. de 7 à 18 ans 2 $ M6, M15 4, 5 www.frauncestavernmuseum.org

Au XVIIIe siècle, l'aubergiste Samuel Fraunces tenait la Queen's Head Tavern à ce même endroit. Dans la Long Room, reconstitution de la salle à manger de l'époque, George Washington prononça son célèbre discours d'adieu devant ses officiers à la fin de la guerre d'Indépendance (1783). L'édifice actuel a été construit en 1907 et financé par les Sons of the Revolution (les descendants de combattants de la guerre d'Indépendance) et jouxte des bâtiments du XIXe siècle. L'ensemble abrite un musée d'histoire et de culture américaines. Les enfants peuvent y revêtir des costumes d'époque et essayer d'écrire à la plume. Très fréquenté à toute heure, le restaurant sert des plats typiquement américains.

### FRICK COLLECTION

Voir p. 100.

### GENERAL GRANT NATIONAL MEMORIAL

Hors plan 58 C12 • Riverside Drive et West 122nd Street 10027 212/666-1640 Tlj 9 h-17 h M4, M5, M104 A

Communément appelé Grant's Tomb, il s'agit probablement du tombeau le plus grand et le plus impressionnant du pays. Haut de 46 m et coiffé d'un dôme, cet édifice massif en granit et ses six colonnes doriques se dressent près de l'Hudson, à la gloire du très populaire Ulysses S. Grant (1822-1885), qui fut général durant la guerre de Sécession, puis président.

Le plan retenu à l'issue d'un concours reproduisait le tombeau du roi Mausole (IVe siècle av. J.-C.), à Halicarnasse. Sa construction débuta dès la mort du président, grâce aux contributions de plus de 90 000 personnes, dont de nombreux Noirs. Bien plus qu'à l'homme d'État, ceux-ci rendaient ainsi hommage au valeureux général de l'armée nordiste.

Derrière les portes massives en bronze, sous la rotonde voûtée, Ulysses Grant et son épouse reposent dans deux superbes sarcophages noirs de 9 tonnes, rehaussés de marbre blanc étincelant.

### GRACE CHURCH

60 F21 • 800 Broadway et 10th Street 10004 212/254-2000 Lun.-ven. 10 h-16 h, dim. pour la messe uniquement 1, 2, 3 N, R, W, 6 http://gracechurchnyc.org

Le style néogothique faisait fureur lorsque James Renwick Jr. se mit à bâtir des églises. À l'instar de Richard Upjohn, architecte de la Trinity Church (▷ 142-143), située sur Lower Broadway, Renwick adopta ce style avec enthousiasme. Il construisit la Grace Church (1846), ainsi que la St. Patrick's Cathedral (▷ 131), à l'angle de Fifth Avenue et de 50th Street.

En 1888, le clocher en bois de l'église fut remplacé par un clocher en marbre. Sise au premier détour de Broadway, la Grace Church donne sur le sud de Manhattan. Elle jouxte la Renwick's Grace House (1881), le presbytère et la Renwick's Grace Memorial House, sur Fourth Avenue South.

### GRACIE MANSION

59 G13 • East End Avenue 10128 212/570-4751 Visites guidées uniquement, fin mars à mi-nov., mer. 10 h, 11 h, 13 h, 14 h. Sur réservation 7 $ M15, M31, M86 4, 5, 6

Dans une cité en perpétuelle transformation, rien ne résiste longtemps au changement, pas même le manoir d'Archibald Gracie. Ce bel exemple d'architecture fédérale a survécu contre vents et marées. Construite en 1799, la paisible maison de campagne avec vue sur l'East River fut agrandie en 1804, puis vendue en 1823, lorsque l'entreprise de navigation de Gracie périclita. Ensuite, on la transforma en simple buvette, avant son rachat par le service des parcs de la ville en 1896, puis sa reconversion en musée de la ville de New York, en 1924. En 1942, après sa rénovation, l'édifice devint la résidence officielle du maire, mais fut dédaignée par Bloomberg. D'importants travaux de restauration furent entrepris en 1985.

*L'hôtel particulier de Henry Frick (ci-dessus)*
*Sir Thomas More par Hans Holbein (à gauche)*

**LES PLUS**

| | |
|---|---|
| Histoire | ●●●●● |
| Prix justifié | ●●●●● |
| Facilité d'accès | ●●●●● |

**MÉMO**

58 E15 • 1 East 70th Street et Fifth Avenue 10021

212/288-0700

Mar.-dim. 10 h-18 h ; fermé lun. ; le 3e lun. de fév., le 11 nov. et le jour de l'élection présidentielle 13 h-18 h

Ad. 12 $, moins de 10 ans non admis

M1, M2, M3, M4

4, 5, 6

Livres, cartes, CD, vidéos et souvenirs du musée

www.frick.org

**À SAVOIR**

- Des concerts de musique de chambre ont lieu certains dimanches à 17 h (reportez-vous au site Internet).

# FRICK COLLECTION

**Cette remarquable collection de chefs-d'œuvre est joliment exposée dans la luxueuse demeure de Henry Clay Frick.**

Homme d'affaires impitoyable, farouchement opposé au syndicalisme et avide de richesse, Henry Clay Frick (1849-1919) a laissé le souvenir d'un entrepreneur hors pair. Il dirigeait la florissante Frick Coke Company, à Pittsburgh, lorsque Andrew Carnegie l'engagea comme associé dans la Carnegie Steel Company. Ensemble, ils propulsèrent cet empire de l'acier au rang des entreprises phares du pays et devinrent multimillionnaires. Hormis l'acier et le charbon, l'art fut l'unique objet d'intérêt de Henry Frick. Il collectionna des œuvres créées entre le XIVe et le XIXe siècle par de grands maîtres du monde entier. À l'âge de 64 ans, il possédait une résidence palatiale, dotée d'une galerie d'art, sur Fifth Avenue. L'ensemble fut conçu par les architectes Carrère & Hastings. Frick et son épouse y vécurent jusqu'à leur mort, entre 1919 et 1931. Dans un élan de générosité peu coutumier, Frick légua sa demeure et ses toiles à la collectivité.

Après la mort de son épouse, la résidence fut agrandie et transformée en musée en 1935. Elle se trouve en retrait de Fifth Avenue, derrière un jardin surélevé, signé Russell Page. En 2002, le mur de clôture en pierre a été reconstruit pour plusieurs millions de dollars et les grilles en fer forgé ont été restaurées. L'édifice jouxte une bibliothèque de consultation (East 71st Street), conçue par John Russell Pope, l'architecte de la National Gallery de Washington.

### L'ESSENTIEL

Les peintures ont été disposées dans les 16 salles dans l'ordre souhaité par Henry Frick et non par chronologie ou origine. La Fragonard Room abrite de grandes toiles de Fragonard sur les nuances du sentiment amoureux, des porcelaines et du mobilier français du XVIIIe siècle. Les toiles de Holbein, Greco, Titien et Bellini ornent le Living Room. Traversez la bibliothèque et dépassez les bronzes italiens et les vases chinois pour découvrir les paysages de John Constable et les portraits de Rembrandt et de Vélasquez, dans la West Gallery. Particulièrement belle, la East Gallery renferme des œuvres de Degas, Goya, Turner, Van Dyck et Whistler. Après la visite, reposez-vous dans la paisible Garden Court. Plantée de palmiers et idéale par temps frais, cette cour intérieure sert parfois d'espace d'exposition.

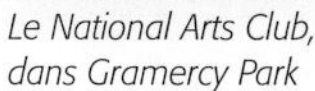


Le National Arts Club, dans Gramercy Park

Le club le plus célèbre d'Harlem, sur 125th Street

Avion exposé au Sea, Air and Space Museum



### GRAMERCY PARK HISTORIC DISTRICT

60 F20-F21 • Entre Park Avenue South, 3rd Avenue, 18th Street et 21st Street M1, M2, M3, M6, M7 N, Q, R, 6

Réalisé par le promoteur Samuel Ruggles, en 1831, sur le modèle des places londoniennes, Gramercy Park est le seul square privé de New York City. Apprécié de longue date des New-Yorkais aisés, il a conservé ses hautes grilles en fer. Edwin Booth, acteur et frère de l'assassin d'Abraham Lincoln, vécut dans un superbe bâtiment de grès brun, au 16 Gramercy Park South. Sa statue se dresse dans le parc. Gouverneur de New York de 1875 à 1877, Samuel Tilden fit installer des portes en acier au n° 15 et creuser un tunnel jusqu'à 19th Street pour se protéger contre la population…

### GRAND CENTRAL TERMINAL

Voir p. 102-104.

### GREENWICH VILLAGE

Voir p. 105-107.

### GROUND ZERO

Voir p. 108.

### GUGGENHEIM MUSEUM

Voir p. 110-111.

### HARLEM

Page 7 • Fifth Avenue à Morningside Avenue, au nord de 110th Street M2, M3, M7, M10, M102 2, 3, A, B, C, D Office du tourisme de Harlem et boutique de souvenirs, 2224 Frederick Douglass Boulevard

Depuis toujours, on associe Harlem au jazz et aux bars clandestins de l'époque de la Prohibition. Quartier désolé et déserté par la classe moyenne, dans les années 1960, il bénéficie désormais de projets de rénovation et de l'arrivée de nouveaux habitants. Son architecture présente un grand intérêt, mais Harlem séduit surtout par sa vie nocturne, ses clubs de jazz et ses sites culturels, dont le Schomburg Center (▷ 131) et la plus ancienne demeure de Manhattan : le Morris-Jumel Mansion Museum *(65 Jumel Terrace, tél. : 212/923-8008, mer.-dim. 10 h-16 h, ad. 3 $)*.

### HISPANIC SOCIETY OF AMERICA

Hors plan 58 C12 • 613 West 155th Street et Broadway 10032 212/926-2234 Mar.-sam. 10 h-16 h 30, dim. 13 h-16 h Gratuit M4, M5 1
www.hispanicsociety.org

Considéré comme l'un des secrets les mieux gardés de New York, ce musée mérite le détour. Il se trouve à 30 min. de Times Square en métro. Philanthrope et hispanisant, Archer Huntington fonda la Hispanic Society en 1904 et chargea son cousin de la construction du bâtiment. Joyau dédié aux arts et à la culture ibériques, ce musée regorge de pièces liées à l'Espagne, des outils du paléolithique aux chefs-d'œuvre de Vélasquez et de Goya.

### INTERNATIONAL CENTER OF PHOTOGRAPHY (ICP)

60 E18 • 1133 Avenue of the Americas et 43rd Street 10036
212/857-0000 Mar.-jeu. 10 h-18 h, ven. 10 h-20 h, sam.-dim. 10 h-18 h
Ad. 10 $ M5, M6, M7 B, D, F, V
www.icp.org

Installé au cœur de Midtown Manhattan, l'ICP est à la fois une école et un musée. Les expositions temporaires se succèdent et la collection permanente compte 60 000 clichés de toutes sortes, des daguerréotypes aux estampes numériques. Ils ont généralement été pris entre les années 1930 et aujourd'hui, par des photographes américains ou européens tels Henri Cartier-Bresson, Elliott Erwitt et Harold Edgerton. Vous pourrez y voir également un ensemble impressionnant de 13 000 tirages originaux de clichés pris par Weegee sur des scènes de crimes ou dans la nuit new-yorkaise, dans les années 1930 et 1940.

### INTREPID SEA, AIR AND SPACE MUSEUM

58 B18 • Hudson River Pier 86, extrémité ouest de 46th Street 10036
212/245-0072 Avr.-fin sept. lun.-ven. 10 h-17 h, sam.-dim. 10 h-19 h ; reste de l'an. mar.-dim. 10 h-17 h
Ad. 16,50 $, enf. de 6 à 17 ans/ 2 à 5 ans 11,50 $/4,50 $, gratuit pour les moins de 2 ans M16, M42, M50
A, C, E Visites gratuites
www.intrepidmuseum.org

Reconverti en un fascinant musée, le porte-avions *Intrepid* date de 1943. Il a coûté 44 millions de dollars, mesure 275 m de long et pèse 42 000 t. Son équipage se composait de 3 500 personnes. Le hangar (Hangar Deck) abrite quatre expositions sur les thèmes suivants : Pearl Harbor et la Seconde Guerre mondiale ; la vie à bord d'un porte-avions ; l'histoire de l'*Intrepid* ; l'exploration de l'espace, la communication par satellite et l'armement. Sur le pont d'envol (Flight Deck), vous verrez des avions « prêts » à décoller, tels un Lockheed A-12 Blackbird, un MIG russe ou un hélicoptère Cobra. Vous pourrez visiter le contre-torpilleur *Edson* et le sous-marin *Growler*, puis vous envoler durant 7 min. à bord du simulateur SR-2. Offrez-vous un audiotour de 2 h pour écouter les récits de survivants à des attaques kamikazes ou celui du repêchage de l'astronaute Scott Carpenter par l'*Intrepid* lors de son retour sur Terre.

# Grand Central Terminal

**Cette gare est l'espace public le plus somptueux de New York et l'un de ses plus beaux sites classés. Elle regorge de boutiques raffinées et de bonnes adresses pour manger sur le pouce. Tous les jours, les trains des banlieues nord acheminent un demi-million de passagers sur les 48 voies qui la desservent.**

*Des milliers de personnes passent par cette gare chaque jour*

*L'horloge en laiton à quatre quadrants*

*Le kiosque d'information central*

## DÉCOUVRIR GRAND CENTRAL TERMINAL

Empruntez l'entrée située à l'angle de 42nd Street et de Park Avenue pour apprécier la splendeur du hall principal.

Les proportions, le raffinement et l'animation de cet espace sont un extraordinaire avant-goût de Manhattan. D'un montant de 200 millions de dollars, la restauration de cette gare lui a restitué sa grandeur d'antan et emplit de fierté les New-Yorkais les plus critiques. Notez les baies de 29 m de hauteur, le sol en marbre du Tennessee, l'horloge en laiton, au-dessus du kiosque central, et les lustres en or et en nickel. Parcourez les galeries en direction de Lexington Avenue. Le sous-sol abrite des restaurants et des boutiques, dont le Children's General Store, Banana Republic ou Godiva. Près du hall principal, le marché central déborde de produits frais. L'annexe et la boutique du New York Transit Museum méritent une visite si le temps ne vous manque pas. Un labyrinthe de passages souterrains relie la gare aux rues alentour, notamment à l'angle de 48th Street et de Park Avenue, au nord.

## L'ESSENTIEL

### PLAFOND DU HALL PRINCIPAL

Œuvre du Français Paul Helleu, le plafond fut conçu d'après un manuscrit du Moyen Âge. Ses 59 ampoules figurent les constellations zodiacales à l'envers. On ignore si l'artiste savait que la représentation inversée des cieux, c'est-à-dire du « point de vue » de Dieu, fut une pratique courante au Moyen Âge. Le hall principal mesure 114 m sur 36 m.

### SCULPTURE DE JULES ALEXIS COUTAN

Dieu romain du voyage et du commerce, Mercure est le sujet central de cette sculpture (1935), situé à l'entrée sud. Il est soutenu par Minerve et Hercule, symboles de puissance.

### GRAND CENTRAL OYSTER BAR AND RESTAURANT

Ce restaurant (▷ 278) aux voûtes basses, ornées de carreaux conçus par Guastavino, vaut le coup d'œil et une collation. Commandez un bol de bisque de palourdes (*bowl of clam chowder*), à la tomate (Manhattan) ou à la crème (New England).

### LES PLUS

| | |
|---|---|
| Gastronomie | ●●●●● |
| Histoire | ●●●● |
| Photo | ●●●● |
| Shopping | ●●●● |

### MÉMO

60 E18 • East 42nd Street et Park Avenue 10017

212/340-2210 ; info. sur les trains 718/330-1234

Tlj 5 h 30-1 h 30

Gratuit

M1, M2, M3, M4

4, 5, 6, 7, S

La Municipal Arts Society propose une excellente visite gratuite le mer. à 12 h 30. Rendez-vous au kiosque d'information, sous l'horloge du hall principal.

Grand Central Oyster Bar & Restaurant, en sous-sol ; lun.-sam., tél. : 212/490-6650, www.oysterbarny.com. The Steak House ne sert que des steaks ; tél. : 212/655-2300, www. theglaziergroup. com. Métrazur sert la nouvelle cuisine de Charlie Palmer, des fruits de mer et des pâtes ; tél. : 212/687-4600.

50 magasins situés sur la mezzanine et aux étages inférieurs.

www.grandcentralterminal.com
Numéros de téléphone des magasins, cartes et tarifs des restaurants, informations sur les trains et les diverses manifestations.

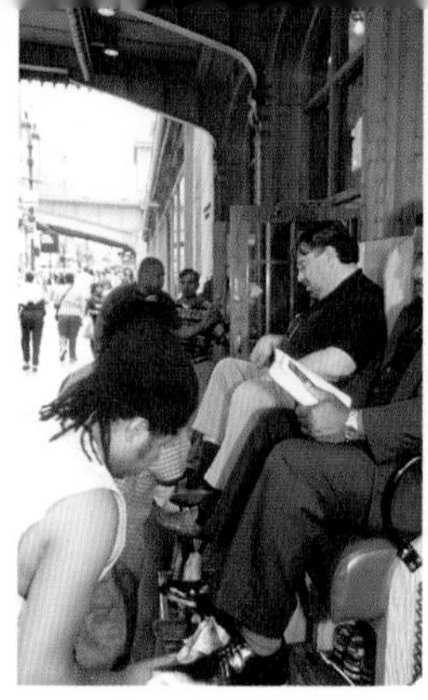

*Besoin d'un petit coup de cirage ? (ci-dessus)*
*Le célèbre Oyster Bar and Restaurant (droite)*

**À SAVOIR**

- Le Grand Central Partnership (GCP) est une importante association économique locale. Elle propose des visites gratuites du quartier (les ven. à 12 h 30, qu'il pleuve ou qu'il vente). Rendez-vous dans l'annexe du Whitney Museum, située dans le Philip Morris Building, à l'angle de 42nd Street et de Park Avenue.
- Au sous-sol, le sympathique hall de restauration offre diverses possibilités culinaires, des pizzas cajun aux sandwichs vietnamiens. Avant 12 h 30, vous aurez une petite chance de trouver des places assises.
- Prenez le temps de profiter des magasins, des restaurants et surtout de l'architecture de cette gare qui incarne l'âme de New York.
- En quittant la gare, marchez vers 40th Street (deux rues plus au sud), puis retournez-vous pour admirer la sculpture néoclassique de Coutan, du côté de l'entrée sud.

### THE CAMPBELL APARTMENT

Aussi élégant qu'onéreux, ce bar à cocktails aux belles boiseries sombres fut le bureau et le pied-à-terre de John Campbell dans les années 1920. Il a été conçu dans le style d'un palais florentin du XIIIe siècle et ses vitraux sont de Louis Comfort Tiffany. Suivez les panneaux jusqu'au petit escalier situé en face du restaurant The Steak House, propriété du basketteur Michael Jordan, près du balcon ouest.

### GALERIE ET BOUTIQUE DU NEW YORK TRANSIT MUSEUM

Les expositions temporaires traitent de l'histoire et de l'avenir des transports publics *(tél. : 212/878-0106, www.mta.nyc.ny.us/mta/museum FR).*

### MANIFESTATIONS

Des expositions, des dégustations, des chasses au trésor et des concerts ont lieu régulièrement. Sur le marché de Noël du Vanderbilt Hall, des dizaines d'artisans imaginatifs et de commerçants de diverses régions exposent leurs marchandises.

## HISTOIRE

Propriétaire du New York Central Railroad, Cornelius Vanderbilt ordonna la construction de Grand Central Terminal. Les travaux durèrent de 1903 à 1913, et la nouvelle gare remplaça le 42nd Street Terminal, un garage en fer et en verre, datant de 1871. Au début du XXe siècle, ce secteur se trouvait à la limite nord de la ville, mais l'activité de la nouvelle gare incita à l'installation de magasins, d'hôtels, de restaurants et de bureaux à proximité. Vers 1920, de luxueux immeubles vinrent embellir le boulevard.

La gare est un exemple éblouissant du style Beaux-Arts. Dotée d'arches de verre et de métal, elle comporte une majestueuse salle d'attente, un somptueux hall, une superbe voûte et d'imposantes sculptures représentant des divinités romaines. Très novateurs pour l'époque, les plans de l'ingénieur William Wilgus et des architectes Reed & Stem incluaient de longs tunnels, un système de rampes, pour faciliter la circulation, et des halls inférieur et supérieur. Cousin de Vanderbilt, l'architecte Whitney Warren se chargea des façades et de l'intérieur. Mais, vers les années 1970, la rouille envahissait les parties métalliques, l'amiante se détachait, les escaliers empestaient et la gare devint synonyme de délabrement.

### LA SECONDE VIE DE GRAND CENTRAL TERMINAL

En 1978, un promoteur proposa de construire 55 étages de bureaux sur la gare, sans aucun égard pour la façade. À l'issue d'une série de procédures juridiques, la Cour Suprême fédérale fit valoir la loi sur les sites classés pour sauver la gare. Dans cette bataille, Jacqueline Kennedy Onassis s'opposa vigoureusement au projet de tour. En 1998, les architectes Beyer Blinder Belle achevèrent la restauration exécutée à partir des 4 500 dessins et plans de Warren. En quatre ans, on remplaça l'installation électrique et la plomberie, vieilles de 80 ans, on installa la climatisation et on créa de nouvelles entrées. Pendant les travaux, la gare resta ouverte et les trains respectèrent leurs horaires.

# Greenwich Village

**Fascinant, cet ancien quartier bohème séduit désormais les célébrités. Il regorge de boutiques à la mode, d'excellentes librairies, de cafés en terrasse et de discothèques sensationnelles. Naguère, Greenwich Village était fréquenté et habité par des artistes, écrivains et contestataires de renom.**

Gay Liberation*, une sculpture de George Segal (1992)*

*Bleecker Street, une rue animée, jalonnée de boutiques et de cafés*

*Les photos d'écrivains célèbres tapissent les murs du Chumleys*

## DÉCOUVRIR GREENWICH VILLAGE

Broadway divise Greenwich Village en East Village (▷ 88-89) et West Village. Artère principale de West Village, Bleecker Street regorge de cafés, de restaurants et de boutiques. Très animé, ce haut lieu de la musique et de la poésie enchantera les noctambules, amateurs de bars ou de discothèques, et les simples promeneurs.

## L'ESSENTIEL

### CHRISTOPHER PARK

Délimité par Christopher Street, West 4th Street et Seventh Avenue, Christopher Park abrite une sculpture intitulée *Gay Liberation*. Œuvre de George Segal, elle représente un couple gay se tenant devant deux femmes assises sur un banc. Le Stonewall Bar & Grill se situe juste derrière. C'est là que des émeutes déclenchèrent le mouvement national de libération des homosexuels, en 1969. Christopher Street est l'un des centres de la communauté gay de New York.

### CHUMLEY'S

Situé au 86 Bedford Street, près de Grove Street, cet ancien bar clandestin est difficile à localiser, faute d'enseigne et de numéro visible. Nombre d'écrivains new-yorkais, dont John Steinbeck (1902-1968), vinrent y prendre quelques verres interdits. Les photos d'illustres clients tapissent les murs. Le lieu a servi de décor à de nombreux films, notamment *Accords et désaccords* de Woody Allen.

### JEFFERSON MARKET LIBRARY

En 1885, une étude menée auprès d'architectes plaça la Jefferson Market Library au cinquième rang des plus beaux bâtiments du pays. Situé au 425 Sixth Avenue, cet édifice gothique fut conçu par Calvert Vaux et Frederick Clarke Withers, entre 1874 et 1877. La scène du procès du *Marchand de Venise* (Shakespeare) orne la façade richement décorée. La tour servait de poste d'observation contre les incendies et le bâtiment abritait le tribunal de police et une cour fédérale. Négligé des années durant et menacé de démolition, il fut sauvé grâce à la mobilisation locale et devint une annexe de la bibliothèque publique de New York en 1967.

### LES PLUS

| | |
|---|---|
| Histoire | ●●●●● |
| Photo | ●●● |
| Shopping | ●●●● |
| Facilité d'accès | ●●●●● |

### MÉMO

60 D22 • Entre Broadway et l'Hudson River (ouest), Houston Street et 14th Street (nord)

M1, M2, M3, M5-8, M20

A, C, E, F, N, R, V 1/9, 2, 3

Les nombreux restaurants de Bleecker Street, Greenwich Avenue et des rues intermédiaires, proposent des cuisines de différents pays.

Florent, 69 Gansevoort Street, tél. : 212/989-5779, ouv. tlj 24 h/24, restaurant de cuisine franco-américaine

Boutiques de Bleecker Street et de Greenwich Avenue, entre autres

Centres d'information à l'angle de Sixth Avenue et de Christopher Street et sur Astor Place Triangle, 1er juil.-1er lun. de sept. tlj midi-18 h

### À SAVOIR

- Pendant la Village Halloween Parade, admirez l'extravagance des costumes et de la fête sur Sixth Avenue.
- Prenez part aux parties d'échecs conviviales du Village Chess Shop, au 230 Thompson Street, entre Bleecker Street et West 3rd Street (www.chess-shop.com).

## GUIDE DES ADRESSES

**ART**

**24 University Place :** Jackson Pollock, Franz Kline et Willem de Kooning se retrouvaient au Cedar Street Tavern pour discuter, à l'instar d'Allen Ginsberg et Jack Kerouac.

**8 West 8th Street :** il s'agit de la première adresse du Whitney Museum of American Art (▷ 148-151).

**Garrick Theater, Bleecker Street :** après sa première

*Gratte-ciel donnant sur Washington Square Park*

projection, en octobre 1968, *Flesh* d'Andy Warhol y attira les foules durant sept mois.

**LITTÉRATURE**

**145 Bleecker Street :** maison de James Fenimore Cooper, l'auteur du *Dernier des Mohicans* (1833).

**172 Bleecker Street :** c'est là que James Agee a écrit le scénario d'*African Queen*.

**130-132 MacDougal Street :** Louisa May Alcott a probablement écrit ici *Les Quatre Filles du Dr March*.

**137 MacDougal Street :** Upton Sinclair, Jack London, Theodore Dreiser et Sinclair Lewis et d'autres écrivains se réunissaient régulièrement à cette adresse, siège du Liberal Club.

**85 West 3rd Street :** en 1845, Edgar Allen Poe vécut au 4e étage, derrière la dernière fenêtre de droite.

**11 Commerce Street :** Washington Irving a écrit ici *La Légende de Sleepy Hollow*.

**14 West 10th Street :** ce fut l'adresse de Mark Twain lorsqu'il s'installa à New York à l'âge de 65 ans.

### SHERIDAN SQUARE

Sheridan Square se trouve au croisement de Seventh Avenue, de West 4th Street et de Barrow Street. Cette place porte le nom d'un général de la guerre de Sécession et fut le théâtre des premières manifestations qui aboutirent aux Draft Riots de 1863. Au cours de ces émeutes contre l'enrôlement forcé, des immigrants irlandais (▷ 33) tuèrent 120 personnes, dont une majorité de Noirs. La statue du général Sheridan se dresse dans Christopher Park.

### WASHINGTON MEMORIAL ARCH, WASHINGTON SQUARE

Construit en 1889, à l'entrée du parc, l'arc de triomphe initial commémorait le centenaire de la prise de fonction du président George Washington. L'ouvrage en bois, en plâtre et en papier mâché de Stanford White remporta un tel succès que l'on réunit 134 000 $ pour ériger sa réplique en pierre. Dans les années 1950, Fifth Avenue traversait le parc et passait sous l'arc, en direction du nord. Monument vedette, l'arc actuel mesure 9 m de profondeur et 23 m de hauteur et marque le point de départ de l'avenue.

Le Washington Memorial Arch est représenté sur *Washington Arch, Spring* (1894) de Childe Hassam et dans bien d'autres œuvres picturales. Pour de nombreux New-Yorkais, sa beauté pâtit de la proximité des 12 étages de l'Helen and Martin Kimmel Center, à l'angle de Fifth Avenue et de Washington Square North.

### WASHINGTON MEWS

Avant d'atteindre l'arc de triomphe par Fifth Avenue, notez, à gauche, une ravissante ruelle pavée, du nom de Washington Mews. C'est là que se trouvaient autrefois les écuries et les quartiers des domestiques des hôtels particuliers de Washington Square North, une rue surnommée « The Row » et bordée d'élégantes demeures construites par John Jacob Astor et Cornelius Vanderbilt, en 1833.

Les charmantes et vénérables maisons de Washington Mews sont depuis longtemps les lieux de résidence d'artistes et de peintres, tels Gertrude Vanderbilt Whitney, fondatrice du Whitney Museum of American Art (▷ 148-151). Plus récemment, des universitaires y ont élu domicile.

### WASHINGTON SQUARE PARK

Ce petit parc animé constitue le cœur de Greenwich Village. Par beau temps, l'endroit est un formidable poste d'observation : musiciens, étudiants, skateurs, patineurs, joueurs d'échecs (apportez votre jeu), voire des équipes de tournage.

À l'origine, le site était un terrain de chasse marécageux. Jusque dans les années 1820, les criminels étaient pendus au grand orme (angle nord-ouest). De 1797 à 1926, l'endroit servit de cimetière aux indigents (10 000 personnes y reposent). Finalement, la ville racheta Washington Square et le transforma en terrain de manœuvres. Dans les années 1840, la municipalité acquit d'autres parcelles pour créer le plus grand parc de la ville de l'époque (3,5 ha). En 1963, il fut fermé à la circulation automobile, au grand plaisir des étudiants du quartier. Dans les années 1970, toxicomanes et alcooliques prirent le relais. Au cours des dix dernières années, le parc a fait peau neuve pour devenir l'endroit agréable et accueillant que nous connaissons aujourd'hui.

## HISTOIRE

Vers 1700, Greenwich Village (baptisé du nom d'une ville anglaise) était un petit village dont les maisons à charpentes en bois bordaient des chemins de terre arborés, au nord de la ville. Seule propriété imposante du bourg, Richmond Hill fut construite par un trésorier-payeur britannique à l'angle des actuelles Varick Street et Charleston Street. En 1776, elle abrita le quartier général de George Washington lorsqu'il tenta de défendre New York, puis la résidence des vice-présidents John Adams (1767-1848) et Aaron Burr (1756-1836). Ce dernier vendit la plupart des terres à John Jacob Astor, qui les divisa en 456 lots et les loua pour de coquettes sommes.

Les rues s'agrandirent, parfois en suivant le tracé des chemins de terre, avant l'adoption d'un plan quadrillé en 1811. Dans les années 1820, la fièvre jaune s'abattit sur New York et chassa la moitié de ses habitants. En quête d'air pur, les familles aisées s'établirent à Greenwich Village et remplacèrent la plupart des maisons en bois par des constructions en brique. Le Village était un élégant quartier résidentiel lors de l'inauguration du terrain de manœuvres, le Washington Military Parade Ground (Washington Square) pour le cinquantenaire de la Déclaration d'indépendance, le 4 juillet 1826. Après les émeutes de 1863 (Draft Riots), de nombreux Afro-Américains s'y installèrent, suivis de près par des Italiens venus de Little Italy. On construisit des immeubles d'habitation et des usines, et les New-Yorkais aisés s'établirent plus au nord.

Au début du XXe siècle, les bouleversements sociaux et les nouvelles lois sur le zonage permirent la création de logements bon marché. Des artistes en quête d'ateliers et de loyers peu onéreux, des intellectuels, des écrivains et des dissidents prirent pied dans le quartier et en firent une enclave bohème. Partisans de la justice sociale et du droit de vote pour les femmes, anarchistes et sympathisants communistes transformèrent le Village en foyer de contestation. Des écrivains tels Henry James, O. Henry, Mark Twain, Edgar Allen Poe et Stephen Crane y vécurent. Des artistes habitant le Village, dont Edward Hopper, Jackson Pollock, Franz Kline et Willem de Kooning y firent naître un nouveau style américain. Aujourd'hui, le Village est l'un des quartiers les plus vivants de la ville. Il cultive son petit côté bohème chic.

**CONTESTATION**

**12 Charles Street** : résidence de la suffragette Crystal Eastman et lieu de réunion des partisans du droit de vote pour les femmes.

**91 Greenwich Avenue** : lieu de publication du journal *The Masses*, favorable au parti communiste et précurseur de la contre-culture des années 1960.

**147 West 4th Street** : John Reed louait une chambre ici lors de la rédaction de *Dix jours qui ébranlèrent le monde*.

*Des improvisations créent toujours la même animation*

*Les jolies maisons de grès brun de Greenwich Village*

*Le dimanche matin, des marchés animés envahissent les rues*

*Le Memorial Arch garde l'entrée de Washington Square Park*

*Hommage anonyme à un être cher*

*La croix de fer de Ground Zero, symbole d'espoir et de force*

# GROUND ZERO

**Ground Zero ressemble désormais à un chantier de construction, mais la vue de ce secteur de Lower Manhattan réactive le souvenir des horreurs du 11-Septembre.**

Les sept immeubles du World Trade Center occupaient 6,5 ha, entre Church Street, Liberty Street, Park Place et West Street. En 1973, les tours jumelles dominèrent les gratte-ciel de la planète. En 28 ans, elles reçurent plus de 28 millions de visiteurs ébahis par la vue qui s'offrait à eux depuis le sommet. Le matin du 11 septembre 2001, le monde entier a vu sur les postes de télévision, deux avions de ligne détournés s'écraser sur les tours. Sur les 2 752 personnes tuées, 343 étaient des pompiers. En s'écroulant, les tours ont détruit six immeubles. Rudolph Giuliani, le maire, s'est rendu sur place quelques minutes après la catastrophe. Church Street et Vesey Street, entre autres, étaient recouvertes d'une épaisse poussière blanche, la population était sous le choc et les équipes de secours et les pompiers accouraient pour rechercher les rares survivants. Une fois les incendies éteints, il ne restait que Ground Zero.

**MÉMO**

61 E25 • Church Street à West Street, Liberty Street à Vesey Street
M6, M9, M20
1, 9, E, N, R

**PERSPECTIVES**

En un an, les équipes de déblaiement ont achevé leur épouvantable tâche et on a entrepris la reconstruction des stations de métro endommagées. La Lower Manhattan Development Corporation (LMDC) a lancé un concours invitant les meilleurs architectes du monde à soumettre leurs projets pour Ground Zero. Les six projets présentés en juillet 2002 ont été rejetés. Puis, d'autres propositions ont été soumises par 406 équipes d'architectes à la demande du LMDC. En mars 2003, le gouverneur et le maire révélèrent le nom de l'architecte retenu : Daniel Libeskind. Cet immigrant polonais avait 13 ans lors de son arrivée aux États-Unis, en 1960.

Reconnu pour ses ouvrages commémorant des événements tragiques, cet architecte d'avant-garde a conçu le musée de la Guerre impériale de Manchester et le musée du Judaïsme de Berlin. Le gigantesque mur boueux qui empêchait l'Hudson d'éroder les fondations du World Trade Center suit la base des deux tours et constitue la clé de voûte du mémorial souterrain. Au-dessus, une tour symbolique, avec des jardins suspendus, se dressera à 359 m du sol. De la promenade surélevée, les visiteurs pourront voir le mémorial et, au niveau du sol, le nom de chaque équipe de secours intervenue le 11-Septembre sera inscrit sur la chaussée. Des bâtiments commerciaux et culturels sont également prévus.

Galerie « Culture et continuité » du musée du judaïsme

Saveurs et couleurs méditerranéennes dans Little Italy

Reconstitution d'un intérieur au Tenement Museum

## JEWISH MUSEUM

59 E13 • 1109 Fifth Avenue et 92nd Street 10128 212/423-3200 Lun.-mer. 11 h-17 h 45, jeu. 11 h-20 h, ven. 11 h-15 h, dim. 10 h-17 h 45 Ad. 10 $, mois de 12 ans gratuit M1, M2, M3, M4 6
www.thejewishmuseum.org

Cette demeure en pierre grise, aux allures de château de la Loire, fut la maison familiale du banquier Felix Warburg. Elle date de 1908 et renferme une collection d'objets du culte juif et des œuvres d'art.

Felix Warburg mourut en 1938 et l'épouse de ce philanthrope légua la résidence au musée, en 1944. Intitulée *Culture and Continuity : The Jewish Journey* (Culture et continuité : le parcours des juifs), l'exposition permanente repose sur la collection personnelle de Warburg. Très impressionnante, elle porte sur une vaste période.

Dans une réplique de café des années 1900, des conteurs décrivent la vie des juifs en Europe à cette époque et leur immigration vers les États-Unis. Des ateliers familiaux et d'autres manifestations rendent hommage à la culture, aux fêtes et aux traditions juives.

## LINCOLN CENTER

Voir p. 112-113.

## LITTLE CHURCH AROUND THE CORNER

60 E19 • East 29th Street, entre Fifth Avenue et Madison Avenue 212/ 684-6770 Tlj 9 h-17 h M2, M3, M4 6
www.littlechurch.org *FR*

La petite église épiscopale de la Transfiguration est surnommée « Little Church Around the Corner » (La petite église du coin). L'histoire de ce surnom révèle parfaitement le changement des mentalités au fil du temps. En 1870, refusant de conduire les services funèbres des comédiens, un pasteur réorienta les proches de l'un d'eux vers la petite église du coin. Depuis, celle-ci est restée l'église favorite des gens de théâtre.

Un porche à l'anglaise conduit à l'église, dissimulée dans un paisible jardin. À l'intérieur, piliers en bois sculpté et poutres créent un cadre intime et sobre.

## LITTLE ITALY

61 F23 • Entre Canal St, Lafayette St, Houston St et Bowery 6 M1, M103

Jadis, Little Italy était un quartier surpeuplé, où affluaient les immigrants italiens débarquant d'Ellis Island. Aujourd'hui, sa taille diminue sous l'effet de l'expansion de Chinatown (▷ 84). Quelques pâtés de maisons nous renvoient aux temps où ce quartier regorgeait de restaurants italiens et d'épiceries remplies de fromages, d'olives et de salamis. Les descendants des premiers immigrants continuent d'organiser des réunions familiales. À la mi-septembre, Mulberry Street (de Canal St à Spring St) s'emplit de monde, de lumières et de stands de foire à l'occasion de la fête de San Gennaro, le saint patron de Naples. À voir absolument, si vous ne craignez pas la foule.

## LOWER EAST SIDE

61 G23 • À l'est de Bowery, et d'East Houston St à l'East River, au sud M9, M14A F, J, M, V, Z

Après l'épreuve d'Ellis Island, la plupart des immigrants du XIXe siècle atterrissaient dans les taudis de Lower East Side. Difficile d'imaginer la misère et les maladies qui sévissaient dans les appartements surpeuplés de ce quartier alors dans la fleur de l'âge (du milieu du XIXe siècle aux années 1920). Peu de maisons ont survécu à la frénésie immobilière du XIXe siècle, mais la plupart des immeubles subsistent. Aujourd'hui, l'architecture offre peu d'intérêt, mais ce quartier est chargé d'histoire. En outre, les adeptes du shopping y feront d'excellentes affaires, notamment le dimanche. Aux abords de Delancey Street et d'Orchard Street, les magasins de vêtements à prix réduits sont bondés quasiment tous les jours, sauf le samedi (jour de fermeture). Les échoppes de cuisine exotique sont fabuleuses et l'Essex Street Market (lun.-sam.) donne un aperçu de la composition ethnique du quartier.

## LOWER EAST SIDE TENEMENT MUSEUM

61 G23 • 90 et 97 Orchard Street, entre Broome Street et Delancey Street 212/431-0233 Visites guidées uniquement, à partir du centre d'accueil des visiteurs. Leurs horaires varient, mais elles ont généralement lieu toutes les 30 ou 40 min., avr.-fin nov., mar.-ven. 13 h-16 h, sam.-dim. 11 h-16 h 30. Programme interactif sam.-dim. midi, 13 h, 14 h, 15 h. Ad. 12 $, moins de 5 ans gratuit. Programme interactif : ad. 11 $. Prévente de tickets (recommandé), tél. : 800/965-4827 M9, M14A, M15 F, J, M, V, Z Visites guidées
www.tenement.org

Ces quatre appartements reconstitués donnent un aperçu saisissant de la façon dont la moitié de la population vivait, ou survivait, dans les logements bondés et malsains de Lower East Side, entre 1870 et 1920.

Lors de la visite, on apprend que quelque 10 000 immigrants, en quête du rêve américain ou survivants des pogroms, passèrent par cet immeuble en 70 ans. Les visiteurs admis (pas plus de 15 à la fois) dans les appartements sont moins nombreux que les habitants d'autrefois. Les enfants apprécieront le programme interactif : ils pourront essayer des vêtements de l'époque et « parler » à Victoria Confino, une adolescente juive qui vivait là en 1916.

# Guggenheim Museum

**Conçu par Frank Lloyd Wright, ce fleuron de l'architecture moderne recèle l'une des plus belles collections au monde d'arts moderne et contemporain.**

*Les courbes magnifiques du musée Guggenheim*

*Nature morte de Paul Cézanne (exposition permanente)*

*La rotonde (ci-dessus) surmonte une rampe en spirale (droite)*

| LES PLUS | |
|---|---|
| Photo | ●●● |
| Shopping | ●●●● |
| Prix justifié | ●●●● |

**MÉMO**

59 E13 • 1071 Fifth Avenue et 89th Street 10028

212/423-3500

Sam.-mer. 10 h-17 h 45, ven. 10 h-20 h

Ad. 18 $, moins de 12 ans gratuit, ven. 17 h-20 h, don facultatif

M1, M2, M3, M4

4, 5, 6

Distribué gracieusement à l'accueil, le Guggenheim Guide contient la liste des expositions et des programmes.

Sam.-mer. 9 h 30-17 h 45, jeu. 9 h 30-15 h, ven. 9 h 30-20 h

Sam.-mer. 9 h 30-18 h 15, jeu. 11 h-18 h, ven. 9 h 30-20 h 30

Visites gratuites tlj, réservation dès 13 h 30 au bureau d'information

www.guggenheim.org
Liens vers les sites des musées Guggenheim de Venise, Berlin, Bilbao et Las Vegas ; liste des expositions avec des informations détaillées sur chaque œuvre ; possibilité d'acheter des pièces de collection contemporaines.

## DÉCOUVRIR LE MUSÉE GUGGENHEIM

À droite de l'entrée, le bureau d'accueil distribue gracieusement le programme et le plan des expositions. En levant les yeux vers les cinq étages superposés au-dessus de murets blancs bordant une rampe, on découvre un espace aux allures d'atrium, dont les proportions vertigineuses nous feraient presque oublier le but de notre visite. Frank Lloyd Wright a conçu cet édifice de façon à ce que le regard ne se heurte jamais à des angles ou à des lignes abruptes lors de l'examen des œuvres. Pour découvrir ces dernières, le plus commode consiste à prendre l'ascenseur jusqu'au sommet éclairé par la lumière du jour, puis de redescendre la rampe en spirale. Toutefois, vous risquez de circuler à contresens.

## L'ESSENTIEL

### NATURE MORTE DE PAUL CÉZANNE : *FIASQUE, VERRE ET POTERIE*

Dans cette nature morte de 1877, Cézanne (1839-1906) a représenté une étroite relation spatiale entre les objets. Ceux-ci semblent à la fois immobiles et flottants, ce qui fait ressortir l'aspect bidimensionnel de la composition. Cette toile, parmi d'autres, fit de Cézanne le premier précurseur du cubisme.

### PABLO PICASSO, *FEMME REPASSANT*

Peinte en 1904, à la fin de la Période bleue, cette toile de Picasso (1881-1973) illustre parfaitement le thème du travail et de la lassitude, réminiscences des années passées dans le Paris ouvrier. Sa facture expressionniste, les contours anguleux, les proportions atténuées confèrent au mouvement de la femme une dimension poétique et l'érigent en métaphore de la souffrance des déshérités.

### MAX ERNST, *LA TOILETTE DE LA MARIÉE*

Exécutée par Max Ernst (1891-1976) dans les années 1940, cette peinture évoque le symbolisme de la fin du XIXe siècle, tandis que les formes fines et les ventres ronds rappellent la peinture allemande du XVIe siècle. L'arrière-plan révèle la forte influence du peintre italien Giorgio de Chirico. Sur la gauche, l'homme-oiseau représente le double de l'artiste, tenant une lance phallique. En arrière-plan, un tableau montre la même mariée marchant au milieu d'une profusion de ruines antiques. Les couleurs crues et les personnages monstrueux suggèrent l'imminence d'un événement violent.

## HISTOIRE

Conçu par Frank Lloyd Wright, le musée Guggenheim a ouvert le 21 octobre 1959. Depuis, son allure de ziggourat retournée et sa rampe en spirale n'ont cessé de surprendre. Solomon R. Guggenheim, fils d'un riche industriel du XIXe siècle, consacra une partie de sa fortune à l'achat d'œuvres d'art. Avant de rencontrer la baronne Hilla Rebay von Ehrenwiesen, en 1927, à l'âge de 66 ans, il n'avait d'yeux que pour les tableaux de maîtres. La baronne lui fit découvrir l'art abstrait européen, notamment Kandinski, Léger et Delaunay. Elle lui recommanda de charger Wright de la conception d'un musée où il exposerait sa superbe collection. Guggenheim mourut en 1949, sans avoir vu l'édifice, mais Wright se chargea de sa mission avec enthousiasme et surnomma ce dernier « son Panthéon ».

Le pull over jaune *d'Amedeo Modigliani (1919)*

# Lincoln Center

**Opéra, musique classique, musique de chambre, jazz, danse classique, théâtre : ce centre de l'Upper West Side propose la fine fleur des arts du spectacle.**

*Les fabuleuses illuminations des fontaines du Lincoln Center*

*Concert estival dans le Damrosch Park*

*De charmants cafés bordent la place du Lincoln Center*

**LES PLUS**

| | |
|---|---|
| Pour les enfants | ●●● |
| Photo | ●●●●● |
| Shopping | ●●●●● |
| Prix justifié | ●●●●● |

**MÉMO**

58 C16 • 70 Lincoln Center Plaza 10023-6583

212/546-2656, pavillon principal du Lincoln Center

M5, M7, M10, M11, M66, M104

1, 9

Visite d'une heure, tlj à partir du hall du Metropolitan Opera House 10 h 30-16 h 30, ad. 12 $, enf. 5 $ ; visite des coulisses d'oct. à fin juin, en sem., 15 h 30, reste de l'an. sam.-dim. 10 h 30 (réservation au 212/769-7020)

Avery Fisher Hall : Panevino Ristorante, tél. : 212/874-7000, dîn. lun.-sam., déj. les jours de matinée

Avery Fisher Hall : Café Vienna, tlj 17 h-entracte, ouvre à midi les jours de matinée

The Performing Arts Shop, tél. : 212/441-1195 ; Metropolitan Opera Shop, tél. : 212/580-4090 ; Avery Fisher Hall Shop, tél. : 212/580-4356 ; New York Philharmonic Shop, tél. : 212/875-5437

www.lincolncenter.org
Ce site comporte une billetterie en ligne et fournit des informations sur les manifestations et la programmation.

Le Lincoln Center est le centre d'arts du spectacle le plus important de New York. Ses 14 pavillons accueillent tous types de représentations, des concerts de musique classique aux spectacles pour enfants. Dans les années 1960, un groupe de vieux immeubles de l'Upper West Side, où furent filmées des scènes de *West Side Story*, fut démoli dans le cadre d'un projet de réaménagement urbain et de la construction du Lincoln Center. Ce projet coûta plus de 165 millions de dollars : l'État paya le terrain et des investissements privés firent le reste.

En 1962, l'orchestre philharmonique de New York déménagea du Carnegie Hall (▷ 76), menacé de démolition, pour s'installer dans le nouveau centre. En 1973, Avery Fisher offrit 10 millions de dollars pour améliorer l'acoustique médiocre du lieu. Mais les travaux, qui imposèrent la fermeture du centre, ne donnèrent pas satisfaction aux musiciens et mélomanes. De nouvelles transformations eurent donc lieu en 1992.

## OPÉRA, DANSE CLASSIQUE, THÉÂTRE, JAZZ

Doté de 2 700 places, le New York State Theater est le siège du New York City Opera et du New York City Ballet.

La Metropolitan Opera House, couramment surnommée Met, est la salle attitrée où résident une compagnie d'opéra et l'American Ballet Theater. Elle peut accueillir 3 800 spectateurs. Bien avant de devenir directeur de la Met, Joe Volpe a débuté comme apprenti charpentier. Il est donc le fruit d'une véritable *success story* à l'américaine.

Entouré du Damrosch Park, le Guggenheim Bandshell se trouve sur 62nd Street et près d'Amsterdam Avenue. Il accueille des concerts en plein air, en été.

Le Lincoln Center Theater abrite le Vivian Beaumont Theater (1 140 places) et le Mizi E. Newhouse Theater, scène aussi reconnue que celles de Broadway.

Après avoir reçu 10 millions de dollars de la société Coca-Cola, le trompettiste et compositeur Wynton Marsalis et ses musiciens ont déménagé dans le nouveau siège de Time Warner, près de Columbus Circle. Point focal de l'énorme édifice, le complexe consacré au jazz a coûté 128 millions et comporte trois salles de concert.

## JUILLIARD SCHOOL OF MUSIC

Il s'agit du conservatoire de musique le plus important du pays. Sur le

campus, l'Alice Tully Hall programme des concerts de musique de chambre et des récitals. Quant au Walter Reade Film Theater, il organise chaque automne le remarquable festival cinématographique de New York.

*Les baies vitrées du Metropolitan Opera House laissent transparaître les fresques de Marc Chagall*

**EN PROJET**

Il est prévu de démolir et de reconstruire le Philharmonic Hall car sa rénovation coûterait la moitié du prix de sa reconstruction (d'un montant de 325 millions de dollars). Lors des déplacements de l'orchestre philharmonique de New York, qui y réside, cette salle accueille d'autres orchestres de premier ordre.

Il est également question de transformer West 65th Street en un large boulevard, sorte d'artère centrale du Lincoln Center. Il s'agit de la première étape du réaménagement des espaces publics, des pavillons du centre et des jardins. Équipe d'avant-garde retenue pour ce projet de 150 millions de dollars, Diller et Scofidio sont considérés à la fois comme des artistes et des architectes, spécialistes des installations expérimentales. Une signalisation sophistiquée, fournissant des informations sur les manifestations, un vaste escalier menant à la place et le refonte de plusieurs bâtiments sont également à l'étude.

**À SAVOIR**

- Si vous osez conduire dans New York, vous pourrez vous garer dans le grand parking souterrain.
- Des manifestations ont lieu toute l'année : concerts du Mostly Mozart Festival (en été), soirées swing, jazz live sous les étoiles, et le cirque Big Apple Circus, qui plante sa tente dans le Damrosch Park au début du mois de novembre.

# Metropolitan Museum of Art

**Cette extraordinaire collection couvre 5 000 ans de création artistique.**

*L'imposante entrée du musée*

Lady at the Tea Table *(1885) de Mary Cassatt*

*La Petrie European Sculpture Court, un lieu idyllique et reposant*

| LES PLUS | |
|---|---|
| Culture | ● ● ● ● ● |
| Pour les enfants | ● ● ● |
| Photo | ● ● ● ● |
| Shopping | ● ● ● ● ● |

## DÉCOUVRIR LE METROPOLITAN MUSEUM OF ART

Dotée d'une impressionnante façade néoclassique, la somptueuse entrée principale se trouve sur Fifth Avenue, à la hauteur de 82nd Street. Prenez le temps de consulter le programme des expositions sur les grandes bannières. Dans le vaste hall (Great Hall), le bureau d'accueil fournit un plan du musée, avec la liste des expositions temporaires et des nouvelles installations, ainsi que des renseignements sur les activités du jour, les conférences, etc.
La visite prend beaucoup de temps car le musée renferme plus de 2 millions de pièces, dont 100 000 sont en exposition. Au lieu de flâner au hasard des salles, ce qui se révèle vite déroutant, gagnez celles que vous souhaitez voir en particulier. Vous pouvez louer un audioguide pour les expositions temporaires ou une partie de la collection permanente, ou bien opter pour une visite guidée et gratuite. Inscrivez-vous au bureau d'accueil du grand hall.

## L'ESSENTIEL

### ART GREC ET ROMAIN

Statue d'un kouros

Le département d'art grec et romain est le plus riche d'Amérique du Nord. Ses 35 000 pièces couvrent une période comprise entre le néolithique et 312 apr. J.-C. Au centre de la Steinhardt Gallery, vous verrez une statue de jeune homme en marbre de Naxos, provenant d'Attique. Il s'agit de l'un des rares kouros complets d'une époque aussi reculée. La posture rigide du sujet reflète l'influence de l'art égyptien. Elle ornait probablement la tombe d'un jeune aristocrate athénien.

À voir également

La Belfer Court renferme des poteries, des pierres précieuses, des figurines et des sculptures datant du néolithique au Ve siècle av. J.-C., ainsi que des pièces intéressantes provenant d'un palais minoen de Knossos (Crète) et des copies romaines de sculptures hellénistiques.

Au niveau supérieur, des miroirs en bronze du VIe siècle av. J.-C. côtoient des amphores peintes du Ve siècle av. J.-C., des poteries corinthiennes et hellénistiques et des reliefs en bronze d'époque étrusco-romaine.

*Le Great Hall, un espace imposant et majestueux*

*Orné d'une sculpture moderne, le jardin sur le toit offre un point de vue superbe sur les environs du musée*

## MÉMO

59 E14 • 1000 Fifth Avenue et East 82nd Street 10028-0198
212/879-5500
Mar.-jeu., dim. 9 h 30-17 h 15, ven.-sam. 9 h 30-20 h 45
Don suggéré (accès au bâtiment principal et aux cloîtres le même jour) ad. 15 $, gratuit pour les moins de 12 ans accompagnés d'un ad.
M1, M2, M3, M4 pour 79th Street
4, 5, 6 pour 86th Street
Audioguide en français pour les expositions temporaires et une partie de la collection permanente : ad. 6 $, moins de 12 ans 4 $. Le Key to the Met Audio Guide commente certaines œuvres
Petrie Court Café et cafétéria au 1er étage, derrière le Medieval Hall
Le Met Store est la plus grande librairie de musée du continent. Elle vend également des reproductions de bijoux, de porcelaines ou d'autres objets d'art exposés au Met

www.metmuseum.org
Doté d'une boutique en ligne, ce site présente les collections et les photos de 3 500 pièces importantes, et fournit des informations sur les expositions.

LES SITES

### SCULPTURE ET ARTS DÉCORATIFS EUROPÉENS

*Bacchanal : A Faun Teased by Children*
*(Bacchanale : faune taquiné par des enfants)*

Ce département est l'un des plus vastes du musée, il comprend 60 000 œuvres s'échelonnant de la Renaissance au début du XXe siècle. La section Northern Renaissance and Florence abrite une œuvre du sculpteur romain Gian Lorenzo Bernini (1598-1680), réalisée à l'âge de 18 ans. Par son style incomparable, l'artiste a donné vie à la matière en lui insufflant une puissante intensité émotionnelle et spirituelle. La texture satinée du marbre, les formes très nettes et les sujets bachiques sont caractéristiques de son travail.

Small Desk (Bureau brisé)

Incrusté d'écailles de tortue, de laiton, d'ébène et de bois de rose, ce petit bureau à placage de chêne, de pin et de noyer se trouve dans la Louis XIV Gallery. Il s'agit de l'un des deux bureaux commandés par Louis XIV à un ébéniste peu connu, du nom de Alexandre-Jean Oppenordt (1639-1715). Il se trouvait dans un petit cabinet de l'aile nord du château de Versailles. Sur le plateau rabattu, on devine un masque d'Apollon gravé au-dessus de la couronne. Des motifs en forme de lyres sont également visibles sur les côtés.

À voir également

Dans la section anglaise, vous verrez deux salles à manger reconstituées : la salle de style rococo se trouvait à Kirtlington Park (Oxfordshire) ; l'autre, faisait partie de la Lansdowne House (Londres). La section française comporte une devanture de boutique parisienne (1775), une banquette provenant du boudoir de Marie-Antoinette, à l'Hôtel de Crillon, et vous découvrirez, dans la Louis XVI Gallery, le bureau versaillais du roi.

Petrie European Sculpture Court
(cour Carroll et Milton Petrie des sculptures européennes)

Ne manquez pas cette superbe cour ornée de fontaines et de plantes vertes et dotées de vues splendides sur Central Park et le Cleopatra's Needle, obélisque de granite rose offert par Khedive Ismail Pasha en 1869, après l'intervention américaine dans le percement du canal de Suez. Ici, vous pourrez admirer des sculptures italiennes et françaises.

### AILE AMÉRICAINE

Cette section, l'une des plus visitées, se compose de trois étages et d'une cour centrale : la Charles Englehard Court. Dédiées au développement de l'art et du design américain, ses 25 salles renferment du mobilier, plus de 1 000 tableaux de peintres américains, 600 sculptures, 2 500 dessins et de nombreuses œuvres d'art décoratif.

Vase Tiffany (Louis Comfort Tiffany Vase)

Ce beau vase Favrile est l'une des premières pièces en verre de la collection américaine. Il a été offert au musée par Louisine et Henry Havemeyer, en 1896. Il témoigne des talents de coloriste, de dessinateur et de naturaliste de Tiffany (1848-1933). Le col évasé ressemble au plumage déployé d'un paon, le verre ayant été découpé selon la technique des *millefiori*, et des lignes gracieuses représentent chaque plume.

## PRINCIPALES SALLES

### DEUXIÈME ÉTAGE

**1** : art moderne.
**2** : peinture et sculpture européenne du XIXe siècle.
**3** : art islamique.
**4** : art chypriote.
**5** : antiquités du Proche-Orient.
**6-7** : art d'Asie.
**8** : instruments de musique.
**9** : American Wing (peinture, sculpture, arts décoratifs et intérieurs américains).
**10** : peinture européenne.
**11** : expositions temporaires.

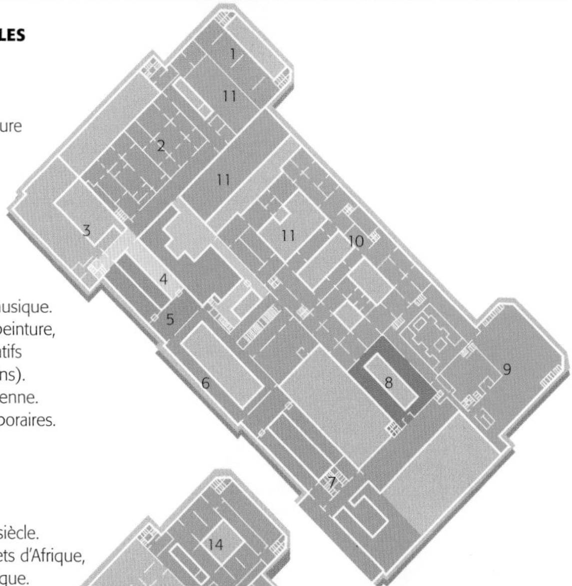

### PREMIER ÉTAGE

**14** : peinture du XXe siècle.
**15** : sculpture et objets d'Afrique, d'Océanie et d'Amérique.
**16** : arts grec et romain, de la préhistoire à l'époque classique.
**17** : art égyptien, Sackler Wing et Temple de Dendur.
**18** : American Wing (peinture, sculpture, arts décoratifs et intérieurs américains).
**19** : armures européennes, islamiques et japonaises, armes provenant des cours ottomanes et mogholes.
**20** : sculpture et arts décoratifs européens.
**21** : art médiéval.
**22** : collection Robert Lehman (tableaux de maîtres, impressionnisme et post-impressionnisme).
**23** : bibliothèque.

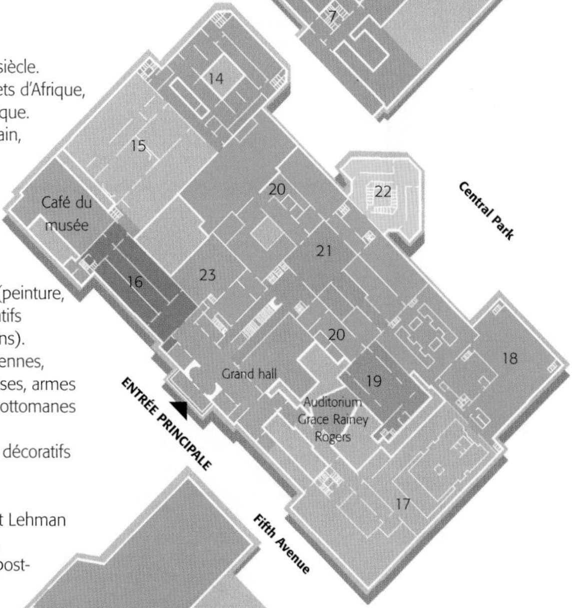

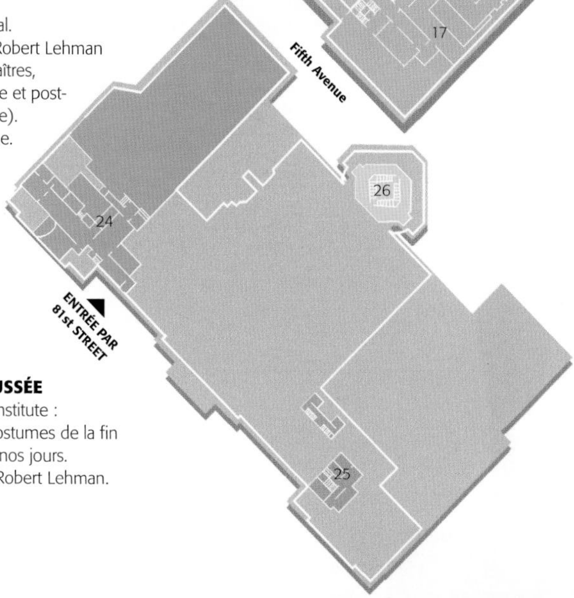

### REZ-DE-CHAUSSÉE

**25** : Costume Institute : vêtements et costumes de la fin du XVIe siècle à nos jours.
**26** : collection Robert Lehman.

### *Washington Crossing the Delaware* (*Washington franchissant le Delaware*), de Emmanuel Gottlieb Leutze

Peintre né en Allemagne, E. G. Leutze (1816-1868) a exécuté cet important tableau en 1851. Il représente l'attaque surprise menée par George Washington, le soir de Noël 1776, contre les Hessiens, à Trenton (New Jersey). L'artiste met en avant la force physique et la combativité de Washington, alors qu'il conduit ses 2 400 hommes à la victoire. Leutze a pris des libertés avec la vérité historique, notamment en peignant un drapeau adopté six mois après cet épisode…

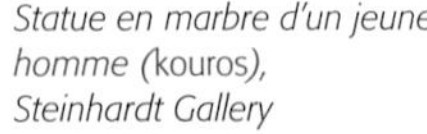

*Statue en marbre d'un jeune homme (*kouros*), Steinhardt Gallery*

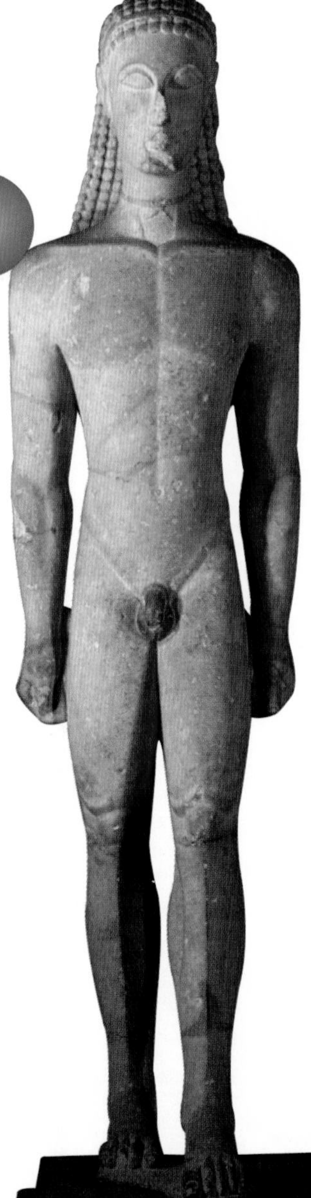

### Hart Room

Cette pièce de l'aile américaine est la réplique d'une chambre de la maison de Thomas Hart (Ipswich, Massachusetts). Construite entre 1639 et 1674, elle constitue un exemple typique des intérieurs des premiers colons de la Nouvelle-Angleterre. Très courante en Angleterre, la charpente à poutres et à poteaux était aussi simple que robuste. Le lit est une reproduction, en frêne et en pin.

### À voir également

Dans la Charles Englehard Court, prenez le temps d'examiner deux œuvres de Tiffany : le vitrail *Autumn Landscape* et *Garden Landscape and Fountain*. Tournez à droite pour découvrir la loggia provenant de Laurelton Hall. Au sommet des colonnes, Tiffany a représenté des dahlias en bulbe, en bouton et en fleur.

Ce jardin d'hiver abrite des sculptures d'artistes américains tels Augustus Saint-Gaudens, Frederick MacMonnies et Daniel Chester French. La galerie 127 est consacrée à Frank Lloyd Wright, architecte de renommée mondiale. Très moderne pour l'époque, *Living Room from the Little House* fut créée pour Francis Little, en 1912.

Au même étage, vous verrez des peintures et des sculptures d'artistes américains, dont *Midshipman August Brine,* par John Singleton Copely, *The Falls of Niagara,* par S. F. B. Morse, *Arrangement in Flesh, Color and Black,* par James McNeill Whistler, *Madame X* (1884), par John Singer Sargent, *Lady at the Tea Table* (1885), par Mary Cassatt, et *Heart of the Andes* par Frederic Church (Hudson River School).

## PEINTURE EUROPÉENNE

### *Virgin and Child with St. Anne* (*Vierge à l'enfant et sainte Anne*), de Albrecht Dürer

Sur cette toile du maître allemand, sainte Anne se tient près de sa fille, la Vierge Marie portant Jésus. Dürer (1471-1528) l'aurait peinte en 1519, à l'époque où il devint un fervent partisan de Martin Luther. En intégrant à la composition une sainte très vénérée en Allemagne, peut-être a-t-il voulu mettre en doute le principe de l'Immaculée Conception.

### *Cypresses* (*Cyprès*), de Vincent Van Gogh

Cette toile a été exécutée au début de 1889. Durant cette année d'internement à Saint-Rémy, Van Gogh (1853-1890) peignit plusieurs paysages familiers. La luminosité de l'arrière-plan tranche avec les couleurs sombres de l'arbre, tandis que les volutes figurent l'imprévisibilité du temps et le caractère menaçant de l'inconnu.

### *Terrace at Sainte-Adresse* (*Terrasse à Sainte-Adresse*), de Claude Monet,

Peint en 1867, alors que Monet (1840-1926) explorait de nouveaux modes de représentation de la vie moderne, ce tableau choqua ses contemporains. Allié à de forts contrastes, l'emploi audacieux de couleurs pures a permis de matérialiser les reflets du soleil sur l'eau, l'allée et les fleurs. Le flottement des drapeaux crée un effet de profondeur et d'instantanéité que l'on retrouvera plus tard dans la photographie.

### À voir également

Parmi les nombreux tableaux de maîtres italiens, figurent *La Vierge intronisée avec l'Enfant et les saints* (1505) de Raphaël, *Vénus et le joueur de luth* (vers 1560) du Titien, la *Découverte de Moïse* (vers 1550) du Tintoret, *La Dernière Communion de saint Jérôme* (vers 1450) de Botticelli et les *Musiciens* (1504) du Caravage. La peinture hollandaise est représentée par *L'Autoportrait* (1660) de

*Flânez parmi les statues de la Petrie European Sculpture Court*

Les Rocheuses et le Lander's Peak, *par Albert Bierstadt (1863)*

La Leçon de danse *(vers 1879), de Degas*

*Les inscriptions aux visites guidées se font dans le hall principal*

Rembrandt, *La Jeune Femme à l'aiguière* (1664) de Vermeer, des œuvres de De Hooch, Van Goyen, etc. La collection de peintures françaises comprend *L'Enlèvement des Sabines* (vers 1635) de Poussin et *Guillaume Budé* de Jean Clouet. Dans la section espagnole, vous verrez la *Vue de Tolède* et le *Cardinal Don Fernando Niño de Guevara* du Greco. Parmi les peintres anglais exposés : William Hogarth, Joshua Reynolds et Thomas Gainsborough.

Côté peinture européenne du XIXe siècle, vous découvrirez le *Paysage d'automne avec un troupeau de dindons* de Millet (1872-1873) et nombre de tableaux de Degas, Manet, Renoir, Seurat, Toulouse-Lautrec, Cézanne, Gauguin et Van Gogh. Ne manquez pas l'admirable *Nature morte avec des pommes et un pot de primevères* (1895) de Cézanne.

## HISTOIRE

Des hommes d'affaires, des artistes et des érudits, membres de l'Union League Club de New York, fondèrent le Metropolitan Museum of Art en 1870. Initialement situé au 681 Fifth Avenue, le musée occupe son site actuel depuis 1880. Le premier bâtiment en brique rouge de Jacob Mould et Calvert Vaux a été intégré aux constructions postérieures. Il se trouve dans la Lehman Wing. La façade donnant sur Fifth Avenue a été conçue par Richard Morris Hunt, en 1902. Débutant par un sarcophage romain, les dons se poursuivirent au fil des ans. Mais à partir de 1904, année de l'élection du multimillionnaire J. P. Morgan à la tête du conseil d'administration, le musée acquit essentiellement des chefs-d'œuvre du monde entier. Préférant les grands maîtres, J. P. Morgan s'intéressait peu à l'art américain ou aux artistes contemporains tels Paul Gauguin ou Henri de Toulouse-Lautrec. Le musée acheta une collection de 6 000 pièces à un ancien consul chypriote et reçut de Catherine L. Wolfe plus de 143 peintures des écoles hollandaise et flamande. En 1896, les créations de Louis Comfort Tiffany entrèrent au musée sous la forme de 56 vases Favrile en verre. En 1951, la Tiffany Foundation fit don au Met de somptueuses pièces provenant d'une collection privée. Poursuivant l'enrichissement de ses collections, le musée a acquis en 2003 plus de 100 œuvres de Henri Matisse.

### À SAVOIR

- Pour éviter les longues files d'attente, entrez par 81st Street (vous y trouverez une billetterie et un bureau d'information).
- Si vous comptez visiter les cloîtres (▷ 86) et le Met le même jour, mieux vaut le faire un vendredi ou un samedi, en visitant les cloîtres le matin et le Met l'après-midi, car celui-ci ferme plus tard.
- Pour éviter la foule, venez le matin en semaine ou les vendredis et samedis soir.
- Le jardin sur le toit (Roof Garden, mai-fin oct.) mérite l'ascension pour sa vue splendide sur Central Park, ses boissons et sandwichs, mais aussi pour ses somptueuses sculptures.

*La fière silhouette de la Metropolitan Life Insurance Tower*

*L'élégant salon des dames, Mount Vernon Hotel*

*Télescripteur de la bourse, Museum of American Financial History*

LES SITES

## MERCHANT'S HOUSE MUSEUM

60 F22 • 29 East 4th Street 10003
212/777-1089 Jeu.-lun. midi-17 h Ad. 8 $, moins de 12 ans gratuit
M1, M5, M6, M102
6, N, R Visite toutes les 30 min sam.-dim.
www.merchantshouse.com

Dans cette maison mitoyenne de style Fédéral, dotée d'un ravissant portail néoclassique, le temps s'est arrêté en 1832. Le riche commerçant Thomas Tredwell l'acheta en 1835, puis sa fille y vécut 93 ans. Après la mort de cette dernière (1933), la maison fut rénovée et transformée en musée en 1936. Le mobilier d'origine et les effets personnels de la famille ont été conservés. Il s'agit de la maison du XIXe siècle la mieux préservée de Manhattan. Réparties sur trois étages, ses sept pièces se visitent, tout comme son jardinet. Henry James aurait créé l'un des personnages de *Washington Square* en s'inspirant de Miss Tredwell.

## METROPOLITAN LIFE INSURANCE TOWER

60 E20 • 1 Madison Avenue
M1, M3 4, 5, 6

Depuis 1893, l'immeuble principal de la Met Life se dresse sur 23rd Street, sur le site de l'église presbytérienne de Madison Square. En 1892, le pasteur de cette dernière avait violemment fustigé la corruption des dirigeants de la ville. Ceux-ci se vengèrent en faisant construire cette tour de 54 étages, à l'époque (1909) la plus haute au monde et emblème de la puissance de la Met Life. Mais en 1913, le Woolworth Building (▷ 144) dépassa son campanile de 28 m (214 m). En 1962, la tour fut dépouillée de sa décoration initiale, mais conserva son dôme doré et ses énormes horloges.

## METROPOLITAN MUSEUM OF ART

Voir p. 114-119.

## MIDTOWN MANHATTAN

Voir p. 121.

## MORGAN LIBRARY

Voir p. 122.

## MOUNT VERNON HOTEL MUSEUM ET SON JARDIN

59 G16 • 421 East 61st Street et York Avenue 212/838-6878 Mar.-dim. 11 h-16 h ; fermé en août Ad. 5 $, enf. gratuit M15, M31, M57
4, 6, N, R
www.mvhm.org

Depuis son acquisition, en 1924, par la société des Colonial Dames of America, huit pièces de ce superbe hôtel possèdent du mobilier ancien de style Fédéral. Dans la Gentlemen's Tavern Room, on peut s'asseoir et lire un journal de 1828. Ne manquez pas les ravissants jardins du XVIIIe siècle. Le site Internet et la visite virtuelle offrent un aperçu de l'endroit. Le musée est une ancienne maison ayant appartenu à Abigail Adams. Fille du président John Adams, elle fut également l'épouse de William Stephens Smith, l'aide de camp de George Washington. Le couple n'habita pas la propriété car il la vendit en 1798, avant son achèvement. En 1826, d'importants aménagements intérieurs furent entrepris pour la transformer en hôtel. Des conférences sur le mobilier américain du début du XIXe siècle y ont lieu régulièrement.

## MUNICIPAL ART SOCIETY (MAS)

59 E17 • 457 Madison Avenue 10022
Réservation au 212/935-3960 ; visites guidées et lieux de rendez-vous : 212/439-1049 Lun.-mer., ven.-sam. 11 h-17 h Circuit à pied en sem. 12 $ ; circuit à pied et en bus le week-end 15 $
www.mas.org

Créée en 1893, la MAS est une association privée à but non lucratif. Elle œuvre pour une « ville plus vivable » et favorise l'excellence en matière d'architecture, de design, de planification, d'art et de préservation des bâtiments historiques. Selon elle, la santé économique et le bien-être social d'une ville dépendent de l'aménagement rationnel de l'espace urbain. L'association organise des expositions et des visites guidées. D'excellents guides vous feront découvrir l'histoire et l'importance de l'environnement urbain. Publiques et gratuites, les expositions se tiennent à l'Urban Center Galleries, siège de la MAS, situé dans l'une des Villard Houses attenantes au Helmsley Hotel.

## MUSEUM OF AMERICAN FINANCIAL HISTORY

61 E26 • 28 Broadway 10004
212/908-4110 Mar.-sam. 10 h-16 h
4, 5 Entrée 2 $
www.financialhistory.org

Ancien bureau d'Alexander Hamilton, puis siège de la Standard Oil Company, du richissime John D. Rockefeller, ce musée de quatre salles (affilié à la Smithsonian Institution) rend hommage à l'esprit d'entreprise américain. Il renferme des pièces de monnaie, le télescripteur utilisé lors du crash de Wall Street (1929), des fresques de Wall Street et d'autres documents et objets. Des bornes interactives fournissent des données financières et initient les enfants au fonctionnement de la bourse. De précédentes expositions temporaires traitaient de l'histoire de l'indice Dow Jones, de l'impression et de la contrefaçon des billets de banque. Faites un saut à la boutique si vous êtes en quête d'idées de cadeau.

*Vue sur New York du sommet du légendaire Empire State Building*



# MIDTOWN MANHATTAN

**Magasins et hôtels de luxe, gratte-ciel, bâtiments classés et lumières éblouissantes.**

Midtown Manhattan s'étire entre 34th Street et 59th Street. Fifth Avenue, haut lieu du shopping, traverse le quartier du nord au sud. Les grands magasins de Times Square et du Theater District font fureur, tandis que Fifth Avenue et 57th Street sont jalonnées d'enseignes hautement glamour, telles Gucci et Chanel. Depuis quelques années, Niketown, Banana Republic et Liz Claiborne côtoient les classiques Saks Fifth Avenue, Tiffany & Co. et Bergdorf Goodman, sur Fifth Avenue (entre 49th St et 59th St).

Dans Midtown, on trouve la principale gare ferroviaire de New York, des stations de bus, la plus forte concentration d'hôtels, des grands magasins et de nombreux sièges d'entreprises. Midtown West englobe le Garment District, le Theater District, Times Square et une partie de la plus longue rue de New York : Broadway (▷ 138-140).

En septembre, quels que soient les caprices de la météo, des tentes sont plantées dans Bryant Park pour la semaine de la mode. Le quartier compte plusieurs musées : l'International Center of Photography (▷ 101), le Museum of Arts and Design (▷ 123), le Museum of Television and Radio (▷ 124) et le Museum of Modern Art (▷ 125). Le Rockefeller Center (▷ 128-130) et le Radio City Music Hall (▷ 129), où dansent les Rockettes, se trouvent également dans Midtown. L'Intrepid Sea, Air and Space Museum (▷ 101) se situe au bord de l'Hudson.

## ÉDIFICES CLASSÉS

Le Chrysler Building (▷ 85), le Chanin Building et le Daily News Building (▷ 87) comptent parmi les immeubles classés de Midtown East. La gare Grand Central Terminal (▷ 102-104) se tient non loin de là.

Au 301 Park Avenue, le fameux hôtel Waldorf-Astoria (▷ 308) est le point de chute des têtes couronnées et des chefs d'État. Les magnifiques Villard Houses bordent Madison Avenue depuis le début du XXe siècle. Réputées pour leur extravagance, ces maisons font désormais partie du Helmsley Palace Hotel. Tudor City, ses 3 000 appartements, ses restaurants, ses parcs, ses boutiques et sa poste, s'étirent à l'extrémité est de 42nd Street. Le siège de l'ONU (▷ 144) occupe un territoire international appartenant aux pays membres, au bord de l'East River. L'endroit est particulièrement tranquille.

*Broadway rime avec théâtre et divertissement*

| LES PLUS | |
|---|---|
| Histoire | ●●●●● |
| Photo | ●●●● |
| Shopping | ●●●●● |
| Facilité d'accès | ●●●● |

**MÉMO**

59 E18 • 34th Street à 59th Street

M1, M2, M3, M4, M6

4, 5, N, R

Oyster Bar, sous-sol de Grand Central Terminal, tél. : 212/490-6650

Café Soleil, 135 East 56th Street, tél. : 212/832-0199 ; Bryant Park Café, 25 West 40th Street (derrière la New York Public Library), tél. : 212/840-6500, restauration en terrasse l'été

Scène de l'Adoration des mages, *tirée d'un livre de chœur (vers 1540)*

*Motif de la façade de la Morgan Library*

**LES PLUS**

| | |
|---|---|
| Culture | ●●●●● |
| Histoire | ●●● |
| Shopping | ●●●● |
| Prix justifié | ●●●● |

**MÉMO**

60 E19 • 29 East 36th Street 10016
212/685-0610
Mar.-jeu. 10 h 30-17 h, ven. 10 h 30-20 h, sam. 10 h 30-18 h, dim. midi-18 h
Don suggéré : ad. 7 $, gratuit pour les moins de 16 ans avec ad.
M2, M3, M4
6
Le Morgan Court Café sert le déj. et le thé
La librairie ferme 15 min. avant la bibliothèque

www.morganlibrary.org

# MORGAN LIBRARY

**Une formidable bibliothèque de livres rares, d'ouvrages enluminés, de manuscrits littéraires et de dessins conçus par les génies les plus créatifs du monde occidental.**

La Morgan Library a rouvert au printemps 2006, après trois ans de travaux. La surface de ses galeries a doublé, son auditorium et sa boutique ont été agrandis, et elle comporte désormais un café et d'autres espaces ouverts au public. La salle de lecture et les rayonnages ont fait peau neuve.

Vers la fin du XIXe siècle, John Pierpont Morgan, un magnat new-yorkais de la finance, voulut prendre exemple sur les plus belles bibliothèques d'Europe et se mit à amasser de véritables trésors lors de ses voyages : manuscrits, peintures, gravures et meubles européens. Au total, il réunit une collection inestimable de 10 000 dessins et gravures, dont des œuvres de Léonard de Vinci et d'Albrecht Dürer. En 1902, il chargea Charles McKim de la conception du somptueux édifice de style Renaissance. Plus tard, d'autres bâtiments furent construits : ceux de Benjamin Morris (1928), l'annexe et résidence de John Pierpont Morgan, au 231 Madison Avenue, puis la cour, dans les années 1990.

## CABINET DE MORGAN

La West Room fut le bureau de John Pierpont Morgan jusqu'à sa mort, en 1913. Inchangé, il abrite toujours son énorme secrétaire en bois et ses peintures de la Renaissance italienne. En quittant cette pièce, on passe devant des colonnes de marbre vert veiné, avant de gagner la rotonde et l'East Room. Les bibliothèques en noyer et en bronze à trois rayons sont aussi superbes que le plafond couvert de fresques et des signes du zodiaque. Notez la tapisserie flamande du XVIe siècle, au-dessus de la cheminée. Mais le clou de la visite, reste la collection de lettres et de manuscrits.

Morgan a acquis près de 600 manuscrits du Moyen Âge et de la Renaissance, dont l'*Évangile de Lindau* (IXe siècle), un des rares exemplaires en vélin de la bible de Gutenberg, et *Les Très Riches heures de Catherine de Clèves*, chef-d'œuvre d'un auteur hollandais du Moyen Âge. Il acheta également des partitions manuscrites de Beethoven, Mozart et Puccini, exposées sous verre. Les manuscrits de grands écrivains tels Jane Austen, Charles Dickens, Henry David Thoreau et Mark Twain font aussi partie de la collection.

Le Museum of Chinese in the Americas existe depuis 1980

Objets usuels, modernes et esthétiques, exposés au Museum of Arts and Design

## MUSEUM OF ARTS AND DESIGN

59 E17 • 40 West 53rd Street 10019 212/956-3535 Tlj 10 h-18 h, jeu. 10 h-20 h Ad. 9 $, moins de 12 ans gratuit, jeu. 18 h-20 h participation M1, M2, M3, M4 E, V
www.americancraftmuseum.org

Dirigé par l'American Craft Council, ce musée (l'ex-American Craft Museum) abrite la plus grande collection nationale de design américain et international du XXe siècle. Des bijoux aux théières, en passant par les paniers et les meubles, tout est sélectionné selon des critères rigoureux d'esthétique et de fonctionnalité. Regroupant des pièces provenant de la vaste collection permanente ou prêtées, les intéressantes expositions temporaires illustrent les tendances actuelles de la technique et du design. Les objets sont superbement exposés sur les trois niveaux d'un vaste atrium. Une rétrospective sur le design américain de 1975 à 2000 et la décoration en pâtisserie comptent parmi les thèmes déjà traités.

## MUSEUM OF BIBLICAL ART

58 D16 • 1865 Broadway et 61st Street 10023 212/408-1500 Mar.-dim. 10 h-18 h, jeu. 10 h-20 h Gratuit M5, M7, M10, M104 59th Street/Columbus Circle (A, B, C, D, 1, 9)
www.mobia.org

Ce musée traite de l'art d'inspiration biblique. Ses nouveaux locaux ont ouvert en 2005, sur une exposition d'artisans autodidactes des pays du Sud. Il doit son existence à l'American Bible Society (1816), qui amassa une importante collection de textes saints, actuellement exposée dans les vitrines de la galerie principale. Le visiteur peut voir les pièces maîtresses de la collection. Ainsi, l'exposition *For Glory and for Beauty* (*Pour la gloire et la beauté*) a récemment mis en lumière 29 textes religieux rares.

## MUSEUM OF CHINESE IN THE AMERICAS (MOCA)

61 F24 • 70 Mulberry Street, 2e étage 10013 212/619-4785 Mar.-dim. midi-18 h, ven. midi-19 h Ad. 3 $ M103 N, Q, R
www.moca-nyc.org

Ce musée vous fera découvrir l'histoire et la culture chinoises à travers des photographies, des œuvres d'arts plastiques, des documents historiques rares, des instruments de musique, des vêtements, etc. Très émouvante, l'exposition vedette s'intitule *Where is Home? (Où est mon foyer ?)* et traite de l'émigration, de l'abandon, des coutumes, des femmes, du foyer, etc. Les expositions temporaires vous intéresseront également. *Recovering Chinatown* montre comment Chinatown a vécu l'attaque contre le World Trade Center, notamment par le biais d'images et d'œuvres d'art. L'exposition *Gotta Sing Gotta Dance!* (Chantons et dansons !) a récemment présenté le monde des artistes sino-américains des années 1930 et 1940.

## MUSEUM OF THE CITY OF NEW YORK

Hors plan 59 E12 • 1220 Fifth Avenue 10029 212/534-1672 Mar.-dim. 10 h-17 h. Groupes préinscrits uniquement mar. 10 h 30-midi Don suggéré : ad. 7 $, enf. 4 $, famille 15 $ M1, M2, M3, M4, M106 6 Visite guidée sam. à midi
www.mcny.org

Dédié à l'histoire et à la vie new-yorkaises, ce musée occupe une villa néogeorgienne de style colonial (1929). Il renferme plus de 1,5 million de pièces liées à la vie économique et sociale de la cité : peintures, photos, costumes, jouets, œuvres d'arts plastiques, etc. Des collections remarquables portent notamment sur l'argenterie, le théâtre américain, la photographie, la marine et les costumes. Le musée a été critiqué pour sa scénographie ennuyeuse, mais des expositions comme celles dédiées au glamour new-yorkais (*Glamor New York Style*) et au New York portoricain (*Puerto Rican New York*) lui rendent justice.

## MUSEUM OF JEWISH HERITAGE

61 E26 • 36 Battery Place 10280 646/437-4200 Dim.-mar., jeu. 10 h-17 h 45, mer. 10 h-20 h, ven. et veille de fêtes juives 10 h-17 h ; fermé pour les fêtes juives et Thanksgiving Ad. 10 $, moins de 12 ans gratuit M1, M6, M9, M10, M15 4, 5
www.mjhnyc.org

Ouvert depuis 1996, ce musée a été conçu par Kevin Roche et John Dinkeloo. Sa forme hexagonale rappelle l'étoile de David. L'histoire et la culture juives du XXe siècle, la tragédie du peuple juif, sa souffrance, sa survie et son renouveau sont traités dans trois sections : Jewish Life a Century Ago, The War Against the Jews, et Jewish Renewal.

La première présente la vie des juifs au siècle dernier, la deuxième montre l'horreur d'un génocide perpétré sur un mode industriel, et la dernière traite du retour de l'espoir, dans un monde encore aux prises avec la haine et l'intolérance. Des extraits de films, provenant des archives audiovisuelles constituées par Spielberg ou d'archives du musée, sont entrecoupés d'images d'objets.

*Statue de Diane la chasseresse, National Academy of Design*

*Maika (1929) de Christian Schad, Neue Galerie*

*Voitures de pompiers du XIXe siècle, New York City Fire Museum*

LES SITES

## MUSEUM OF MODERN ART

Voir p. 125.

## MUSEUM OF TELEVISION AND RADIO

59 E17 • 25 West 52nd Street 10019 ☎ 212/621-6800 Mar.-dim. midi-18 h, jeu. midi-20 h, ven. représentation théâtrale jusqu'à 21 h Ad. 10 $, moins de 14 ans 5 $ M1, M2, M3, M4 E, V
www.mtr.org

William S. Paley est l'ex-président de la CBS et l'actuel responsable du musée. Il a donné le terrain de cet immeuble de 17 étages, construit en 1989 d'après les plans de Philip Johnson et John Burgee. Il regroupe 75 ans d'émissions et de publicités, soit plus de 100 000 enregistrements. Des milliers de nouveaux programmes enrichissent ce fonds chaque année. À votre arrivée, inscrivez-vous au 4e étage pour consulter le catalogue informatique et déterminer l'enregistrement de votre choix, puis visionnez-le sur l'une des consoles du musée. Des spectacles ont également lieu dans les salles de projection ou les théâtres. Des séminaires, des cours et des expositions s'y tiennent toute l'année.

## NATIONAL ACADEMY OF DESIGN

59 E13 • 1083 Fifth Avenue 10128 ☎ 212/369-4880 Mer.-jeu. midi-17 h, ven. 10 h-18 h, sam.-dim. 11 h-18 h Ad. 10 $ M1, M2, M3, M4 4, 5, 6 Causeries mer. 12 h 30 ; visites guidées par un professeur mer.-jeu. après 11 h, ven.-dim. après 10 h Mer.-jeu. 10 h-17 h, ven. 10 h-18 h, sam.-dim. 11 h-18 h
www.nationalacademy.org

L'Académie nationale de design fut fondée en 1825, par un groupe d'artistes, d'architectes, de sculpteurs et de graveurs confirmés, dont l'artiste et inventeur Samuel Morse. À la fois musée et école des beaux-arts, elle possède la plus grande collection d'art américain des XIXe et XXe siècles du pays. Ses 5000 œuvres reflètent divers styles, des portraits de la période Federalist à l'hyperréalisme, en passant par les paysages de la Hudson River School, la peinture réaliste de l'Ashcan School ou le fauvisme. Le bâtiment fut la résidence d'Archer Milton Huntington et de son épouse, le sculpteur Anna Hyatt Huntington. Ils l'agrandirent et le réaménagèrent en 1913, puis l'offrirent à la National Academy of Design, en 1939. Les visites guidées vous feront découvrir les pièces maîtresses de la collection et le New York d'Edith Wharton.

## NEUE GALERIE

59 E13 • 1048 Fifth Avenue 10028 ☎ 212/628-6200 Ven. 11 h-21 h, sam.-lun. 11 h-18 h Ad. 10 $, enf. non admis M1, M2, M3, M4 4, 5, 6
www.neuegalerie.org

Ce musée d'art et de design allemand et autrichien du début du XXe siècle possède une merveilleuse collection de peintures et de pièces d'arts décoratifs, dont des œuvres de Gustav Klimt, Paul Klee, Egon Schiele, Josef Hoffmann et Adolf Loos.

Les vendredis soirs, le Café Sabarsky devient cabaret. On y sert des plats autrichiens ainsi que des pâtisseries. Certains meubles sont signés Adolf Loos et les appliques sont de Josef Hoffmann. Le musée occupe un superbe hôtel particulier (1914), conçu par Carrère & Hastings, à la demande de Mme Cornelius Vanderbilt III.

## NEW MUSEUM OF CONTEMPORARY ART

61 E23 • 556 West 22nd Street et Eleventh Avenue ☎ 212/219-1222 Mar.-mer., ven.-dim. midi-18 h, jeu. midi-20 h Ad. 6 $ (jeu. 18 h-20 h 3 $), moins de 18 ans gratuit M11 C, E
www.newmuseum.org

Depuis 1977, des artistes du monde entier viennent ici montrer leurs œuvres expérimentales. Six grandes expositions ont lieu chaque année. Cinq « Media Lounge Shows » se déroulent dans un espace dédié à l'art numérique, à la vidéo et au son expérimentaux. En 2007, le musée devrait s'installer au 235 Bowery, à la hauteur de Prince Street (61 E23), dans un bâtiment dessiné par le cabinet d'architectes SANAA, basé à Tokyo.

## NEW YORK CITY FIRE MUSEUM

61 E23 • 278 Spring Street et Hudson/Varick 10013 ☎ 212/691-1303 Mar.-sam. 10 h-17 h, dim. 10 h-16 h Ad. 5 $, enf. 1 $ M10, M21 C, E Visites guidées sur rendez-vous
www.nycfiremuseum.org

Cette ancienne caserne de la Rescue Company N° 1 date de 1904. Elle abrite un musée de trois étages, rempli d'attirails de pompiers. Il s'agit de la plus grande collection du pays sur le thème. Les équipements datent du XVIIe siècle jusqu'à aujourd'hui : seaux, pompes, voitures de pompiers tirées par des chevaux, borne d'incendie, tuyaux et haches d'incendie, uniformes, casques anciens et récents. Une exposition traite de la lutte contre les incendies et de la prévention des brûlures. Des pompiers sont généralement disponibles pour fournir des explications et parler de leurs expériences.

Le musée rend également hommage aux 343 pompiers victimes des attentats du 11 septembre 2001. Des expositions relatent cette terrible catastrophe.

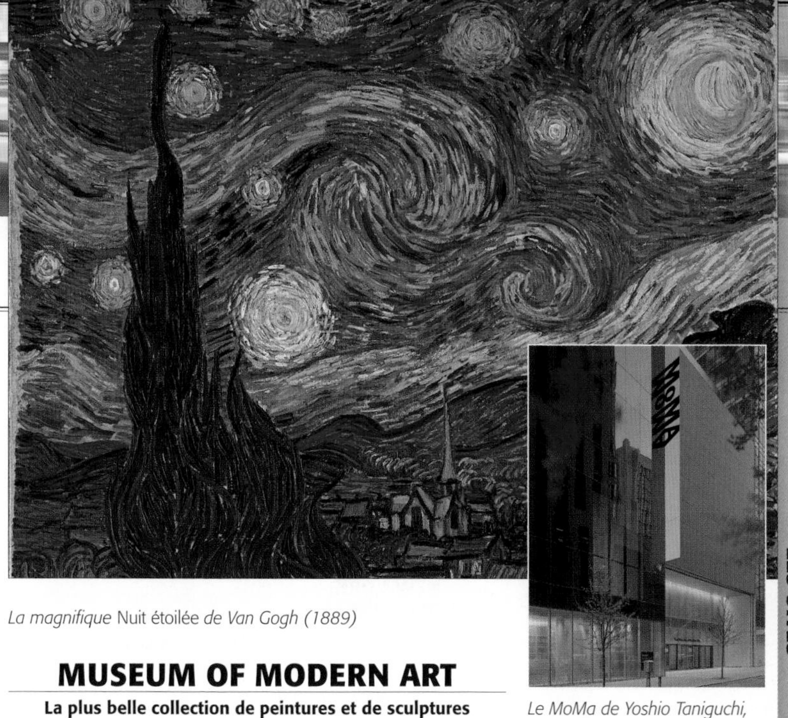

*La magnifique* Nuit étoilée *de Van Gogh (1889)*

# MUSEUM OF MODERN ART

**La plus belle collection de peintures et de sculptures de la fin du XIXe siècle à nos jours.**

Lors de son ouverture sur 57th Street, en 1929, le MoMA ne comprenait que six salles. Depuis sa gigantesque rénovation (425 millions de dollars) par l'architecte Yoshio Taniguchi, il est devenu le fleuron des musées d'art moderne et contemporain. À son ouverture, en novembre 2004, le nouveau MoMa a suscité un vif enthousiasme. Son réaménagement a permis de doubler sa surface d'exposition. Les visiteurs peuvent désormais entrer par 53rd Street ou 54th Street pour admirer ses galeries disposées autour d'un patio de 34 m de hauteur. Source de lumière, il offre une vue magnifique sur l'agréable jardin jalonné de sculptures, dont *La Rivière* d'Aristide Maillol et *Family Group* (*Groupe familial*) de Henry Moore.

### COLLECTIONS ET EXPOSITIONS

Située aux 3e et 4e étages, la collection permanente couvre une période comprise entre la fin du XIXe siècle et celle des années 1960. Sa disposition chronologique donne une vision d'ensemble de l'histoire de l'art moderne. Au 4e étage, douze galeries sont dédiées au post-impressionnisme, au cubisme, au futurisme italien, à l'expressionnisme allemand et autrichien, au réalisme social et au surréalisme. Elles regorgent de chefs-d'œuvre, dont les plus notables sont *La Nuit étoilée* de Vincent Van Gogh et *La Persistance de la mémoire* de Salvador Dalí. Une galerie est consacrée à Matisse. Les galeries du 3e étage portent sur la peinture de la fin des années 1940-1960. Elles renferment les œuvres d'artistes majeurs tels Willem de Kooning, Jasper Johns, Francis Bacon et Andy Warhol, ainsi que de splendides tableaux de Jackson Pollock.

Le 1er étage est réservé à l'art contemporain depuis 1970 et aux médias. Le 2e étage est dédié au dessin, à la photographie, à l'architecture et au design. Les 7 000 dessins datent de 1880 à nos jours et les 25 000 clichés révèlent l'évolution de la photographie depuis les années 1840. Divers photographes sont représentés, de Henri Cartier-Bresson à Diane Arbus, en passant par William Fox (*Talbot's Lace*) et Paul Strand (*Fifth Avenue, New York*). Impressionnant, le département du film et des médias possède 19 000 pellicules et 4 millions de diapositives. Les expositions temporaires ont lieu au 5e étage.

*Le MoMa de Yoshio Taniguchi, vu de 53rd Street*

| LES PLUS | |
|---|---|
| Pour les enfants | ●●● |
| Histoire | ●●●● |
| Shopping | ●●● |
| Prix justifié | ●●●● |

**MÉMO**

59 E17 • 11 West 53rd Street 10019

212/708-9400

Sam.-lun. 10 h 30-17 h 30, mer.-jeu. 10 h 30-17 h 30, ven. 10 h 30-20 h ; fermé mar.

Ad. 20 $, gratuit pour les moins de 16 ans avec ad. et ven. 16 h-20 h ; audioguide 5 $

Fifth Avenue/53rd Street (E, V), 47th-50th St/Rockefeller Center (B, D, F)

M1, M2, M3, M4, M5

Audioguide 5 $

2 restaurants, 3 cafés

MoMA Design and Book Store, dans le musée, tél. : 212/708-9700 ; MoMA Design Store, 44 West 53rd Street, tél. : 212/767-1050 ; MoMA Design Store SoHo, 81 Spring Street, tél. : 646/613-1367

www.moma.org

Le 100 Old Slip, avant qu'il ne devienne le musée de la police

Statue d'Indien, New York Historical Society

Intérieur néogothique de la Riverside Church



## NEW YORK CITY POLICE MUSEUM

61 F26 • 100 Old Slip 10005 212/480-3100 Mar.-sam. 10 h-17 h, dim. 11 h-17 h Don suggéré ad. 5 $, enf. de 6 à 18 ans 2 $ M9, M15 2, 3, N, R www.nycpolicemuseum.org

Ce petit musée renferme des uniformes, des matraques, les boucliers de la police new-yorkaise (NYPD), des pistolets et même la mitrailleuse utilisée par le gang d'Al Capone pour assassiner Frankie Yale (ce fut une première à New York).

Visitez une cellule, découvrez les armes d'hier, le portrait de célèbres criminels et des rapports d'arrestations. Familiarisez-vous avec la dactyloscopie et la médecine légale, puis gagnez le NYPD Hall of Heroes. Cette salle abrite un monument à la mémoire des 23 policiers victimes de l'attaque contre le World Trade Center.

## NEW YORK HISTORICAL SOCIETY

58 D14 • 170 Central Park West et 77th Street 10024 212/873-3400 Musée : mar.-dim. 10 h-18 h. Bibliothèque : mar.-sam. 10 h-17 h (mi-mai à fin août mar.-ven. 10 h-17 h). Print Room sur rendez-vous Ad. 10 $, moins de 13 ans gratuit M10, M79 B, C Audiotours, visites avec professeur mar.-dim. 13 h, 15 h www.nyhistory.org

Situé dans l'Upper West Side, à Central Park West, ce musée mérite vraiment une visite d'une demi-journée. Depuis près de deux siècles, la New York Historical Society amasse, entretient ou interprète livres, peintures, sculptures, photos et journaux. Au 3e étage, le fascinant Henry Luce III Center renferme des lampes de Louis Comfort Tiffany, des paysages de l'Hudson River School, une série d'aquarelles de John James Audubon, illustrant *Les Oiseaux d'Amérique*, le fauteuil utilisé par George Washington lors de son investiture et bien d'autres choses encore. Le musée possède la plus ancienne bibliothèque de recherche du pays.

## NEW YORK PUBLIC LIBRARY

Voir p. 127.

## SANCTUAIRE DE SAINTE ELIZABETH ANN SETON

344 E26 • 7 State Street 212/269-6865 Lun.-ven., sonnez pour entrer

Elizabeth Ann Seton, une mondaine new-yorkaise, habita cette maison en brique rouge de 1801 à 1803. Cette mère de cinq enfants fut la première Américaine canonisée par l'Église catholique romaine.

Née en 1774, elle se convertit au catholicisme à l'âge adulte et devint guide spirituel et éducatrice. Elle fonda le premier ordre de sœurs du pays (Sisters of Charity), six communautés religieuses de 5 000 membres, des centaines d'écoles, des centres sociaux et des hôpitaux, dans le monde entier. Le pape Paul VI la canonisa en 1975.

## RIVERSIDE CHURCH

Hors plan 58 C12 • 490 Riverside Drive 10027 212/870-6700 Boutique : mar.-jeu., sam. 10 h 30-17 h, mer. 10 h 30-19 h, dim. 9 h 45-10 h 45, midi-16 h M4, M5, M60, M104 1, 9 www.theriversidechurchny.org

John D. Rockefeller, Jr., a financé la construction des 21 étages de cette église néogothique à charpente métallique. Conçue sur le modèle de la cathédrale de Chartres, elle fut achevée en 1930. Elle est interconfessionnelle, interraciale et internationale. Nelson Mandela, Martin Luther King, Jr., et Marion Wright-Edelman, la fondatrice de Children's Defense, se sont exprimés du haut de sa chaire. Le clocher renferme le plus grand carillon du monde : 74 cloches et une cloche en laiton de 20 t. De la plate-forme située au sommet, une vue sublime sur l'Hudson s'offre au regard (renseignez-vous sur sa date d'ouverture). À l'intérieur, de magnifiques vitraux et un moulage du christ de Jacob Epstein vous attendent. Une *Vierge à l'Enfant* du même artiste se trouve sur la pelouse.

## ROCKEFELLER CENTER

Voir p. 128-130.

## ROOSEVELT ISLAND

59 G15 • Sur l'East River, entre Manhattan et le Queens Tramway 2 $ Q102 F

Si vous êtes sujet au vertige, gagnez Roosevelt Island en métro, mais il est bien plus sympathique de prendre l'Heliport Aerial Tramway dans East 60th Street pour parcourir 274 m au-dessus de l'East River. L'île abrite 8 000 habitants et mesure 3,4 km de longueur et seulement 250 m de largeur.

Ses rues paisibles, son urbanisme ordonné et sa superbe vue sur Manhattan font de cette « ville dans la ville » un lieu très prisé. Sa gestion est dévolue à la Roosevelt Island Operating Corporation depuis 1984. Jusqu'au XIXe siècle, l'île était le domaine agricole de la famille Blackwell, puis elle accueillit une prison, un hôpital psychiatrique, l'Octagon Building (1842), le Smallpox Hospital (1854), conçu par James Renwick, Jr, comme le phare (1872) situé à la pointe nord.

*La salle de lecture principale affiche presque toujours complet*



# NEW YORK PUBLIC LIBRARY

**Un fascinant espace culturel et un édifice de style Beaux-Arts, grandiose et superbement restauré.**

L'imposant bâtiment de marbre blanc qui abrite cette bibliothèque de recherche est véritablement somptueux. Il fut l'une des premières grandes commandes de Carrère & Hastings (1911) et coûta 9 millions de dollars, financés pour moitié par le magnat et philanthrope Andrew Carnegie (1835-1918). L'ex-gouverneur de New York, Samuel J. Tilden, légua 2,4 millions de dollars pour la réunion des collections et la construction de l'édifice. Au pied de l'escalier qui mène au musée, trônent les deux lions fétiches des New-Yorkais. Dans les années 1930, Fiorello LaGuardia, le maire de New York, les surnomma affectueusement *Patience* et *Fortitude* (Courage). Ils figurent sur les bracelets, les serre-livres, les presse-papiers et autres articles de la boutique de souvenirs. En haut de l'escalier, un portique à triple arche donne sur le superbe Astor Hall. La collection privée de John Jacob Astor (1763-1848) et celle de James Lenox ont servi de base à la création de cette bibliothèque.

## À VOIR

En entrant, prenez un plan au bureau d'information et renseignez-vous sur les visites gratuites. En face, le Gottesman Hall abrite des expositions temporaires. La DeWitt Wallace Periodical Room, à gauche, est décorée de peintures de Richard Haas, représentant les locaux de la presse new-yorkaise. Un escalier en marbre aboutit à la rotonde (McGraw Rotunda). Époustouflante, la salle de lecture principale se trouve à droite. Ses boiseries en chêne et ses cuivres brillent de plus belle depuis sa restauration en 1998. Située de l'autre côté de la salle, l'Edna Barnes Salomon Room a récemment accueilli des expositions très courues, intitulées *New York Eats Out, Baseball at the Library, Prints of James McNeill Whistler (1834-1903)* et *The Charles Adams Mother Goose*.

Cette bibliothèque de consultation possède plus de 80 annexes à Manhattan et dans la banlieue. Peut-être aurez-vous l'occasion de voir quelques-unes des pièces importantes de la vaste collection, telle une bible de Gutenberg, une édition *in folio* d'une lettre de 1493 dans laquelle Christophe Colomb décrit ses découvertes dans le « Nouveau Monde », une première édition *in folio* d'une pièce de William Shakespeare datant de 1623, une esquisse de la Déclaration d'Indépendance de Thomas Jefferson…

*Deux lions de pierre gardent l'entrée de la bibliothèque*

**LES PLUS**

| | |
|---|---|
| Histoire | ●●● |
| Photo | ●●● |
| Shopping | ●●●●● |

**MÉMO**

60 E18 • Fifth Avenue et 42nd Street 10018

212/661-7220 ou 930-0830

Jeu.-sam. 10 h-18 h, mar.-mer. 11 h-19 h 30, dim. 13 h-18 h

Gratuit

M1, M2, M3, M4

B, D, F

Des visites gratuites débutent dans l'Astor Hall, lun.-sam., à 11 h et 14 h

www.nypl.org
Catalogue de la bibliothèque, collections numériques, départements pour adolescents, informations sur la santé et exposition en ligne.

# Rockefeller Center

**Centre névralgique de Manhattan, ce complexe renferme plus de 100 œuvres Art déco d'une trentaine d'artistes, dont l'emblématique *Prométhée* en bronze doré de Paul Manship et l'*Atlas* de Lee Lawrie. Le Rockefeller Center abrite aussi le Radio City Music Hall, un magnifique théâtre classé de style Art déco, où se produisent les Rockettes.**

*Sculpture dorée à l'entrée du centre*

*Le Rockefeller Center, un lieu de rencontre pour les New-Yorkais*

*Concerts et premières de films au Radio City Music Hall*

**MÉMO**

59 E17 • West 48th Street à West 51st Street, entre Fifth Avenue et Sixth Avenue

212/664-3700

Gratuit

M1, M2, M27, M50

B, D, F, Q

Brochure des visites gratuites, bureau d'accueil principal du hall du G. E. Building

Cucina & Co., Mendy's Kosher Deli, Hale and Hearty, Ben & Jerry's et quantité d'autres snacks et restaurants. Le Rainbow Room est réputé pour sa piste de danse mobile de style Art déco (65ᵉ étage du G. E. Building, tél. : 212/632-5000)

Rockefeller Center Café, 20 West 50th Street, tél. : 212/332-7620

www.rockefellercenter.com
Photographies des œuvres d'art de la Rockefeller Plaza et liens vers les sites des restaurants, des cafés, du Radio City Music Hall, du NBC Store et de la patinoire.

## DÉCOUVRIR LE ROCKEFELLER CENTER

Pour mieux apprécier l'endroit, partez des Channel Gardens, situés sur Fifth Avenue, entre 49th Street et 50th Street. Ces six bassins entourés de beaux bacs à fleurs doivent leur nom (« Les jardins de la Manche ») aux bâtiments qui l'encadrent : la Maison française et le British Empire Building. En tournant le dos à Fifth Avenue et en faisant face aux Channel Gardens, on aperçoit la Rockefeller Plaza et son jardin en contrebas, qui se transforme en patinoire en hiver et en restaurant, l'été. Des drapeaux flottent autour de la place, dominée par une statue dorée de Prométhée dérobant le feu aux dieux grecs pour le remettre aux hommes. Au sommet des marches qui descendent vers la place, une plaque en bronze loue les vertus de l'ardeur au travail : elle reproduit les paroles de John D. Rockefeller, dont la fortune a permis la construction du Rockefeller Center. À l'angle sud-est de la Lower Plaza, une boutique du Metropolitan Museum of Art regorge de beaux objets. Étant donné la taille du complexe, mieux vaut vous procurer un guide au bureau d'information situé dans le hall du G. E. Building, puis déterminer votre parcours.

## L'ESSENTIEL

### G. E. BUILDING

Près de l'entrée est de cette imposante tour (ex-RCA Building), on découvre la frise en calcaire et en verre de Lee Lawrie intitulée *Wisdom* (*Sagesse*), elle lui a été inspirée par le tableau éponyme de William Blake. Tout de granite et de marbre, le somptueux hall mérite une visite. Sa fresque sépia, intitulée *Man's Conquests* (*Les Conquêtes de l'homme*) et signée José Maria Sert, a remplacé celle de Diego Rivera. Malgré l'insistance d'un Rockefeller fermement anticommuniste, l'artiste avait refusé d'en retirer l'image de Joseph Staline et sa fresque fut détruite. À l'angle de 51st Street, les bras articulés d'une horloge tiennent des éclairs (RCA était une filiale de General Electric). Au sommet de l'immeuble, des formes stylisées représentent des ondes électriques. La plate-forme d'observation est accessible aux clients de l'élégant restaurant Rainbow Room (65ᵉ étage). Vous pouvez prendre un verre en admirant la vue au Rainbow Grill, son voisin.

En hiver, les patineurs virevoltent sur la patinoire de la Lower Plaza

**PATINOIRE**
Mi-oct. à mi-avr. lun.-jeu. 9 h-22 h 30, ven.-sam. 8 h 30-minuit, dim. 8 h 30-22 h
Ad. en sem./week-end 9 $/13 $, enf. en sem./week-end 7 $/8 $, patins 6 $
L'ouverture de cette patinoire sur la Lower Plaza, le jour de Noël 1933, fut possible grâce à une nouvelle technique de réfrigération. Depuis, 250 000 patineurs profitent chaque année de sa modeste surface (37 m de long sur 18 m de large).

**RADIO CITY MUSIC HALL**
Cette salle de quelque 6 000 places était le plus grand théâtre du monde lors de son ouverture, en 1932. Samuel Rothafel (Roxy), l'imprésario, souhaitait la dédier aux spectacles, mais le cinéma prit rapidement le pas sur ces derniers. Avant chaque projection, les fameuses Roxyettes (devenues les Rockettes) exécutaient leur numéro de danse. Donald Deskey se chargea de la décoration intérieure. Véritable joyau Art déco, la somptueuse scène voûtée ressemble à un soleil couchant. Le plafond du Grand Foyer, doré à la feuille d'or de 24 carats, le vaste escalier et les superbes lustres sont époustouflants. La salle a été classée monument de la ville de New York en 1979 et monument national en 1987. D'importants travaux de rénovation, réalisés à la fin des années 1990, lui ont valu le prix de la conservation en 2000.

**« LATE NIGHT WITH CONAN O'BRIEN »**
Pour obtenir le ticket vous permettant d'assister à cette émission populaire, diffusée en fin de soirée, présentez-vous le jour de l'enregistrement (dès 9 h) sous l'auvent des NBC Studios, au 30 Rockefeller Plaza, sur 49th Street. Vous pouvez également réserver vos places en téléphonant au 212/664-3056. L'âge minimum des participants est de 16 ans.

**« TODAY SHOW »**
Chaque jour ouvrable, entre 7 h et 9 h, des centaines de personnes se pressent derrière les barrières bleues de la police, à l'angle de West 49th Street et de la Rockefeller Plaza. C'est là que se trouve le studio du « Today Show », une émission fétiche de la NBC. Certains guettent Katie Couric et Matt Lauer, les deux présentateurs, d'autres voudraient échanger quelques mots avec Monsieur météo (Al Roker), d'autres

| LES PLUS | |
|---|---|
| Pour les enfants | ●● |
| Photo | ●●●● |
| Shopping | ●●●●● |
| Facilité d'accès | ●●●●● |

**À SAVOIR**

- De début décembre à début janvier, 20 000 petites ampoules illuminent l'immense sapin de Noël du Rockefeller Center, au grand bonheur des New-Yorkais. À voir absolument !
- Les patineurs doivent se présenter tôt à la patinoire de Lower Plaza. Elle est très convoitée, notamment à l'heure du déjeuner, et ne peut accueillir que 150 personnes. Guère bon marché, l'entrée et la location des patins se règlent en espèces.
- La boutique NBC Experience, 49th Street et Rockefeller Plaza, propose des visites d'une heure dans les studios. Pour visiter le plateau de « Saturday Night Live », venez avant midi, surtout pendant les vacances et en été. Les tickets sont remis aux premiers arrivés.

*Un Prométhée doré veille sur l'entrée du centre*

*Le relief de Lee Lawrie coiffe l'entrée du G. E. Building (en haut, à droite)*
*Une des fresques sépia de José Maria Sert (ci-dessus)*

encore brandissent des bouts de carton sur lesquels ils ont griffonné leurs compliments. La bonne humeur est au rendez-vous et l'ambiance est presque électrique. Par beau temps, certaines séquences sont tournées en extérieur. L'hiver, le café Dean & Deluca (juste en face) constitue un bon poste d'observation.

## HISTOIRE

Au début du XX^e siècle, le site du Rockefeller Center appartenait à la Columbia University, qui le louait à des fermiers. Puis, des promoteurs vinrent y construire des rangées de petits immeubles. Vers la fin des années 1920, l'endroit était bruyant et déplaisant, des lignes ferroviaires longeaient Sixth Avenue et les riverains manquaient de moyens pour entretenir les immeubles. Durant la Prohibition, on surnomma le quartier « Speakeasy belt » (« Secteur des bars clandestins ») et les descentes de polices étaient monnaie courante le long de 52nd Street. Lorsque l'alcool retrouva droit de cité, de nombreux clubs de jazz y ouvrirent et accueillirent de grands jazzmen tels Count Basie et Harry James.

En 1928, souhaitant construire un gigantesque théâtre pour abriter le Metropolitan Opera, John D. Rockefeller loua 5 ha à la Columbia University, mais le projet fut abandonné, suite au crack boursier de 1929. Le bail étant de 24 ans, Rockefeller décida de bâtir un centre commercial. Au total, on démolit 228 bâtiments pour laisser la place à 12 nouveaux immeubles dont la conception fut confiée à Associated Architects, un groupe d'architectes dirigé par Raymond Hood. Cette « ville dans la ville » (pour reprendre les mots de Rockefeller) vit le jour entre 1932 et 1940. La tour centrale, actuel G. E. Building et ex-RCA Building, fut abondamment pourvue d'équipements de prise de son et de transmission car l'avenir de la télévision promettait d'être radieux. Aujourd'hui, la NBC occupe 11 étages.

Le Rockefeller Center fut le plus vaste projet immobilier privé de toute l'histoire de New York. Il remporta un succès immédiat et sept autres immeubles surgirent entre 1947 et 1973. Aujourd'hui, 19 buildings occupent 9 ha, environ 65 000 personnes travaillent dans leurs bureaux et les visiteurs sont encore plus nombreux. En 1985, les Rockefeller achetèrent le terrain du Rockefeller Center à la Columbia University, puis en revendirent 50 % à Mitsubishi, fin 1989.

*Six bassins encadrés se succèdent jusqu'à l'entrée*

Le clocher de St. Mark's in the Bowery date de 1828

Les flèches de la St. Patrick's Cathedral datent de 1888

L'intérieur somptueux de la St. Patrick's Old Cathedral

## ST. MARK'S CHURCH IN THE BOWERY

61 F21 • East 10th Street 10004 212/674-6377 Pour les cérémonies M8, M15 6, N, R www.stmarkschurch-in-the-bowery.com

Dernier gouverneur hollandais de Neuwe Amsterdam, Peter Stuyvesant possédait une *bouwerij* (ferme) dans la paisible campagne, au nord de la trépidante colonie. Face à l'expansion de la ville et à la flambée du prix des terrains, son petit-fils brada des parcelles aux promoteurs immobiliers. En 1779, un an après l'incendie de la demeure de Peter Stuyvesant, son arrière-petit-fils vendit le terrain de sa chapelle privée à l'église épiscopale pour un dollar symbolique. On y bâtit St. Mark's Church in the Bowery, une église de style fédéral que l'on dota ensuite d'un portique en fonte. Peter Stuyvesant et ses descendants sur six générations reposent dans le cimetière.

## ST. PATRICK'S CATHEDRAL

59 E17 • Fifth Avenue (entre 50th Street et 51st Street) 10022 Tlj M1, M2, M3, M4 6, B, D, E, F, V www.ny-archdiocese.org/pastoral/cathedral_about.html

Chaque année, la plus grande cathédrale catholique romaine des États-Unis accueille trois millions de visiteurs. Cet édifice de style néogothique et de quelque 2 200 places fut conçu, par James Renwick, Jr., sur le modèle des cathédrales européennes, notamment sur celui de la cathédrale de Cologne. Sa flèche se dresse à 100 m au-dessus du sol et sa pietà est trois fois plus grande que celle de la basilique Saint-Pierre de Rome. Le superbe autel de saint Michel et de saint Louis est signé Tiffany & Co. La construction de la cathédrale débuta en 1853. Elle fut consacrée en 1879. La présence de ce sanctuaire encouragea les New-Yorkais fortunés et puissants à s'installer au nord de la ville et à bâtir de somptueuses résidences sur Fifth Avenue.

## ST. PATRICK'S OLD CATHEDRAL

61 F23 • 260-264 Mulberry Street 10013 M15, M103 N, Q, R www.oldsaintpatricks.com

L'architecte français Joseph François Mangin venait d'achever le City Hall, en 1809, lorsqu'il entreprit l'édification de la première cathédrale catholique romaine de New York. Long de 36 m et large de 24 m, cet édifice gothique ouvrit en 1815, dans un quartier peuplé d'une majorité d'immigrants irlandais. En 1866, un incendie ravagea la cathédrale en cours d'agrandissement. Sa restauration prit fin en 1868 et elle demeura le siège de l'archidiocèse jusqu'à la consécration de la nouvelle cathédrale Saint Patrick, en 1879. Elle fut alors reléguée au rang d'église paroissiale. À la fois majestueuse et lugubre, elle renferme l'un des rares orgues de qualité de la ville et ses colonnes en fer supportent un plafond en bois. La St. Patrick's Old Cathedral a été l'un des premiers sites classés de New York (1966).

## ST. PAUL'S CHAPEL

61 E25 • Broadway, entre Fulton Street et Vesey Street 10007 212/602-0800 Lun.-ven. 9 h-15 h, dim. 7 h-15 h M1, M22 4, 5 Musique classique lun. midi-13 h, 2 $

Cette église était la dépendance de la riche paroisse épiscopale de la Trinity Church (▷ 142-143). Réplique en pierre locale de l'église londonienne St. Martin-in-the-Fields, elle fut construite entre 1764 et 1768. Son élégante flèche date de 1796. En 1789, on y dit une messe pour l'investiture du premier président des États-Unis : George Washington. Le banc sur lequel ce dernier venait souvent prier et celui du gouverneur Dewitt Clinton ont été conservés. Soldat-architecte, Pierre l'Enfant a dessiné l'autel, mais aussi les plans du Federal Hall et de Washington, la nouvelle capitale. Tous les lundis, les visiteurs ont droit à un merveilleux concert de musique classique.

## SCHOMBURG CENTER FOR RESEARCH IN BLACK CULTURE

Hors plan 59 E12 • 515 Malcolm X Boulevard 10037-11801 212/491-2200 Mar.-mer. midi-19 h 45, jeu.-ven. midi-18 h, sam. 10 h-17 h 45 Gratuit GM7, M102 2, 3 Mar.-ven. 10 h-15 h www.schomburgcenter.org

Cette bibliothèque de recherche jouit d'un rayonnement national et international. Elle a été créée en 1925, en tant que département de la New York Public Library (▷ 127), et a acquis la collection d'Arthur A. Schomburg. Cet érudit et bibliophile portoricain avait rassemblé 5 000 livres, 2 000 gravures, 3 000 manuscrits et autres supports traitant de culture noire américaine. La bibliothèque compte désormais 5 millions de pièces : ouvrages, œuvres d'art, objets, photographies, gravures, manuscrits, livres rares, enregistrements visuels et sonores… Le centre a pour but de préserver cette importante collection, véritable mémoire des peuples d'origine africaine du monde entier et de permettre sa consultation. Une récente exposition a traité le thème de l'art chez les femmes africaines.

# SoHo

**Des boutiques et des restaurants « tendance », une architecture superbe et une profusion de galeries d'art.**

*Kors ou la vitrine des stylistes (sur Mercer Street)*

*Le lutin du Puck Magazine Building*

*West Broadway, pour les adeptes du lèche-vitrines*

| LES PLUS | |
|---|---|
| Histoire | ●●●● |
| Photo | ●●●● |
| Shopping | ●●●●● |
| Facilité d'accès | ●●●●● |

**MÉMO**

61 E23 • De Canal Street à Houston Street, et de Sixth Avenue à Lafayette Street

Lower East Side Visitor Center, 261 Broome Street, entre Orchard Street et Allen Street

M1, M6

C, E, N, R, 6

Rocky's, 45 Spring Street, tél. : 212/274-9756 Le Pain Quotidien, 100 Grand Street, tél. : 212/625-9009

www.lowereastsideny.com
Ce site fournit la liste des magasins et restaurants de Lower East Side.

*Quelques galeries d'art subsistent*

## HISTOIRE

Au XIXe siècle, SoHo était une zone industrielle, située au sud de Houston (« *So*uth of *Ho*uston »). Canal Street borne désormais sa limite sud et le quartier s'étire d'ouest en est, de Sixth Avenue à Lafayette Street. Châssis de fenêtres, balustrades et colonnes en fonte furent assemblés selon la fantaisie des architectes, souvent suivant les motifs de la Renaissance italienne. Au début du XXe siècle, le nord devint à la mode et les entreprises industrielles désertèrent le quartier, qui entra en phase de stagnation. Les loyers chutèrent au bénéfice des artistes en quête de logements et d'ateliers bon marché. Les défenseurs de SoHo tirèrent parti de cette situation et, très vite, le quartier connut l'engouement des New-Yorkais.

Aujourd'hui, rien que sur Greene Street, on compte encore 50 immeubles à charpente métallique datant de l'époque industrielle. Le Haughwout Building, à l'angle de Broome Street et de Broadway, le Little Singer Building, au 561 Broadway, et le St. Nicholas Hotel, au 521-523 Broadway, méritent une mention particulière. Mark Twain a rencontré la future Mme Twain dans ce dernier. Harry Houdini fut ici cisailleur, au 504 Broadway, avant de devenir un magicien hors pair, capable de se libérer de toutes les entraves. Elisha Graves Otis installa son premier ascenseur dans le Haughwout Building, il ne s'y trouve malheureusement plus. (Promenade dans le quartier ▷ 242-243.)

## UN QUARTIER TRÈS COURU

Dans les années 1970, SoHo était le quartier le plus en vogue de New York et la flambée du prix des loyers fit fuir les artistes. Nombre de commerces et de galeries prospérèrent, telle la Leo Castelli Gallery (au 420 Broadway), qui exposait les œuvres d'Andy Warhol, Frank Stella et Roy Lichtenstein dans les années 1960.

Vers la fin du XXe siècle, SoHo comptait quelque 200 galeries d'art et plus de galeries de photographie que dans le reste de la ville. Depuis, la plupart d'entre elles se sont installées à Chelsea (▷ 77) et, dans une moindre mesure, à Tribeca (▷ 141). Certaines subsistent néanmoins, comme la Tony Shafrazi Gallery (tél. : 212/274-9300, 119 Wooster Street), vitrine d'artistes tels Keith

Haring et Julian Schnabel. Au n° 120, juste en face, se tient la Howard Greenberg Gallery (tél. : 212/334-0010), une galerie très en vue, dédiée à la photographie du XX$^e$ siècle. Très avant-gardiste, la New York Earth Room (tél. : 212/473-8072 ; 141 Wooster Street, mer.-sam.) expose une installation de 14 tonnes de terre…

Les magasins ont gagné du terrain aux dépens des galeries et des ateliers. Entre-temps, nombre de New-Yorkais aisés ont élu domicile dans des lofts, au dernier étage des immeubles. Dans leur sillage, les commerces haut de gamme ont fleuri, ainsi que les cafés chics, les bars et les salles de concerts. Le loyer mensuel des appartements peut atteindre 15 000 $.

En toutes saisons, les rues de SoHo sont un enchantement pour les touristes.

*Les restaurants à la mode de SoHo sont des lieux où l'on aime se montrer*

# South Street Seaport

**Ce quartier classé comprend des immeubles anciens, un musée maritime et plus de 100 magasins, cafés et restaurants au bord de l'eau.**

*Admirez la vue sur l'East River depuis les terrasses du Pier 17*

*Le complexe de South Street a été joliment restauré*

| LES PLUS | |
|---|---|
| Pour les enfants | ●●●● |
| Histoire | ●●●●● |
| Shopping | ●●●●● |
| Facilité d'accès | ●●●●● |

**À SAVOIR**

- Pour éviter toute déconvenue, réservez vos places pour la balade en bateau autour du port.

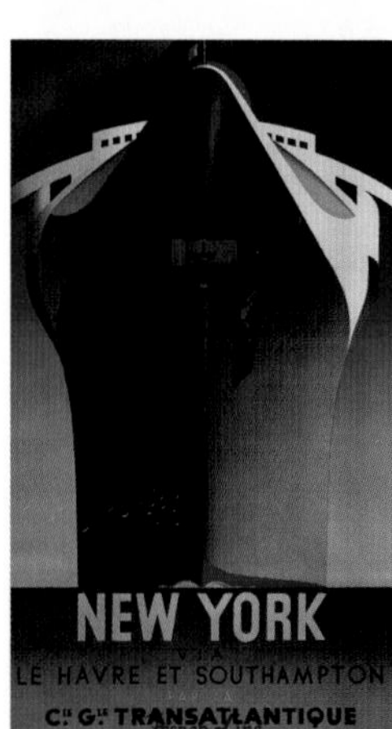


*Le* Normandie *vu par l'affichiste français Cassandre*

## DÉCOUVRIR SOUTH STREET SEAPORT

Véritable musée en plein air, cette partie classée du sud-est de Manhattan borde l'East River. Elle se compose de plusieurs bâtiments : Fulton Fish Market, Pier 17 Pavilion, South Street Seaport Museum et des commerces environnants. Commencez par le Pier 17, où se concentrent les restaurants et les magasins. Prenez un dépliant sur l'un des présentoirs installés à l'entrée du complexe. Un plan très clair et la liste des commerces vous permettront de déterminer l'itinéraire de votre choix.

## L'ESSENTIEL

### PIER 17

Cette impressionnante jetée de métal et de verre a été transformée en un centre commercial de trois étages, doté d'une myriade de restaurants et de bars. La terrasse offre une vue sublime sur l'East River.

### SOUTH STREET SEAPORT MUSEUM

Navires anciens

Plusieurs bateaux sont amarrés entre les jetées 15 et 17. Le *Peking* date de 1911. Construit par Blohm et Voss, à Hambourg, ce cargo à quatre mâts a contourné plusieurs fois le cap Horn. Après moult traversées entre l'Europe et l'Amérique du Sud, suivies d'une période d'immobilisation en tant que bateau-école britannique, il gagna New York en 1975. Une promenade de 2 heures 30 à bord de la goélette *Pioneer* (1885) vous fera découvrir le port, et approcher la Statue de la Liberté et Governor's Island (fin mai-fin sept. ; réservations tél. : 212/748-8786).

World Port New York

Il s'agit de l'exposition vedette du musée. Situées aux étages supérieurs du Schermerhorn Row – une rangée de maisons rénovées – et dans le A. A. Low Building, les 24 galeries relatent l'histoire du port, de l'époque coloniale à aujourd'hui.

### TITANIC MEMORIAL LIGHTHOUSE

Ce phare est dédié aux victimes du naufrage du *Titanic*, survenu le 15 avril 1912, lors d'une première traversée de Southampton

à New York. De 1913 à 1968, il se dressait au bord de l'East River et se trouve désormais à l'entrée du port, côté Water Street. John Jacob Astor, le propriétaire de l'hôtel Astoria (qui a été remplacé par l'Empire State Building) figurait parmi les 1 513 disparus.

*Bateaux anciens ancrés entre les quais 15 et 17*

## HISTOIRE

Le South Street Seaport Museum a ouvert en 1967, au 207 Front Street. L'événement suscita de l'intérêt pour ce quartier alors négligé, et donna le coup d'envoi à un vaste projet de restauration. Schermerhorn Row est l'ensemble classé le plus important de South Street Seaport. Les bâtiments situés au 191 et au 193 Front Street ont été construits dans les années 1790, par Peter Schermerhorn. Issu d'une grande famille new-yorkaise, ce commerçant prospère fit ériger d'autres entrepôts et petits immeubles administratifs, de style géorgien et fédéral, sur Fulton Street (1812). L'entrepôt en pierre, situé au 167-171 John Street, a été bâti en 1849 pour A. A. Low & Brothers. Vers les années 1860, South Street et ses abords cessèrent d'être le cœur battant de l'activité portuaire et il ne subsista plus que le Fulton Fish Market. Dans les années 1980, la Rouse Company s'installa dans le quartier pour entreprendre sa restauration.

*Musique et spectacles sont souvent de la partie au South Street Seaport*

### MÉMO

61 F25 • Au sud de Brooklyn Bridge et au niveau de Fulton Street

12 Fulton Street, avr.-fin oct. tlj 10 h-18 h ; reste de l'an. tlj 10 h-17 h ; tél. : programmation 212/732-7678, administration 212/732-8257

Musée : 212/748-8600

La plupart des commerces : avr.-fin oct. lun.-sam. 10 h-21 h, dim. 11 h-20 h. Musée : tlj 10 h-18 h ; reste de l'an. ven.-dim. 10 h-17 h

Musée : ad. 8 $, enf. de 5 à 12 ans 4 $

M15

2, 3, 4, 5

Visites guidées : renseignez-vous à la billetterie, en face de Pier 17

15 restaurants et boutiques d'alimentation

Seaport Cafe sur Pier 17, tél. : 212/964-1120 ; Pier 17 Pavilion, tél. : 212/267-8310

www.southstreetseaport.com
Calendrier des manifestations et liste complète des restaurants et boutiques.

www.southstseaport.org
Visualisez la collection permanente du musée et les informations relatives aux expositions et aux bateaux.

# Statue de la Liberté

**Considérée dans le monde entier comme un symbole de liberté, la perle des monuments new-yorkais domine le port et reçoit des millions de visiteurs par an.**

*La Statue de la Liberté alias « Lady Liberty »*

*La couronne de Lady Liberty vous ira comme un gant*

*Vous verrez encore mieux la statue depuis le ferry*

| LES PLUS | |
|---|---|
| Pour les enfants | ●●●●● |
| Histoire | ●●●● |
| Photo | ●●●●● |

En approchant de leur nouvelle patrie, des millions d'immigrants ont aperçu la Statue de la Liberté. Il est aisé d'imaginer leur première impression en voguant vers cet emblème de liberté et de démocratie.

**UN PROJET COMMUN**

Le 28 octobre 1886, des milliers de spectateurs découvrirent la Statue de la Liberté avec émoi. D'une hauteur presque trois fois supérieure à celle du Colosse de Rhodes, l'une des sept merveilles du monde, ce cadeau des Français scellait l'amitié des deux peuples, nouée durant la guerre d'Indépendance américaine. L'homme d'État français, Édouard de Laboulay, proposa que la statue soit réalisée en France et que son socle soit fabriqué par des Américains. Pour cette structure colossale, conçue par le sculpteur Frédéric-Auguste Bartholdi, Gustave Eiffel mit au point un système de support révolutionnaire, composé d'un maillage de fers.

Le coût du projet embarrassa les deux pays et le public restait indifférent aux efforts déployés pour collecter des fonds : représentations théâtrales, expositions d'art, ventes aux enchères et matchs de boxe. Dans son journal *The World*, Joseph Pulitzer, le père du Prix du même nom, critiqua le peu d'empressement des riches à financer la construction du piédestal. Il accusa également les classes moyennes de compter sur la générosité des classes aisées. Les dons finirent par affluer et le socle fut achevé en 1886. En juin 1885, la France fit transporter la statue par bateau jusqu'à New York. Le montage de l'ensemble prit quatre mois.

*La statue semble dire « Bienvenue à New York »*

**QUELQUES CHIFFRES**

Affectueusement surnommée « Lady Liberty », la statue se dresse sur Bedloe's Island, rebaptisée Liberty Island en 1956. En 1924, elle a été classée monument national par proclamation présidentielle et elle figure au Patrimoine mondial de l'Unesco depuis 1984. Après une restauration d'un montant de 87 millions de dollars, son centenaire a été célébré avec force feux d'artifice, le 4 juillet 1986, jour de l'Indépendance du pays.

Ses dimensions sont impressionnantes. Elle pèse 225 t et mesure 46,05 m des pieds à la torche. La taille de ses mains (5 m) et de son nez (1,37 m) laisse rêveur. Conçu par Richard Morris Hunt, le superbe socle est haut de 46,9 m.

**VISITER « LADY LIBERTY »**

La fermeture de la statue depuis le 11 septembre 2001, par mesure de sécurité, est regrettable car on ne l'apprécie vraiment que de très près. Il faudra se contenter des jardins.

Pourtant, vous ne regretterez pas de traverser le port pour rendre visite à cette grande dame. Elle tient une plaque sur laquelle figure la date du 4 juillet 1776 en chiffres romains. Pour profiter de la vue panoramique sur le port, grimpez jusqu'à la plate-forme située au sommet du socle (16e étage). Il existe également un musée. Impossible de ne pas imaginer l'émotion des millions d'immigrants à la vue de sa tête couronnée et de son imposante torche.

Pour rallier Liberty Island, prenez le Statue of Liberty & Ellis Island Ferry à Battery Park. Achetez vos places à l'avance, sur Internet, par téléphone ou à la billetterie. Vous pouvez également utiliser le CityPass (▷ 317) ou acheter un billet au Castle Clinton (▷ 73). En haute saison, il faut arriver tôt et patienter longuement car on ne peut pas réserver.

*La statue fut livrée en 350 pièces, réparties dans 214 caisses*

**MÉMO**

Page 6 • Liberty Island, New York Harbor

Info. générales 212/363-3200, tickets de ferry 212/269-5755

Tlj 9 h 30-17 h, fermeture plus tardive en haute saison

Tickets de ferry (pour un aller-retour avec arrêt à Ellis Island) ad. 11,50 $, enf. de 4 à 12 ans 4,50 $. Accès à Liberty Island et à la Statue de la Liberté inclus

1, 4, 5, 9 M1, M6, M15

Boissons sur le ferry ; café à Liberty Island Sur le ferry

www.nps.gov/stli
Histoire et chiffres, expositions du musée et informations sur la sécurité.

# Times Square et Broadway

**Ici, New York se montre sous son jour le plus clinquant : néons, affiches colossales, écrans géants, magasins démesurés et vastes restaurants familiaux, sans oublier les théâtres.**

LES SITES

| LES PLUS | |
|---|---|
| Pour les enfants | ●●●● |
| Photo | ●●●● |
| Shopping | ●●●●● |
| Facilité d'accès | ●●●●● |

**MÉMO**

60 D18

Times Square Information Center, 1560 Broadway, entre 46th St et 47th St, tlj 8 h-20 h (sur Seventh Avenue)

Times Square Information Center 212/869-1890

M6, M7, M27, M42, M104

1, 2, 3, 9, N, R

Visite gratuite le ven. à midi, au départ du Times Square Information Center

Broadway Joe's Steakhouse, 315 West 46th Street, tél. : 212/246-6513, viande et fruits de mer.

Planet Hollywood, 1540 Broadway et 45th Street, tél. : 212/333-7827. Il sert des burgers et autres classiques américains dans un formidable décor d'écrans géants et de souvenirs liés au cinéma.

Times Square Information Center

www.timessquarenyc.org
Consultez l'actualité, la programmation et les informations touristiques, faites une visite virtuelle ou envoyez un message.

## DÉCOUVRIR TIMES SQUARE ET BROADWAY

Commencez la visite par le centre d'information situé dans l'ancien Embassy Theater, aujourd'hui envahi par un MacDonalds. Profitez-en pour admirer le somptueux foyer. Au fil des ans, de nombreux théâtres ont été restaurés, puis classés. Une brigade spéciale assure la sécurité des rues de ce quartier très fréquenté. Le 31 décembre, vous pourrez vous mêler à la foule qui se presse sur Times Square pour voir descendre la boule de verre annonçant la nouvelle année. Un grand moment !

## L'ESSENTIEL

### ED SULLIVAN THEATER

697-699 Broadway, entre 53rd Street et 54th Street 212/975-6644
L'ancien Hammerstein Theater a été construit par Arthur Hammerstein en souvenir de son père, Oscar Hammerstein I. Les halls néogothiques, les foyers et l'auditorium n'ont pas leur pareil sur Broadway. Utilisé comme salle de danse durant des années, il fit sensation lors de sa transformation en studio de télévision. Dans les années 1950-1960, la célèbre émission « Ed Sullivan Show » y fut tournée et remporta le record de longévité. Aujourd'hui, il est sans doute plus connu pour son « Late Show with David Letterman ».

### LYCEUM THEATRE

149 West 45th Street 212/239-6280
Le doyen des théâtres new-yorkais a échappé à la démolition en 1939. Doté d'une somptueuse façade de style Beaux-Arts et d'impressionnantes colonnes néobaroques, il demeure le bâtiment le plus imposant de Broadway. À l'intérieur, les fresques de James Wall Finn ornent les murs en marbre. Nombre de pièces à succès ont été jouées sur sa scène, notamment des pièces classiques du National Actors Theatre. De grands comédiens, tels Ethel Barrymore, Bette Davis, Joseph Cotton, Melvyn Douglas, Alan Bates et Lauren Bacall, ont foulé les planches du Lyceum.

### NEW VICTORY THEATER

209 West 42nd Street 646/223-3020
www.newvictory.org
Construit par Oscar Hammerstein I, en 1899, l'ancien Minsky's a été restauré et réaménagé en 1995. Il s'agit du premier centre d'arts du spectacle pour public familial de la ville.

### PARAMOUNT THEATRE BUILDING

1501 Broadway
Lors de son achèvement, en 1927, cet immeuble dominait ses voisins de Times Square. Il est coiffé d'une horloge à quatre quadrants, ornée d'un globe de verre. On la distingue à des kilomètres à la ronde lorsqu'elle est illuminée. Restaurant thématique de 2 000 couverts, le WWE New York possède une enseigne illuminée grâce aux derniers progrès de la technologie des fibres optiques. Il se trouve dans l'ancien théâtre et ses clients se restaurent en regardant des émissions comme « Raw », « Smackdown! » ou des

*Adieu le délabrement et le laisser-aller des années 1970, Times Square a fait peau neuve !*

combats de catch, sur un écran de 9 m et 110 moniteurs. Concerts et spectacles de magie font partie des autres animations.

## HISTOIRE

Baptisée Heere Straat (Grand-rue) par les colons hollandais, Broadway est la rue la plus longue et la plus ancienne de New York. Avec l'expansion de la ville, les bars misérables, les maisons closes et les tripots fleurirent des deux côtés de la rue. Dès le début du XIXe siècle, elle fourmillait de piétons et de fiacres,

*Broadway est la plus longue rue de New York*



et connaissait même les embouteillages. Dans les années 1860, un chapelet de minstrel halls (salles dans lesquelles des chanteurs blancs parodiaient des Noirs) apparut le long de l'artère. Vers 1900, les abords de Broadway et de Union Square devinrent le quartier des théâtres. À partir de 1880, la partie de Broadway comprise entre 14th Street et 34th Street devint le Great White Way avec l'apparition de l'électricité. Dans les années 1890, lorsque Oscar Hammerstein fit bâtir l'Olympia Theater, entre 44th Street et 45th Street, l'activité théâtrale se déplaça vers Longacre Square. Cette place fut appelée Times Square en 1904, lorsque l'équipe du *New York Times* s'installa dans la Times Tower, sur 42nd Street. En 1928, 14 900 ampoules électriques éclairèrent les quatre côtés de la tour : l'enseigne lumineuse animée était née.

Vers 1900, le métro arriva jusqu'au quartier des théâtres et, avec lui, une foule de spectateurs. Dans les années 1920, le cinéma gagna du terrain et les théâtres se lancèrent dans les films pornographiques, attirant une foule peu recommandable. Les sex-shops chassèrent des commerces de meilleure réputation et, vers les années 1970, Broadway pullulait de prostituées, de proxénètes et autres personnages douteux. Vingt ans plus tard, une opération « d'assainissement » – contre le bruit, les jeux d'argent et la prostitution métamorphosa les environs. La place et ses abords témoignent de façon magistrale de l'impact des mesures mises en œuvre.

## À SAVOIR

- Broadway débute à Lower Manhattan et aboutit au-delà de la limite nord de Manhattan. Mais le Broadway touristique s'étire du nord au sud, de West 53rd Street à West 40th Street et, d'est en ouest, de Sixth Avenue à Eighth Avenue. La plupart des théâtres se trouvent dans les rues adjacentes.
- Le kiosque TKTS *(Broadway et 47th Street, tél. : 212/768-1818, www.tdf.org, lun.-sam. 15 h-20 h, dim. 11 h-19 h pour la représentation de 20 h ; 10 h-14 h pour les matinées de mer. et sam. ; paiement en espèces ou en chèques de voyage)* vend des places pour le jour même à Broadway ou ailleurs, avec 20 ou 50 % de réduction. Peu d'attente à 18 h.
- Au Times Square Information Center, un guichet de la Metropolitan Transit Authority distribue des plans du réseau de transports et des MetroCards, une billetterie vend des places de théâtre à plein tarif, une banque HSBC comporte des DAB, des machines de change, un accès gratuit à Internet et fournit des brochures et dépliants gratuits, certains avec bons de réduction.

## GUIDE DES SHOWS TV

On peut assister gratuitement à l'enregistrement des émissions télévisées, mais les places sont très convoitées. Si vous nourrissez une réelle passion pour un programme et que vous planifiez votre voyage six mois à l'avance, envoyez une carte postale avec vos noms, adresse, numéro de téléphone, le nombre de places désirées et vos dates de préférence.

Il faudra vous lever tôt et faire la queue pour vous procurer les tickets délivrés le jour de l'enregistrement. En plein hiver, vous aurez davantage de chances d'en obtenir car la neige et le vent glacé en décourageront plus d'un. Pour plus de détails, contactez le NYCVB, au 212/484-1222. Vous pouvez aussi téléphoner ou consulter le site Internet de l'émission pour en savoir plus sur les tickets disponibles, les listes d'attente et les places délivrées le jour même. Une photo d'identité peut vous être demandée avant l'émission.

« Late Show with David Letterman »
Adressez une carte postale à Late Show Tickets, Ed Sullivan Theater, 1697 Broadway, New York, NY 10019, ou inscrivez-vous sur www.cbs.com/latenight/ lateshow. Pour obtenir des tickets le jour de l'enregistrement (délivrés à 11 h pile), téléphonez au 212/247-6497. L'âge minimum est de 18 ans.

« Total Request Live »
Il est parfois possible de se procurer des tickets pour l'enregistrement en appelant la ligne des réservations au 212/398-8549. Sinon, présentez-vous à 14 h (avant si l'invité est une célébrité) au 1515 Broadway, entre 44th Street et 45th Street. Un producteur viendra probablement vous poser des questions faciles sur l'actualité musicale et vous remettra des tickets si vous répondez correctement. L'âge des participants est compris entre 18 et 24 ans.

« Good Morning America »
En allant sur www.abcnews.go.com/sections/GMA ou en composant le 212/580-5176, vous pourrez peut-être rejoindre Diane Sawyer et Charlie Gibson dans leur studio avec vue sur Broadway (au niveau de 44th Street). Le tournage a lieu du lundi au vendredi, de 7 h à 9 h.

« Montel »
Pour assister à l'émission de variétés de Montel Williams (lauréat de l'Emmy Award), procurez-vous un formulaire sur le site www.montel show.com et renvoyez-le par e-mail, ou composez le 212/989-8101. Trois émissions sont tournées chaque jour, les mercredis et jeudis.

Le superbe Seagram Building s'élance dans les airs

Le ferry qu'empruntent les habitants de Staten Island

La délicieuse promenade de Tribeca borde l'Hudson River Park

## SEAGRAM BUILDING

59 F17 • 375 Park Avenue 10022 212/572-7000 Lun.-ven. 9 h-17 h

Il s'agit du seul immeuble conçu par Mies van der Rohe à New York et de l'un des plus beaux exemples de gratte-ciel de style international. Il date de 1958 et l'intérieur est signé Philip Johnson. La décision de le construire en retrait de la place pavée de granite fut audacieuse, notamment au vu du prix de l'immobilier, mais elle lança durablement la vogue des places piétonnes.

Le Seagram Building a aussi le mérite d'abriter le fameux Four Seasons Restaurant, réputé pour ses déjeuners d'affaires, ainsi qu'un restaurant animé : la Brasserie.

## SOHO

Voir p. 132-133.

## SOUTH STREET SEAPORT

Voir p. 134-135.

## STATEN ISLAND FERRY

344 F27 • Whitehall Terminal, 1 Whitehall Street 10004 718/815-2628 Tlj 6 h-22 h (de Staten Island à Manhattan) ou 6 h 30-23 h (de Manhattan à Staten Island), toutes les 20-30 min. en sem., moins souvent le week-end et en période creuse Gratuit, voiture 3 $ sur certains ferries M1, M6, M9, M15 1, 4, 5, 9, N, R www.ci.nyc.ny.us/html/dot

Les habitants de Staten Island empruntent ce ferry pour aller travailler dans Manhattan. Les touristes peuvent le prendre pour faire une excursion gratuite d'une heure dans le port. Ils verront la Statue de la Liberté (▷ 136-137), Ellis Island (▷ 90-93) et Governors Island, puis, au loin, le Verrazano Narrows Bridge. Par beau temps, optez pour les vieux bateaux orange et vert. Plus récents, les ferries blancs sont dépourvus de plate-forme extérieure. Évitez les heures de pointe et prenez place sur la droite, pour jouir de la vue la plus belle. Descendez à Staten Island et repérez, sur la droite, le panneau indiquant le quai pour le ferry du retour.

## STATUE DE LA LIBERTÉ

Voir p. 136-137.

## STUDIO MUSEUM IN HARLEM

Hors plan 59 E12 • 144 West 125th Street, entre Lenox Avenue et 7th Avenue 10027 212/864-4500 Mer.-ven., dim. midi-18 h, sam. 10 h-18 h Ad. 7 $, enf. 3 $, moins de 12 ans gratuit M2, M7, M60, M100 2, 3 Z X Y www.studiomuseuminharlem.org

Très intéressant, ce petit musée traite de l'art afro-américain des XIXe et XXe siècles et renferme des œuvres d'art et de l'artisanat africains et caribéens du XXe siècle. Les expositions tournantes, la riche programmation et l'exposition annuelle des artistes résidents méritent le détour. *Challenge of the Modern : African-American Artists 1925-1945* examinait récemment les concepts modernistes adoptés par les artistes noirs américains et caribéens, tandis que Harlem Postcards 2003 montrait Harlem à travers une série de cartes postales. Le jardin de sculptures ne manque pas de charme et la boutique propose un joli choix de livres, de cartes postales, etc.

## MAISON NATALE DE THEODORE ROOSEVELT

60 E20 • 28 East 20th Street 10003 212/260-1616 Visite guidée uniquement (30 min) mar.-sam. 9 h-17 h Ad. 3 $, moins de 17 ans gratuit M1, M6, M23 6, N, R www.nps.gov/thrb

Theodore (Teddy) Roosevelt, homme de terrain infatigable et 26e président des États-Unis, naquit à New York, en 1858. Il vécut jusqu'à l'âge de 14 ans dans une élégante maison à façade en grès, tout près de Broadway. La demeure fut démolie juste avant sa mort, en 1919. La Women's Roosevelt Memorial Association racheta le terrain en 1923 et chargea une femme architecte de reconstruire la maison de Roosevelt à l'identique. Les pièces renferment du mobilier d'origine et la « lion's room » regorge de souvenirs de chasses et d'autres échappées au grand air.

Une exposition relate sa vie mouvementée.

## TIMES SQUARE ET BROADWAY

Voir p. 138-140.

## TRIBECA

61 E24 • Entre l'Hudson River et Broadway, Chambers Street et Canal Street M20 1, 2, 3, 9, A, C, E

TriBeCa (prononcez traï-bec-a) signifie Triangle Below Canal Street, c'est-à-dire le triangle situé au sud de Canal Street. C'est là que les artistes se replièrent à la fin des années 1970, chassés par la flambée des prix des loyers de SoHo (▷ 132-133). Les entrepôts en fonte furent transformés en lofts. Depuis, une population aisée a jeté son dévolu sur le quartier, à l'instar des boutiques de design et de quelques très bons restaurants. En 1989, Robert De Niro a installé le Tribeca Film Center dans le quartier. Certains bâtiments retiennent notre attention : celui du 2 White Street date de 1809 ; l'entrepôt Fleming Smith, au 451 Washington Street, abrite de longue date le bistro Capsouto Frères ; et l'édifice en fonte à colonnes corinthiennes, au 47 Worth Street. Ce secteur a subi d'énormes dégâts lors de l'attentat du 11-Septembre, mais il s'en est très rapidement remis.

# Trinity Church

**Flanquée des gratte-ciel de Lower Manhattan, cette vénérable église est la dernière demeure d'Américains illustres.**

*Des personnalités illustres reposent dans le cimetière*

*Des personnages bibliques ornent les portes de l'église*

*L'intrigue de romans gothiques se situe dans cette église*

**LES PLUS**

| | |
|---|---|
| Histoire | ●●●● |
| Photo | ●●●● |
| Shopping | ●●●● |
| Facilité d'accès | ●●●●● |

**MÉMO**

61 E26 • Broadway et Wall Street 10006
212/602-0800
Tlj 7 h-18 h
M1, M6
4, 5, N, R
Visite guidée gratuite tlj à 14 h
www.trinitywallstreet.org

*Au bout de Wall Street, se dresse l'imposante flèche néogothique de la Trinity Church (droite)*

En remontant Broadway, au nord de Bowling Green, on rejoint la Trinity Church. Dominé par des gratte-ciel, ce chef-d'œuvre en grès rose et aux superbes vitraux de Richard Upjohn date de 1846. Autrefois, sa flèche octogonale (85 m) dominait tous les immeubles de New York. En 1704, l'église reçut sa cloche de l'évêque de Londres. En entrant, notez les portes en bronze ornées de scènes bibliques réalisées par Richard Morris Hunt et offertes en souvenir de John Jacob Astor III. Observez l'autel en marbre blanc, la voûte en bois et la cloison de la Chapelle de tous les saints (Chapel of All Saints). Derrière l'église, un petit musée se tient sur la gauche *(lun.-ven. 9 h-11 h 45, 13 h-15 h 45, sam. 10 h-15 h 45, dim. 13 h-15 h 45)*. On y vend des brochures sur l'histoire de l'édifice, des livres et des vidéocassettes. La visite guidée de 30 min. débute au musée. Des concerts de musique classique se tiennent dans l'église tous les jeudis, de 13 h à 14 h. Les hommes doivent se découvrir, même en plein hiver, les gardiens y veillent.

**LA DOYENNE**

Une charte royale de 1697 (exposée au musée) fit de la paroisse anglicane de Trinity l'un des principaux propriétaires terriens de Manhattan. La construction de l'église débuta l'année suivante, mais celle-ci brûla lors du vaste incendie de 1776, survenu durant l'occupation de New York par les Britanniques. Lors de la guerre d'Indépendance, la Trinity Church fut un bastion des partisans de la Couronne, mais la fin de la guerre mit un terme à leur mainmise sur la ville. Un deuxième édifice fut érigé sur le même site, puis démoli à cause de sa structure défectueuse, en 1839.
La construction de la troisième Trinity Church échut aux architectes Richard Upjohn (britannique) et James Renwick, Jr (américain).

Grâce à ce chantier, Upjohn se fit un nom et conçut bien d'autres églises à travers le pays. Avant de quitter la Trinity Church, faites un tour dans le petit cimetière. Cette véritable oasis de verdure vaut des millions de dollars en raison de sa situation hors pair. Ici reposent Robert Fulton, l'inventeur du bateau à vapeur, l'homme d'État Alexander Hamilton (tué lors d'un duel avec Aaron Burr), et Francis Lewis, l'un des signataires de la Déclaration d'Indépendance.
La grande croix est dédiée à Caroline Webster Schermerhorn Astor, grande prêtresse de la haute société des années 1800.

NYSE
BROAD ST

*L'opulence de la Trump Tower est entrée dans la légende*

*Le siège des Nations Unies, symbole de paix et d'unité*

*Washington Heights, théâtre de la guerre d'Indépendance*



### TRUMP TOWER

59 E17 • 725 Fifth Avenue 10022 212/832-2000 M1, M2, M3, M4 E, N, R, V

Cette tour ne doit pas être confondue avec son aînée, le Trump Building (ex-Manhattan Company Building), ou avec les autres immeubles Trump de New York. Ce monument de verre se dresse, à la gloire de la société d'abondance, depuis les années 1980. Les étages supérieurs se composent de 263 appartements luxueux dont Donald Trump fut l'un des premiers résidents. Juste en dessous, cascades, boutiques étincelantes, marbre rose, miroirs et arbustes s'entassent sur les six étages d'un atrium. Difficile de faire plus clinquant !

### UKRAINIAN MUSEUM

61 F22 • 222 East Sixth Street, entre 2nd Avenue et 3rd Avenue 10003 212/228-0110 Mer.-dim. 13 h-17 h M101, M102, M103 6
www.ukrainianmuseum.org

Au XIXe siècle, nombre d'immigrants ukrainiens s'installèrent à New York, dans les immeubles de Lower East Side, non loin de ce musée. Celui-ci cherche à préserver l'héritage culturel ukrainien en exposant des œuvres d'art populaire, dont des costumes traditionnels, des bijoux de cuivre et d'argent, des œufs de Pâques décorés, des céramiques, des voiles talismaniques.

Il expose également les œuvres d'artistes ukrainiens de renom.

### UNION SQUARE

Voir p. 145.

### SIÈGE DE L'ORGANISATION DES NATIONS UNIES

59 G18 • United Nations Plaza 10017 212/963-8687 Tlj 9 h 30-16 h 45 ; fermé sam., dim. en jan. et fév. Ad. 11,50 $, enf. de 5 à 14 ans 6,50 $, moins de 5 ans non admis M15, M27, M42 F4, 5, 6, 7 Visite toutes les 30 min. lun.-ven. 9 h 30-16 h 45, sam. et dim. 10 h-16 h 30
www.un.org *FR*

À la fin de la Seconde Guerre mondiale, John D. Rockefeller Jr. fit don de 8,5 millions de dollars pour l'achat du site de l'Organisation des Nations Unies. Haut de 166 m, l'immeuble du secrétariat de l'ONU domine ce complexe ouvert depuis 1950. Il jouxte le bâtiment de l'Assemblée générale, le centre de conférences et la bibliothèque Dag Hammarskjold. Des architectes de diverses nationalités participèrent à sa conception. Une visite guidée de 45 min vous fera découvrir la salle de l'Assemblée générale et celle du Conseil de sécurité. Différents cadeaux sont exposés, dont le vitrail de Marc Chagall, une réplique du *Sputnik* et, dans le parc, les sculptures de Barbara Hepworth et Henry Moore. Dotés d'une superbe vue, les jardins paysagers méritent une visite. Arrivez tôt en période de pointe.

### UPPER WEST SIDE

58 C13 • Entre 59th Street et 125th Street, à l'ouest de Central Park M7, M10, M11, M104 1, 2, 3, 9, A, B, C, D

L'Upper West Side est une zone d'habitations très vivante, dotée de nombreux secteurs historiques, de somptueux édifices classés, d'hôtels abordables et d'excellents restaurants. Sa dense population se compose notamment d'acteurs, de réalisateurs et de musiciens. Très courus, l'American Museum of Natural History (▷ 68-72), le Lincoln Center (▷ 112-113), haut lieu des arts du spectacle, et la Cathedral Church of St. John the Divine (▷ 67) se trouvent dans ce périmètre. En vous promenant, notez l'immeuble San Remo, au 145-146 Central Park West, et le Trump International Hotel & Tower, sur Columbus Circle.

### WASHINGTON HEIGHTS

Page 7 • 155th Street à Dyckman Street M4 F1, 9, A, C

Les visiteurs boudent ce quartier situé à la pointe nord de Manhattan et où cohabitent des Latino-Américains, des Dominicains, des Grecs et des Arméniens. Pourtant, il compte d'excellentes tables et diverses attractions, dont les cloîtres médiévaux (The Cloisters ▷ 86) du Fort Tryon Park. Celui-ci offre une vue sublime sur l'Hudson. Washington Heights fut le théâtre de l'une des premières batailles de la guerre d'Indépendance. Le 16 novembre 1776, victorieux des troupes de George Washington, les Britanniques baptisèrent le fort du nom du gouverneur Sir William Tryon. John D. Rockefeller acquit les Cloisters en 1917.

### WOOLWORTH BUILDING

61 E25 • 233 Broadway 10007 M1, M6, M15 2, 3, 4, 5, 6, N, R

Multimillionnaire et nabab des grandes surfaces, F. W. Woolworth confia à Cass Gilbert, un architecte très en vue, la construction du plus haut building du monde, en 1913. Doté d'une façade en terre cuite, ce chef-d'œuvre néogothique détint le record de hauteur (242 m) jusqu'à l'édification du Chrysler Building (▷ 85), en 1929. Une grande partie de son revêtement en terre cuite fut remplacée dans les années 1980. Son somptueux hall est recouvert de marbre de Skyros et orné des fresques *Labor and Commerce* et de figurines en plâtre, représentant notamment Cass Gilbert tenant une réplique de l'immeuble ou Woolworth comptant son argent.

*Reposez-vous à l'ombre des arbres de Union Square*

# UNION SQUARE

**Ce haut lieu du théâtre d'avant-garde s'agrémente de restaurants sensationnels, d'excellentes galeries d'art et de bons musées.**

Ce parc est parfait pour lézarder au soleil en observant ses semblables et les sculptures qui y sont exposées. Celles de Washington (1856) et de Lincoln (1866) sont signées Henry Kirke Brown, et celle de Lafayette a été réalisée par le sculpteur de la Statue de la Liberté, Frédéric-Auguste Bartholdi. Le parc jouxte le centre d'histoire du judaïsme, au 15 West 16th Street ; les éclectiques Forbes Magazine Galleries (▷ 99), au 62 Fifth Avenue et à la hauteur de 12th Street ; et la réplique de la maison natale de Theodore Roosevelt, au 28 East 20th Street.

Le quartier de Union Square compterait une centaine de restaurants, dont les meilleures tables de la ville. Lors du Harvest, collecte de fonds organisée en septembre pour Union Square Park, les plus grands chefs du quartier font déguster leurs plats. À la même époque, le Manhattan Short Film Festival présente une sélection de 14 courts-métrages de divers pays et décerne des prix. Projections gratuites en plein air.

## UNE HISTOIRE CONTRASTÉE

Le délabrement et l'insécurité des années 1970 ne sont plus qu'un mauvais souvenir à Union Square. Les lundis, mercredis, vendredis et samedis, l'un des meilleurs marchés du pays attire des clients de toute la ville et constitue une source d'inspiration pour les chefs des environs. Barry Benepe, son directeur, a eu l'idée lumineuse de créer ce marché de fruits et légumes pour aider les agriculteurs de la vallée de l'Hudson et améliorer la vie du quartier. Son initiative a ensuite essaimé.

Dans les années 1840, Union Square devint un quartier résidentiel et connut la plus grande concentration de théâtres, night-clubs, restaurants, hôtels et commerces de luxe du pays. Union Square Park était aménagé pour les riches résidents. Au XIX^e^ siècle, le Ladies' Mile (délimité par Broadway, Sixth Avenue, 15th Street et 24th Street) était La Mecque du shopping chic. Mais au début du XX^e^ siècle, la richesse se déplaça vers le nord et le quartier déclina. À la fin du XIX^e^ siècle, Union Square devint un foyer de contestation et de revendication politique.

La rédaction du journal *The New Masses* et les bureaux de l'organe en langue yiddish du parti communiste s'y installèrent au début des années 1930. Depuis 1936, les manifestants ont déserté la place rénovée.

*Les meilleurs cuisiniers de la ville ne jurent que par les produits du marché de producteurs*

**LES PLUS**

| | |
|---|---|
| Histoire | ●●● |
| Photo | ●●● |
| Shopping | ●●●● |
| Prix justifié | ●●●● |

**MÉMO**

60 E21 • De East 12th Street à East 20th Street, entre Third Avenue et Fifth Avenue

M2, M3, M6, M7

4, 5, 6, L, N, Q, R

Visite gratuite sam., rendez-vous à 14 h dans Union Square Park, p rès du Pavilion Building, sous la statue de Lincoln

Old Town Bar & Restaurant, 45 East 18th Street, entre Broadway et Park Avenue, tél. : 212/529-6732

www.unionsquarenyc.org

# Wall Street

**Le cœur du centre financier de New York et le lieu de l'investiture de George Washington.**

*Le centre commercial situé sous Wall Street*

*Les parties d'échecs en pleine rue sont un passe-temps très prisé*

*Le Stock Exchange, à l'angle de Wall Street et de Broad Street*

Ce symbole d'opulence n'est qu'une étroite ruelle du XVIII^e siècle, entre Broadway et South Street. La Bourse de New York (fermée au public depuis l'attentat du 11-Septembre) se tient à l'angle de Broad Street et de Wall Street. À l'extrémité ouest de la rue, la Trinity Church (⊳ 142-143) s'élève sur Broadway, entre des tours de bureaux. Très photogénique, cette impressionnante église néogothique se détache derrière une haie de drapeaux des États-Unis. Devant le Federal Hall National Monument (⊳ 97), se dresse une statue de George Washington, là où il prêta serment avant de devenir le premier président du pays. Les deux gratte-ciel situés aux n° 40 et 55 mesurent 282,5 m et 290 m. De nombreuses plaques et autres panneaux rappellent que ce quartier est chargé d'histoire. Au n° 60, le hall en marbre blanc du siège de la Morgan Bank mérite un coup d'œil. Il s'agit de l'un des plus hauts gratte-ciel du Financial District et son arcade ne passe pas inaperçue. Wall Street a été baptisée en référence au mur érigé en 1653 pour défendre New Amsterdam contre les Indiens. Des *bouwerij* (fermes) se trouvaient au nord de cette fortification. Celle-ci commença à s'écrouler alors que New Amsterdam était devenue New York, après la victoire des Anglais contre les Hollandais. Elle fut démolie en 1699 et ses pierres ont été réemployées dans la construction du City Hall (⊳ 77).

### LA PREMIÈRE TRANSACTION

En 1792, 22 courtiers et marchands conclurent leur première transaction au pied d'un platane de Wall Street. Portant sur des titres publics et baptisé Buttonwood Agreement, cet accord fixait des commissions et favorisait ses signataires : le New York Stock Exchange était né. Ces transactions se poursuivirent en lieux clos, sans doute dans des tavernes, jusqu'à l'acquisition de locaux sur William Street, dans les années 1860.

Les premiers télégraphes boursiers de 1867 ont été relayés par des technologies de pointe pour l'affichage des données du marché. Dans des salles de la taille de terrains de football, des centaines de courtiers brassent des milliards en jonglant avec les titres de quelque 3 000 entreprises. Hélas, vous ne pourrez pas assister à leurs poussées d'adrénaline car la Bourse est fermée au public. Pour plus de détails, composez le 212/656-3000.

### LES PLUS

| | |
|---|---|
| Histoire | ●●●●● |
| Photo | ●●●● |
| Shopping | ●● |
| Facilité d'accès | ●●●●● |

### MÉMO

61 F26 • Financial District
M1, M6, M15, M22
2, 3, 4, 5
Visite gratuite de Wall Street, jeu., sam. de 12 h à 13 h 30 ; rendez-vous sur les marches de l'U.S. Customs House, au 1 Bowling Green
John Street Bar & Grill, 17 John Street, tél. : 212/349-3278, tlj 11 h 30-23 h
Mangia, 40 Wall Street, tél. : 212/425-4040, lun.-ven. 19 h-22 h

www.downtownny.com
Informations actualisées sur les attractions, les boutiques, les hôtels, les bus, les métros et autres moyens de transport de Lower Manhattan

### À SAVOIR

**• Le Financial District étant désert le week-end, mieux vaut visiter Wall Street en semaine, pour observer le perpétuel va-et-vient des courtiers en costumes sombres.**

# Whitney Museum of American Art

**Plus de 11 000 œuvres des XX^e^ et XXI^e^ siècles, signées par 1 700 artistes américains majeurs, dont Georgia O'Keeffe, Jasper Johns, Edward Hopper, Mark Rothko et Jackson Pollock. Des travaux provocateurs et souvent controversés, réalisés par des cinéastes indépendants, des vidéastes, des spécialistes du multimédia et des photographes américains d'avant-garde.**

*Petite pause au musée*

## DÉCOUVRIR LE WHITNEY MUSEUM OF AMERICAN ART

Avant d'entrer, prenez le temps d'observer cet incroyable bâtiment moderne en granite, situé sur Madison Avenue et signé Marcel Breuer et Hamilton Smith. Son architecture tranche avec les classiques rangées de maisons en grès brun, pierre calcaire et brique qui l'entourent. Considéré comme trop massif et lugubre lors de son achèvement en 1966, l'édifice est désormais loué pour son caractère audacieux et novateur. Sa structure en forme d'escalier domine un jardin de sculptures en contrebas.

À la caisse de sortie et à la billetterie, située à gauche de l'entrée, vous trouverez des calendriers gratuits, le programme des expositions en cours et des brochures sur l'agenda

des expositions temporaires. Des écouteurs pour audiotours vous seront proposés à l'extrémité de la caisse de sortie.

Commencez par la collection permanente, répartie sur le 1^er^ étage (de De Kooning à aujourd'hui) et le 4^e^ étage (de Hopper au milieu du siècle). Le musée organise également de fréquentes expositions thématiques ou consacrées à certains artistes.

*La collection de ce musée d'art contemporain est joliment mise en valeur*

| LES PLUS | |
|---|---|
| Pour les enfants | ● ● ● |
| Histoire | ● ● |
| Shopping | ● ● ● ● |
| Prix justifié | ● ● ● ● ● |

**À SAVOIR**

- Le vendredi de 18 h à 21 h, les visiteurs entrent en laissant une participation et ont droit à un concert.
- Pour connaître les dernières évolutions de l'art américain et découvrir des artistes inconnus mais prometteurs, venez pendant la biennale (années paires).
- Une annexe du musée se trouve dans l'Altria Building, au 120 Park Avenue *(lun.-mer., ven. 11 h-18 h, jeu. 11 h-19 h 30 ; gratuit).*

## L'ESSENTIEL

### QUATRIÈME ÉTAGE : DE HOPPER AU MILIEU DU XX^e^ SIÈCLE

Les galeries Leonard and Evelyn Lauder renferment plus de 200 tableaux de la première moitié du XX^e^ siècle. Près de l'ascenseur, l'Urban Realism Gallery (réalisme urbain du XX^e^ siècle) comprend plusieurs peintures de Robert Henri, dont un ravissant portrait de la fondatrice du musée, Gertrude Vanderbilt Whitney. Il date de 1916 et a été donné par sa petite-fille, Flora. Sur l'audioguide gratuit, vous entendrez cette dernière s'étonner de voir son énergique grand-mère représentée comme une femme oisive.

*Hammerstein's Roof Garden* (vers 1901), une belle toile de William J. Glackens, se trouve sur le mur opposé. On y voit de riches New-Yorkais devant un spectacle de funambules, d'acrobates et de jongleurs, un soir d'été. La scène se déroule au début du XX^e^ siècle, à Hammerstein (à l'angle de Seventh Avenue et de 42nd Street).

Les tableaux de la Machine Age and Geometric Abstraction Gallery représentent des usines et des gratte-ciel. Appelé précisionnisme, ce style est apparu suite à l'explosion industrielle du début du XX^e^ siècle.

La Early American Modernism Gallery compte plusieurs tableaux de Georgia O'Keeffe, dont les somptueux *Music Pink and Blue II* (1919), *Black and White* (1930) et d'éblouissantes fleurs. Quant à *Summer Days* (1936), il porte sur un sujet cher à l'artiste : le crâne de bovin.

La superbe collection de la Edward Hopper Gallery met en lumière des toiles cultes de Hopper, telles *7am* (1948), *Small Town Station* (1918-1920), *Italian Quarter From Gloucester* (1912) et le fascinant *Early Sunday Morning* (Tôt le dimanche matin, 1930). L'alternance des rideaux blancs et des stores jaunes, au-dessus des boutiques, donne l'impression que ces appartements sont habités et que des vies différentes s'écoulent dans chacun d'eux. En masquant le poteau du coiffeur et la borne d'incendie, on perçoit leur rôle essentiel dans l'équilibre et le centrage de la composition.

La Realism in the 1930s Gallery compte de belles œuvres de Thomas Hart Benton. Celui-ci a peint *Poker Night* (1948) sur commande, d'après la pièce *Un tramway nommé désir*, jouée à Broadway.

La Early Abstract Expressionism Gallery abrite une sculpture de Louise Bourgeois, intitulée *Quarantania* (1953), et réalisée pendant ses études aux États-Unis. Restés en France, ses proches lui manquaient et elle en témoigne dans cette œuvre. Dans la Surrealism in America Gallery, *La Fortune* (1938) de Man Ray a pour thème la fièvre du jeu.

**GUIDE DES SALLES**

**Étage 0, 2, 3 :** expositions temporaires.
**Étage 1, De De Kooning à aujourd'hui :** outre des expositions temporaires, les Mildred and Herbert Lee Galleries renferment des œuvres de Jackson Pollock, Jasper Johns, Claes Oldenburg, Robert Rauschenberg, Roy Lichtenstein, Frank Stella, Robert Smithson, Alexander Calder et Paul Pfeiffer. *Women and Dog* (1964) de Marisol est un ensemble de quatre sculptures représentant l'artiste. L'une d'elles est en jupe verte et en chemisette rose et sa photo est collée sur son front.
**Étage 4, de Hopper au milieu du siècle :** les Leonard and Evelyn Lauder Galleries comptent des œuvres de William Glackens et Robert Henri ; la Machine Age and Geometric Abstraction Gallery est dédiée au précisionnisme ; la Early American Modernism Gallery renferme des tableaux de Georgia O'Keeffe. Les galeries suivantes se trouvent au même étage : Edward Hopper Gallery, Realism in 1930s Gallery (Thomas Hart Benton, John Stuart Curry et Joe Jones) et Early Abstract Expressionism Gallery (Louise Bourgeois). Expositions temporaires.

*Un éclairage moderne illumine le hall d'entrée*

*Le 3e étage a accueilli l'exposition temporaire de la biennale de 2000*

L'homme et la femme peints dans *The Lord is My Shepherd* (1926) étaient les voisins sourds-muets de Thomas Hart Benton, à Martha's Vineyard.

**PREMIER ÉTAGE : DE DE KOONING À AUJOURD'HUI**

**Roy Lichtenstein, *Little Big Painting***

Dans la Pop Gallery, *Little Big Painting* (1965) de Roy Lichtenstein (1923-1997) est un hymne aux mass médias et à la culture populaire. Cette peinture aux tons rouge, blanc et jaune, avec des lignes noires grossières, évoque l'art abstrait. L'invisibilité de l'intervention de l'artiste, l'absence de coups de pinceau perceptibles et le fond en pointillés, font penser à l'impression automatique et à la reproduction en série.

Hail, Bright Aurora *(déesse personnifiant l'Aurore), anonyme*

Alexander Calder, *Circus* (1926-1931)
La passion de Calder (1898-1976) pour le cirque et sa formation d'ingénieur mécanicien lui ont permis de donner vie aux funambules, acrobates, haltérophiles et danseurs en fil de fer de ce cirque miniature en matériaux divers. Dans un film projeté en continu, le charmant Calder joue le chef de piste dans son atelier, tandis que sa femme actionne le gramophone. Cette œuvre fut présentée à l'avant-garde parisienne dans les années 1920.

À voir également
Dédiées aux artistes américains postérieurs à 1945, les Mildred and Herbert Lee Galleries occupent presque la moitié de cet étage. Dans l'Abstract Expressionism Gallery, *Number 27* (1950) est l'une des nombreuses œuvres que Jackson Pollock peignit en plaçant la toile sur le sol et en projetant la peinture avec une grande maîtrise. Dans la Life Is Art Gallery, *Three Flags* (1958) est une déconstruction du puissant emblème de l'Amérique, signée Jasper Johns.

## HISTOIRE

**Gertrude Vanderbilt Whitney (1877-1942), la fille de Cornelius Vanderbilt (1843-1899), étudia la sculpture à l'Art Students League de New York et devint l'un des mécènes les plus généreux du pays. En 1914, elle lança le Whitney Studio Club pour promouvoir les jeunes artistes américains d'avant-garde. Le club se trouvait au 8 West 8th Street, dans le West Village, près de l'atelier MacDougal Alley. Gertrude affectionnait les artistes révolutionnaires, tels John Sloan, Everett Shin et George Luks, les peintres réalistes, comme Edward Hopper et Thomas Hart Benton, ou encore les modernistes tels Max Weber et Stuart Davis.**

**En 1929, elle proposa sa collection personnelle au Metropolitan Museum of Art. Suite au refus du Met, elle créa le Whitney Museum of American Art en 1931, avec 700 pièces qu'elle avait pour partie réalisées elle-même. Le Whitney Museum est donc l'un des rares musées fondés par un artiste. Il occupe l'édifice actuel depuis 1966.**

### MÉMO

59 E15 • 945 Madison Avenue et 75th Street 10021
1-800-WHITNEY (944-8639)
Mer.-jeu. 11 h-18 h, ven. 13 h-21 h, sam.-dim. 11 h-18 h
Ad. 12 $, moins de 12 ans gratuit (2,25 $ par ticket acheté sur Internet ou par tél.), participation le ven. 18 h-21 h
M1, M2, M3, M4
6
Les visites gratuites débutent au bureau d'information situé dans le hall, tél. : 212/570-3676. Audiotours gratuits à partir du hall. Audioguide pour les familles. Programmes gratuits le samedi pour les familles avec des enfants de moins de 11 ans. Renseignez-vous au 212/671-5300 (réservation indispensable, au 212/570-7745)
Le café Sarabeth's (tél. : 212/570-3670) sert le déjeuner le mar. 11 h-15 h 30, mer.-ven. 11 h-16 h 30 et le brunch sam.-dim. 10 h-16 h 30

www.whitney.org
Pièces vedettes de la collection permanente, nouveaux programmes et manifestations, boutique en ligne et informations sur la Whitney Biennial.

Railroad Crossing, *de Edward Hopper*

Savourez les derniers rayons de soleil sur la promenade de Brighton Beach, à Brooklyn

L'élégante serre du Brooklyn Botanic Garden

# Environs de New York

LES SITES

## BROOKLYN

### BRIGHTON BEACH

Page 7 • Pointe sud de Brooklyn B1, B68 Q
www.brightonbeach.com

L'afflux d'immigrants russes dans ce quartier de Brooklyn lui a valu le surnom de Little Odessa by the Sea (« Petite Odessa »). Vous découvrirez pourquoi en flânant sur sa promenade battue par l'Atlantique et sur Brighton Beach Avenue. Des dizaines de supermarchés et de traiteurs regorgent de caviar, de *knish* (petits pains farcis de purée de pommes de terre), de vodka, de saucisses et autres spécialités russes. La vie nocturne y rappelle Las Vegas et ses danseuses légèrement vêtues et coiffées de plumages compliqués.

### BROOKLYN BOTANIC GARDEN

Page 7 • 900 Washington Avenue, Brooklyn 11225 718/623-7200 Avr.-fin sept. mar.-ven. 8 h-18 h, sam.-dim. 10 h-18 h ; reste de l'an. mar.-ven. 8 h-16 h 30 Ad. 5 $, moins de 16 ans gratuit. Entrée libre mar. et sam. 10 h-midi B41, B43, B47, B48, B71 Q pour Prospect Park, 2, 3 pour Eastern Parkway Visites guidées le week-end à 13 h
www.bbg.org

Pour changer de Manhattan, offrez-vous une paisible promenade parmi plus de 13 000 espèces végétales provenant du monde entier. Ce jardin botanique de 21 ha est émaillé d'étangs à nénuphars, d'arbres vénérables, d'arbustes fleuris et compte une section dédiée à la flore locale ainsi qu'une collection de conifères. Plus de 1 000 variétés de roses poussent dans le Cranford Rose Garden. En mai, une foule nombreuse vient admirer les cerisiers en fleur de la remarquable Cherry Esplanade. Le jardin japonais est l'un des plus beaux du pays. La Palm House a été conçue par McKim, Mead & White, en 1914. Plus récentes (1987), les autres serres sont tout aussi belles. Le jardin se visite en deux ou trois heures.

### BROOKLYN HISTORICAL SOCIETY

345 H26 • 128 Pierrepont Street, Brooklyn 11201 718/222-4111 Mer.-sam. 10 h-17 h, dim. midi-17 h Ad. 6 $, gratuit pour les membres et les moins de 12 ans 2, 3, M, N Visites guidées
www.brooklynhistory.org

À la fois musée, bibliothèque et centre pédagogique, la Brooklyn Historical Society a pour vocation de préserver et d'étudier le patrimoine historique de Brooklyn. Elle occupe un édifice classé de style Queen Anne (1881), dessiné et décoré par George B. Post. Carrelage de Minton, boiseries en frêne noir délicatement sculpté et vitraux de Charles Booth forment le décor intérieur. Pour créer un vaste espace central sur deux niveaux, l'architecte a utilisé une technique mise en œuvre dans la construction des ponts. Les quelque 9 000 pièces de la collection portent sur l'histoire locale. L'exposition *Brooklyn Works* relate l'histoire des travailleurs, des premiers fermiers aux ouvriers de l'époque industrielle (lorsque Brooklyn était la quatrième plus grande ville du pays), et jusqu'à nos jours. Les expositions sont accompagnées de récits passionnants. Les gravures et souvenirs des Dodger sont aussi des points forts de la collection. Le musée organise des visites des environs de Brooklyn et des promenades en bateau le long du port (tarifs variables). Très intéressante, la bibliothèque (ouverte sur rendez-vous) renferme une édition originale des *Leaves of Grass* (Feuilles d'herbe) de Walt Whitman.

*Pointeuse d'antan exposée à la Brooklyn Historical Society*

### CONEY ISLAND

Page 7 • Pointe sud de Brooklyn 11224 B36, B74 FF, Q, W

Surnommée Sodom by the Sea (Sodome-sur-Mer) dans les années 1880, cette presqu'île de Brooklyn s'appelait également Playground of the World (Terrain de jeux planétaire). Le Steeplechase Park a fermé en 1964, tandis que les montagnes russes Thunderbolt et le Kensington Hotel ont fermé en 2000. Malgré la disparition de ces véritables monuments, un vent de renouveau souffle sur

(*Suite p. 154*)

Peaceable Kingdom *(1840-1845) d'Edward Hicks*



# BROOKLYN MUSEUM

**Le deuxième plus grand musée d'art de New York, et l'un des plus vastes du pays, accueille un demi-million de visiteurs chaque année.**

Le Brooklyn Museum est installé dans un beau bâtiment de style Beaux-Arts, conçu par McKim, Mead & White en 1897. Signée Polshek Partners, l'extension date de 2004. Deux jets d'eau ornent la nouvelle place.

## LES COLLECTIONS

Le département d'égyptologie et la collection d'art classique et antique du Moyen-Orient font la fierté de ce musée. La collection d'antiquités égyptiennes est la troisième plus grande au monde, elle englobe l'époque prédynastique et la conquête romaine. Fraîchement rénové, le Morris A. and Meyer Schapiro Wing couvre une période comprise entre la fin du règne d'Akhenaton (1350 av. J.-C.) et de Néfertiti, et celui de Cléopâtre. Les bijoux côtoient des reliefs figurant des divinités, des sarcophages décorés, des cercueils et une momie vieille de 2 600 ans.

Les galeries d'arts africain, océanien et latino-américain sont remarquables. Elles renferment, entre autres, un gong en ivoire de l'ethnie Edo (Bénin), des objets de Polynésie et d'Indonésie et de beaux tissus des Andes. La collection asiatique expose des objets de Chine, d'Inde, d'Iran, de Corée, du Japon, du Tibet, de Thaïlande et de Turquie.

Le département d'arts décoratifs, de costumes et de textiles comprend une ferme hollandaise du XVIIe siècle et une bibliothèque Art déco du XXe siècle. Les costumes américains et européens du XIXe siècle reflètent un raffinement difficilement imaginable de nos jours.

Peintures, sculptures, gravures, dessins et photographies de Gilbert Stuart, Thomas Cole, George Caleb Bingham, Winslow Homer, Auguste Rodin, Edgar Degas, Camille Pissarro, Edward Steichen ou Paul Strand comptent parmi les nombreuses pièces exposées.

## ÉVÉNEMENTS

Les premiers samedis du mois, un programme gratuit d'art et de spectacles, avec boissons et nourriture, déplace les foules. De 18 h 30 à 21 h, des artistes et des membres du Brooklyn Philharmonic in Shakespeare Live présentent leurs créations. De 18 h 30 à 20 h 30, vous pourrez participer à l'atelier Hands-on-Art pour créer vos propres colliers d'inspiration égyptienne.

*Sculpture exposée dans le jardin*

**LES PLUS**

| | |
|---|---|
| Histoire | ●●● |
| Photo | ●●● |
| Facilité d'accès | ●●●●● |
| Prix justifié | ●●●● |

Page 7 • 200 Eastern Parkway, Brooklyn 11238-6052
718/638-5000
Mer.-ven. 10 h-17 h, sam.-dim. 11 h-18 h, 1er sam. du mois (sauf en sept.) 11 h-23 h
Ad. 8 $, moins de 12 ans gratuit ; 1er sam. du mois gratuit de 17 h à 23 h
B41, B69, B71
2, 3
Audiotour gratuit de la collection permanente
Café du musée mer.-ven. 10 h-16 h, sam., dim. et jours fériés 10 h 30-16 h 30
Boutique du BMA 10 h 30-17 h 30, jusqu'à 23 h le 1er sam. du mois

www.brooklynmuseum.org
Plan du musée, informations sur les collections permanentes et temporaires, manifestations, programme du 1er sam. du mois, boutique en ligne.

Grande roue de Coney Island, Brooklyn

Henry Ward Beecher veille sur Plymouth Church of the Pilgrims

Le Kennedy Arch, à l'entrée du Prospect Park

(Suite de la p. 152)

Coney Island. Ouvert en 1957, le New York Aquarium fait toujours fureur, Astroland Park a conservé ses montagnes russes, et la Mermaid Parade a lieu à chaque solstice d'été. Nathan Handwerker a ouvert son échoppe en 1916 et ses fameux hot-dogs sont désormais vendus dans tout New York. Situé derrière la tour de saut en parachute et la promenade, le Keyspan Park est le stade (d'une valeur de 39 millions de dollars) de l'équipe de base-ball locale : les Cyclones.

LES SITES

## NEW YORK TRANSIT MUSEUM

Page 7 • Boerum Place et Schermerhorn Street, Brooklyn 11201 718/694-1600 Mar.-ven. 10 h-16 h, sam.-dim. 12 h-17 h Ad. 5 $, enf. de moins de 17 ans 3 $ 2, 3, 4, 5 Galerie et boutique de l'annexe, au Grand Central, tél. : 212/878-0106 www.mta.info/museum *FR*

Le New York Transit Museum se trouve dans une station de métro désaffectée, dans le sud de Brooklyn. Il traite de l'histoire des bus et tramways new-yorkais. Pièces maîtresses : les anciennes voitures de métro et de tram.

*Le New York Transit Museum, à la portée des petits et des grands*

## PLYMOUTH CHURCH OF THE PILGRIMS

345 H26 • 75 Hicks Street, Brooklyn 11201 718/624-4743 Demandez les tarifs par téléphone Visite guidée uniquement (90 min), dim. 11 h-14 h, sur réservation 4, A, N, M www.plymouthchurch.org

Érigée en 1849, la première église congrégationaliste de Brooklyn fut un foyer anti-esclavagiste. En 1860, Abraham Lincoln pria à deux reprises dans cette modeste église et de nombreux écrivains illustres s'y sont exprimés. Ses superbes vitraux sont de Tiffany et sa cour abrite une magnifique statue de bronze, représentant Henry Ward Beecher (1813-1887) avec des esclaves. Gutzon Borglum, le sculpteur, est connu pour les sculptures réalisées sur le mont Rushmore. Prédicateur le plus célèbre d'Amérique, Henry Ward Beecher a prêché durant 40 ans du haut de cette chaire, souvent contre l'esclavage.

## PROSPECT PARK

Page 7 • Flatbush Avenue et Grand Army Plaza. Renseignements : Prospect Park Alliance, 95 Prospect Park West, Brooklyn 11215 Renseignements : 718/965-8999 ; Lefferts Homestead Historic House Museum : 718/789-2822 Tlj 5 h-1 h. Musée : avr.-oct. jeu.-dim. midi-17 h Gratuit B16, B41, B43, B48, B69 2, 3, F, Q
www.prospectpark.org

Vous passerez une agréable journée dans ce parc de 213 ha, conçu par Frederick Law Olmsted et Calvert Vaux, les deux architectes de Central Park (▷ 78-83). Un arc de triomphe et un monument dédié à John Kennedy se dressent devant l'entrée principale, sur Grand Army Plaza.

Un musée attend les enfants au Leffert's Homestead *(tél. : 718/965-6505 ; avr.-fin nov. ven.-dim. 13 h-16 h)*. Le zoo, la patinoire, l'abri à bateaux, l'étang, le terrain de jeux et un joli manège datant de 1912 (avr.-fin oct., 50 cents) les enchanteront également.

Dans l'angle nord-est du parc, vous trouverez une roseraie, des jardins japonais, un jardin de sculptures et le Brooklyn Museum of Art (▷ 153). Diverses manifestations divertissantes attirent les foules toute l'année.

L'Audubon Center fournit des plans et des guides aux visiteurs et propose des circuits Nature *(tél. : 718/287-3400 ; sam.-dim. 15 h-16 h, gratuit)*.

## WATERFRONT MUSEUM

Page 7 • 699 Columbia Street, Marine Terminal, Brooklyn 11231 718/624-4719 Gratuit 77 F, G
www.waterfrontmuseum.org

Installé dans la dernière barge pour wagons, ce musée insolite vous accueille en musique tous les vendredis soir du mois de juillet. Au programme de ces soirées originales : blues, swing, country… La barge a été désignée Regional Craft (bateau régional) lors de l'Année internationale des Océans (1998).

En journée, les visiteurs se familiariseront avec le port de New York, l'histoire de la barge et de son sauvetage.

## QUEENS

## NEW YORK HALL OF SCIENCE

Page 7 • 111th Street, Flushing Meadows-Corona Park, Queens 11368 718/ 699-0005 Sept.-fin juin

*S'instruire en s'amusant au Hall of Science Playground*

*Staten Island's Conference House, un lieu chargé d'histoire*

*La dernière barge pour wagons abrite le Waterfront Museum*

lun.-jeu. 9 h 30-14 h, ven. 9 h 30-17 h, sam.-dim. 10 h-18 h ; juil.-fin août lun. 9 h 30-14 h, jeu.-ven. 9 h 30-17 h, sam.-dim. 10 h 30-18 h Ad. 11 $, enf. de 2 à 17 ans 8 $. Sept.-fin juin jeu. 14 h-17 h gratuit. Science Playground (plus de 6 ans accompagnés d'un ad., mars et déc., si la météo le permet) 3 $ ou 2 $ pour les groupes Q23, Q48 7 pour 111th Street Queens Audiotours 2 $ www.nyscience.org

Ce musée interactif de science et de technologie compte plus de 225 salles. Un personnel éclairé répond aux questions sur des sujets aussi divers que la couleur, les sons, la lumière, la microbiologie ou la physique quantique. Vous pourrez surfer sur le net dans la Technology Gallery, vous étonner devant les miracles de la science en faisant vos propres expériences au Biochemistry Discovery Lab, ou scruter du regard le royaume des microbes et des atomes.

À l'extérieur, les enfants s'amuseront sur les 2 790 m² du Science Playground, parsemés de gigantesques toboggans, d'éoliennes, de jeux d'eau, de sculptures mobiles et d'une toile d'araignée en 3 D.

## QUEENS MUSEUM OF ART

Page 7 • New York City Building, Flushing Meadows-Corona Park, Queens 11368 718/592-9700 Juil.-fin août mer., jeu., sam.-dim. midi-18 h, ven. midi-20 h ; sept.-fin juin mer.-ven. 10 h-17 h, sam.-dim. midi-17 h Don suggéré : ad. 5 $, moins de 5 ans gratuit Q48, Q88 7 pour Willets Point/Shea Stadium www.queensmuseum.org

En 1994, ce musée a été rénové et agrandi par Rafael Viñoly pour accueillir d'ambitieuses expositions d'art contemporain.

Dans la collection permanente, vous verrez de magnifiques verreries fabriquées par l'entreprise Tiffany Studio, implantée dans le Queens de 1893 à 1938. Le Panorama of New York City est un New York miniature, dans lequel aucun immeuble n'a été oublié. D'une taille inégalée (1 674 m²), cette maquette architecturale a été créée pour la foire internationale de New York (1964-1965). Elle est régulièrement modifiée, en fonction des transformations de la ville. Le musée occupe un bâtiment Art Moderne, érigé pour la foire internationale de 1939, et réutilisé lors de la foire de 1964-1965. Bâtie par l'U.S. Steel à l'occasion de cette dernière, l'Unisphère attenante est le plus grand globe du monde. De 1946 à 1952, le musée a abrité l'Assemblée générale des Nations Unies.

*L'Unisphère jouxte le Queens Museum of Art*

## STATEN ISLAND

## ALICE AUSTEN HOUSE

Page 6 • 2 Hylan Boulevard, Staten Island 10305 718/816-4506 Mars-fin déc. jeu.-dim. midi-17 h Ad. 2 $, enf. gratuit S51 pour Hylan Boulevard www.aliceausten.org

Agrémenté d'un jardin, ce musée exceptionnel occupe la maison victorienne restaurée d'Alice Austen (1866-1952), l'une des premières femmes photographes documentaires d'Amérique. Le visiteur découvrira avec plaisir ses clichés ainsi que le mode de vie de la classe moyenne du début du XXe siècle. La demeure a été classée en 1971.

Les photos vous plongeront dans l'univers de cette jeune voyageuse qui apprit seule le maniement d'un appareil photographique, le développement sur de lourdes plaques de verre et le tirage d'épreuves. Alice Austen emportait partout son lourd équipement (23 kg), y compris dans les rues de New York, qu'elle photographiait en faisant poser des sujets en costume et en jouant d'effets satiriques.

Les expositions et autres manifestations ont lieu presque toute l'année et présentent divers artistes locaux. Prenez le Staten Island Ferry à Manhattan, puis le bus S51 pour Hylan Boulevard.

## CONFERENCE HOUSE

Page 346 • 7455 Hylan Boulevard, Staten Island 10307 718/ 984-0415 Avr.-fin déc. ven.-dim. 13 h-16 h 3 $ S59 pour Craig Avenue www.theconferencehouse.org

Autrefois appelée Billop Manor House, la Conference House date d'environ 1680. C'est ici que Benjamin Franklin, John Adams et Edward Rutledge (gouverneur de la Caroline du Sud et signataire de la Déclaration d'indépendance) retrouvèrent l'amiral Lord Howe, le 11 septembre 1776. Celui-ci, commandant de la flotte britannique, comptait convaincre les trois indépendantistes de retourner dans le giron de Sa Majesté, mais la rencontre tourna court : ils refusèrent sa proposition. Superbement meublée de mobilier ancien, cette demeure à trois niveaux nous replongent dans l'Amérique coloniale. Diverses manifestations s'y tiennent durant l'année.

Le Garibaldi Meucci Museum est dédié à deux Italiens illustres

Historic Richmond Town a été abondamment restauré

De magnifiques édifices émaillent Snug Harbor



## GARIBALDI MEUCCI MUSEUM

Page 6 • 420 Tompkins Avenue 10305 718/442-1608 Mar.-dim. 13 h-17 h Téléphonez pour demander le prix de l'entrée S52, S78
www.garibaldimeuccimuseum.org

Héros national italien,Giuseppe Garibaldi (1807-1882) vécut deux ans dans cette maison alors qu'il fuyait les troupes autrichiennes.

Il s'agissait de la résidence d'un certain Antonio Meucci (1808-1889), le véritable inventeur du téléphone. Il en fabriqua un prototype plusieurs années avant Alexander Graham Bell, mais ne l'ayant pas breveté, il n'en tira aucun bénéfice.

Après la mort de Garibaldi (1884), une commission décida d'apposer une plaque sur la maison en souvenir de son séjour à Staten Island. À la mort de Meucci, la demeure fut léguée à la communauté italienne en tant que monument à la mémoire de Garibaldi.

Propriété d'une association nommée Order of Sons of Italy in America, ce musée est désormais dédié à la vie de ces deux hommes. Du débarcadère du Staten Island Ferry, prenez le bus S78 ou S52.

## HISTORIC RICHMOND TOWN

Page 6 • 441 Clarke Avenue, Staten Island 10306 718/351-1611 Jan.-fin juin et sept.-fin déc. mer.-dim. 13 h-17 h ; juil.-fin août mer.-ven. 10 h-17 h, sam.-dim. 13 h-17 h Ad. 5 $, enf. de 5 à 17 ans 3,50 $, moins de 5 ans gratuit S74
www.historicrichmondtown.org

Les 27 édifices de ce musée s'étendent sur 40 ha. Celui-ci met en lumière la vie quotidienne et le patrimoine culturel de Staten Island, de l'époque où le lieu n'était qu'un carrefour de campagne à son incorporation au Grand New York, trois siècles plus tard. L'atmosphère surannée et le personnel obligeant font tout le charme de cette escapade d'une journée. Fêtes, concerts, reconstitutions en costumes d'époque s'y déroulent toute l'année.

## JACQUES MARCHAIS MUSEUM OF TIBETAN ART

Page 6 • 338 Lighthouse Avenue, Staten Island 10306 718/987-3500 Avr.-nov. mer.-dim. 13 h-17 h ; déc.-mars. sur rendez-vous Ad. 5 $, moins de 13 ans 2 $ S74 pour Lighthouse Avenue
www.tibetanmuseum.org

Peu de gens soupçonnent l'existence de ce ravissant musée perché sur Lighthouse Hill. En 1991, le Dalai Lama compara ce cottage, agrémenté de jardins de sculptures en terrasses et d'un charmant étang, à un temple tibétain. Les salles renferment des œuvres d'art tibétain, népalais et mongol des XVIIe-XIX[e] siècles. Les objets népalais en métal incrusté de joyaux et les figurines représentant des divinités et des lamas sont somptueux. Des étiquettes fournissent la signification des bijoux, objets rituels, encensoirs, peintures et autres pièces relatives aux cultures bouddhiques. Des expositions temporaires et diverses activités agrémentent la visite.

## SNUG HARBOR CULTURAL CENTER

Page 6 • 1000 Richmond Terrace, Staten Island 10301
718/448-2500
Jardin tlj aube-crépuscule. Musée : mar.-dim. 10 h-17 h
Ad. 3 $, moins de 12 ans 2 $. Jardin : gratuit
S40
www.snug-harbor.org

Classé National Historic Landmark District, cet ensemble couvre 34 ha. Superbes, ses 26 bâtiments de styles italien, néoclassique, victorien et Beaux-Arts faisaient office de maison de retraite pour matelots, dans les années 1880. Vers 1960, ils tombaient en ruine mais, grâce à un vaste projet de restauration, ils sont devenus le pôle culturel de Staten Island. Les Newhouse Galleries *(mer.-dim.)* abritent des expositions d'art et d'autres manifestations. Édifice le plus ancien, le Main Hall *(mar.-dim.)* mérite une visite pour son plafond orné d'une immense fresque, son dôme translucide et vertigineux et sa girouette dorée.

*Fileuse de lin au Historic Richmond Town*

*À peine dépaysés, les phoques prennent le soleil sur les rochers du Bronx Zoo*



**LE BRONX**

# BRONX ZOO

**La plus grande réserve naturelle urbaine du pays héberge plus de 4 500 animaux de 55 espèces, sur 107 ha.**

Consacrez une journée à ce merveilleux zoo. Extrêmement prisé, il ne comporte pas moins de trois appellations : Bronx Zoo (officieux), New York Zoological Park et International Wildlife Conservation Park. Les animaux, certains menacés ou en voie d'extinction, vivent dans un environnement proche de leur habitat naturel.

## L'ESSENTIEL

Très impressionnant, le Wild Asia Complex abrite des tigres d'Indonésie et des éléphants d'Asie, visibles uniquement depuis le monorail Bengali Express. Dans la section Jungle World, vous vous enfoncerez dans une réplique de jungle asiatique, peuplée de léopards, de lézards, de kangourous arboricoles et de gibbons concolores. Dans le secteur Himalayan Highlands, vous verrez les rarissimes léopards des neiges et des petits pandas.

La Congo Gorilla Forest est une forêt tropicale africaine de 9 ha. Entre les arbres coiffés de plate-formes d'observation et les passerelles en bois, 400 animaux peuplent la végétation luxuriante, dont des okapis et des potamochères. Les gorilles des plaines de l'ouest peuvent se montrer très amusants.

Dans la Butterfly Zone, la taille de certains papillons laisse rêveur, sans compter l'étonnante diversité de ces insectes complexes.

La section World of Darkness est dédiée aux créatures nocturnes, telles les chauves-souris frugivores.

Au Children's Zoo *(avr.-fin oct.)*, les enfants apprendront à voir comme une chouette et à entendre comme un renard. Ils pourront également câliner des animaux familiers.

Les passagers du monorail Bengali Express *(mai-fin oct.)* ont droit à une promenade commentée de 25 minutes, en surplomb des tigres de Sibérie, des rhinocéros d'Inde, des éléphants d'Asie et d'autres animaux du sous-continent indien. Une bonne façon de satisfaire votre curiosité sans vous fatiguer, à moins que vous ne préfériez le tramway aérien Skyfari, les méharées ou la navette du zoo *(Zoo Shuttle, avr.-fin oct.)*. L'été, le zoo peut être bondé et la chaleur pousse certains animaux à s'installer à l'ombre et hors du champ de vision des visiteurs.

**LES PLUS**

| | |
|---|---|
| Pour les enfants | ●●●●● |
| Photo | ●●●●● |
| Shopping | ●●●● |
| Prix justifié | ●●●●● |

**MÉMO**

Page 7 • Bronx River Parkway et Fordham Road, Bronx 10460

718/367-1010

Avr.-oct. lun.-ven. 10 h-17 h, sam.-dim. 10 h-17 h 30 ; reste de l'an. tlj 10 h-16 h 30

Mar.-jeu. ad. 11 $, enf. de 2 à 12 ans 8 $, moins de 2 ans gratuit ; participation le mer. Congo Gorilla Forest et méharée 3 $ ; Childrens Zoo, Skyfari, Zoo Shuttle, Butterfly Zone, Bengali Express 2 $ chacun. Le forfait Pay-One-Price inclut l'entrée et toutes les activités : ad. 21 $, enf. 18 $

Bx11, tél. : 718/652-8400 pour plus de détails

2 ou 5 pour Pelham Parkway ou East Tremont Avenue

Visites avec Friends of the Zoo, tél. : 718/ 220-5141

www.bronxzoo.com

**À SAVOIR**

- De Madison Avenue, un bus express, le Liberty Lines Bx11, dessert directement le zoo.
- Emportez un pique-nique et des boissons pour éviter de patienter longuement devant les stands.

*Les New York Yankees ont gagné 26 World Series, soit plus que toute autre équipe de base-ball américaine*

# YANKEE STADIUM

**Allez encourager les New York Yankees dans leur stade attitré et mythique.**

| LES PLUS | |
|---|---|
| Pour les enfants | ●●●● |
| Photo | ●●● |
| Shopping | ●●●● |
| Photo | ●●●●● |

**MÉMO**

Page 7 • 161st Street et River Avenue, Bronx 10451

718/293-6000

Saison : avr.-oct.

Places 12-95 $, appelez le Ticketmaster au 212/307-1212 ou consultez www.yankees.com

Bx6, Bx13

4, D

Visite guidée d'une heure, tél. : 718/579-4531. Les places s'achètent sur le site Internet ou le jour même, dans l'un des cinq magasins Clubhouse de Manhattan. Ad. 14 $, enf. 7 $

Sidewalk Café, sur la place proche des entrées 4 et 6. En-cas et boissons sont en vente dans le stade.

Boutique de souvenirs au niveau Field Level sections 24, 25. Manhattan compte cinq boutiques Clubhouse. Vous trouverez leurs adresses et horaires sur le site Internet.

www.yankees.com

Premier stade à trois niveaux d'Amérique, le Yankee Stadium héberge les New York Yankees depuis le 18 avril 1923. Ce jour-là, le célèbre Babe Ruth réussit un triple *home-run* (tour de terrain) devant 74 200 fans et les Yankees triomphèrent. Après quoi, le stade est rapidement devenu « la maison que Ruth a construite ». L'éclairage électrique et l'affichage électronique firent leur entrée en 1946 et 1959. Suite à l'acquisition du stade par CBS, en 1967, les Yankees jouèrent deux saisons au Shea Stadium pendant la rénovation de leur stade. À leur retour, les Yankees accueillirent les World Series.

Des matches de football américain et de football, des rassemblements religieux ou politiques et des concerts se déroulent régulièrement ici.

Dans Monument Park, une allée est dédiée aux joueurs d'hier (Field Level Section 36). Lors de l'Old Timers' Day, généralement en juillet, les anciennes stars du base-ball viennent saluer leurs admirateurs.

### ASSISTER À UN MATCH

Le stade compte sept entrées principales. Notez celle que vous empruntez, de façon à ressortir par la même. Si vous sortez du stade pour une raison ou une autre, vous ne pourrez plus y retourner avec le même billet. Du lundi au vendredi, venez 1 h 30 avant le début du match. Le week-end, présentez-vous 2 h plus tôt pour assister à l'échauffement. L'accès au stade prenant un temps certain, vous risqueriez de rater le début du match en arrivant au dernier moment.

La visite guidée du stade débute à l'entrée Press Gate, elle vous fera découvrir l'histoire des Yankees, le terrain, les abris, la tribune de la presse, les vestiaires (Clubhouse) et Monument Park. Le jour même, présentez-vous au guichet Advance Ticket ou à l'un des magasins Clubhouse.

L'alcool est en vente jusqu'au septième tour de batte, mais les états d'ivresse sont proscrits. Il est possible de demander une place dans une section « non-buveurs ». Bouteilles, canettes, glacières ou récipients, grands sacs, mallettes, appareils bruyants, crayons à laser, ballons, armes à feu et couteaux sont bannis et il est interdit de fumer.

Ce chapitre présente une sélection de tout ce que l'on peut faire à New York, en dehors des lieux à visiter.

Les magasins et les lieux de sortie sont indiqués sur un plan au début de leur section respective.

# À faire

SHOPPING : SE REPÉRER
B
C
D
13
14
15
16
17
Hue-Man Bookstore
UPPER WEST SIDE
Central Park Reservoir
CENTRAL PARK
Central Park
Hudson River
Riverside Park
Riverside Drive
HIGHWAY 9A
West End Avenue
BROADWAY
Amsterdam Avenue
Columbus Avenue
Central Park West
West 95th Street
West 94th Street
West 93rd Street
West 92nd Street
West 91st Street
West 90th Street
West 89th Street
West 88th Street
West 87th Street
West 86th Street
West 85th Street
West 84th Street
West 83rd Street
West 82nd Street
West 81st Street
West 80th Street
West 79th Street
West 78th Street
West 77th Street
West 76th Street
West 75th Street
West 74th Street
West 73rd Street
West 72nd Street
West 71st Street
West 70th Street
West 69th Street
West 68th Street
West 67th Street
West 66th Street
West 65th Street
West 64th Street
West 63rd Street
West 62nd Street
West 61st Street
West 60th Street
West 59th Street
West 58th Street
WEST 57TH STREET
West 56th Street
West 55th Street
West 54th Street
West 53rd Street
West 52nd Street
West 51st Street
West 50th Street
West 49th Street
West 48th Street
West 47th Street
West 46th Street
West 45th Street
86th Street
79th Street
72nd Street
81st Street Museum of Nat Hist
66th Street Lincoln Center
59th Street Columbus Circle
57th Street
7th Avenue
50th Street
49th Street
Zabar's
American Museum of Natural History
New-York Historical Society
Kenneth Cole
San Remo Apartments
Ansonia Building
The Dakota
Applause Theatre and Cinema Books
Freedom Place
Riverside Boulevard
West 61st Drive
Juilliard School
Lincoln Center
Museum of Biblical Art
Time Warner Center
COLUMBUS CIRCLE
Carnegie Hall
The Mysteric Booksh
West Drive
79th Street Transver
65th Street
Belvedere Lake
The Lake
Strawberry Fields
The Sheep Meadow
Tavern on the Green
12th Av
12th Avenue
12TH AVENUE
11th Avenue
10TH AVENUE
9th Avenue
8th Avenue
7th Avenue
De Witt Clinton Park
Intrepid Sea, Air and Space Museum
BROADWAY
9A
160

Kitchen Arts and Letters
Jewish Museum
Cooper-Hewitt National Design Museum
National Academy of Design
Guggenheim Museum
Neue Galerie
The Metropolitan Museum of Art
Whitney Museum of American Art
Conservatory Water
Frick Collection
Asia Society and Museum
Ralph Lauren
Penhaligon's
Dolce & Gabbana
Donna Karan
68th Street Hunter College
Nicole Miller
Giorgio Armani
Jean-Paul Gaultier
Shanghai Tang
Jimmy Choo
FIFTH AVENUE
Floris
Sherry-Lehmann
Calvin Klein
DKNY
Borrelli
Barneys
Argosy Books
Bloomingdale's
Tod's
FAO Schwarz
Crate & Barrel
Border's Books, Music and Café
Hammacher Schlemmer
Rizzoli
Bergdorf Goodman
Chanel
Coach
Fendi
Tiffany
Trump Tower
Dahesh Museum of Art
Manolo Blahnik
Henri Bendel
Suarez Handbags
Takashimaya
Gucci
Lacoste
Museum of Modern Art
Thomas Pink
Museum of Arts and Design
Museum of Television and Radio
Seagram Building
Cartier
Jimmy Choo
Radio City Music Hall
St Patrick's Cathedral
Municipal Art Society
GE Building
Saks Fifth Avenue
Rockefeller Center
Cole Haan
Caswell-Massey
Morrell & Company
Mount Vernon Hotel Museum and Garden
United Nations Headquarters
Paul Stuart
MIDTOWN MANHATTAN
DIAMOND DISTRICT
Gracie Mansion
Carl Schurz Park
John Jay Park
Mill Rock Park
ROOSEVELT ISLAND
FRANKLIN DELANO ROOSEVELT DRIVE
HIGHWAY 25
QUEENSBORO BRIDGE
5th Avenue
Park Avenue
Lexington Avenue
3rd Avenue
2nd Avenue
1st Avenue
York Avenue
Sutton Place
Avenue of the Americas (6th Avenue)
Rockefeller Plaza
Madison Avenue
East Drive
Transverse Road
The Pond
13
14
15
16
17

# SHOPPING : SE REPÉRER

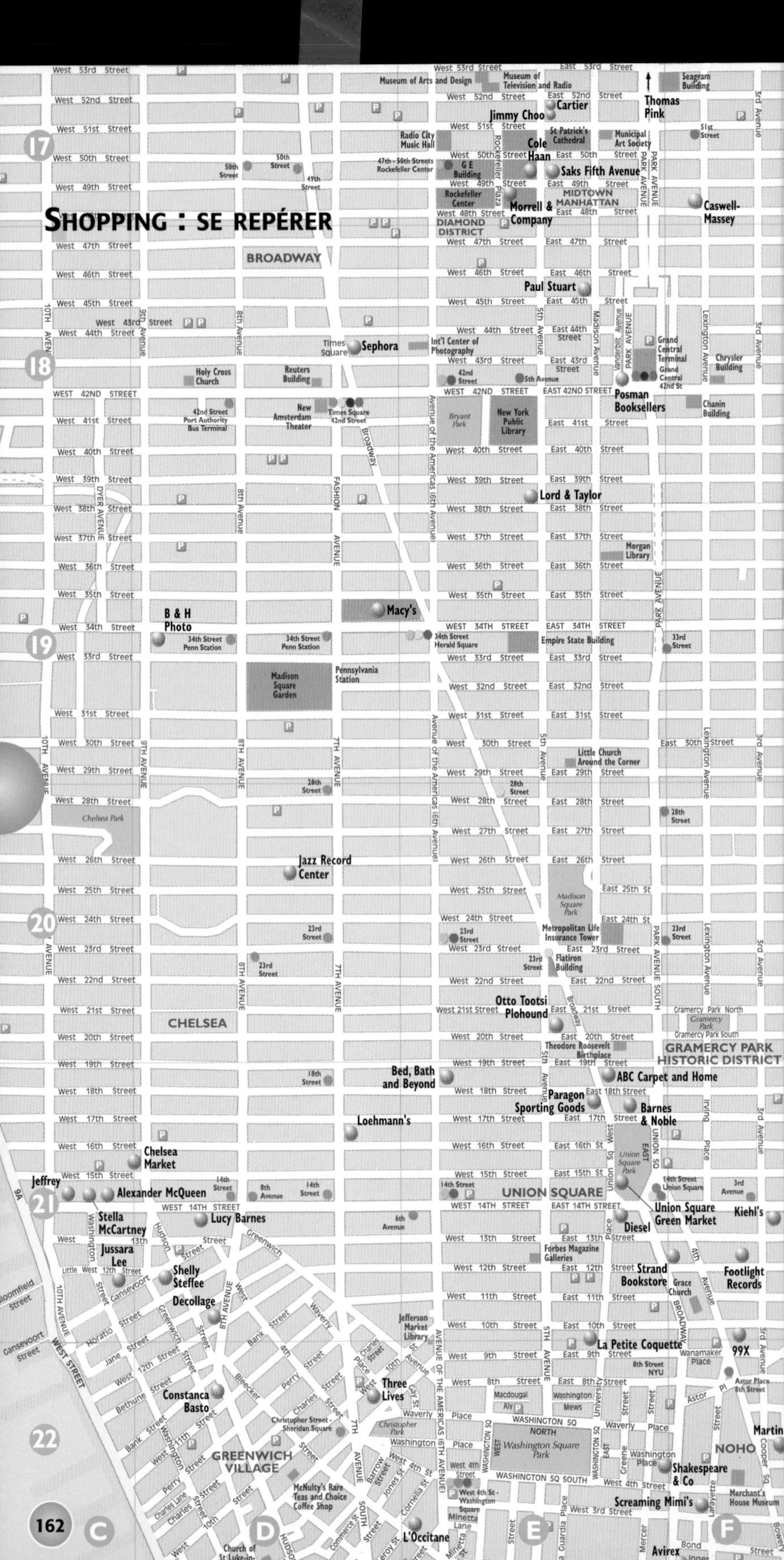

Union Square Green Market
UNION SQUARE
Diesel
Strand Bookstore
Kiehl's
Footlight Records
Forbes Magazine Galleries
Grace Church
St Mark's-in-the-Bowery
Jefferson Market Library
99X
La Petite Coquette
St Mark's Bookshop
EAST VILLAGE
Tompkins Square Park
Washington Square Park
Martin
Ukrainian Museum
NOHO
Shakespeare & Co
Merchant's House Museum
Screaming Mimi's
Eugenia Kim
L'Occitane
Avirex
House of Oldies Rare Records
Eye Candy
Doyle and Doyle
Foley & Corinna
Jacques Torres Chocolate
Marc Jacobs
Zara International
Me & Ro
Kelly Christy
Alife Rivington Club (shoes)
BCBG by Max Azria
Prada
St Patrick's Old Cathedral
Phat Farm
Eddie Bauer
New Museum of Contemporary Art
Kate's Paperie
Dean & DeLuca
Zero
Sigerson Morrison
Mary Adams the Dress
INA
Emporio Armani
APC
Little Singer Building
Gas
The Puma Store
Resurrection Vintage
Le Sportsac
Eres
Helmut Lang
Kirna Zabete
Tracy Feith
New York City Fire Department Museum
Hotel Venus
Eileen Fisher
SOHO
Kate Spade
Haughwout Building
LITTLE ITALY
Lower East Side Tenement Museum
LOWER EAST SIDE
Forward
Broadway Panhandler
Tony Shafrazi Gallery
Pearl River
37=1
Yohji Yamamoto
Seward Park
Pearl Paint
LOWER MANHATTAN
Kam Man Foods
Museum of Chinese in the Americas
Issey Miyake
Steven Alan
TRIBECA
CHINATOWN
Columbus Park
Rutgers Park
Washington Market Park
Modell's
City Hall Park
Woolworth Building
J & R Music & Computer World
BROOKLYN BRIDGE
East River
Church of St Peter
St Paul's Chapel
GROUND ZERO
BATTERY PARK CITY
Century 21
Federal Reserve Bank
American Numismatic Society
Fulton Street Market
South Street Seaport
Trinity Church
Federal Hall National Monument
WALL ST
Museum of American Financial History
New York City Police Museum
Fraunces Tavern Museum
Vietnam Veterans Plaza
Museum of Jewish Heritage
Bowling Green
21
22
23
24
25
26
E
F
G

# SHOPPING

**New York est incontestablement *la* ville du shopping. On y trouve de tout. Des boutiques minuscules aux gigantesques magasins, la ville offre un choix sans pareil. Certains ne font le voyage que pour faire des achats, surtout avant les fêtes de Noël, dans le haut de Manhattan chez les stylistes de luxe de Madison et de Fifth Avenue, ou dans le bas du district, chez les créateurs tendance de SoHo et NoLita. Les magasins à prix plus abordables se trouvent autour de Herald Square et de 34th Street, ou dans les points de vente des grandes chaînes dispersés dans l'île. En revanche, il n'y a plus de galerie commerciale notable. De nombreux magasins ouvrent sept jours sur sept (avec des nocturnes généralement le jeudi). Notez que les tailles américaines sont différentes des tailles européennes (▷ 315). Par ailleurs, la taxe de vente (ajoutée à la caisse) est de 8,375 %. Les cartes de crédit sont acceptées partout.**

*Objets d'art et autres objets décoratifs de Greene Street, à SoHo*

*Vêtements d'époque chez Screaming Mimi's*

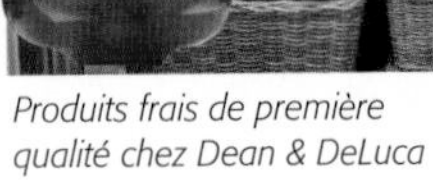

*Produits frais de première qualité chez Dean & DeLuca*

## SOLDES

Les soldes les plus importantes ont lieu en janvier et en juillet, ainsi qu'au moment des principaux jours fériés (Presidents' Day, le troisième lundi de février, Memorial Day, le dernier lundi de mai, Labor Day, le premier lundi de septembre, etc.).

Pour vous tenir informé des soldes en cours et à venir, consultez les magazines *New York* ou *Time Out*, ou les sites www.dailycandy.com et www.nysale.com. Les ventes de fins de série, au printemps et en automne, réservent les meilleures affaires. Vous trouverez les dates en vous abonnant à S & B Report (tél. : 877/579-0222), sur le site www.lazarshopping.com (abonnement en ligne : 75 $ par an), ou sur www.nysale.com. Pour un court séjour, le meilleur moyen d'en être informé est de demander les dates directement dans les magasins, ou de flâner dans le Garment District (« quartier de la mode »), où sont distribués de nombreux prospectus sur les ventes privées. Notez que l'on paie en liquide sans pouvoir essayer, et que les retours ne sont pas acceptés.

## MARCHÉS

Contrairement aux villes européennes, New York possède peu de marchés dignes de ce nom. On mentionnera cependant le marché africain, au croisement de 116th Street et de Lenox Avenue, où l'on trouve des tissus, des bijoux, des tabourets en bois et d'autres objets africains ; l'Annex Antique Fair and Flea Market (puces et antiquités) installé sur le parking à l'angle de Sixth Avenue et de 26th Street (tél. : 212/243-5343) est très fréquenté et demande d'arriver tôt (ouverture à 5 h) ; le dimanche, les puces de Columbus Avenue (entre 76th St et 77th St) valent aussi le détour. En été, des brocantes de quartier sont organisées. Les marchés de produits fermiers sont par ailleurs devenus très populaires. Le plus important se trouve à Union Square (▷ 178), mais il en existe de plus modestes à Abingdon Square, dans le West Village, ou à Tompkins Square, dans l'East Village, pour ne citer qu'eux.

Les New-Yorkais courent aussi les dépôts-vente. Parmi les plus notables : Housing Works, 143 West 17th Street (tél. : 212/366-0820) et 306 Columbus Avenue (tél. : 212/579-7566) ; Encore, 1132 Madison Avenue (tél. : 212/879-2850) sur 84th Street ; et la Salvation Army (Armée du Salut), 112 4th Avenue (tél. : 212/673-2741).

# SoHo

**COMMENT S'Y RENDRE ?**

4, 5, 6, ou N, Q, R, W

M1, M5, M6

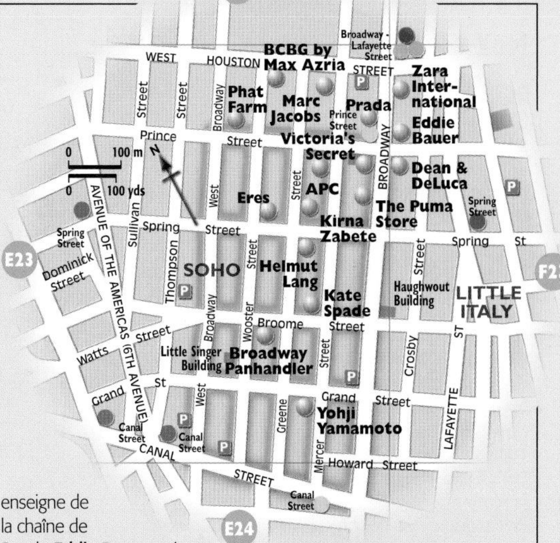


**Dans les lofts de SoHo, sont installés certains des magasins les plus tendance de la ville. Concentrés sur Mercer, Greene, Wooster, Prince et Spring Streets, entre West Broadway et Broadway, la plupart sont ouverts tous les jours, et souvent bondés le week-end.**

En sortant du métro à l'angle de Broadway et Prince Street, vous trouverez trois magasins de choix.

**Dean & DeLuca**, à l'angle sud-est, est un passage obligé pour les fins gourmets. À elles seules, les vitrines sont un enchantement. Le café sert de délicieuses pâtisseries, et de l'équipement de cuisine, de la meilleure qualité, est également à vendre.

De l'autre côté de la rue, à l'angle nord-ouest, l'édifice qui

*Eres propose les derniers modèles de tenues de bain et de lingerie*

abrite le magasin **Prada** a été dessiné par l'architecte néerlandais Rem Koolhaas. Les mannequins portent les modèles dernier cri de cette pépinière de la mode.

À l'angle sud-ouest, **Victoria's Secret** vend de la lingerie fine et des vêtements de bain.

Plus bas sur Broadway, **The Puma Store**, au numéro 521, propose une immense gamme de chaussures de marche et de course. Au numéro 504 est installé **Bloomingdales Downtown**, côtoyé par **Pearl River Mart** au numéro 477. En remontant sur Broadway, entre Houston Street et Canal Street, se trouvent une enseigne de la chaîne de Seattle **Eddie Bauer**, qui vend des articles de sport, ainsi que la chaîne espagnole **Zara International**.

À l'ouest, sur Prince Street, sont installés d'autres magasins de renom ; **Phat Farm** (au numéro 129) est spécialisé dans le hip-hop chic.

Sur Mercer Street, **Marc Jacobs**, au numéro 163, est la marque la plus en vue du moment, et **APC**, au 131, au sud de Prince Street, vend les classiques parisiens. **Kate Spade**, célèbre enseigne de maroquinerie, a un établissement à l'angle de Mercer Street et Broome Street. À l'angle de Mercer Street et Grand Street se trouve une boutique **Yohji Yamamoto**.

Au numéro 80 de Greene Street, **Helmut Lang** vend ses célèbres jeans aux côtés d'autres articles d'avant-garde, et **Kirna Zabete**, au numéro 96, expose les derniers modèles de la crème des créateurs internationaux.

Les amateurs de cuisine et d'art de la table, iront chez **Broadway Panhandler**, au 477 de Broome Street, entre Greene Street et Wooster Street, pour trouver les plus grandes marques bradées.

De Prince Street on débouche sur Wooster Street où, vers le sud, se trouvent, au numéro 120 **BCBG by Max Azria**, pour les articles de mode femme, ainsi qu'**Eres**, au numéro 98, pour de très belles lignes de bain et de lingerie.

**OÙ MANGER ?**

Le **Cupping Room Café**, au 359 West Broadway, entre Broome Street et Grand Street (tél. : 212/925-2898), est un incontournable de SoHo. Dans une ambiance détendue, on y sert

*Sur Broadway, Prada vaut le détour ne serait-ce que pour la beauté de sa boutique*

soupes, hamburgers et salades. **Hampton Chutney**, au 68 Prince Street, entre Crosby Street et Lafayette Street (tél. : 212/226-9996), sert des spécialités de l'Inde du Sud comme des dosas, ces pâtes fines à base de farine de lentilles, fourrées de garnitures indiennes et occidentales (▷ 278).

**Fanelli's**, au 94 de Prince Street, au croisement de Mercer Street (tél. : 212/226-9412), est un vestige de l'époque où SoHo était un refuge d'artistes. L'endroit est tout indiqué pour un plat de pâtes ou un hamburger accompagné d'une bière pression.

# NoLita

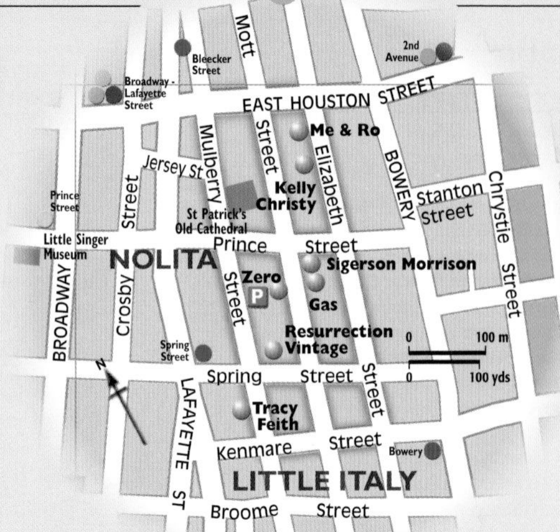


## COMMENT S'Y RENDRE ?

4, 5, 6

M1, M6, M21

**NoLita, diminutif de « *No*rth of *Li*ttle *Ita*ly », est un dédale de rues autour de St. Patrick's Old Cathedral, sur Mulberry Street (entre Prince Street et Houston Street), l'ancienne cathédrale catholique de New York. Consacrée en 1815, elle fut dessinée par Joseph Mangin, co-architecte du City Hall. Après un incendie, en 1866, la cathédrale à l'angle de Fifth Avenue et de 50th Street la remplaça comme centre de l'archidiocèse.**

**Les paroissiens d'origine étaient essentiellement des immigrants irlandais pauvres et, à cette époque, le défilé de la Saint-Patrick s'achevait à la cathédrale. Au début du xx^e^ siècle, les Italiens devinrent les plus nombreux et, aujourd'hui, ils ont été remplacés par les Hispano-Américains.**

*Les boutiques de NoLita regorgent d'accessoires uniques*

**Plusieurs membres de la célèbre famille de restaurateurs suisses, les Delmonico, sont enterrés dans la crypte. Pierre Toussaint, esclave haïtien arrivé en Amérique en 1787, fut enterré dans le cimetière de la cathédrale. Après avoir obtenu son émancipation, il travailla comme coiffeur et légua la majorité de ses biens à des œuvres de charité (orphelinats, pensionnats et hôpitaux).**

Le quartier est devenu une zone de shopping au fur et à mesure que les loyers de SoHo devenaient trop chers pour les nouveaux créateurs. Entre Kenmare Street et Houston Street, sur Mulberry Street, Mott Street et Elizabeth Street se succèdent de nombreuses vitrines où sont exposés les vêtements et accessoires à la dernière mode. Depuis la station Spring Street, prenez Spring Street vers l'est pour croiser Mulberry Street.

Au numéro 209 de cette rue, **Tracy Feith** est célèbre pour ses tenues de soirée. Le numéro 257 abritait autrefois le Ravenite Social Club, lieu de prédilection du parrain de la mafia new-yorkaise, John Gotti. C'est aujourd'hui une boutique.

Entre Prince Street et Spring Street, Mott Street héberge **Resurrection Vintage**, l'un des meilleurs magasins de vêtements « vintage » de la ville, ainsi que **Zero**, au numéro 225, où Maria Cornejo vend sa ligne d'avant-garde, et **Gas**, au numéro 238, qui expose les bijoux en pierres semi-précieuses du créateur français. Au numéro 28, à l'angle de Prince Street, **Sigerson Morrison** propose des chaussures à la pointe de la mode. D'autres magasins « appétissants » jalonnent Mott Street, entre Prince Street et Houston Street.

Rue principale de NoLita, Elizabeth Street possède deux magasins à ne pas rater. **Kelly Christy**, au numéro 235, est l'une des nouvelles modistes qui percent avec ses chapeaux de tous les styles et de toutes les matières. **Me & Ro**, au numéro 239, est l'établissement d'un duo de créateurs de bijoux aux motifs orientaux.

*Des boutiques indépendantes plutôt que des grandes chaînes*

## OÙ MANGER ?

**Tiny Bread**, au 20 Spring Street, entre Elizabeth Street et Mott Street (tél. : 212/334-1015), propose des salades et des plats italiens. Le **Café Gitane**, au 242 Mott Street, au croisement de Prince Street (tél. : 212/334-9552), sert des salades, des sandwichs et des plats français. Le **Café Habana**, au 17 Prince Street, à l'angle d'Elizabeth Street (tél. : 212/625-2001), sert des tacos et de copieux sandwichs cubains.

*Si vous aimez les bijoux artisanaux, vous serez comblé chez Me & Ro, sur Elizabeth Street*

À FAIRE

# Fifth Avenue

**COMMENT S'Y RENDRE ?**

A, C, E ou N, Q, R, W

M1, M2, M3, M4, M5

**Fifth Avenue est le deuxième haut lieu du shopping, après Madison Avenue, surtout entre 48th et 59th Street. En métro, descendez à la station Fifth Avenue/59th Street derrière le Plaza Hotel, puis parcourez Fifth Avenue.**

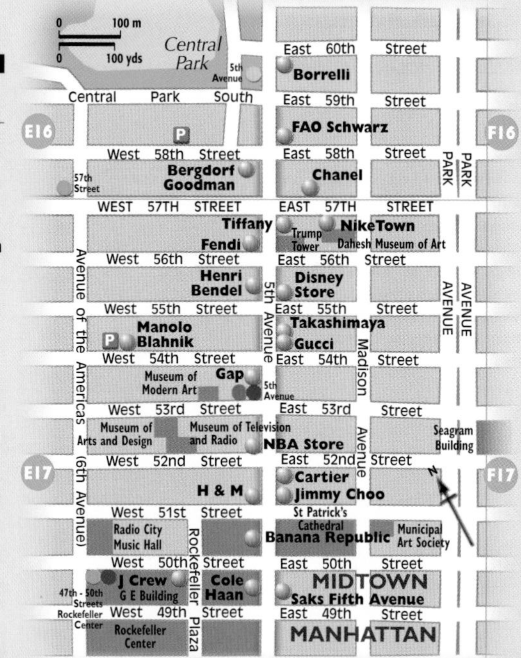


En face se dresse le General Motors Building. À l'angle nord-est de 58th Street, **FAO Schwarz** est le légendaire magasin de jouets de New York. Plus bas dans l'avenue, se succèdent plusieurs grandes enseignes de la ville : **Bergdorf Goodman** au numéro 754, **Henri Bendel** au 714, entre 55th Street et 56th Street, de même que le Japonais **Takashimaya**, entre les 54th Street et 55th Street, où les objets de décoration sont

*Au numéro 680, Gap propose des tenues de ville de qualité*

*Un modèle Jimmy Choo*

*Coupe classique, pour hommes et femmes, chez Banana Republic*

délicieusement présentés. En prenant 57th Street vers l'est, vous trouverez **Chanel**, et le top du sport moderne, **NikeTown**.

Plus bas sur l'avenue, les vitrines des stylistes dernier cri alternent avec les enseignes des grandes chaînes. Au 720, **Fendi** propose ses accessoires prestigieux et ultra-chers, tandis qu'en face, un bloc plus bas au numéro 711, le **Disney Store** commercialise ses produits dérivés. **Gucci** est installé au numéro 685, face à **Gap**, et quelques blocs plus bas, au numéro 666, le **NBA Store** vend tout ce qu'un fan de basket a jamais rêvé d'acheter. Côté bijoutiers, les deux plus prestigieux, **Tiffany** et **Cartier**, sont installés, pour le premier au numéro 727, près de 57th Street, et pour le second au numéro 653, au croisement de 52nd Street. Les joailliers Bulgari, Van Cleef & Arpels, Harry Winston et Wempe ont également leur place sur l'avenue. **Jimmy Choo** propose par ailleurs ses merveilleuses chaussures au numéro 645, à l'angle de 51st Street, et **Manolo Blahnik** n'est qu'à quelques blocs, sur 54th Street, entre Fifth et Sixth Avenues. Au numéro 640, **H&M** déballe ses dernières collections tandis qu'au 626, **Banana Republic** se réserve pour un public plus mûr. **Cole Haan** vend de belles chaussures en cuir au numéro 620. Non loin, au 626, **Saks Fifth Avenue** sélectionne le meilleur des plus grands stylistes, des plus renommés aux plus prometteurs.

Sur Rockefeller Plaza (entre 49th St et 50th St), **J. Crew** satisfait aux envies des universitaires et des jeunes diplômés.

**OÙ MANGER ?**

Vous trouverez nombre de cafés et restaurants dans la galerie souterraine du G. E. Building. **Au Bon Pain**, 1211 Avenue of the Americas (tél. : 212/840-5093), est une adresse fiable pour les soupes, les sandwichs et les pâtisseries. L'élégant **Morrells Café**, 1 Rockefeller Plaza (tél. : 212/262-7700), propose une vaste sélection de vins pour accompagner une cuisine légère.

# Madison Avenue

**COMMENT S'Y RENDRE ?**

A, C, E

M1, M2, M3, M4, M5

**Madison Avenue abrite la crème de la crème de la mode internationale. En partant de la station Fifth Avenue/53rd Street, prenez vers l'est en direction de Madison Avenue, puis tournez à gauche (vers le nord) pour une balade enchanteresse.**

À l'angle nord-ouest de 53rd Street, **Thomas Pink** vend ses magnifiques chemises aux tons arc-en-ciel. En face, au numéro 525, **Talbots** propose des vêtements confortables à des prix raisonnables pour une clientèle féminine aisée. Plus haut sur l'avenue, au numéro 543, **Lacoste** propose des panoplies complètes pour partir en croisière, et pour jouer au golf

*Un sac Coach*

ou au tennis. Au 595, **Coach** possède des sacs et accessoires attrayants. **Ann Taylor** s'adresse aux jeunes actives, au numéro 645, tandis que l'immense **Crate & Barrel**, au 650, vend des articles pour la table, des meubles et autres objets pour la maison. Toujours au 650, le chausseur italien **Tod's** fabrique des chaussures de marche d'un confort inégalé. L'illustre créateur américain **Calvin Klein**, qui a apposé son nom sur tous les vêtements d'extérieur et d'intérieur imaginables, tient boutique au numéro 654, à l'angle de 60th Street. La styliste Donna Karan a installé son enseigne **DKNY** en face, au numéro 655. Célèbre pour la beauté de ses vitrines, **Barneys** l'est aussi pour sa gamme très sélect des dernières tendances de la mode. Entre 62nd Street et 72nd Street se succèdent les marques les plus fameuses : **Floris** et ses délicats parfums au 703, **Shanghai Tang** et ses lignes d'inspiration asiatique au 714, **Jean-Paul Gaultier** et **Giorgio Armani** (759 et 760 de 65th Street).

En remontant encore l'avenue, on trouve **Donna Karan** au numéro 819, **Dolce & Gabbana** au 816, **Penhaligon's** au 870 et **Ralph Lauren**, dans un hôtel particulier reconverti, au 867, à l'angle de 71st Street.

**OÙ MANGER**

**Brasserie**, au 100 de 53th Street est, entre Park Avenue et Lexington Avenue (tél. : 212/751-4840), est un établissement ultramoderne très fréquenté où vous pourrez déjeuner ou manger sur le pouce au bar. Le menu propose des crêpes, des hamburgers, des salades et des classiques de bistro, ainsi que des sandwichs baguettes en guise d'en-cas (▷ 273). Le service est assuré de tôt le matin à tard le soir. **Pret à Manger**, 400 Park Avenue, à l'angle de 54th Street (tél. : 212/207-3725), est une enseigne anglaise qui propose des sandwichs frais et des wraps aux garnitures appétissantes.

# Carnet d'adresses

Des minuscules boutiques aux grands magasins, de la mode et du design aux diamants et aux objets d'art, on trouve de tout à New York. Et si Manhattan ne compte pas l'habituelle légion de galeries commerciales des autres villes américaines, l'île est à elle seule une immense galerie commerciale à ciel ouvert.


- ▷ 160-163 pour les plans « Se repérer »
- ▷ 182-183 pour le tableau des grandes chaînes
- ▷ 315 pour les conversions de tailles


## BEAUTÉ ET BIEN-ÊTRE

**CASWELL-MASSEY**
Plan 161 F17
518 Lexington Avenue / East 48th Street
Tél. : 212/755-2254
www.caswellmassey.com
Cette officine fondée en 1752, qui fournit autrefois George Washington, continue de fabriquer de délicieuses senteurs florales à base de freesia, de lilas, de rose, de géranium et de muguet. On y trouve également de l'eau de rose, de l'huile de massage au bois de santal et de belles compositions à offrir.
Lun.-ven. 8 h-19 h, sam. 10 h-18 h, dim. 12 h-17 h 51st Street (6) M98, M101, M102, M103

**FLORIS**
Plan 161 E16
703 Madison Avenue, entre East 62nd et 63rd Streets
Tél. : 212/935-9100
www.florislondon.com
Floris cultive l'art de la fabrication du parfum depuis 1730, date de l'ouverture de son premier magasin à Londres. Aujourd'hui, les parfums s'adressent aux hommes, aux femmes et à la maison. Les messieurs trouveront par ailleurs des accessoires de rasage et de toilette.
Lun.-sam. 10 h-18 h (jeu. jusqu'à 19 h) 5th Avenue/59th Street (N, R, W), 59th Street (4, 5, 6) M1, M2, M3, M4

**KIEHL'S**
Plan 163 F21
109 Third Avenue, entre East 13rd et 14th Streets
Tél. : 212/677-3171
www.kiehls.com
Fondé en 1851 et racheté par L'Oréal en 2000, Kiehl's vend des produits de beauté et des soins naturels depuis sa création. Crèmes, démaquillants, shampooings, talc ou toniques sont tous à base de plantes.
Lun.-sam. 10 h-19 h, dim. 12 h-18 h

*En quête d'un bon livre dans l'une des librairies de la ville*

14th Street/Union Square (L, N, Q, R, W, 4, 5, 6), Third Avenue (L) M101, M102, M103

**L'OCCITANE**
Plan 162 E22
247 Bleecker Street, entre Sixth et Seventh Avenues
Tél. : 212/367-8428
www.loccitane.com
La vaste gamme de produits de beauté de cette enseigne est fabriquée à base d'amande, de miel, d'abricot, de bergamote et d'autres produits naturels.
Lun.-ven. 11 h-20 h, sam. 10 h-20 h, dim. 11 h-19 h West 4th Street (A, C, E, F, S, V), Christopher Street (1, 9) M1, M5, M6

**PENHALIGON'S**
Plan 161 E15
870 Madison Avenue, entre 70th et 71st Streets
Tél. : 212/249-1771
www.penhaligons.com
Le bastion américain du grand parfumeur anglais établi en 1841 est un vaste magasin lambrissé. Les senteurs, subtiles et artisanales, sont des objets de culte.
Lun.-sam. 10 h-18 h, dim. 12 h-17 h 68th Street (6) M1, M2, M3, M4

**SEPHORA**
Plan 162 D18
1500 Broadway, entre 43rd et 44th Streets
Tél. : 212/944-6789
www.sephora.com
Pour ceux qui n'osent pas pénétrer chez les parfurmeurs traditionnels, Sephora est la solution. Cette chaîne européenne arrivée en 1998 permet aux clients de choisir librement leurs produits, parmi 200 marques de cosmétiques. Les produits de soins sont rangés par type de peau.
Tlj 10 h-minuit Times Square (N, Q, R, W, 1, 2, 3, 9) M6, M7, M10, M20

## CHAUSSURES, BIJOUX ET ACCESSOIRES

**CARTIER**
Plan : 161 E17
653 Fifth Avenue, entre 51st et 52nd Streets
Tél. : 212/753-0111
www.cartier.com
Ouvert à Paris en 1847, Cartier est depuis réputé pour le luxe de ses créations, s'étant illustré avec des modèles comme la bague à trois anneaux enlacés ou la pendule mystérieuse. C'est aussi chez Cartier que Richard Burton fit l'acquisition du diamant destiné à Elizabeth Taylor. Excellant toujours autant dans la joaillerie et l'horlogerie, Cartier vend aujourd'hui des articles en cuir et d'autres objets de luxe.
Lun.-ven. 10 h-18 h, sam. 10 h-17 h 30, dim. 12 h-18 h Fifth Avenue/53rd Street (E, V) M1, M2, M3, M4, M50

**COACH**
Plan 161 E16
595 Madison Avenue, entre East 57th et 58th Streets
Tél. : 212/754-0041
www.coach.com
Ce maroquinier très apprécié propose une ligne de classiques ainsi que des collections saisonnières. Il possède sept autres enseignes dans la ville.
Lun.-sam. 10 h-20 h, dim. 11 h-18 h
Fifth Avenue/59th Street (N, R, W), 59th Street (4, 5, 6) M1, M2, M3, M4, M57

**COLE HAAN**
Plan 161 E17
620 Fifth Avenue / 50th Street
Tél. : 212/765-9747
www.colehaan.com
Nike possède aujourd'hui ce chausseur traditionnel de qualité, et égaye les collections de nouvelles idées, et de coloris et de styles différents.
Lun.-sam. 10 h-19 h (jeu. jusqu'à 20 h), dim. 12 h-18 h 47th-50th streets/Rockefeller Center (B, D, F, V) M1, M2, M3, M4

**CONSTANCA BASTO**
Plan 162 D22
573 Hudson Street, entre Bank Street et 11th Street
Tél. : 212/645-3233
www.constancabasto.com
Ce chausseur brésilien a orné sa boutique de rayures orange éclatantes, pour y vendre de magnifiques talons aiguilles ornés de bijoux, entre autres modèles de chaussures plus séduisants les uns que les autres.
Mar.-sam. 11 h-19 h, dim. 12 h-18 h
14th Street (A, C, E) M20

**DOYLE AND DOYLE**
Plan 163 G22
189 Orchard Street, entre Houston Street et Stanton Street
Tél. : 212/677-9991
Doyle and Doyle collectionne les bijoux d'époque vendus par adjudication. Les articles sont de toute beauté et comme neuf.
Mar.-dim. 13 h-19 h (jeu. jusqu'à 20 h) Lower East Side/Second Avenue (F, V) M9, M15

**ERES**
Plan 163 E23
98 Wooster Street, entre Spring Street et Prince Street
Tél. : 212/431-7300
www.eresparis.com *FR*
Eres a ouvert ses portes à Paris en 1968 place de la Madeleine pour vendre le *nec plus ultra* des maillots de bain (deux-pièces, débardeurs et une-pièces). Le magasin propose aujourd'hui une collection spéciale croisière en novembre et une collection été en janvier, sans compter de très belles lignes de lingerie.
Lun.-sam. 11 h-19 h, dim. 12 h-18 h
Prince Street (N, R) M1, M6

*Livres à prix réduit chez Strand Bookstore*

**EUGENIA KIM**
Plan 163 G22
203 East 4th Street, entre Avenues A et B
Tél. : 212/673-9787
www.eugeniakim.com
Cette ancienne rédactrice du magazine *Allure* entama sa carrière actuelle le jour où elle sortit faire ses courses coiffée d'un chapeau cloche à plumes confectionné par ses soins, et qu'elle attira ainsi l'œil des propriétaires de magasins. Ses chapeaux rétro sont osés, éclatants, magnifiquement fabriqués et… chers. À base de paille et de coton, ils épousent des formes de chapeaux de cow-boy, de chapeaux mous ou encore de casquette, et sont ornés de plumes, de lanières de cuir et de rubans. Ambiance Far West.
Lun.-sam. 11 h-20 h, dim. 13 h-19 h
Astor Place (6) M9, M14

**EYE CANDY**
Plan 163 F22
329 Lafayette Street, entre Bleecker Street et Houston Street
Tél. : 212/343-4275
www.eyecandystore.com
Les sacs, les bijoux fantaisie et les lunettes de soleil qu'on trouve dans cette boutique semblent être sortis des rêves les plus fantasmagoriques.
Tlj 12 h-20 h Broadway-Lafayette (F, V, S) M1, M5, M6, M21

**FENDI**
Plan 161 E17
720 Fifth Avenue, entre 56th et 57th Streets
Tél. : 212/767-0100
www.fendi.it
Les femmes qui portent la voyante marque Fendi assument le fait d'être riches et remarquées. La ligne complète est présente dans ce magasin principal : sacs, chaussures, accessoires et fourrures.
Lun.-sam. 10 h-18 h 30, dim. 12 h-18 h Fifth Avenue/53rd Street (E, V) M1, M2, M3, M4, M57

**GAS**
Plan 163 F23
238 Mott Street, entre Prince Street et Spring Street
Tél. : 212/334-7290
Cette annexe américaine du joaillier tropézien vend des bijoux artisanaux inspirés en pierres semi-précieuses.
Lun.-sam. 11 h-19 h, dim. 12 h-19 h
Broadway-Lafayette (F, S, V) M1, M103

**JIMMY CHOO**
Plan 161 E16
716 Madison Avenue, entre 63rd et 64th Streets (West Side)
Tél. : 212/759-7078
645 Fifth Avenue, entre 51st et 52nd Streets

Tél. : 212/593-0800)
www.jimmychoo.com
Les sofas en velours matelassé et les fauteuils recouverts de satin donnent le ton de ce magasin qui vend les magnifiques chaussures et sacs du légendaire créateur malais, qui a chaussé, entre autres, la princesse Diana. Sa ligne va des bottes et des mules de soirée aux chaussures habillées, aux talons aiguilles et aux sandales, fabriquées dans toutes les matières et tous les tissus, et décorées de perles, de cristal, de broderies, ou tout simplement superbement teintées.
Lun.-sam. 10 h-18 h (jeu. jusqu'à 19 h), dim. 12 h-17 h 59th Street (4, 5, 6) or 68th Street (6) M1, M2, M3, M4

**KATE SPADE**
Plan 163 E23
454 Broome Street / Mercer Street
Tél. : 212/274-1991
www.katespade.com
L'ancienne rédactrice de la rubrique « accessoires » du magazine *Mademoiselle* s'est lancée en 1993 dans la confection de sacs privilégiant le pratique, la couleur et le tissu. Elle a ouvert son premier magasin en 1996, et vend aujourd'hui toute une ligne de maroquinerie avec des sacs en nylon, cuir ou tissu.
Lun.-sam. 11 h-19 h, dim. 12 h-18 h Prince Street (N, R, W) M1, M6

**KELLY CHRISTY**
Plan 163 F23
235 Elizabeth Street, entre Houston Street et Prince Street
Tél. : 212/965-0686
www.kellychristyhats.com
Kelly Christy dessine des chapeaux originaux pour femmes et pour hommes, dans tous les types de tissus et de styles, des bérets aux chapeaux mous. Chaque création porte un nom reflétant une humeur ou un personnage. Derniers exemples en date : « Miss Marple » (du nom de la célèbre enquêtrice d'Agatha Christie) et « Let's skate ». Premier prix à 200 $, puis ils varient selon le style et le tissu du modèle.
Lun. 12 h-17 h, mar.-sam. 12 h-19 h, dim. 12 h-18 h Broadway-Lafayette (F, S, V) M21, M103

**KENNETH COLE**
Plan 160 D14
353 Columbus Avenue, entre West 76th et 77th Streets
Tél. : 212/873-2061
www.kennethcole.com
Style et rapport qualité-prix ont fait de Kenneth Cole un acteur incontournable de la mode. Avec une carrière entamée à partir des chaussures de ville, le créateur s'est ensuite diversifié avec des escarpins en satin sanglés à la cheville, ainsi que des vêtements de sport, des sacs à main, des parfums et d'autres accessoires.
Lun.-jeu. 10 h-19 h, ven.-sam. 10 h-20 h, dim. 11 h-19 h 79th Street (1, 9) M7, M11

*Ensembles chic de DKNY, sur Madison Avenue*

**LA PETITE COQUETTE**
Plan 163 E22
51 University Place, entre 9th et 10th Streets
Tél. : 212/473-2478
Peut-être le meilleur magasin de lingerie de la ville. Dans un décor évoquant un boudoir, on y trouve des articles de bain et de la lingerie fine, sexy, aux multiples coloris (caracos, corsets, porte-jarretières et autres négligés).
Lun.-sam. 11 h-19 h (jeu. jusqu'à 20 h), dim. 12 h-18 h 8th Street (N, R, W) M1, M3, M6

**LE SPORTSAC**
Plan 163 E23
176 Spring Street, entre West Broadway et Thompson Street
Tél. : 212/625-2626
www.lesportsac.com
Les sacs pliables dans une poche fabriqués en nylon de parachute ont rendu cette marque célèbre en 1974. Aujourd'hui, elle continue de créer des fourre-tout pratiques et abordables et des sacs à dos aux motifs ludiques.
Lun.-sam. 11 h-19 h, dim. 12 h-18 h Spring Street (C, E) M6

**MANOLO BLAHNIK**
Plan 161 E17
31 West 54th Street, entre Fifth et Sixth Avenues
Tél. : 212/582-3007
Les sandales sexy, les talons aiguilles et les mules sont adorés des célébrités et des mordus de la mode, prêts à payer 450 $ ou plus pour ces chaussures éblouissantes.
Lun.-ven. 10 h 30-18 h, sam. 10 h 30-17 h 30, fermé le dim. Fifth Avenue/53rd Street (E, V) M5, M6, M7

**ME & RO**
Plan 163 F23
239 Elizabeth Street, entre Houston Street et Prince Street
Tél. : 917-237-9215
www.meandrojewelry.com
La collection de Michelle Quan et Robin Renzi met en valeur des pierres précieuses et semi-précieuses sur des bagues, bracelets, colliers et autres bijoux au motif du lotus ou décorés de calligraphies en sanskrit et en tibétain.
Lun.-sam. 11 h-19 h, dim. 12 h-18 h Broadway-Lafayette (F, S, V) M21, M103

**MODELL'S**
Plan 163 E24
55 Chambers Street
Tél. : 212/732-8484
www.modells.com

Pour les chaussures de sport, les New-Yorkais viennent ici pour réaliser les meilleures affaires (Adidas, New Balance, Reebok). Le magasin propose par ailleurs des équipements sportifs, des tapis roulants aux trampolines. Les fans de sport apprécient les prix pratiqués sur les produits NFL (ligue de football américain), NBA (ligue de basket-ball) et MLB (ligue de base-ball).
Lun.-ven. 8 h 30-19 h 30, sam. 10 h-18 h, dim. 11 h-17 h Chambers Street (E), City Hall (R), Park Place (1, 2, 3) M1, M6

**OTTO TOOTSI PLOHOUND**
Plan 162 E20
137 Fifth Avenue, entre 20th et 21st Streets
Tél. : 212/460-8650
Otto Tootsi Plohound offre une sélection de chaussures issues de sa propre ligne et de celles de chausseurs européens et américains.
Lun.-ven. 11 h 30-19 h 30, sam. 11 h-20 h, dim. 12 h-19 h 23rd Street (N, R, W) M2, M3, M5

**SIGERSON MORRISON**
Plan 163 F23
28 Prince Street, entre Mott Street et Elizabeth Street
Tél. : 212/219-3893
www.sigersonmorrison.com
Les chaussures de ce créateur ne sont pas aussi chères que celles de Manolo, mais elles sont tout aussi étonnantes. Les couleurs parcourent tout le spectre de l'arc-en-ciel et les matières comptent de la vachette, du suède, du satin et du cuir métallique, pour des modèles allant des talons aiguilles aux bottes en passant par les chaussures plates.
Lun.-sam. 11 h-19 h, dim. 12 h-18 h Broadway-Lafayette (F, S, V), Prince Street (N, R, W) M21, M103

**SACS SUAREZ**
Plan 161 E17
450 Park Avenue / East 56th Street
Tél. : 212/753-3758
Inspirés de sacs de créateurs, ses articles sont à prix doux.
Lun.-sam. 10 h-18 h, dim. 11 h-17 h 59th Street (4, 5, 6) M1, M2, M3, M4

**TIFFANY**
Plan 161 E17
Fifth Avenue / 57th Street
Tél. : 212/755-8000
www.tiffany.com
On ne présente plus Tiffany, célèbre pour son argenterie et ses objets de luxe en cristal. Si certains articles atteignent des prix astronomiques, certains restent abordables (cartes de correspondance gaufrées, 40 $ le lot de 15). Tous les objets sont emballés dans la fameuse boîte bleue fermée d'un ruban rouge ou blanc, apparue en même temps que le magasin, en 1837.
Lun.-ven. 10 h-19 h, sam. 10 h-18 h, dim. 12 h-17 h Fifth Avenue/59th Street (N, R, W), 57th Street (F) M1, M2, M3, M4

*Dolce & Gabbana attire les stars de la scène et de l'écran*

**TOD'S**
Plan 161 E16
650 Madison Avenue, entre East 59th et 60th Streets
Tél. : 212/644-5945
www.tods.com
Ce chausseur italien crée des chaussures on ne peut plus confortables, ainsi que des bottes de style équestre. Les articles ne sont pas donnés, mais ils durent longtemps.
Lun.-sam. 10 h-18 h (jeu. jusqu'à 19 h), dim. 12 h-17 h 59th Street/Fifth Avenue (N, R, W) M1, M2, M3, M4

## GRANDES SURFACES

**AVIREX**
Plan 163 F22
652 Broadway, entre Bleecker Street et Bond Street
Tél. : 212/925-5456
www.avirex.com
Vous cherchez le blouson porté par Tom Cruise dans *Top Gun* ? Rendez-vous chez Avirex, le fournisseur officiel des blousons de l'armée de l'air américaine. On y trouve d'autres vêtements d'inspiration militaire, des tenues de moto et des lignes pour universitaires.
Lun.-sam. 11 h-19 h, dim. 12 h-17 h Broadway-Lafayette (F, S, V) M1, M5, M6

**B & H PHOTO**
Plan 162 D19
420 Ninth Avenue, entre West 33rd et 34th Streets
Tél. : 212/444-5000
www.bhphotovideo.com
Même si vous n'êtes pas en quête d'un nouvel appareil photo, vous pouvez venir vous approvisionner par kilos en pellicules bon marché. On trouve aussi toutes les marques et tous les types d'appareils photo, ainsi que du matériel pour chambre noire et d'autres accessoires. Attention, il faut savoir ce que l'on cherche : il n'y a pas de conseillers.
Lun.-jeu. 9 h-19 h, ven. 9 h-13 h, dim. 10 h-17 h 34th Street/Penn Station (A, C, E) M11

**BED, BATH AND BEYOND**
Plan 162 E21
620 Sixth Avenue, entre West 18th et 19th Streets
Tél. : 212/255-3550
www.bedbathandbeyond.com
On peut se sentir dépassé par la taille de cet immense magasin, qui vend absolument tout ce qui existe pour la chambre, la salle de bains, la cuisine et la salle à manger,

ainsi que des accessoires de rangement et de ménage, des lampes et des ornements de fenêtre.
Tlj 8 h-21 h
18th Street (1, 9)
M5, M6, M7

**CRATE AND BARREL**
Plan 161 E16
650 Madison Avenue / East 59th Street
Tél. : 212/308-0011
www.crateandbarrel.com
Cette chaîne propose de la décoration et de l'ameublement à prix intéressants. L'accent est mis sur l'art de la table (du linge aux verres), même de plein-air.
Lun.-ven. 10 h-20 h, sam. 10 h-19 h, dim. 12 h-18 h
59th Street/Fifth Avenue (N, R, W)
M1, M2, M3, M4, M5

**DIESEL**
Plan 162 E21
1 Union Square West / University Place
Tél. : 646-336 8552
www.diesel.com
Cette enseigne italienne est toujours à la pointe en matière de mode hip-hop. Le jean Diesel est indispensable, tout comme les chaussures et les sacs. Autre adresse au 770 Lexington Avenue.
Lun.-sam. 11 h-21 h, dim. 11 h-20 h
14th Street/Union Square (L, N, Q, R, W, 4, 5, 6)
M2, M3, M5, M14

**FAO SCHWARZ**
Plan 161 E16
767 Fifth Avenue, entre 58th et 59th Streets
Tél. : 212/644-9400
www.fao.com
Cet illustre magasin de jouets, ouvert à Manhattan en 1876, vend tout ce dont rêvent les enfants : figurines de héros, peluches, livres, poupées, jeux de sciences et nature, jeux électroniques, et meubles et accessoires pour la chambre des tout-petits.
Lun.-sam. 10 h-19 h, dim. 11 h-18 h
59th Street/Fifth Avenue (N, R, W)
M1, M2, M3, M4

**HAMMACHER SCHLEMMER**
Plan 161 F16
147 East 57th Street, entre Lexington Avenue et Third Avenue
Tél. : 212/421-9000
www.hammacher.com
Quand l'ingéniosité rencontre l'avenir : cette enseigne, synonyme d'innovation, a commencé sa carrière comme quincaillerie sur Bowery en 1848. On y trouve aujourd'hui des plants de tomates à l'envers, ou encore un robot ménager qui peut dépoussiérer les sols de toute la maison.
Lun.-sam. 10 h-18 h 59th Street (4, 5, 6) M57, M98, M101, M102, M103

*Des costumes superbes signés Giorgio Armani*

**PARAGON SPORTING GOODS**
Plan 162 E21
867 Broadway / 18th Street
Tél. : 212/255 8036
www.paragonsports.com
Les New-Yorkais ne jurent que par ce grand magasin du sport et des loisirs pour tous les équipements imaginables : matériel de camping et de randonnée, jumelles, matériel de golf, skis, planches de snow et de surf, raquettes de tennis, etc., plus une impressionnante gamme de vêtements.
Lun.-sam. 10 h-20 h, dim. 11 h-19 h
14th Street/Union Square (L, N, Q, R, W, 4, 5, 6) M6, M7

**PEARL PAINT**
Plan 163 E24
308 Canal Street, entre Mercer Street et Broadway
Tél. : 212/431-7932
www.pearlpaint.com
Vous ne trouverez pas mieux que cet endroit pour acheter du matériel de dessin et de peinture à moindre coût. Stock impressionnant d'huiles, d'acryliques et autres peintures, pinceaux, chevalets, feutres, stylos, pastels, carnets à croquis, cadres photo, outils de sculpture…
Lun.-ven. 9 h-19 h, sam. 10 h-18 h 30, dim. 10-6 Canal Street (N, R)
M1, M6

**TIME WARNER CENTER**
Plan 160 D16
10 Columbus Circle
Tél. : 212/823-6000
La première galerie commerciale de luxe de Manhattan est bien connue de tous les banlieusards. Des grandes marques telles que Coach, Cole Haan, Davidoff, Godiva, L'Occitane, Hugo Boss, Thomas Pink et Williams-Sonoma sont ici réunis sous le même toit.
Lun.-sam. 10 h-21 h, dim. 12 h-18 h
59th Street/Columbus Circle (A, C,

## GRANDS MAGASINS ET ENSEIGNES À THÈMES

**BARNEYS**
Plan 161 E16
660 Madison Avenue, entre East 60th et 61st Streets
Tél. : 212/826-8900,
entrepôt : 212/450-8400
www.barneys.com
Barneys ne vend que ce qu'il y a de plus récent et de plus tendance. On y trouve les créateurs les plus connus, comme ceux normalement réservés au public averti de la mode, tels que Proenza Schouler, Behnaz Sarafpour et Tess Giberson. Les vitrines participent au succès de ce magasin, dont les soldes à l'entrepôt drainent une véritable

foule sur 17th Street, entre Seventh et Eighth Avenues.
Lun.-ven. 10 h-20 h, sam. 10 h-19 h, dim. 11 h-18 h Fifth Avenue/59th Street (N, R, W), 59th Street (4, 5, 6) M30

**BERGDORF GOODMAN**
Plan 161 E16
754 Fifth Avenue, entre 57th et 58th Streets
Tél. : 212/753-7300
Les clients se mettent sur leur trente et un pour visiter ce magasin de luxe qui expose des stylistes classiques ou nouveaux. Décor superbe, rayon chaussures splendide, et stands de créateurs extraordinaires. Les accessoires sont à la hauteur. Magasin pour hommes de l'autre côté de la rue.
Lun.-sam. 10 h-19 h (jeu. jusqu'à 20 h), dim. 12 h-18 h
Fifth Avenue/59th Street (N, R, W) M5, M30, M57

**BLOOMINGDALE'S**
Plan 161 F16
Lexington Avenue / East 59th Street
Tél. : 212/705-2000
www.bloomingdales.com
Fondé en 1879, Bloomingdale's fait partie des plus vénérables institutions de Manhattan, tout en restant à la pointe de la mode. Rares sont ceux qui résistent à l'achat d'un objet portant le logo et le sobriquet du magasin : Bloomie's. Le week-end, les New-Yorkais viennent y faire leurs mondanités.
Lun.-ven. 10 h-20 h 30, sam. 10 h-19 h, dim. 11 h-19 h
59th Street/Lexington (4, 5, 6)
M98, M101, M102, M103

**HENRI BENDEL**
Plan 161 E17
714 Fifth Avenue / 56th Street
Tél. : 212/247-1100
www.henribendel.com
Henri Bendel est synonyme de sophistication et d'élégance. Le stock comme la clientèle s'apparentent à ceux de Bergdorf, mais les vitrines révèlent toute l'énergie de l'enseigne. Pour connaître les modèles des nouveaux créateurs les plus en vue, rendez-vous au stand « New Creators », où vous trouverez des lignes signées Michael Soheil, Peter Som, Alice Roi, Zac Posen et Behnaz Sarafpour.
Lun.-sam. 10 h-20 h, dim. 12 h-19 h
Fifth Avenue/59th Street (N, R, W), Fifth Avenue/53rd Street (E, V) M5, M30, M57

**LORD & TAYLOR**
Plan 162 E18
424 Fifth Avenue, entre 38th et 39th Streets
Tél. : 212/391-3344.
Cette enseigne fondée en 1826 s'adresse à une clientèle traditionnelle, des mères de famille de Greenwich aux jeunes femmes actives. Les vitrines de Noël sont un régal.
Lun.-mar. 10 h-20 h 30, mer. 9 h-20 h 30, jeu.-ven. 10 h-20 h 30, sam. 10 h-19 h, dim. 11 h-19 h 42nd Street (B, D, F, V) M2, M3, M5

*Les créations avant-gardistes de Kirna Zabete*

**MACY'S**
Plan 162 D19
Herald Square : 34th Street / Broadway
Tél. : 212/695-4400
www.macys.com
Macy's s'enorgueillit d'être « le plus grand magasin du monde ». Le sous-sol est consacré aux appareils ménagers et aux trésors culinaires, et l'étage privilégie les vêtements classiques de grand nom. Les soldes saisonnières sont fameuses, et le magasin est connu pour sponsoriser le défilé de la Thanksgiving et le feu d'artifice du 4 juillet.
Lun.-sam. 10 h-21 h, dim. 11 h-20 h
34th Street/Herald Square (B, D, F, N, Q, R, V, W) M6, M7, M34

**SAKS FIFTH AVENUE**
Plan 162 E17
611 Fifth Avenue, entre 49th et 50th Streets
Tél. : 212/753-4000
www.saksfifthavenue.com
Saks propose une belle sélection de vêtements pour hommes et femmes, signés par des stylistes établis ou plus récents.
Lun.-ven. 10 h-19 h (jeu. jusqu'à 20 h), sam. 10 h-19 h, dim. 12 h-18 h
Fifth Avenue/53rd Street (E, V), 47th-50th streets/ Rockefeller Center (B, D, F, V)
M1, M2, M3, M4, M50

**TAKASHIMAYA**
Plan 161 E17
693 Fifth Avenue, entre 54th et 55th Streets
Tél. : 212/350-0100
Allez admirer cette magnifique enseigne du célèbre grand magasin japonais. Au premier étage, le stand de fleurs offre une retraite appréciée sur Fifth Avenue. Les tasses en feuille d'or, les soucoupes laquées de noir et les coussins en soie sont remarquables.
Lun.-sam. 10 h-19 h, dim. 12 h-17 h
Fifth Avenue/53rd Street (E, V)
M1, M2, M3, M4, M5

## LIVRES

**APPLAUSE THEATRE AND CINEMA BOOKS**
Plan 160 C15
211 West 71st Street, entre Broadway et West End Avenue
Tél. : 212/496-7511
www.applausebooks.com
Librairie spécialisée dans le monde de Broadway, le théâtre, la danse et le cinéma.
Lun.-sam. 11 h-19 h 72nd Street (1, 2, 3, 9) M5, M7, M104

**ARGOSY BOOKS**
Plan 161 F16
116 East 59th Street, entre Park Avenue et Lexington Avenue

Tél. : 212/753-4455
www.argosybooks.com
Fondée en 1925, cette librairie est l'une des rares de la ville à encore proposer des éditions épuisées et des livres anciens. Ses sept étages regorgent d'ouvrages sur l'héritage culturel américain, d'éditions originales contemporaines et de livres sur l'histoire des sciences et de la médecine. On y trouve par ailleurs des lithographies, des autographes et des cartes anciennes.
Sept.-avr. lun.-ven. 10 h-18 h, sam. 10 h-17 h ; reste de l'an. lun.-ven. 10 h-18 h 59th Street (4, 5, 6) M1, M2, M3, M4, M98, M101, M102, M103

**BARNES & NOBLE**
Plan 162 E21
Union Square North / 17th Street, entre Broadway et Park Avenue South
Tél. : 212/253-0810
www.barnesandnoble.com
Bien que ce ne soit pas l'enseigne d'origine de cette immense chaîne de librairies, celle-ci est assez vaste et confortable pour prétendre au titre d'enseigne principale de Barnes & Nobles. L'évolution du modeste bouquiniste proche de l'université de New York en mastodonte commercial est une histoire remarquable. Le magasin abrite un café, et vend, outre des livres, des CD et des produits informatiques ainsi que des magazines. La principale librairie universitaire se trouve à l'angle de Fifth Avenue et 18th Street.
Tlj 10 h-22 h 14th Street/Union Square (4, 5, 6, L, N, Q, R, W) M1, M2, M3, M6, M7

**BORDER'S BOOKS, MUSIC AND CAFÉ**
Plan 161 F16
461 Park Avenue / 57th Street (angle nord-est)
Tél. : 212/980-6785
www.borders.com
L'autre grande chaîne de librairie, avec un stock plus littéraire et personnel que sa concurrente Barnes & Noble.
Lun.-ven. 9 h-22 h, sam. 10 h-20 h, dim. 11 h-20 h
59th Street (4, 5, 6), 59th Street (N, R, W)
M1, M2, M3, M4

**HUE-MAN BOOKSTORE**
Hors plan 160 D12
2319 Frederick Douglass Boulevard, entre 124th Street et 125th Street
Tél. : 212/665-7400
www.huemanbookstore.com
Cette librairie recense une importante collection de livres afro-américains classiques et contemporains, de fiction ou de littérature générale, et organise des lectures par des auteurs.

*Des vêtements d'hier chez Resurrection Vintage*

Lun.-sam. 10 h-20 h, dim. 11 h-19 h
125th Street (A, B, C, D)
M10

**KITCHEN ARTS AND LETTERS**
Plan 161 F13
1435 Lexington Avenue, entre 93rd Street et 94th Street
Tél. : 212/876-5550
On trouve ici tous les grands auteurs américains de livres culinaires (Julia Child, James Beard et M. F. K. Fisher), et une foule d'autres ouvrages classés par catégorie. Endroit précieux pour les livres de cuisine anciens et rares.
Lun. 13 h-18 h, mar.-ven. 10 h-18 h 30, sam. 11 h-18 h 96th Street (6) M98, M101, M102, M103

**THE MYSTERIOUS BOOKSHOP**
Plan 160 D17
129 West 56th Street, entre Sixth Avenue et Seventh Avenue
Tél. : 212/765-0900
www.mysteriousbookshop.com
Passage obligé pour les amateurs de romans à énigme ainsi que pour les collectionneurs d'éditions originales et de livres rares. Sherlock Holmes, Raymond Chandler, P. D. James et Patricia Highsmith peuplent les rayons. Les recommandations du propriétaire Otto Penzler et de son personnel sont des gages de qualité.
Lun.-sam. 11 h-19 h 57th Street (N, Q, R, W), 57th Street (F) M5, M6, M7

**POSMAN BOOKS**
Plan 162 E18
9 Grand Central Terminal (Vanderbilt Avenue / 42nd Street)
Tél. : 212/983-1111
www.posmanbooks.com
Librairie généraliste qui propose une belle sélection de revues et dont le personnel offre des conseils avisés.
Lun.-ven. 8 h-21 h, sam. 10 h-19 h, dim. 11 h-18 h 42nd Street (4, 5, 6) GM1, M2, M3, M4, M42

**RIZZOLI**
Plan 161 E16
31 West 57th Street, entre Fifth Avenue et Sixth Avenue (côté nord)
Tél. : 212/759-2424
www.rizzoliusa.com
Magnifique librairie spécialisée dans les ouvrages d'art, de design et de mode.
Lun.-ven. 10 h-19 h 30, sam. 10 h 30-19 h, dim. 11 h-19 h Fifth Avenue 59th Street (N, R, W), 57th Street (F) M1, M2, M3, M4, M5, M6, M7, M57

**ST. MARK'S BOOKSHOP**
Plan 163 F22
31 Third Avenue, entre St Mark's Place et 9th Street, East Side
Tél. : 212/260-7853
www.stmarksbookshop.com
La librairie originelle de la contre-culture a prospéré sur St. Mark's Place dans les années 1980 et 1990. Outre

un catalogue généraliste, on y trouve des titres à caractère politique et alternatif.
Lun.-sam. 10 h-minuit, dim. 11 h-minuit Astor Place (4, 5, 6) M101, M102, M103

**SHAKESPEARE & CO**
Plan 163 E22
716 Broadway, entre West 4th Street et Washington Place
Tél. : 212/529-1330
www.shakeandco.com
L'une des dernières librairies indépendantes. Pointue en littérature, elle propose aussi des ouvrages à faible tirage.
Lun.-sam. 10 h-23 h, dim. 10 h-19 h Astor Place (4, 5, 6), 8th Street (N, R, W), West 4th Street (A, C, E, F, S, V) M1, M5, M6

**STRAND BOOKSTORE**
Plan 162 F21
828 Broadway / 12th Street
Tél. : 212/473-1452
www.strandbooks.com
On y trouve des exemplaires de services de presse cédés à moitié prix. Il est préférable de savoir ce que l'on cherche : la direction affirme présenter plus de 25 km de rayonnages.
Lun.-sam. 9 h 30-22 h 30, dim. 11 h-22 h 30 14th Street/Union Square (L, N, Q, R, W, 4, 5, 6) M1, M5, M6

**THREE LIVES**
Plan 162 D22
154 West 10th Street / Waverly Place (angle sud-ouest)
Tél. : 212/741-2069
www.threelives.com
Ce libraire se plie en quatre pour guider ses clients parmi un stock d'une variété impressionnante, vu la taille de la boutique. L'une des dernières véritables librairies de quartier de la ville.
Mer.-sam. 11 h-20 h 30, dim. 12 h-19 h, lun.-mar. 12 h-20 h Christopher Street (1, 9), West 4th Street (A, C, E, F, V, S) M5, M6, M8, M20

## MAGASINS DISCOUNT

La rubrique « Sales and Bargains » (soldes et rabais) du magazine *New York* tient à jour les dates des soldes et des déstockages. Sur Internet, voir les sites www.nysale.com et www.dailycandy.com

**CENTURY 21**
Plan 163 E25
22 Cortlandt Street, entre Broadway et Church Street
Tél. : 212/227-9092
www.c21stores.com
Un grand discount de la mode : Prada, Armani et Jil Sander figurent parmi d'autres créateurs à des prix entre 40 et 75 % moins chers.
Lun.-ven. 7 h 45-20 h (jeu. jusqu'à 20 h 30), sam. 10 h-20 h, dim. 11 h-19 h Cortlandt Street (E) M1, M6

**INA**
Plan 163 E23
101 Thompson Street, entre Spring Street et Prince Street
Tél. : 212/941-4757
www.inanyc.com
Le stock de ce magasin de revente qui propose des rabais compris entre 30 et 50 % change quotidiennement. Diane Von Furstenberg et Anna Sui se mêlent à une grande sélection de Manolo, Prada et Sigerson Morrison.
Dim.-jeu. 12 h-19 h, ven.-sam. 12 h-20 h Spring Street (C, E), Prince Street (N, R, W) M5, M6, M21

*Barneys : une pépinière de modèles dernier cri*

**LOEHMANN'S**
Plan 162 D21
101 Seventh Avenue / 16th Street
Tél. : 212/352-0856
www.loehmanns.com
L'endroit est une adresse majeure de la mode discount depuis que Frieda Mueller Loehmann commença à y vendre des jupes et des corsages dégriffés, dans sa maison de Brooklyn, en 1920. L'enseigne comporte aujourd'hui cinq étages de rayons de vêtements à des prix de 30 à 65 % inférieurs au marché.
Lun.-sam. 9 h-21 h, dim. 11 h-19 h 14th Street (1, 2, 3, 9) M14, M20

## MUSIQUE

**FOOTLIGHT RECORDS**
Plan 162 F21
113 East 12th Street, entre Third et Fourth Avenues
Tél. : 212/533-1572
www.footlight.com
Il faudrait des heures pour venir à bout de ce magasin de mélomanes qui offre une variété allant des groupes de jazz au rock, en passant par la création parlée. On trouve même une rubrique « Old and Cool » (« ancien et bien »), qui comprend une version de *Pierre et le Loup* racontée par la comédienne fantasque Dame Edna.
Lun.-ven. 11 h-19 h, sam. 10 h-18 h, dim. 12 h-17 h
14th Street/Union Square (L, N, Q, R, W, 4, 5, 6)
M1, M2, M103

**MUSIQUE ET INFORMATIQUE J & R**
Plan 163 E25
1-34 Park Row (à un bloc au sud du City Hall).
Tél. : 212/238-9000
www.jr.com
Ce magasin fondé en 1971 propose toutes les marques possibles d'appareils hi-fi et vidéo, d'ordinateurs, d'appareils photo et de téléphones portables, outre des logiciels informatiques et des appareils ménagers. Les prix défient toute concurrence et le personnel est serviable et informé. Le rayon musique, à part, comprend du jazz, du classique et du pop.
Lun.-sam. 9 h-19 h 30, dim. 10 h 30-18 h 30 Park Place (2, 3), City Hall (N, R, W), Brooklyn Bridge/City Hall (4, 5, 6) M9, M15

À FAIRE

**JAZZ RECORD CENTER**
Plan 162 D20
236 West 26th Street, entre Seventh et Eighth Avenues (8e étage, porte 804)
Tél. : 212/675-4480
www.jazzrecordcenter.com
On trouve ici tous les grands nom du jazz, ainsi que tous les labels, les livres, les vidéos et les objets de collection du genre. Magasin spécialisé dans les disques rares et épuisés.
Lun.-sam. 10 h-18 h
28th Street (1, 9) M20 (B, D, 1, 9)
M7, M10

## POUR LA MAISON

**ABC CARPET AND HOME**
Plan 162 E21
888 Broadway, entre 19th et 20th Streets
Tél. : 212/473-3000
www.abchome.com
Tissus, meubles et objets de décoration intérieure venus du monde entier sont joliment mis en scène sur les 10 étages que compte cet établissement. Armoires provençales, soie du Cachemire, lits subtilement habillés et lustres vénitiens tiennent compagnie à des tapis venus de l'Inde, du Népal, du Pakistan et de la Chine.
Lun.-ven. 10 h-20 h, sam. 10 h-19 h, dim. 11 h-18 h 30 23rd Street (N, R, W) M6, M7

**BROADWAY PANHANDLER**
Plan 163 E23
477 Broome Street, entre Greene Street et Wooster Street
Tél. : 212/966 3434
www.broadwaypanhandler.com
À l'origine destiné uniquement aux cuisiniers professionnels, Broadway Panhandler propose aujourd'hui le meilleur des ustensiles de cuisine aux profanes, et à des prix décents. On recense des centaines de types de pots, de casseroles et de poêles différents (environ 10 000 articles en totalité). Certains week-ends, les démonstrations attirent les chefs tels que Jean-Georges Vongerichten, Eric Ripert ou Jacques Pépin.
Lun.-ven. 10 h 30-19 h, sam. 11 h-19 h, dim. 11 h-18 h Prince Street (N, R, W) M1, M6

**KATE'S PAPERIE**
Plan 163 E23
561 Broadway, entre Prince Street et Spring Street
Tél. : 212/941-9816
www.katespaperie.com
On trouve dans cet élégant magasin de quoi faire de beaux (et chers) cadeaux : papiers à lettres, journaux intimes et agendas, cadres, papier cadeau et rubans, stylos et plumes, et de nombreux autres articles de papeterie sont joliment agencés.
Lun.-sam. 10 h-20 h, dim. 10 h-19 h
Prince St (N, R)
M1, M6

*Dean & Deluca attire tous les fins gourmets new-yorkais*

**PEARL RIVER**
Plan 163 E23
477 Broadway, entre Broome Street et Grand Street
Tél. : 212/431-4770
www.pearlriver.com
Les New-Yorkais qui ont quitté la ville reviennent souvent ici pour profiter de bonnes affaires : robes de style asiatique, escarpins en soie, céramiques, ingrédients pour la cuisine asiatique et lampions sont proposés parmi de très nombreux autres objets attrayants.
Tlj 10 h-19 h
Canal Street (N, R)
M1, M6

## VÊTEMENTS : ADRESSES TENDANCE

**ALIFE RIVINGTON CLUB**
Plan 163 G23
158 Rivington Street, entre Clinton Street et Suffolk Street
Tél. : 212/375-8128
Des portes en acier sans inscription s'ouvrent sur un espace tapissé de bois de cerisier, où les baskets ont droit à un traitement digne des plus grands bottiers aux côtés d'éditions limitées aux couleurs fantastiques d'origines américaine, européenne et japonaise.
Tlj 12 h-18 h 30
Delancey/Essex (F, J, M, Z)
M9

**FORWARD**
Plan 163 G23
72 Orchard Street, entre Broome Street et Grand Street
Tél. : 646-264-3233
www.forwardnyc.com
Cette véritable pépinière de la mode soutenue par l'association commerciale du quartier sélectionne régulièrement un groupe de six nouveaux créateurs pour qu'ils dessinent des modèles et investissent le magasin le temps d'une saison. En conséquence, le stock change constamment et vous trouverez des robes ou des bijoux un jour, et des sacs, des chapeaux ou de la lingerie un autre.
Tlj 12 h-19 h Delancey/Essex (F, J, M, Z) M9, M15

**JUSSARA LEE**
Plan 162 C21
11 Little West 12th Street, entre Washington Street et Ninth Avenue
Tél. : 212/242-4128
www.caipirinha.com/jussara
Les vêtements de cette créatrice qui mêle inspirations coréenne et brésilienne sont en même temps originaux et classiques. Manteaux, robes, pantalons et jupes sont élégamment présentés dans cette boutique.
Lun.-sam. 11 h-19 h, dim. 12 h-19 h
14th Street (A, C, E)
M11, M14

**KIRNA ZABETE**
Plan 163 E23
96 Greene Street, entre Prince Street et Spring Street
Tél. : 212/941-9656
www.kirnazabete.com
Beth Buccini et Sarah Hailes regroupent dans ce charmant magasin leur sélection personnelle de créateurs avant-gardistes. On trouve notamment des cardigans en mohair et dentelle, des sweat-shirts Matthew Williamson, des patchworks signés Jessica Ogden, et d'autres créateurs peu distribués tels Clements Ribeiro et Hussein Chalayan.
Lun.-sam. 11 h-19 h, dim. 12 h-18 h
Prince Street (N, R, W) M1, M6

**LUCY BARNES**
Plan 162 D21
320 West 14th Street, entre Eighth et Ninth Avenues
Tél. : 212/255-9148
Lucy Barnes collectionne les vêtements d'époque depuis des années et les utilise, en partie ou en totalité, pour créer sa ligne féminine. Les coupes et les couleurs, de toute beauté, mettent en avant de superbes broderies, certaines perlées, et des patchworks. Excellent rapport qualité prix.
Tlj 11 h 30-19 h 30 14th Street (A, C, E) M11

**MARTIN**
Plan 163 F22
206 East 6th Street, entre Second et Third Avenues
Tél. : 212/358-0011
Les toges grecques ont sûrement inspiré Anne Johnston dans la création de ses tee-shirts délicats et de ses vêtements de ville branchés.
Mar.-dim. 13 h-19 h
Astor Place (6) M15, M103

**MARY ADAMS THE DRESS**
Plan 163 G23
138 Ludlow Street, entre Rivington Street et Stanton Street
Tél. : 212/473-0237
www.maryadamsthedress.com
Cette pionnière du quartier, installée là au début des années 1980, vend de magnifiques robes de soirée légères aux tons pastel.
Mer.-sam. 13 h-18 h, dim. 13 h-17 h
Delancey/Essex (F, J, M, Z)
M9, M15

**SHELLY STEFFEE**
Plan 162 D21
34 Gansevoort Street, entre Hudson Street et Ninth Avenue
Tél. : 917-408-0408
Des vêtements sexy et amusants, exposés comme dans un musée : corsaires agrémentés de cordons à la taille et aux mollets jouxtent des chemises style safari.
Mar.-sam. 12 h-21 h, dim. 12 h-18 h
14th Street (A, C, E) M11, M14

*Sherry-Lehmann propose sa sélection de vins et spiritueux*

**37=1**
Plan 163 F23
37 Crosby Street, entre Grand Street et Broome Street
Tél. : 212/226-0067
Jean Yu dessine des robes, de la lingerie et des ensembles dans une soie des plus riches. Porte-jarretelles à mourir d'envie, et prix… dégrisants.
Mar.-dim. 13 h-18 h Canal Street (N, R) M1, M6

**TRACY FEITH**
Plan 163 F23
209 Mulberry Street, entre Spring Street et Kenmare Street
Tél. : 212/334-3097
Surfeur reconverti dans la mode, Tracy Feith habille les femmes en tenues ludiques et éclatantes. Tous ses vêtements cultivent un chic un peu bohème qui invite aux loisirs.
Lun.-sam. 11 h-19 h, dim. 12 h-18 h
Spring Street (6), Broadway-Lafayette (F, S, V) M1, M21

**ZERO**
Plan 163 F23
225 Mott Street, entre Prince Street et Spring Street
Tél. : 212/925-3849
Les pèlerines, les vestes et les manteaux avant-gardistes de ce magasin sont fabriqués dans l'arrière-boutique par Maria Cornejo.
Lun.-ven. 12 h 30-19 h 30, week-end 12 h 30-18 h 30 Prince Street (N, R) M1, M6

## VÊTEMENTS : CLASSIQUES ET SPORTS

**APC**
Plan 163 E23
131 Mercer Street, entre Prince Street et Spring Street
Tél. : 212/966-9685
L'enseigne, « Atelier Production and Creation », ne suggère pas forcément ce qu'on y trouve, à savoir de beaux classiques parisiens. Hauts en coton, cols roulés, sweat-shirts, chemises habillées, vestes en cuir, jeans : on peut s'y habiller des pieds à la tête.
Lun.-sam. 11 h-19 h, dim. 12 h-18 h
Prince Street (N, R, W) M1, M6

**BCBG BY MAX AZRIA**
Plan 163 E23
#1B, 120 Wooster Street, entre Prince Street et Spring Street
Tél. : 212/625-2723
www.bcbg.com
Bon Chic Bon Genre vend les vêtements stylés et de qualité du créateur Max Azria. La ligne féminine travaillée et sexy convient aussi bien pour la journée que pour le soir. Le magasin propose aussi de beaux accessoires, le tout à des prix abordables. Autre boutique au 770 Madison Avenue.
Lun.-sam. 11 h-19 h, dim. 12 h-18 h
Prince Street (N, R, W) M1, M6

**BORRELLI**
Plan 161 E16
16 East 60th Street, entre Madison et Fifth Avenue
Tél. : 212/644-9610
Ce grand couturier italien fréquenté par plus d'une star masculine du grand écran vend de superbes chemises et tout un choix de costumes, de manteaux, de pulls, en prêt-à-porter ou sur mesure.
Lun.-sam. 10 h-18 h, dim. 12 h-18 h
Fifth Avenue/59th Street (N, R, W)
M1, M2, M3, M4, M30

**DKNY**
Plan 161 E16
655 Madison Avenue, entre East 60th et 61st Streets
Tél. : 212/223-3569
www.dkny.com
Donna Karan offre aux New-Yorkaises ce qu'il leur faut : des vêtements confortables faciles à assortir. Si le noir a longtemps eu sa préférence, la styliste propose aujourd'hui une belle variété de chemisiers, de robes, de minijupes, de parkas et d'accessoires dans tous les coloris. Cet étonnant magasin tout en verre a ouvert en 1998. Autre boutique au 420 West Broadway/Spring Street.
Lun.-sam. 10 h-20 h, dim. 11 h-19 h
Fifth Avenue/59th Street (N, R, W)
M1, M2, M3, M4, M30

**EMPORIO ARMANI**
Plan 163 E23
410 West Broadway / Spring Street
Tél. : 646/613-8099
www.emporioarmani.com
Cette enseigne Armani propose la ligne la moins onéreuse du styliste : même qualité pour la moitié du prix.
Lun.-sam. 11 h-19 h, dim. 12 h-18 h
Spring Street (C, E), Prince Street (N, R, W) M1, M6

**HOTEL VENUS**
Plan 163 E23
382 West Broadway, entre Spring Street et Broome Street
Tél. : 212/966-4066
www.patriciafield.com
La plus grande et plus récente enseigne de Patricia Field propose une mode cabotine où le caoutchouc, le PVC, le cuir, l'élastomère, le plastique et les plumes règnent en maître sur des pièces allant des bustiers et des porte-jarretelles aux mini-minijupes. Tout aussi provocants, les accessoires, perruques et produits de beauté, ne sont pas à exposer à tous les regards.
Tlj 11 h-20 h Spring Street (C, E), Prince Street (N, R, W)
M1, M6

**JEFFREY**
Plan 162 C21
449 West 14th Street, entre Ninth et Tenth Avenues
Tél. : 212/206-1272

*Du matériel de cuisine « pro » chez Broadway Panhandler*

Il a dû falloir du courage à Jeffrey Kalinsky, cet ancien acheteur de chaussures pour Barneys, pour ouvrir cette immense boutique-dépôt dans le Meatpacking District (quartier historique de Manhattan), zone passablement délabrée avant de devenir si branchée. Le rayon chaussures est naturellement fantastique, regorgeant de Manolo et autres marques fameuses. On trouve aussi de l'habillement signé Fendi, Jil Sander, Celine, Prada, Gucci et Dolce & Gabbana. Le personnel est délicieux.
Lun.-ven. 10 h-20 h (jeu. jusqu'à 21 h), sam. 10 h-19 h, dim. 12 h 30-18 h
14th Street (A, C, E) Eighth Avenue (L) M11, M14

**LACOSTE**
Plan 161 E17
543 Madison Avenue, entre East 54th et 55th Streets
Tél. : 212/750-8115
www.lacoste.com
Incontournable, depuis que le champion de tennis français René Lacoste, surnommé « le crocodile », a vendu son premier polo en 1933. Aujourd'hui, Christophe Lemaire revitalise la société en commercialisant des parfums, du linge pour la maison, des lunettes, des dessous et des chaussures aux lignes traditionnelles réservées au golf, au tennis et aux sports nautiques.
Lun.-sam. 10 h-19 h (jeu. jusqu'à 20 h), dim. 12 h-17 h
Fifth Avenue/53rd Street (E, V), 51st Street/Lexington (6)
M1, M2, M3, M4

**PAUL STUART**
Plan 162 E18
Madison Avenue / East 45th Street
Tél. : 212/682-0320
www.paulstuart.com
Ce magasin de vêtements pour hommes, fondé en 1938, évoque le célèbre tailleur londonien de Savile Row : costumes de grande qualité et chemises italiennes côtoient tous les articles masculins traditionnels. Pour les femmes, cols en soie et cachemire, tailleurs-pantalon et vestes en cuir.
Lun.-mer., ven. 8 h 30-18 h, jeu. 8 h-19 h, sam. 9 h-18 h, dim. 12 h-17 h
42nd Street (B, D, F, V), 42nd Street/Grand Central (4, 5, 6, 7, S)
M1, M2, M3, M4, M5

**PHAT FARM**
Plan 163 E23
129 Prince Street, entre West Broadway et Wooster Street
Tél. : 212/533-7428
www.phatfarm.com
Nouvelle venue sur la scène de la mode hip-hop, cette boutique propose des chemises et des pantalons, des jeans et des vestes aux coutures apparentes, ainsi que des pulls à capuche,

des bermudas et des blousons d'aviateur. De nombreux articles portent le logo de la marque.
Lun.-sam. 11 h-19 h, dim. 12 h-18 h
Prince Street (N, R, W) M1, M6

**THE PUMA STORE**
Plan 163 E23
521 Broadway, entre Spring Street et Broome Street
Tél. : 212/334-7861
www.puma.com
Puma a opéré un retour fantastique dans le monde de la chaussure de sport grâce à des couleurs novatrices – olive et beige, ou encore jaune canari et vert citron.
Lun.-sam. 10 h-20 h, dim. 11 h-19 h
Prince Street (N, R, W)

**SHANGHAI TANG**
Plan 161 E16
714 Madison Avenue, entre East 63rd et 64th Streets
Tél. : 212/888-0111
www.shanghaitang.com
Les coupes et les styles asiatiques de cette marque revigorent une mode qui s'adresse surtout à la jeunesse. Passepoils, fermoirs et brandebourg chinois rehaussent chemisiers et vestes. Pour les hommes, les articles de prédilection sont les vestes en soie Fuji à col mao. On trouve aussi de superbes sacs en tissu et des articles de maison.
Lun.-sam. 10 h-18 h, dim. 12 h-18 h
59th Street (4, 5, 6), Lexington Avenue/53rd Street (F)
M1, M2, M3, M4

**STEVEN ALAN**
Plan 163 E24
103 Franklin Street, entre West Broadway et Church Street
Tél. : 212/343-0692
Une mode radicale pour des aficionados qui osent. La boutique propose des modèles des créateurs les plus en vogue comme Vanessa Bruno, Alice Roi et Kateyone Adeli.
Tlj 11 h 30-19 h
Franklin Street (1, 9)
M1, M6

**THOMAS PINK**
Plan 161 E17
520 Madison Avenue, entre East 53rd et 54th Streets
Tél. : 212/838-1928
www.thomaspink.co.uk
Cette enseigne britannique vend des chemises pour hommes et femmes, dans des couleurs et des motifs magnifiques, ainsi que des boutons de manchette aussi beaux pour les femmes qu'élégants pour les hommes.
Lun.-ven. 10 h-19 h (jeu. jusqu'à 20 h), sam. 10 h-18 h, dim. 12 h-18 h
Fifth Avenue/53rd Street (E, V), 51st Street (6)
M1, M2, M3, M4

*Eye Candy, ou les accessoires les plus fous*

## VÊTEMENTS : GRANDS CRÉATEURS

**ALEXANDER MCQUEEN**
Plan 162 C21
417 West 14th Street, entre Ninth Avenue et Washington Street
Tél. : 212/645-1797
www.alexandermcqueen.com
Le trublion de la mode britannique, qui s'est fait un nom chez Givenchy, a entamé sa carrière chez le costumier Angels & Bermans. Ses lignes théâtrales sont fidèles à sa formation, exécutées d'une main de maître et délicieuses de détails fantasques.
Lun.-sam. 11 h-19 h, dim. 12 h 30-18 h 14th Street (A, C, E), Eighth Avenue (L) M11, M14

**CALVIN KLEIN**
Plan 161 E16
654 Madison Avenue / East 60th Street
Tél. : 212/292-9000
Le chouchou américain de la mode, né dans le Bronx et qui a réinventé la mode US dans les années 1970. Il a ajouté à ses vêtements de sport des lignes de chaussures, d'accessoires et même de meubles de maison. Le designer manie aussi bien le ciseau que la publicité. Sa boutique, parangon de minimalisme, vaut à elle seule le coup d'œil.
Lun.-sam. 10 h-18 h (jeu. jusqu'à 19 h), dim. 12 h-18 h Lexington Avenue/59th Street (N, R, W, 4, 5, 6)
M1, M2, M3, M4

**CHANEL**
Plan 161 E16
15 East 57th Street, entre Madison et Fifth Avenue
Tél. : 212/355-5050
www.chanel.com
Dans la grande tradition de la maison créée par Coco, Karl Lagerfeld continue d'inventer des styles indémodables, et les accessoires, les chaussures et les parfums qui vont avec. Deux autres boutiques sur Madison Avenue ne vendent que des accessoires et des bijoux.
Lun.-sam. 10 h-18 h 30 (jeu. jusqu'à 19 h, sam. jusqu'à 18 h) Lexington Avenue/59th Street (N, R, W, 4, 5, 6)
M1, M2, M3, M4, M57

**DOLCE & GABBANA**
Plan 161 E15
825 Madison Avenue, entre East 68th et 69th Streets
Tél. : 212/249-4100
www.dolcegabbana.it *FR*
Domenico Dolce et Stefano Gabbana ont habillé presque toutes les stars d'Hollywood et de Broadway, cultivant un look sexy (effets de froissés et de déchirures, beaucoup de corsets, etc.). Ce beau magasin spacieux est leur principale enseigne.
Lun.-ven. 10 h-18 h (jeu. jusqu'à 19 h), dim. 12 h-17 h
68th Street (6)
M1, M2, M3, M4

**DONNA KARAN**
Plan 161 E15
819 Madison Avenue, entre East 68th et 69th Streets
Tél. : 866/240-4700
www.donnakaran.com
Dans le superbe magasin principal de cette célèbre styliste américaine, l'escalier est digne d'un film de Fred Astaire et Ginger Rogers. À ne pas rater.
Lun.-sam. 10 h-18 h (jeu. jusqu'à 19 h) 68th Street (6)
M1, M2, M3, M4

**EILEEN FISHER**
Plan 163 E23
395 West Broadway, entre Spring Street et Broome Street
Tél. : 212/431-4567
www.eileenfisher.com
Les New-Yorkaises sont friandes des tenues confortables et pratiques de cette créatrice, et de ses vêtements parfaitement polyvalents. Cette adresse, la principale de la styliste, expose l'intégralité de sa ligne : caracos, jupes et pantalons, tous en tissus naturels (coton, lin ou soie). Les soldes de mars et d'août font toujours un tabac. Autres boutiques sur Madison Avenue (au niveau de 53rd Street et de 79th Street) et sur Fifth Avenue (à l'angle de 22nd Street).
Lun.-jeu. 11 h-19 h, ven.-sam. 11 h-20 h, dim. 12 h-18 h
Spring Street (C, E) M1, M6

**GIORGIO ARMANI**
Plan 161 E16
760 Madison Avenue / 65th Street
Tél. : 212/988 9191
www.giorgioarmani.com
Ce grand couturier, pour hommes et femmes, crée des costumes au charme discret, mais ravageur, rehaussés de très beaux détails.
Lun.-sam. 10 h-18 h (jeu. jusqu'à 19 h)
68th Street (6) M1, M2, M3, M4

**GUCCI**
Plan 161 E17
685 Fifth Avenue / East 54th Street
Tél. : 212/826-2600
840 Madison Avenue, entre 69th et 70th Streets
Tél. : 212/717-2619
www.gucci.com
Après le départ de Tom Ford de Gucci en 2004, Frida Giannini est devenue la directrice de la création pour les femmes, et John Ray a pris la suite pour les hommes. Mode ultra-chic.
Lun.-mer. 10 h-18 h 30, mar.-sam. 10 h-19 h, dim. 12 h-18 h Fifth Avenue/53rd Street (E, V), 68th Street (6)
M1, M2, M3, M4

**HELMUT LANG**
Plan 163 E23
80 Greene Street, entre Spring Street et Broome Street
Tél. : 212/925-7214
www.helmutlang.com
Le créateur autrichien conçoit des vêtements à la coupe parfaite, qu'il s'agisse d'un manteau en cachemire doublé en peau de mouton, de modèles destinés aux motards ou aux surfeurs. On retrouve ici l'intégralité de sa ligne.
Lun.-sam. 11 h-19 h, dim. 12 h-18 h
Prince Street (N, R, W) M1, M6

*Chaussure signée Jimmy Choo*

**ISSEY MIYAKE**
Plan 163 E24
119 Hudson Street / North Moore Street
Tél. : 212/226-0100
www.isseymiyake.com
Cette enseigne de TriBeCa conçue par l'architecte Frank Gehry et son protégé Gordon Kipping expose toutes les créations de Miyake.
Lun.-sam. 11 h-19 h, dim. 12 h-18 h
Franklin Street (1, 9) M20

**JEAN-PAUL GAULTIER**
Plan 161 E16
759 Madison Avenue, entre East 65th et 66th Streets
Tél. : 212 249-0235
www.jeanpaulgaultier.com
Le premier magasin que Philippe Starck a dessiné aux États-Unis se distingue par un luxe résumé par des murs recouverts de taffetas et des étagères de cristal... Quant aux modèles, ils sont excitants, théâtraux, délicieusement drapés et toujours dans le vent.
Lun.-sam. 10 h-18 h (jeu. et sam. à partir de 11 h), dim. 12 h-18 h
68th Street (6)
M1, M2, M3, M4

**MARC JACOBS**
Plan 163 E23
163 Mercer Street, entre Houston Street et Prince Street
Tél. : 212/343-1490
www.marcjacobs.com
Marc Jacobs, styliste new-yorkais parmi les plus en vogue du moment, crée des modèles inspirés de coupes rétro, aux tons doux et féminins. Il possède deux autres magasins sur Bleecker Street, l'un réservé aux accessoires, l'autre à sa ligne Marc by Marc Jacobs, moins onéreuse, qui décline l'indispensable pantalon cargo.
Lun.-sam. 11 h-19 h, dim. 12 h-18 h
Prince Street (N, R, W)
M1, M6

**NICOLE MILLER**
Plan 161 E16
780 Madison Avenue, entre 66th et 67th Streets
Tél. : 212/288-9779
www.nicolemiller.com
Les modèles innovants, sexy et en même temps très portables, de Nicole Miller ont déjà conquis nombre de célébrités. Cols boules et dos nus, jerseys froissés, sacs et chaussures, sans oublier des robes de soirée.
Lun.-ven. 10 h-19 h, sam. 10 h-18 h, dim. 12 h-17 h 68th Street (6)
M2, M3, M4

**PRADA**
Plan 163 E23
575 Broadway / Prince Street
Tél. : 212/334-8888
www.prada.com
L'architecte néerlandais Rem Koolhaas a dessiné ce magasin, à voir absolument : le rez-de-chaussée fait office de scène, et même les cabines d'essayage sont high-tech. Des cinq boutiques du styliste à Manhattan, c'est dans celle-ci qu'il faut se rendre.
Lun.-sam. 11 h-19 h, dim. 12 h-18 h
Prince Street (N, R, W)
M1, M6

**RALPH LAUREN**
Plan 161 E15
867 Madison Avenue, entre East 71st et 72nd Streets
Tél. : 212/606-2100
www.polo.com
Natif du Bronx, Ralph Lauren propose ses lignes inspirées des cow-boys et des châtelains anglais dans l'hôtel particulier Rhinelander, rare vestige de ce type de la fin du XIXe siècle à Manhattan, rendu à sa splendeur passée grâce à la restauration de l'escalier sculpté à la main, des lustres en cristal de Baccarat et des peintures du XIXe siècle.
Lun.-mer. 10 h-19 h, jeu. 10 h-20 h, ven.-sam. 10 h-18 h, dim. 12 h-18 h
68th Street (6) M1, M2, M3, M4

**STELLA MCCARTNEY**
Plan 162 C21
429 West 14th Street, entre Ninth et Tenth Avenues
Tél. : 212/255-1556
www.stellamccartney.com
Sortie de la Central St. Martin's College of Art and Design (école des arts décoratifs de Londres) en 1995, Stella McCartney a pris le chemin de la renommée en s'initiant chez Chloé, puis en signant un partenariat avec Gucci. Ce magasin, ouvert en 2002, renferme toute la collection.
Lun.-sam. 11 h-19 h, dim. 12 h-18 h
14th Street (A, C, E), Eighth Avenue (L)
M11, M14

## GRANDES CHAÎNES

À FAIRE

Ce tableau récapitule les spécialités des grandes chaînes de New York. Contactez le siège social pour connaître le magasin le plus proche de vous, ou consultez le site Internet.

| NOM | Habillement | Accessoires de mode | Cadeaux et souvenirs | Littérature et musique | Sports de plein air | Chaussures | Pharmacie et produits de santé | Papeteries | Alimentation | Maison et appareils ménagers | TÉLÉPHONE DU SIÈGE SOCIAL |
|---|---|---|---|---|---|---|---|---|---|---|---|
| Abercrombie & Fitch | ✔ | ✔ | | | ✔ | ✔ | | | | | 614/283-6500 ou 888-856-4480 |
| Ann Taylor | ✔ | ✔ | | | | ✔ | | | | | 212/541-3300 ou 800-342-5266 |
| Anthropologie | ✔ | ✔ | | | | | ✔ | | | ✔ | 800-309-2500 |
| Banana Republic | ✔ | ✔ | | | | ✔ | | | | | 888-277-8953 |
| Bed Bath and Beyond | | | | | | | | | | ✔ | 800-462-3966 |
| Benetton | ✔ | ✔ | | | | ✔ | | | | | 800-535-4491 |
| Bodyshop | | | ✔ | | | | ✔ | | | | 800-263-9746 |
| Brooks Brothers | ✔ | ✔ | | | | ✔ | | ✔ | | | 800-274-1815 |
| Club Monaco | ✔ | ✔ | | | | | | | | | 212/886-2660 |
| Crabtree & Evelyn | | | ✔ | | | | ✔ | | ✔ | | 860/928-2761 ou 800-272-2873 |
| Crate & Barrel | | | | | | | | | | ✔ | 847-272-2888 ou 800-967-6696 |
| Diesel | ✔ | | | | ✔ | | | | | | 212/755-9200 |
| Disney Store | ✔ | | ✔ | ✔ | | | | | | | 800-328-0368 |
| Eddie Bauer | ✔ | ✔ | | | ✔ | ✔ | | | | | 800-426-8020 |
| Eileen Fisher | ✔ | | | | | | | | | | 800-345-3362 |
| Gap | ✔ | ✔ | | | | ✔ | | | | | 800-333-7899 |
| H & M | ✔ | ✔ | | | | | | | | | 212/564-9922 |
| J. Crew | ✔ | ✔ | | | | ✔ | | | | | 800-562-0258 ou 800-932-0043 |
| NBA Store | ✔ | ✔ | ✔ | | | | | | | | 877-622-0206 |
| Old Navy | ✔ | ✔ | | | | ✔ | | | | | 800-653-6289 |
| Pier 1 Imports | | | | | | | | | | ✔ | 817/252-8000 ou 800-245-4595 |
| Talbot's | ✔ | ✔ | | | | ✔ | | | | | 781/749-7600 ou 800-992-9010 |
| Toys "R" Us | | | | ✔ | | | | ✔ | | | 800-869-7787 |
| Urban Outfitters | ✔ | ✔ | | | | ✔ | | | | | 215/564-2313 ou 800-282-2200 |
| Victoria's Secret | ✔ | ✔ | | | | ✔ | ✔ | | | | 800-411-5116 |
| Virgin Megastore | | | | ✔ | | | | | | | 877-484-7446 |
| Williams-Sonoma | | | | | | | | | ✔ | ✔ | 877-812-6235 ou 800-541-2233 |

**YOHJI YAMAMOTO**
Plan 163 E23
103 Grand Street / Mercer Street
Tél. : 212/966-9066
www.YohjiYamamoto.co.jp
Des designs et des drapés caractérisent les lignes, le plus souvent noires et blanches, de ce styliste serein. Le magasin est un bijou de toute beauté.
Lun.-sam. 11 h-19 h, dim. 12 h-18 h
Canal Street (A, C, E, J, M, N, Q, R, W, Z, 6) M1, M6

## VÊTEMENTS D'ÉPOQUE/VINTAGE

**DECOLLAGE**
Plan 162 D21
23 Eighth Avenue, entre West 12th Street et Jane Street
Tél. : 212/352-3338
Cet endroit vaut le détour ne serait-ce que pour observer les vitrines de modèles actuels et d'époque exposés comme des œuvres d'art.
Lun.-ven. 10 h-17 h, sam. 12 h-18 h (printemps-automne uniquement)
14th Street (A, C, E) M20

**FOLEY & CORINNA**
Plan 163 G23
108 Stanton Street, entre Ludlow Street et Essex Street
Tél. : 212/529-2338
www.foleyandcorinna.com
Les mordus de la mode affluent dans cette boutique pour trouver les derniers corsages en soie et dentelle à motif papillon, les manteaux tricotés en mohair et cachemire et les autres articles romantiques « hippie-chic » créés par Dana Foley, qui a commencé sa carrière dans un marché aux puces. Son associée, Anna Corinna, choisit les vêtements vintage et les accessoires.
Dim.-jeu. 12 h-19 h, ven.-sam. 12 h-20 h Delancey/Essex (F, J, M, Z) M15, M21

**99X**
Plan 163 F21
84 East 10th Street, entre Third et Fourth Avenues
Tél. : 212/460-8599
http://99xny.com
La majorité des vêtements en vogue dans les années 1960, 1970 et 1980 exposés ici viennent du Royaume-Uni. On trouve des tenues de « rockers » et celles de leurs ennemis jurés, les « mods », ou encore des attirails de punks et même de fines cravates de « Teddy Boy » et des chapeaux feutre.
Lun.-sam. 12 h-20 h, dim. 12 h-19 h
Astor Place (6) M1, M8, M103

**RESURRECTION VINTAGE**
Plan 163 F23
217 Mott Street, entre Spring Street et Prince Street
Tél. : 212/625-1374
www.resurrectionvintage.com
Jupons Pucci, articles Miyake et Vivienne Westwood ; vêtements de skateboard des années 1980 signés Alva, Thrasher et autres... Les propriétaires des lieux présentent par ailleurs leur propre collection.
Lun.-sam. 11 h-19 h, dim. 12 h-19 h
Broadway-Lafayette (F, S, V)
M1, M21, M103



| SPÉCIALITÉ | SITE INTERNET |
|---|---|
| Habillement chic et décontracté pour les activités en extérieur | www.abercrombie.com |
| Habillement élégant et décontracté pour femmes | www.anntaylor.com |
| Habillement d'inspiration ethnique et objets divers pour la maison | www.anthropologie.com |
| Ensembles de style pour hommes et femmes | www.bananarepublic.com |
| Absolument tout pour la maison | www.bedbathandbeyond.com |
| Mode contemporaine d'influence italienne | www.benetton.com |
| Produits de beauté à base d'ingrédients naturels | www.thebodyshop.com |
| Mode de facture classique pour hommes et femmes | www.brooksbrothers.com |
| Chaîne canadienne de mode chic et basique, et articles de haute couture abordables | www.clubmonaco.com |
| Vénérable enseigne britannique spécialisée dans les articles de toilette et les produits anglais | www.crabtree-evelyn.com |
| Objets de première qualité pour la maison, avec une bonne touche côte Ouest | www.crateandbarrel.com |
| Dernières tendances pour la jeunesse, styles hip-hop et surfeur | www.diesel.com |
| Tout Disney, dont meubles et vêtements | www.disneystore.com |
| Mode chic et décontractée, avec un accent sur l'habillement d'extérieur | www.eddiebauer.com |
| Tenues simples et confortables pour femmes | www.eileenfisher.com |
| Mode décontractée et internationale à prix raisonnables | www.gap.com |
| Versions bradées de lignes jeunesse | www.hm.com *FR* |
| BCBG décontracté, mode universitaire et accessoires abordables | www.jcrew.com |
| Pulls, posters, tasses et plus encore pour les fans de basket-ball | http://store.nba.com |
| Prêt-à-porter à prix honnêtes pour enfants et adultes | www.oldnavy.com |
| Décoration sophistiquée et bon marché pour la maison | www.pier1.com |
| Mode féminine de qualité, pratique et abordable | www.talbots.com |
| Tous les jouets possibles et imaginables plus une grande roue de 18 m | www.toysrus.com |
| Mode décontractée pour les étudiants | www.urbn.com |
| Lingerie sexy, tenues de nuit et maillots de bain | www.victoriassecret.com |
| Musique classique, pop et jazz, dont nombreux imports | www.virginmega.com |
| Équipement de cuisine haut de gamme, condiments et ingrédients spéciaux | www.williams-sonoma.com |

**SCREAMING MIMI'S**
Plan 163 F22
382 Lafayette Street, entre Great Jones Street et West 4th Street
Tél. : 212/677-6464
www.screamingmimis.com
Le stock de ce magasin fait un saut dans le temps, des années 1940 aux années 1980. Les vêtements sont en bon état. L'endroit reste de la dernière tendance, même si la série *Sex and the City* a élargi le cercle intime de ses connaisseurs.
Lun.-sam. 12 h-20 h, dim. 13 h-19 h
Broadway-Lafayette (F, S, V)
M1, M103

## VIN ET ALIMENTATION

**CHELSEA MARKET**
Plan 162 D21
75 Ninth Avenue, entre 15th et 16th Streets
Tél. : 212/243-6005
En parcourant le premier étage de ce bâtiment, on peut trouver de quoi composer un menu complet, décorations de table incluses. Boulangeries, poissonniers, fleuristes et caves à vin côtoient des enseignes telles que Buon Italia, qui vend d'excellents fromages, des saucissons, des sauces, des huiles, entre autres produits italiens.
Horaires variables selon les magasins
14th Street (A, C, E) M11, M14

**DEAN & DELUCA**
Plan 163 F23
560 Broadway / Prince Street
Tél. : 212/226-6800
www.deandeluca.com
Superbe endroit où tout est de première qualité : les pâtisseries, les fromages, la viande, le poisson, les chocolats, ainsi que les paniers composés de fruits et légumes. Il y a également un café. Cinq autres magasins sont installés dans Manhattan.
Lun.-sam. 9 h-20 h, dim. 9 h-19 h
Prince Street (N, R, W) M1, M5, M6

**JACQUES TORRES CHOCOLATE**
Plan 163 D23
350 Hudson Street / King Street
Tél. : 212/414-2462
www.mrchocolate.com
Ancien chef des desserts du restaurant Le Cirque, Jacques Torres est le meilleur chocolatier de la ville. Les produits de cette confiserie, qui fait aussi salon de thé, sont délicieux. Le chocolat ne contient ni conservateur ni colorant, et le chef fait lui-même son beurre de cacahuètes, sa pâte d'amandes et ses pâtes de noix, de pralines et de pistaches.
Lun.-sam. 9 h-19 h
110 $ le kilo
Houston Street (1, 9)

**KAM MAN FOODS**
Plan 163 F24
200 Canal Street / Mott Street
Tél. : 212/571-0330

*FAO Schwarz, tel qu'on le voit dans le film* Big

Ce magasin d'alimentation chinoise croule sous les produits exotiques, des poissons vivants aux nids d'hirondelle en passant par le précieux gin-seng. On y trouve aussi du matériel de cuisine chinois bon marché.
Tlj 9 h-21 h Canal Street (J, M, Z)
M1, M103

**MORRELL & COMPANY**
Plan 162 E17
1 Rockefeller Plaza
Tél. : 212/688-9370
www.morrellwine.com
Établi en 1947, Morrell est l'autre grand magasin de vins de Manhattan, avec Sherry-Lehmann. L'enseigne a ouvert son propre bar à vins à côté.
Lun.-ven. 9 h-19 h, sam. 10 h-19 h
47th-50th streets/Rockefeller Center (B, D, F, V)
M1, M2, M3, M4, M50

**SHERRY-LEHMANN**
Plan 161 E16
679 Madison Avenue / 61st Street
Tél. : 212/838-7500
www.sherry-lehmann.com
Fondé en 1934, ce magasin possède une cave d'une valeur de 10 millions de dollars, avec des vins venus de toute la planète. Le décor est chaleureux, et le personnel, amical. Vous trouverez à côté des grands bordeaux et des bourgognes des vins de glace canadiens et suisses, ainsi que des crus libanais et une gamme de sakés, portos et madères. Dégustation le mercredi entre 15 h et 18 h.
Lun.-sam. 9 h-19 h
Fifth Avenue/59 Street (N, R, W), 59th Street/Lexington Avenue 4, 5, 6)
M1, M2, M3, M4, M30

**UNION SQUARE GREEN MARKET**
Plan 162 E21
Union Square
Ce marché très fréquenté laisse entrevoir la vie agricole du pays tout en constituant un véritable spectacle citadin.
Lun., mer., ven., sam. à partir de 8 h
14th Street/Union Square (L, N, Q, R, W, 4, 5, 6)
M2, M3, M5, M7

**ZABAR'S**
Plan 160 C14
2245 Broadway, entre West 80th et 81st Streets
Tél. : 212/787-2000
www.zabars.com
Les serveurs qui manient le couteau dans ce monument de l'alimentation sont légendaires pour leur dextérité. Excellents poissons fumés, dont du saumon, et fromages délicieux, avec, à l'étage, du matériel de cuisine et de table à prix très intéressants.
Lun.-ven. 8 h-19 h 30, sam. 8 h-20 h, dim. 9 h-18 h 79th Street (1, 9)
M104

# DIVERTISSEMENTS

**La scène artistique de la métropole est à l'image de sa diversité. Les amateurs de théâtre, notamment, ont devant eux un large éventail de spectacles : on compte près de 40 théâtres à Broadway et 450 salles associatives à travers la ville.**

## CINÉMA

New York est un véritable paradis cinématographique. De multiples salles organisent la projection de films par thème, par réalisateur ou par période, et les films en exclusivité sont projetés partout dans la ville dans des salles grand écran.

## MUSIQUE CLASSIQUE, DANSE ET OPÉRA

La richesse musicale de la ville est dominée par le Metropolitan

*La musique classique est largement représentée*

Opera et le New York City Opera, ainsi que par le Carnegie Hall et l'Orchestre philharmonique de New York. En outre, une multitude de formations indépendantes donnent des représentations dans les musées, les écoles de musique et les églises. Le New York City Ballet et l'American Ballet Theatre sont au sommet de la scène traditionnelle de la danse, tandis que Merce Cunningham, Mark Morris, Alvin Ailey, Paul Taylor et Martha Graham dirigent les plus importantes troupes de danse contemporaine du monde.

## COMÉDIE, POÉSIE ET ART DE LA PAROLE

L'art « parolier » habite la ville au gré des rencontres culturelles et littéraires dans les librairies, des lectures au 92nd Street Y, des festivals de poésie ou des récitals de l'église St. Mark's in the Bowery. Sans parler de la « stand-up comedy », spectacle très apprécié aux États-Unis où un comédien se met seul en scène, représentée dans les nombreux clubs de New York, et qui a vu naître de brillants comédiens tel Woody Allen.

## MUSIQUES ACTUELLES

L'art du cabaret fleurit dans les belles salles des hôtels Carlyle et Algonquin. Sur le plan musical, l' « uptown » maintient la tradition, tandis que le « downtown » verse dans l'avant-garde. Les salles de rock indépendant foisonnent dans le Lower East Side et l'East Village, tandis que le cool jazz résonne à la Knitting Factory et au Tonic. Le jazz est toujours aussi vigoureux dans la Grande Pomme, la principale salle restant le Village Vanguard, aujourd'hui sous la vigilante direction de Lorraine Gordon, depuis peu mise en concurrence par le Jazz at Lincoln Center, installé dans les locaux de la Time Warner, à Columbus Circle. La musique du monde est représentée dans toute la ville, dans des salles telles que le Town Hall, le Zankel Hall (à Carnegie Hall) et le Symphony Space.

## THÉÂTRE

Le « Great White Way » (quartier des théâtres proche de Time Square) draine la majorité des spectateurs dans ses salles aux devantures éclatantes. Le Public Theater et le BAM Harvey Theater (de l'académie de musique de Brooklyn) dominent quant à eux le off-Broadway ; le premier organise le festival d'été gratuit Shakespeare in the Park, et le BAM est reconnu pour son New Wave Festival (« festival nouvelle vague »). Off-Broadway a engendré plusieurs spectacles à succès passés ensuite sur Broadway, comme Rent, Avenue Q, Chorus Line et The Heidi Chronicles. Enfin, la scène off-off-Broadway donne sa chance à des pièces plus expérimentales dans des théâtres de poche ; elle a lancé la carrière d'artistes tels qu'Eric Bogosian et Laurie Anderson.

*New York a été et reste un berceau du jazz*

## INFORMATIONS PRATIQUES

La plupart des guichets qui proposent des billets sans frais de commission, sont ouverts du lun. au sam. de 10 h à 20 h, et le dim. de 11 h à 18 h 30. Les billets « Standing Room Only » (places debout) sont vendus le jour de la représentation.

On peut aussi se procurer les billets par Telecharge (tél. : 212/ 239-6200) et Ticketmaster (tél. : 212/307-7171).

Pour connaître les spectacles, consultez : *Time Out, New York, Village Voice*, l'édition du vendredi du *New York Times* ou www.timeoutny.com (en anglais uniquement).

DIVERTISSEMENTS :
SE REPÉRER
B
C
D
13
14
15
16
17
Symphony Space,
Leonard Nimoy Thalia
Manhattan School of Music,
Miller Theatre,
Cotton Club,
Smoke
Cathedral Church of
St John the Divine
Showman's Jazz Club,
Aaron Davis Hall,
Apollo Theater,
Classical Theater of Harlem
UPPER WEST
SIDE
Central
Park
Reservoir
CENTRAL
PARK
West 95th Street
West 94th Street
West 93rd Street
West 92nd Street
West 91st Street
West 90th Street
West 89th Street
West 88th Street
West 87th Street
West 86th Street
West 85th Street
West 84th Street
West 83rd Street
West 82nd Street
West 81st Street
West 80th Street
West 79th Street
West 78th Street
West 77th Street
West 76th Street
West 75th Street
West 74th Street
West 73rd Street
West 72nd Street
West 71st Street
West 70th Street
West 69th Street
West 68th Street
West 67th Street
West 66th Street
West 65th Street
West 64th Street
West 63rd Street
West 62nd Street
West 61st Street
West 60th Street
West 59th Street
West 58th Street
WEST 57TH STREET
West 56th Street
West 55th Street
West 54th Street
West 53rd Street
West 52nd Street
West 51st Street
West 50th Street
West 49th Street
West 48th Street
West 47th Street
West 46th Street
West 45th Street
Riverside Drive
West End Avenue
BROADWAY
Amsterdam Avenue
Columbus Avenue
Central Park West
HIGHWAY 9A
Hudson River
Riverside
Park
86th
Street
81st Street
Museum of
Nat Hist
Centra
Shakespeare in the Park
(Delacorte Theater)
Belvedere
Lake
79th Street Transverse
American Museum
of Natural History
79th
Street
Stand-Up
New York
New-York
Historical Society
San Remo
Apartments
The
Lake
Beacon
Theatre
Ansonia
Building
The Dakota
72nd
Street
Strawberry
Fields
Freedom Place
Riverside Boulevard
Merkin
Concert Hall
Makor
The
Sheep
Meadow
Tavern on
the Green
66th Street
Lincoln Center
Alice
Tully Hall
Juilliard School
Film Society of Lincoln Center
(Walter Reade Theater)
Bruno Walter
Auditorium
Lincoln Center for
the Performing Arts
New York Society
for Ethical Culture
Vivian Beaumont Theater
Mitzi Newhouse Theater
Lincoln
Center
Avery Fisher
Hall
Lincoln Plaza Cinemas
Central
Park
New York State Theater
Museum of
Biblical Art
Metropolitan
Opera House
Jazz at
Lincoln Center
59th Street
Columbus
Circle
COLUMBUS
CIRCLE
57th
Street
12th AV
12th
Avenue
12TH AVENUE
11th Avenue
10TH AVENUE
9th Avenue
8th Avenue
7th Avenue
Carnegie
Hall
City
Center
WPP Theatre Four
(Women's Project Theatre)
Alvin Ailey American
Dance Theater
Manhattan
Theatre
Club
Studio 54
De Witt
Clinton Park
Chicago City
Limits
Broadway
Virginia
Roseland
Ballroom
Irish Arts
Center
Neil Simon
Iridium
Gershwin
Cadillac
Circle in the Square
Winter Garden
50th Street
Caroline's
Comedy
Club
Ambassador Theatre
49th Street
Eugene O'Neill
Walter Kerr
BROADWAY
Longacre
Brooks Atkinson
Biltmore
Theatre
Barrymore
Theatre
Palace
Don't Tell Mama
Richard Rogers
Danny's Skylight Room
Imperial
Music Box
Lyceum
Marquis
Intrepid
Sea, Air and Space
Museum
9A

Lenox Lounge, Schomburg Center for Research in Black Culture
Jewish Museum
Cooper-Hewitt National Design Museum
National Academy of Design
Guggenheim Museum
Neue Galerie
92nd Street Y (Kauffman Concert Hall)
Grace Rainey Rogers Auditorium (The Metropolitan Museum of Art)
Gracie Mansion
Carl Schurz Park
John Jay Park
Bemelmans Bar & Café Carlyle
Whitney Museum of American Art
Conservatory Water
Frick Collection
Asia Society
Asia Society and Museum
68th Street Hunter College
Kosciuszko Foundation
FIFTH AVENUE
The Pond
Café Pierre
Feinstein's at the Regency
Florence Gould Hall
Dangerfield's
Mount Vernon Hotel Museum and Garden
Chicago City Limits
American Museum of the Moving Image
HIGHWAY 25
QUEENSBORO BRIDGE
ROOSEVELT ISLAND
Paris Theatre
Trump Tower
Dahesh Museum of Art
Central Synagogue
York Theatre St Peter's Church
Museum of Modern Art
Museum of Arts and Design
Museum of Television and Radio
Seagram Building
YWCA Cine Club
Radio City Music Hall
Donnell Media Center New York Public Library
St Patrick's Cathedral
Municipal Art Society
GE Building
Rockefeller Center
DIAMOND DISTRICT
MIDTOWN MANHATTAN
Japan Society
United Nations Headquarters
FRANKLIN DELANO ROOSEVELT DRIVE
Mill Rock Park
5th Avenue
Madison Avenue
PARK AVENUE
Lexington Avenue
3rd Avenue
2nd Avenue
1st Avenue
York Avenue
Sutton Place
Avenue of the Americas (6th Avenue)
Rockefeller Plaza
Mitchell Pl
187

Chicago City Limits
Virginia
Broadway
Roseland Ballroom
Museum of Arts and Design
Museum of Television and Radio
Donnell Media Center
New York Public Library
YWCA Cine Club
Seagram Building
Neil Simon
Iridium
Radio City Music Hall
Gershwin
Cadillac
Circle in the Square
Winter Garden
St Patrick's Cathedral
Municipal Art Society
Caroline's Comedy Club
Ambassador Theatre
GE Building
Rockefeller Center
Rockefeller Plaza
MIDTOWN MANHATTAN
Eugene O'Neill
Walter Kerr
BROADWAY
Cort
Biltmore Theatre
Longacre
Barrymore Theatre
DIAMOND DISTRICT
Brooks Atkinson
Lunt-Fontanne
Theatre at St Clements
Don't Tell Mama
Palace
Richard Rogers
Danny's Skylight Room
Imperial
Lyceum
Music Box
Marquis
Royale
John Golden Theatre
Plymouth
Al Hirschfeld
Booth
Oak Room (Algonquin Hotel)
Majestic
Broadhurst
Shubert
Minskoff
Belasco
Birdland
Helen Hayes
Times Square
Int'l Center of Photography
Grand Central Terminal
Chrysler Building
The Mint Space
St. James
Town Hall
Second Stage Theater
Holy Cross Church
Reuters Building
B B King Blues Club and Grill
The Negro Ensemble Company
American Airlines
Bryant Park
New York Public Library
Chanin Building
Playwrights Horizons Theater
Port Authority Bus Terminal
New Amsterdam
Hilton Theater
Nederlander
Scandinavia House (Victor Borge Hall)
Morgan Library
Macy's
34th Street Penn Station
34th Street Herald Square
Empire State Building
Madison Square Garden
Pennsylvania Station
Paddy Reilly's Music Bar
Little Church Around the Corner
People's Improv Theater
Chelsea Park
Rodeo Bar
Kavehaz
Jazz Standard
Madison Square Park
Moma Film at the Gramercy Theatre
Metropolitan Life Insurance Tower
Flatiron Building
Center Stage/NY
Gotham Comedy Club
CHELSEA
Gramercy Park
Dance Theater Workshop
Theodore Roosevelt Birthplace
GRAMERCY PARK HISTORIC DISTRICT
The Joyce Theater
The Kitchen
Barnes & Noble
Cajun
Union Square Park
Daryl Roth Theater
Vineyard Theatre
UNION SQUARE
Quad Cinema
Forbes Magazine Galleries
New School Tishman Auditorium
Cinema Village
Grace Church
Village Vanguard
Jefferson Market Library
The Ontological Hysteric Theater at St Marks
Merce Cunningham Studio
The Duplex
Christopher Park
Cooper Union Great Hall
Washington Square Park
Joe's Pub
Public Theater
NOHO
GREENWICH VILLAGE
Arthur's Tavern
Actor's Playhouse
Sweet Rhythm
McNulty's Rare Teas and Choice Coffee Shop
Blue Note
Village Underground
The Judson Memorial Church
Merchant's House Museum
Cornelia Street Café
Comedy Cellar
Minetta Lane
Bowerie Lane
Fez Under Time Cafe
Cherry Lane
Church of St Luke-in-the-Fields
Lion's Den
Bitter End
Terra Blues
Bleecker Street Theatre
House of Oldies
17
18
19
20
21
22
C
D
E
F

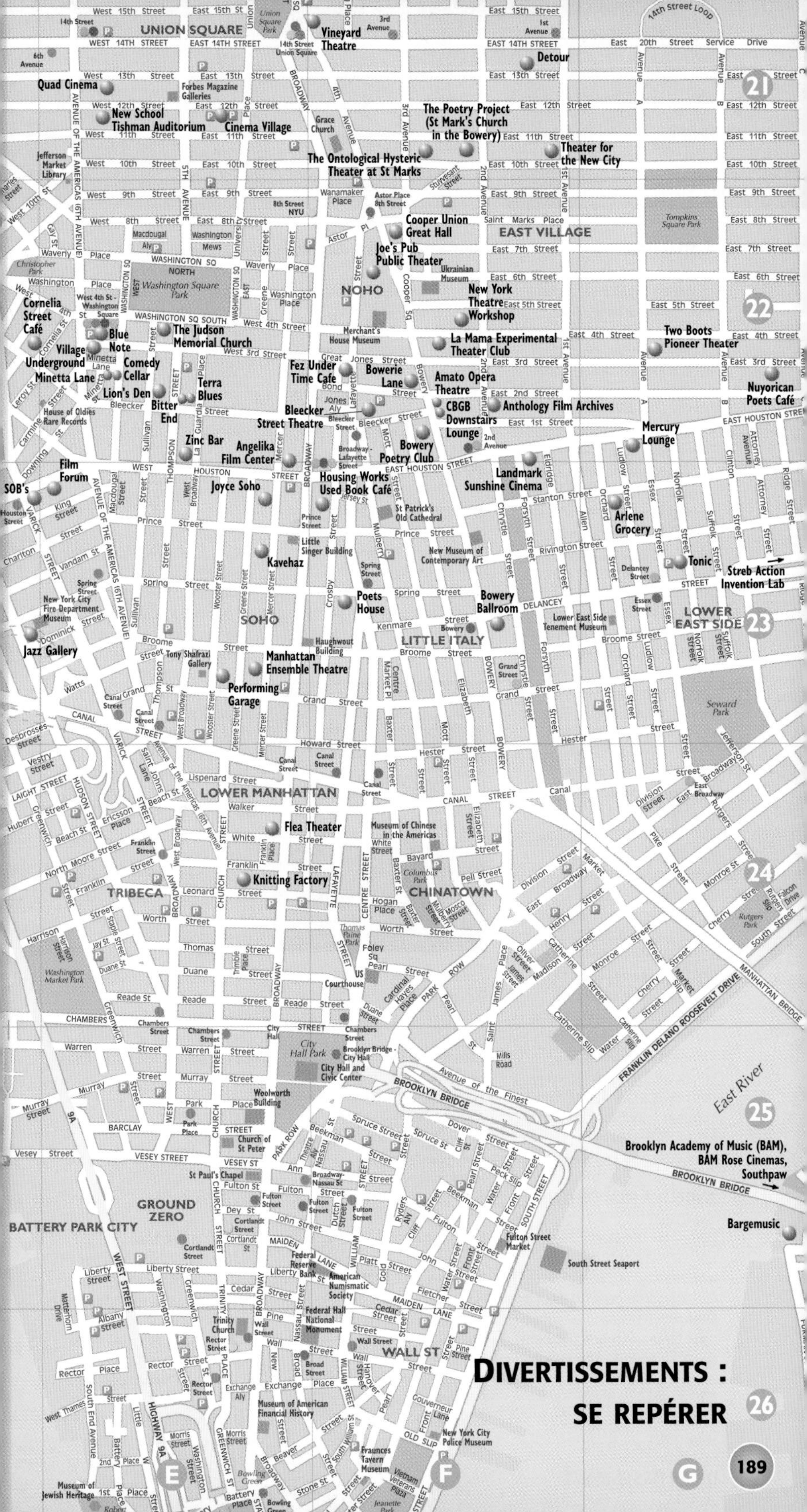


# DIVERTISSEMENTS : SE REPÉRER

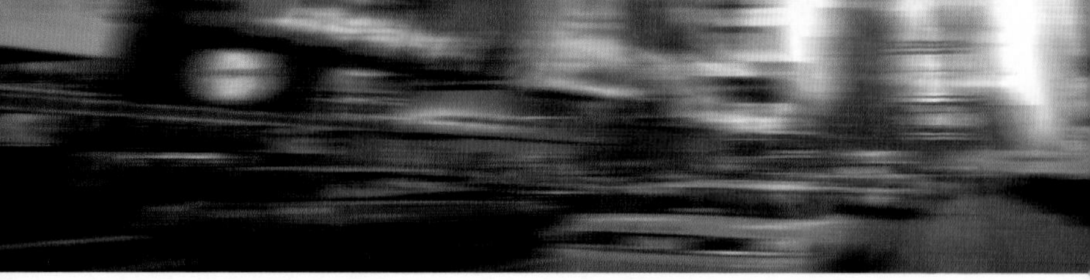

## Cinéma

La majeure partie des grandes chaînes de cinéma (AMC Empire, Cineplex Odeon, Loews et United Artists) possèdent de nombreuses salles dans toute la ville, où sont projetés les films en exclusivité. Les salles présentées dans cette partie projettent des œuvres plus personnelles et ont des tarifs variables. La plupart ouvrent vers midi et ferment tard. Les billets peuvent être acquis à l'avance, moyennant une commission, sur les sites fandango.com et movietickets.com (en anglais uniquement). En automne, le New York Film Festival se tient au Lincoln Center et dans d'autres salles de la ville, et au printemps, c'est l'époque du TriBeCa Film Festival.

À FAIRE

**AMERICAN MUSEUM OF THE MOVING IMAGE**
Hors plan 187 G16
35th Avenue / 36th Street, Astoria, Queens
Tél. : 718/784-0077
www.movingimage.us
Le « musée américain du cinéma », situé dans le Queens sur le site de Kaufman Astoria Studio et qui appartenait naguère à la Paramount, accueille des festivals et des rétrospectives. L'exposition « Behind the Screen » (« Les coulisses de l'écran ») vous apprendra par ailleurs comment sont faits les films.
10 $ Steinway Street (34th Avenue) (G, R, V), Broadway (N, W)

**ANGELIKA FILM CENTER**
Plan 189 E22
Mercer / Houston streets
Tél. : 212/995-2000
www.angelikafilmcenter.com
Ce multiplexe projette des films étrangers en version originale sous-titrée, ainsi que des films de réalisateurs indépendants. Un café permet de se désaltérer.
10,50 $ Broadway-Lafayette (F, S, V), Bleecker Street (6) M1, M5, M6, M21

**ANTHOLOGY FILM ARCHIVES**
Plan 189 F22
32 Second Avenue / East 2nd Street
Tél. : 212/505-5181
www.anthologyfilmarchives.org
Promotion de nouveaux réalisateurs, projection de films rares et anciens, et hommages à certains cinéastes.
7-8 $ Astor Place (6), Lower East Side/Second Avenue (F, V) M15, M21

**BAM ROSE CINEMAS**
Hors plan 189 G25
30 Lafayette Street, Brooklyn
Tél. : 718/636-4100
www.bam.org
Cette salle hébergée par la Brooklyn Academy of Music

*Cinema Village : l'un des cinémas indépendants de New York*

(Académie de musique de Brooklyn) projette des films contemporains parallèlement à des cycles qui rendent hommage au cinéma américain et étranger, souvent accompagnés de débats avec des réalisateurs.
10 $ Nevins Street (2, 3), Dekalb Avenue (B, D, Q, N, R)

**CINEMA VILLAGE**
Plan 189 E21
22 East 12th Street, entre University Place et Fifth Avenue
Tél. : 212/924-3363
www.cinemavillage.com
Rénovée en 2000, cette salle indépendante installée dans une ancienne caserne de pompiers possède aujourd'hui trois écrans, où les documentaires et les vieux films tiennent le haut du pavé.
9 $ 14th Street/Union Square (L, N, Q, R, W, 4, 5, 6) M1, M2, M14, M101, M103

**FILM FORUM**
Plan 189 E23
209 West Houston Street, entre Sixth Avenue et Varick Street (Seventh Avenue)
Tél. : 212/727-8110 ou 212/727-8112
www.filmforum.com
À la pointe dans la promotion des films indépendants, cette salle diffuse aussi des documentaires américains et étrangers, ainsi que des reprises.
10 $ Houston Street (1, 9) M5, M6, M20, M21

**FILM SOCIETY OF LINCOLN CENTER**
Plan 186 C16
Walter Reade Theater, 165 West 65th Street
Tél. : 212/875-5600
www.filmline.com
Cette société cinématographique héberge de nombreux festivals, tels que le New York Jewish Festival (Festival des films juifs new-yorkais), le Spanish Cinema Now (Le cinéma espagnol d'aujourd'hui) et le Women in Film (Les femmes et le cinéma).
10 $ 66th Street (1, 9) M5, M7, M66, M104

**IFC CENTER**
Plan 188 E22
323 Sixth Avenue (west side de Sixth Avenue, à l'angle de West 3rd Street)
Tél. : 212/924-7771
www.ifccenter.com
La chaîne télévisée Independent Film Channel (IFC) a rénové cette ancienne salle de cinéma pour en faire le lieu par excellence du cinéma indépendant. Ses trois salles aux sièges confortables sont équipées de système de projection en 35 mm avec qualité numérique haute définition. Un court métrage est

projeté avant chaque film, et il n'y a aucune publicité. Le restaurant est un atout de plus.
Tlj, horaires variables (première projection à 12 h, dernière à 23 h dim.-jeu.) 10,75 $ West 4th Street (A, B, C, D, E, F, V) M5, M6

**LANDMARK SUNSHINE CINEMA**
Plan 189 F23
143 East Houston Street, entre First et Second Avenues
Tél. : 212/358-7709 ou 212/777-FILM (billetterie)
www.landmarktheaters.com
Ce complexe muni de cinq écrans offre un programme hétéroclite : documentaires engagés, films étrangers, classiques et films plus récents. Le confort des sièges est supérieur à celui des autres salles proposant ce type de programmation.
10,50 $ Second Avenue (F, V) M15, M21

**LINCOLN PLAZA CINEMAS**
Plan 186 D16
1886 Broadway / 63rd Street
Tél. : 212/757-2280
www.lincolnplazacinema.com
Équipée de six salles de projection, ce petit complexe projette une sélection de films applaudis par la critique américaine et étrangère.
10,25 $ 66th Street (1, 9) M5, M7, M66, M104

**MAKOR**
Plan 186 D15
35 West 67th Street
Tél. : 212/601-1000
www.makor.org
Ce club appartenant à un centre communautaire juif héberge différents programmes, avec une prédilection pour les documentaires et les films anciens.
9 $ 66th Street (1, 9) M5, M7, M10, M66, M104

**MOMA FILM**
Plan 187 E17
11 West 53rd Street
Tél. : 212/708-9480
www.moma.org
Le MoMA (Museum of Modern Art) propose une programmation ambitieuse composée de documentaires, de rétrospectives et d'hommages à des réalisateurs.
10 $ Rockefeller Center (B, D, F, V), 53rd Street/Fifth Avenue (E) M1, M2, M3, M4, M5, M6, M7

**NEW YORK PUBLIC LIBRARY**
Plan 187 E17
Donnell Media Center, 20 West 53rd Street, entre Fifth et Sixth Avenues
Tél. : 212/621-0609
Elle diffuse des films étrangers, des courts métrages, des documentaires et des cycles par réalisateur.

*La Scandinavia House propose des films de l'Europe du Nord*

Gratuit 53rd Street/Fifth Avenue (E, V) M1, M2, M3, M4, M5, M6, M7

**PARIS THEATRE**
Plan 187 E16
4 West 58th Street, entre Fifth et Sixth Avenues
Tél. : 212/688-3800
Salle tournée essentiellement vers les films étrangers.
10,50 $ Fifth Avenue/59th Street (N, R, W) M1, M2, M3, M4, M57

**QUAD CINEMA**
Plan 188 E21
34 West 13th Street, entre Fifth et Sixth Avenues
Tél. : 212/255-8800 or 212/255-2243
www.quadcinema.com
Ce complexe de quatre salles de projection promeut des films étrangers et indépendants, ainsi que de nouveaux réalisateurs.
9,50 $ 14th Street (F, V), 14th Street/Union Square (L, N, Q, R, W, 4, 5, 6) M2, M3, M5, M6

**SCANDINAVIA HOUSE**
Plan 188 E19
Victor Borge Hall, 58 Park Avenue, entre East 37th et 38th Streets
Tél. : 212/779-3587
www.scandinaviahouse.org
La « Maison de la Scandinavie » projette les films de réalisateurs et d'acteurs originaires du Danemark, de la Finlande, de l'Islande, de la Norvège et de la Suède.
8 $ 42nd Street/Grand Central (4, 5, 6) M1

**SYMPHONY SPACE LEONARD NIMOY THALIA**
Plan 186 C12
Broadway / 95th Street
Tél. : 212/864-5400
www.symphonyspace.org
Des trésors du grand écran, comme le *Metropolis* de Fritz Lang ou le *Blue Velvet* de David Lynch, ainsi que des films indépendants plus récents, trouvent leur place ici. Des hommages à des réalisateurs sont par ailleurs programmés, ainsi que des séances de deux films.
10 $ 96th Street (1, 2, 3, 9) M96, M104

**TWO BOOTS PIONEER THEATER**
Plan 189 G22
155 East 3rd Street / Avenue A
Tél. : 212/591-0434
www.twoboots.com
Ouverte en 2000 par la chaîne de pizzerias Two Boots après son déménagement des locaux de l'East Village, cette salle de cent places projette des documentaires et des films étrangers, souvent suivis de discussions avec le réalisateur.
9 $ Lower East Side/Second Avenue (F, V) M14, M21

# Musique classique, danse et opéra

## MUSIQUE CLASSIQUE

### ALICE TULLY HALL

Plan186 C16
144 West 66th Street / Broadway
Tél. : 212/875-5050 ou 212/721-6500
www lincolncenter.org

Une salle de 1 096 places utilisée pour des concerts de musique de chambre, des récitals vocaux, des sessions de jazz, etc. La Chamber Music Society (tél. : 212/875-5788) y réside.

27,50-52 $ 66th Street (1, 9)
M5, M7, M66, M104

### AVERY FISHER HALL

Plan 186 C16
Lincoln Center, 111 Amsterdam Avenue, entre West 64th et 65th Streets
Tél. : 212/875-5030 ou 212/721-6500
www.lincolncenter.org ou www.newyorkphilharmonic

Foyer de l'Orchestre philharmonique de New York, cette salle de 2 700 sièges accueille de nombreuses autres formations musicales, dont l'American Symphony Orchestra, ainsi que le Mostly Mozart Festival, qui se déroule en été. Pendant la saison, le philharmonique ouvre ses répétitions du matin au public (souvent le jeudi à 9 h 45, 15 $).

25-98 $ 66th Street (1, 9) M5, M7, M66, M104

### BARGEMUSIC

Plan 189 G25
Débarcadère du Fulton Ferry, près du pont de Brooklyn
Tél. : 718/624-2083
www.bargemusic.org

Péniche amarrée sous le pont de Brooklyn reconvertie en salle de concert de 125 places. Une expérience à vivre !

25-40 $ High Street (A), Clark Street/Brooklyn Heights (2, 3)

### BRUNO WALTER AUDITORIUM

Plan 186 C16
The New York Public Library for the Performing Arts, 111 Amsterdam Avenue, entre West 64th et 65th Streets
Tél. : 212/870-1630, 212/642-0142 (programmes)

Conférences, séminaires, concerts et films sont le lot régulier de cette salle de 212 sièges. La bibliothèque est une mine sur les arts du spectacle.

Gratuit 66th Street (1, 9)
M5, M7, M66, M104

### CARNEGIE HALL

Plan 186 D17
Seventh Avenue / West 57th Street
Tél. : 212/247-7800
www.carnegiehall.com

Nombre de chefs d'orchestre et d'artistes renommés ont exercé leur talent dans cette célèbre salle construite avec les fonds de l'industriel américain Dale Carnegie en 1891. Sa programmation a connu Tchaïkovski et Mahler, les Beatles et les Rolling Stones. Les plus grands orchestres du monde, les instrumentistes les plus doués y sont programmés. Au deuxième étage, un petit musée gratuit (tél. : 212/903-9629) retrace l'historique de la salle.

*Carnegie Hall brille d'un passé illustre*

Musée : tlj 11 h-16 h 30 ; visites guidées (tél. : 212/903-9765) lun.-ven. 11 h 30, 14 h et 15 h 10-102 $
57th Street (N, Q, R, W)
M6, M7, M57

### CATHÉDRALE ST. JOHN THE DIVINE

Hors plan 186 C12
1047 Amsterdam Avenue / 112th Street
Tél. : 212/316-7540
www.stjohndivine.org

Dans cet édifice inachevé, il arrive d'entendre l'un des cinq orgues du sanctuaire. Pendant la saison artistique, le répertoire musical comprend des cantates de Bach chantées par des chœurs et des chants de moines tibétains, ou encore des airs rendus célèbres par Duke Ellington et Judy Collins.

Variables Cathedral Parkway/ 110th Street (1, 9) M4, M11

### CENTRAL SYNAGOGUE

Plan 187 F17
123 East 55th Street / Lexington Avenue
Tél. : 212/415-5500
www.centralsynagogue.org

Les concerts donnés ici honorent des compositeurs juifs, célèbres ou méconnus.

Variables 51st Street (6)
M98, M101, M102, M103

### COOPER UNION

Plan 189 F22
41 Cooper Square / 7th Street
Tél. : 212/353-4140
www.cooper.edu

Programmation musicale hétéroclite.

Variables Variables 8th Street (N, R, W), Astor Place (6) M1

### FLORENCE GOULD HALL

Plan 187 E16
55 East 59th Street, entre Park Avenue et Madison Avenue
Tél. : 212/355-6160
www.fiaf.org

Orchestres de musique de chambre, chanteurs lyriques, artistes pop et jazz, compagnies de danse et lectures par des comédiens sont tous au programme de cet auditorium de 400 places associé à l'Alliance française.

30-35 $ Fifth Avenue/59th Street (N, R, W) M1, M2, M3, M4, M5, M57

### FRICK COLLECTION

Plan 187 E15
1 East 70th Street
Tél. : 212/288-0700
www.frick.org

À FAIRE

Les récitals donnés dans ce plaisant musée sont divins.
Variables 68th Street (6)
M1, M2, M3, M4, M72

**GRACE RAINEY ROGERS AUDITORIUM**
Plan 187 E14
The Metropolitan Museum of Art, Fifth Avenue / 82nd Street
Tél. : 212/535-7710 ou 212/570-3949
www.metmuseum.org
Des formations musicales restreintes et des musiciens solo jouent dans cet auditorium de 700 places. En outre, le Metropolitan Opera donne des concerts de musique de chambre tous les vendredis et samedis soir, dans le Great Hall Balcony.
35-55 $ 77th Street (6) M1, M2, M3, M4, M79

**JUILLIARD SCHOOL**
Plan 186 C16
144 West 66th Street / Broadway
Tél. : 212/769-7406 ou 212/721-6500
www.juilliard.edu
Cette école d'arts du spectacle est mondialement réputée, notamment pour la musique. Les cours aux jeunes artistes qui y étudient sont ouverts au public dans deux auditoriums. Juilliard abrite par ailleurs la School for American Ballet (École de danse classique américaine), vivier du New York City Ballet. Les amateurs de danse ne ratent jamais le spectacle annuel donné au début de l'été par les élèves de l'école (tél. : 212/769-6600).
Gratuit la plupart du temps, sauf pour les opéras et les spectacles de danse des élèves
66th Street (1, 9)
M5, M7, M66, M104

**KOSCIUSZKO FOUNDATION**
Plan 187 E16
15 East 65th Street
Tél. : 212/734-2130
www.kosciuszkofoudation.org
Programmation de compositeurs et d'artistes polonais.
Variables 68th Street (6)
M1, M2, M3, M4

**MANHATTAN SCHOOL OF MUSIC**
Hors plan 186 C12
Broadway / 122nd Street
Tél. : 212/749-2802 ou 917/493-4428
www.msmnyc.edu *FR*
Cette école de musique de réputation mondiale possède plusieurs salles de concert. La programmation est variée et les prix très raisonnables.
Variables 125th Street (1, 9)
M4, M104

**MERKIN CONCERT HALL**
Plan 186 C15
129 West 67th Street
Tél. : 212/501-3330
www.ekcc.org
Des ensembles de musique de chambre américains et étrangers se produisent ici. On y entend de la musique classique et contemporaine.
15-45 $ 66th Street (1, 9)
M5, M7, M104

*Le Frick Collection apporte un cadre magnifique à la musique*

**MILLER THEATRE**
Hors plan 186 C12
Columbia University, Broadway / 116th Street
Tél. : 212/854-7799
www.millertheatre.com
De nombreux groupes classiques et compositeurs parmi les plus fameux sont représentés ici, tels John Zorn, Julia Wolfe et John King.
Variables 116th Street (1, 9)
M104

**NEW YORK PHILHARMONIC**
Plan 186 C16
Avery Fisher Hall, Broadway / 65th Street
Tél. : 212/875-5656
www.newyorkphilharmonic.org
Fondé en 1842, l'Orchestre philharmonique de New York est le plus ancien des États-Unis. Aujourd'hui dirigé par la baguette de Lorin Maazel, l'orchestre donne plus de 200 concerts par an. La première de la *Symphonie du Nouveau Monde* de Dvorák se tint ici, en 1893.
25-108 $ 66th Street (1, 9)
M5, M7, M66, M104

**NEW YORK SOCIETY FOR ETHICAL CULTURE**
Plan 186 D16
2 West 64th Street / Central Park West
Tél. : 212/874-5210 ou 866/468-7619
www.nysec.org
Cet endroit reçoit tous types d'événements culturels, souvent précédés de conférences et de débats.
66th Street (1, 9) M10

**92ND STREET Y**
Plan 187 F13
Kauffman Concert Hall, 1395 Lexington Avenue / 92nd Street
Tél. : 212/415-5500, 212/427-6000 ou 212/996-1100
www.92y.org
Le 92nd Street Y propose l'une des programmations les plus diversifiées de la ville : récitals musicaux (quartettes à cordes Guarneri Quartet et Tokyo Quartet, Janos Starker), concerts de jazz, pop et folk, poésie et lectures (Thomas Keneally, V. S. Naipaul), et conférences. Cette organisation juive a fêté son 130e anniversaire en 2004.
Variables 96th Street (6)
M96, M98, M101, M102, M103

**WEILL RECITAL HALL**
881 Seventh Avenue
Tél. : 212/247-7800
www.carnegiehall.org
De petits ensembles jouent dans cette salle de 250 places abritée dans le complexe du Carnegie Hall (▷ 192), et réputée pour son festival

« Distinctive Debuts » (« Débuts prometteurs »).
20-92 $ 57th Street (N, Q, R, W)
M6, M7, M57

**ZANKEL HALL**
Plan 186 D17
881 Seventh Avenue
Tél. : 212/247-7800
www.carnegiehall.org
Cet espace de 644 sièges intégré au complexe du Carnegie Hall (▷ 192) a ouvert ses portes en 2003. La programmation va de la musique ancienne et de la chanson populaire à la musique afro-cubaine et autres musiques du monde.
35-90 $ 57th Street (N, Q, R, W)
M6, M7, M57



## DANSE ET OPÉRA

**ALVIN AILEY AMERICAN DANCE THEATER**
Plan 186 D17
405 West 55th Street / Ninth Avenue
Tél. : 212/767-0590
www.alvinailey.org
Cette compagnie de danse moderne noire innovante s'est offert, en 2005, un foyer permanent, composé d'une salle de 285 places et de 12 studios. Même si vous n'allez pas voir un spectacle, vous pouvez assister aux répétitions des danseurs dans les studios du premier étage.
25-110 $ Columbus Circle (1, 9, A, B, C, D), 57th Street/7th Avenue (N, R, Q, W) M11

**AMATO OPERA THEATRE**
Plan 189 F22
319 Bowery / 2nd Street
Tél. : 212/228-8200
www.amato.org
Cette compagnie monte en moyenne cinq ou six petits opéras par an depuis 1948. Salle de 107 places.
25-30 $ Bleecker Street (6), Lower East Side/Second Avenue (F, V)
M21, M103

**AMERICAN BALLET THEATRE**
890 Broadway / 19th Street
Tél. : 212/477-3030
www.abt.org
Cette compagnie danse régulièrement au City Center (voir ci-dessous) et au Metropolitan Opera House (▷ 195), au printemps.

**CITY CENTER**
Plan 186 D17
131 West 55th Street, entre Sixth et Seventh Avenues
Tél. : 212/247-0430 ou 212/581-1212
www.citycenter.org
Cet édifice exotique aux influences mauresques qui date de 1922-1924 est célèbre pour les spectacles de danse qui y sont donnés. Les compagnies Dance Theater of Harlem, Alvin Ailey American Dance Theater, Paul Taylor Dance Company, American Ballet Theatre et San Francisco Ballet ont toutes foulé sa scène. Les Gilbert and Sullivan Players sont également en résidence.
10-65 $ 57th Street (N, Q, R, W)
M5, M6, M7, M57

*L'American Ballet Theatre exécute une grande diversité d'œuvres*

**DANCE THEATER WORKSHOP**
Plan 188 D20
219 West 19th Street / Seventh Avenue
Tél. : 212/924-0077
www.dtw.org
En 1965, Jeff Duncan, Art Bauman et Jack Moore créaient ce collectif de chorégraphes qui, aujourd'hui encore, ne dément pas son potentiel innovant. L'atelier a vu l'éclosion de célèbres danseurs, tels Bill T. Jones, Mark Morris, Ann Carlson, et Eiko et Koma, ainsi que de grands talents de la scène comme Whoopi Goldberg.
Variables 18th Street (1, 9)
M14, M20

**DANCE THEATRE OF HARLEM**
Everett Center for the Performing Arts
466 West 152nd Street, entre Amsterdam Avenue et St. Nicholas Avenue
Tél. : 212/690-2800
www.dancetheatreofharlem.com
Cette compagnie se produit au New York State Theater, et ouvre ses portes tous les deuxièmes dimanches du mois. Son apparition au festival de rue du mois d'août est toujours attendue. Son répertoire parcourt le classique et le contemporain.
Juillet au New York State Theater
Variables 155th Street (C)
M18, M100, M101

**JOYCE SOHO**
Plan 189 E23
155 Mercer Street, entre Houston Street et Prince Street
Tél. : 212/431-9233 ou 212/334-7479
www.joyce.org
Cette salle propose des spectacles de danse à la pointe de la création contemporaine.
8-20 $ Prince Street (N, R, W)
M1, M6, M21

**THE JOYCE THEATER**
Plan 188 D21
175 Eighth Avenue, angle sud-ouest de 19th Street
Tél. : 212/691-9740 ou 212/242-0800
www.joyce.org
Ce lieu majeur de la danse reçoit les plus grandes compagnies nationales et internationales, ainsi que des festivals aussi fameux que « Altogether Different ». L'Eliot Feld Ballet, le Pilobolus Dance Theater s'y produisent.
Variables 23rd Street (C, E)
M20, M23

**THE JUDSON MEMORIAL CHURCH**
Plan 189 E22
55 Washington Square South
Tél. : 212/777-0033 ou 212/477-0351
www.judson.org

Cette église baptiste accueille des artistes avant-gardistes depuis des décennies. Naguère renommée pour le Judson Poets Theater, aujourd'hui disparu, elle continue d'organiser des festivals de danse expérimentale.
Variables West 4th Street (A, C, E, F, S, V) M5, M6, M8

**THE KITCHEN**
Plan 188 C21
512 West 19th Street, entre Tenth et Eleventh Avenues
Tél. : 212/255-5793
www.thekitchen.org
Ce monument de la scène downtown fondé en 1971 a lancé des artistes comme le compositeur Philip Glass, la compositrice-interprète Laurie Anderson, et les photographes Robert Mapplethorpe et Cindy Sherman. Sa réputation reste fondée.
5-15 $ 23rd Street (C, E) M11, M23

**LINCOLN CENTER FOR THE PERFORMING ARTS**
Plan 186 C16
Columbus Avenue, entre 62nd et 66th Streets
Tél. : 212/875-5000
www.lincolncenter.org
Ce complexe abrite le New York State Theater, le Metropolitan Opera House, l'Avery Fisher Hall, les salles Vivian Beaumont et Mitzi E. Newhouse, la New York Public Library of the Performing Arts, la salle de cinéma Walter Reade et la Juilliard School. En été ont lieu des spectacles de danse en plein air, ainsi que le Lincoln Center Festival, gratuit, qui produit des centaines d'artistes et de compagnies d'arts du spectacle. Appelez le 212/875-5350 pour réserver une visite des trois premiers endroits mentionnés ci-dessus.
Variables 66th Street (1, 9) M7, M11, M66, M104

**MERCE CUNNINGHAM STUDIO**
Plan 188 D22
55 Bethune Street / Washington Street (11e étage)
Tél. : 212/255-8240
www.merce.org
Le Studio Performance Series for Emerging Choreographers (Concours des jeunes chorégraphes) se déroule dans cet espace (99 places) de septembre à juillet. Malgré son grand âge, Cunningham y enseigne toujours.
15 $ 14th Street (A, C, E), 14th Street (1, 2, 3, 9) M8, M11, M20

**METROPOLITAN OPERA HOUSE**
Plan 186 C16
30 Lincoln Center Plaza, entre 63rd et 64th Streets
Tél. : 212/362-6000
www.metopera.org

*Le très chic Metropolitan Opera House*

Le Metropolitan Opera, dont la première saison se déroula en 1883-1884, a emménagé dans cet édifice en 1966. Il a conservé son charme ancien avec ses peintures de Chagall, ses épais tapis rouges et ses chandeliers. Le dos de chacun des 3 800 sièges de la salle est équipé d'un écran qui diffuse les sous-titres pendant les spectacles. La plupart d'entre eux présentent les plus grandes stars internationales. Les abonnés disposent des meilleures places, mais des billets individuels restent en général disponibles.
26-215 $, place debout 15-20 $ 66th Street (1, 9) M5, M7, M11, M66, M104

**NEW YORK GRAND OPERA**
154 West 57th Street, Suite 125
Tél. : 212/245-8837
www.newyorkgrandopera.org
Créée en 1973, cette compagnie produit des opéras au Carnegie Hall, ainsi que des spectacles gratuits qui se tiennent dans Central Park. Elle est toujours dirigée par son fondateur, Vincent La Silva.
20-60 $ (gratuit l'été à Central Park)

**NEW YORK STATE THEATER**
Plan 186 C16
20 Lincoln Center Plaza / 63rd Street
Tél. : 212/870-5570
www.nycballet.com
www.nycopera.com
Cet auditorium de 2 792 places accueille le New York City Opera et le New York City Ballet. Le New York City Opera est réputé pour ses concerts de grands ensembles, et beaucoup préfèrent ses productions stimulantes à celles du Metropolitan Opera. Le New York City Ballet, créé en 1933, reste très actif sous la houlette artistique de Peter Martins. La compagnie se produit durant 23 semaines au State Theater avant de déménager dans le nord de l'État, à Saratoga.
City Opera 32-110 $ (place debout 12 $), NY Ballet 30-78 $ 66th Street (1, 9) M5, M7, M11, M66, M104

**STREB ACTION INVENTION LAB**
Hors plan 189 G23 (Brooklyn)
51 North First Street, entre Wythe Avenue et Kent Avenue, Williamsburg, Brooklyn
Tél. : 718-384-6491
www.billburg.com
Le magicien Harry Houdini et le cascadeur Evel Knievel sont la source d'inspiration d'Elizabeth Streb qui a développé, avec son « art en action », une approche très acrobatique, voire aérienne, de la danse contemporaine. Elisabeth Streb se produit dans cette salle de dîner-spectacle de 200 places, ainsi qu'à Grand Central, au Joyce Theater et au Kitchen.
Variables Bedford Avenue (L)

## Comédie, poésie et lectures publiques

**BARNES & NOBLE**
Plan 188 E21
33 East 17th Street / Union Square
Tél. : 212/253-0810
www.bn.com
Barnes & Noble organise de nombreuses lectures, discussions et séances de dédicace. Les plus grands noms se retrouvent en général dans la librairie de Union Square.
Gratuit 14th Street/Union Square (L, N, Q, R, W, 4, 5, 6) M1, M2, M3, M6, M7, M14

**BOWERY POETRY CLUB**
Plan 189 F22
308 Bowery, entre Bleecker Street et East 1st Street
Tél. : 212/614-0505 ou 212/206-1515
www.bowerypoetry.com
Tous les styles de poètes et d'artistes se retrouvent dans ce club de poésie, où l'on peut aussi voir toutes sortes de spectacles originaux.
5-15 $ Bleecker Street (6) Broadway/Lafayette (F, S, V) M21, M103

**CAROLINE'S COMEDY CLUB**
Plan 186 D17
1626 Broadway, entre 49th et 50th Streets
Tél. : 212/757-4100
www.carolines.com
Caroline Hirsch ouvrit son premier cabaret à Chelsea en 1981, et se fit rapidement une réputation dans les années 1980 et 1990 pour la qualité de sa programmation. Aujourd'hui, cette salle de Times Square propose des spectacles tous les soirs de l'année. Des stars de *stand-up comedy* y ont fait leurs débuts.
Lun.-mer. 19 h 30, 21 h 30, jeu., dim. 20 h, 22 h, ven.-sam. 20 h, 22 h 30, 00 h 30 15-40 $, plus 2 consommations obligatoires 50th Street (1, 9) M10, M20, M50

**CHICAGO CITY LIMITS**
Plan 186 D17
318 West 53rd Street / Eighth Avenue
Tél. : 212/888-5233
www.chicagocitylimits.com
Cette compagnie comique a migré de Chicago à New York en 1979. La troupe produit des spectacles d'improvisation de deux heures. Évitez les places au premier rang si vous ne voulez pas être houspillé. Service de boissons non alcoolisées.
Mer.-dim. 10-20 $ (plus 2 consommations obligatoires) 50th Street (C, E) M11

**COMEDY CELLAR**
Plan 188 E22
117 MacDougal Street, entre West 3rd Street et Bleecker Street
Tél. : 212/254-3480
www.comedycellar.com

*Chicago City Limits encourage l'art de la comédie improvisée*

Cette salle aux aspects de cave accueille des comédiens célèbres aux États-Unis : Seinfeld, Stewart, Williams et consorts.
Dim.-jeu. 21 h, ven. 22 h 45, 00 h 30, sam. 19 h 30, 21 h 15, 23 h, 0 h 45 10-15 $, plus 2 consommations obligatoires West 4th Street (A, C, E, F, S, V) M5, M6

**DANGERFIELD'S**
Plan 187 F16
1118 First Avenue, entre 61st et 62nd Streets
Tél. : 212/593-1650
www.dangerfields.com
Rodney Dangerfield ne s'y produit plus, mais ce club un peu suranné fondé en 1969 a accueilli plus d'une légende : Jay Leno, Jim Carrey, Jackie Mason, Tim Allen et Andrew Dice Clay, pour ne citer qu'eux.
Dim.-jeu. 21 h, ven. 20 h 30, 22 h 30, sam. 20 h, 22 h 30, 00 h 30 12,50-20 $, pas de consommation obligatoire 59th Street (4, 5, 6) M15, M57

**DONNELL MEDIA CENTER**
Plan 187 E17
New York Public Library, 20 West 53rd Street, entre Fifth et Sixth Avenues
Tél. : 212/621-0609
www.nypl.org
Événements culturels et lectures.
Gratuit 53rd Street/Fifth Avenue (E, V) M1, M2, M3, M4, M5, M6, M7

**THE DUPLEX**
Plan 188 D22
61 Christopher Street / Seventh Avenue South
Tél. : 212/255-5438
www.theduplex.com
Le tremplin de Woody Allen, Joan Rivers et Rodney Dangerfield. La tradition se perpétue dans le cabaret, à l'étage, tandis qu'en bas se trouve un piano bar.
Variables, plus 2 consommations obligatoires Christopher Street/ Sheridan Square (1, 9) M8, M20

**GOTHAM COMEDY CLUB**
Plan 188 E20
34 West 22nd Street, entre Fifth et Sixth Avenues
Tél. : 212/367-9000
www.gothamcomedyclub.com
Des jeunes comédiens et des artistes confirmés de la scène comique se produisent dans cet élégant club du Flatiron District ouvert en 1996.
Variables 23rd Street (F, V) M2, M3, M5, M6, M7, M23

**HOUSING WORKS USED BOOK CAFÉ**
Plan 189 F23
126 Crosby Street / Jersey Street
Tél. : 212/334-3324
www.housingworks.org
Cette librairie doublée d'une galerie est devenue un lieu

incontournable de la scène littéraire qui attire les libres penseurs à ses lectures, ses fêtes et autres événements culturels. Un concert acoustique est organisé tous les troisièmes vendredis du mois. L'argent récolté va aux sans-abri atteints du sida.
Lun.-ven. 10 h-21 h, sam. 12 h-21 h, dim. 12 h-19 h (lectures/événements culturels) Gratuit-20 $ Prince Street (N, R), Broadway-Lafayette (F, S, V), Bleecker Street (6) M1

**NEW SCHOOL**
Plan 188 E21
Tishman Hall, 66 West 12th Street, entre Fifth et Sixth Avenues
Tél. : 212/229-5488
www.nsu.newschool.edu
Cette prestigieuse université accueille concerts, conférences et concours de poésie. L'émission *Inside the Actors Studio* est l'un des événements les plus réputés de l'école, mais les billets sont réservés à des groupes.
14th Street (F, V) M5, M6, M7, M14

**NEW YORK PUBLIC LIBRARY**
Plan 188 E18
Fifth Avenue, entre 41st et 42nd Streets
Tél. : 212/930-0855
www.nypl.org
Outre les expositions, la bibliothèque met sur pied des conférences données par de grands écrivains ou critiques, et généralement tenues au Celeste Bartos Forum.
Variables 42nd Street (B, D, F, V), Grand Central (4, 5, 6) M1, M2, M3, M4, M42

**92ND STREET Y**
Plan 187 F13
1395 Lexington Avenue / 92nd Street
Tél. : 212/415-5500
www.92Y.org
Ce haut lieu culturel possède quatre salles pour une programmation très diversifiée, allant des conférences de poids lourds comme Bill Gates ou Bill Clinton à des lectures organisées par le Unterberg Poetry Center.
16-50 $ 96th Street (6)
M96, M98, M101, M102, M103

**NUYORICAN POETS CAFÉ**
Plan 189 G22
236 East 3rd Street, entre Avenues B et C
Tél. : 212/505-8183
www.nuyorican.org
À l'origine plate-forme pour les poètes et les artistes portoricains, le café reste réputé pour ses spectacles d'improvisation poétique qui s'y tiennent les mercredis et vendredis soir. On y produit aussi des pièces de théâtre, des lectures de scénario et du latin jazz. Pour s'y rendre, il vaut mieux prendre un taxi.
Mar.-sam. 19 h-minuit, dim. 16 h-minuit Variables Lower East Side/Second Avenue (F, V)
M9, M21

*Les plus grands font entendre leurs idées à la Public Library*

**PEOPLE'S IMPROV THEATER**
Plan 188 E19/20
154 West 29th Street, entre Sixth et Seventh Avenues
Tél. : 212/563-7488
www.thepit-nyc.com
L'improvisation s'accompagne ici de considérations sociales caustiques auxquelles le public est invité à participer.
Variables 28th Street (1, 9)
M5, M6, M7, M20

**THE POETRY PROJECT**
Plan 189 F21
St. Mark's Church in the Bowery
131 East 10th Street / Second Avenue
Tél. : 212/674-0910
www.poetryproject.com
Ce lieu légendaire de l'East Village, qui a accueilli entre autres Allen Ginsberg, organise des lectures le lundi et le mercredi.
Variables Astor Place (6), First Avenue (L) M8, M15

**POETS HOUSE**
Plan 189 F23
72 Spring Street, entre Crosby Street et Lafayette Street
Tél. : 212/431-7920
Cette bibliothèque de la poésie qui contient 45 000 volumes organise des cycles de conférences en automne et au printemps.
Gratuit-7 $ Spring Street (6), Spring Street (C, E) M1

**QUEENS COLLEGE**
Music Building
Tél. : 718/997-4646
www.qc.edu/readings
L'université propose en automne et au printemps une série de lectures par des poètes et des écrivains internationaux.
Mar. à 19 h 10-15 $ Main Street (7) et bus Q 25/34 (conseil : demandez le chemin précis)

**STAND-UP NEW YORK**
Plan 186 C14
236 West 78th Street / Broadway
Tél. : 212/595-0850
www.standupny.com
Dans ce club de comédie typique, un public exigeant découvre les comiques qui seront peut-être les stars de demain.
Variables, 2 consommations obligatoires 79th Street (1, 9)
M79, M104

**UPRIGHT CITIZENS BRIGADE THEATRE**
Plan 188 D20
307 West 26th Street, entre Eighth et Ninth Avenues
Tél. : 212/366-9176
www.ucbtheatre.com
Le club le plus branché, et le plus abordable de la ville, produit dans sa salle de 150 places des spectacles d'improvisation déjantés et innovants.
Tlj (horaires variables) 5-20 $
23rd Street (C, E)

# Musiques actuelles

## BLUES, COUNTRY, FOLK, REGGAE ET MUSIQUES DU MONDE

### ASIA SOCIETY

Plan 187 F15
725 Park Avenue / East 70th Street
Tél. : 212/288-6400
www.asiasociety.org
L'auditorium de l'étage inférieur laisse libre cours aux arts et à la culture asiatiques. Ravi Shankar a fait ses débuts américains à l'Asia Society.
Variables 68th Street (6)
M1, M2, M3, M4, M72

### B. B. KING BLUES CLUB AND GRILL

Plan 188 D18
237 West 42nd Street
Tél. : 212/997-4144
www.bbkingblues.com
Little Richard et Roberta Flack, entre autres, ont joué dans ce grand club installé sur deux niveaux. Le dimanche, le Harlem Gospel Choir se produit à l'heure du brunch, entre 12 h 30 et 14 h 30. Piste de danse.
10-90 $ 42nd Street/Times Square (N, Q, R, S, W, 1, 2, 3, 7, 9)
M10, M20, M42, M104

### BITTER END

Plan 189 E22
147 Bleecker Street / Thompson Street
Tél. : 212/673-7030
www.bitterend.com
Haut-lieu de la scène folk anti-guerre pendant les années 1960, le Bitter End s'est aujourd'hui orienté vers le rock. Concert tous les soirs.
5-15 $ West 4th Street (A, C, E, F, V, S) M5, M6, M21

### IRISH ARTS CENTER

Plan 186 C17
553 West 51st Street, entre Tenth et Eleventh Avenues
Tél. : 212/757-3318
www.irishartscenter.org
Des sketchs et des concerts aux accents celtes et gaéliques sont donnés ici tous les premiers dimanches du mois.
Variables 50th Street (C, E)
M11, M50

### JAPAN SOCIETY

Plan 187 F18
333 East 47th Street, entre First et Second Avenues
Tél. : 212/832-1155
www.japansociety.org
Des concerts de musique japonaise traditionnelle et contemporaine, ainsi que divers événements culturels, sont donnés dans le Lila Acheson Wallace Auditorium d'une capacité de 278 places.
Variables 51st Street (6)
M15, M27, M50

### LION'S DEN

Plan 189 E22

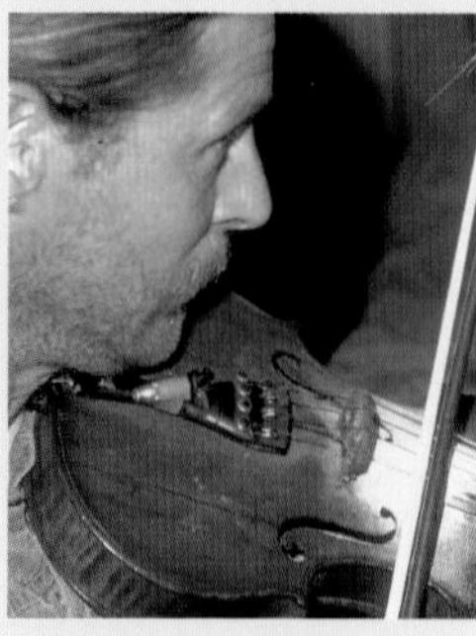

*L'Irish Arts Center réserve d'excellents moments*

214 Sullivan Street, entre Bleecker Street et West 3rd Street
Tél. : 212/477-2782
www.cegmusic.com
Scène rock et folk.
8-30 $ West 4th Street (A, C, E, F, S, V), Bleecker Street (6) M5, M6, M21

### PADDY REILLY'S MUSIC BAR

Hors plan 188 F19
519 Second Avenue / 29th Street
Tél. : 212/686-1210
Le groupe celte résident, les Prodigals, joue le vendredi soir. Le samedi, le micro est ouvert à tous, et les spectateurs peuvent s'essayer au *bodhrán* (tambourin irlandais) et au *uillean pipe* (cornemuse irlandaise).
Tlj 11 h-4 h 5-15 $
28th Street (6) M15

### RODEO BAR

Plan 188 F20
375 Third Avenue / East 27th Street
Tél. : 212/683-6500
www.rodeobar.com
Cette auberge typique du Sud-Ouest des États-Unis sert de la cuisine mexicaine arrosée de margaritas, au son de musiciens tels que la chanteuse-compositrice Cindy Bullens et l'artiste qui allie influences mexicaines et « rockabilly », Rosie Flores.
Tlj 11 h 30-2 h (musique lun.-sam. 10 h-16 h, dim. 10 h-14 h) Gratuit
28th Street (6) M101, M102, M103

### TERRA BLUES

Plan 189 E22
149 Bleecker Street, entre LaGuardia Place et Thompson Street
Tél. : 212/777-7776
www.terrablues.com
Des chanteurs acoustiques comme Honey Boy Edwards ou Louisiana Red réchauffent la salle du deuxième étage du club. Le bar propose une bonne sélection de bourbons.
5-15 $, plus 2 consommations obligatoires West 4th Street (A, C, E, F, S, V) M5, M6

### TOWN HALL

Plan 188 D18
123 West 43rd Street, entre Sixth Avenue et Broadway
Tél. : 212/840-2824
www.the-townhall-nyc.org
Cette salle de 1 500 sièges, créée en 1921 par la League for Political Education (Ligue pour l'éducation politique), offre une programmation éclectique allant des comédies musicales de Broadway, à l'opéra et aux concerts pop ainsi que des conférences et des lectures. Le cabinet d'architectes McKim, Mead & White a dessiné l'édifice de style géorgien.

25-85 $ 42nd Street/Times Square (N, Q, R, S, W, 1, 2, 3, 7, 9), 42nd Street (B, D, F, V) M5, M6, M7, M42

**VILLAGE UNDERGROUND**
Plan 189 E22
130 West 3rd Street, entre Sixth Avenue et MacDougal Street
Tél. : 212/777-7745
www.thevillageunderground.com
Club souterrain qui propose une bonne sélection d'artistes, des groupes de salsa aux formations de blues. Micro ouvert le dimanche soir.
Variables West 4th Street (A, C, E, F, S, V) M5, M6

**WORLD MUSIC INSTITUTE**
49 West 27th Street, Suite 930
Tél. : 212/545-7536
www.worldmusicinstitute.org
Cet institut organise des concerts de musique du monde et d'autres événements dans diverses salles de la ville (Symphony Space, Cooper Union, Town Hall).

## JAZZ ET CABARET

**ARTHUR'S TAVERN**
Plan 188 D22
57 Grove Street, entre South Seventh Avenue et Bleecker Street
Tél. : 212/675-6879
Ce bar branché qui rappelle le Sud des États-Unis donne des concerts de jazz presque tous les soirs, mettant le plus souvent à l'honneur des artistes de cette région.
Gratuit Christopher Street/ Sheridan Square (1, 9) M8, M20

**BEMELMANS BAR**
Plan 187 E14
Carlyle Hotel, 35 East 76th Street
Tél. : 212/744-1600
www.rosewoodhotels.com
Les peintures murales et l'élégance de la scène en font un classique de l'expérience new-yorkaise.
Tlj 11 h-2 h (divertissements à partir d'environ 17 h 30) 20-25 $ à table, 10 $ au bar ; pas de consommation obligatoire 77th Street (6) M1, M2, M3, M4

**BIRDLAND**
Plan 188 D18
315 West 44th Street, entre Eighth et Ninth Avenues
Tél. : 212/581-3080
www.birdlandjazz.com
Ce club de jazz, parmi les plus élégants et confortables de la ville, s'est inspiré de Charlie Parker pour ouvrir en 1949 et présenter le célèbre jazzman en tête d'affiche. On y entend aujourd'hui Roy Haynes et Lee Konitz, ou encore Diana Krall et Nicholas Payton.
Concerts tlj à 21 h et 23 h 20-70 $, plus 20 $ de consommation obligatoire 42nd Street (A, C, E) M10, M11, M20, M42

*Le Town Hall offre une programmation très diversifiée*

**BLUE NOTE**
Plan 188 E22
131 West Third Street / Sixth Avenue
Tél. : 212/475-8592
www.bluenote.net
Lieu mythique de l'histoire du jazz, qui a vu passer sur sa scène Sarah Vaughan ou Dizzy Gillespie, le Blue Note croule tous les soirs sous le nombre des fans venus écouter là les plus grands noms du jazz, du blues, du jazz latin ou du R&B. Le club est aussi à l'origine du Latin Jazz Festival. Les prix sont élevés.
Tlj à 21 h et 23 h 30 20-65 $ à table, 40-45 $ au bar, 5 $ de consommation obligatoire West 4th Street (A, C, E, F, S, V) M5, M6

**CAFÉ CARLYLE**
Plan 187 E14
35 East 76th Street / Madison Avenue
Tél. : 212/744-1600
Bobby Short a joué dans ce club de 1968 à sa mort (le 21 mars 2005), ondulant au rythme de Cole Porter et de Bessie Smith avec l'aisance et l'esprit ludique qui lui étaient propres. Le lundi soir, Woody Allen vient parfois souffler dans sa clarinette, avec le groupe Eddy Davis New Orleans Jazz Band.
Sessions : mar.-sam. 20 h 45 et 22 h 45 95 $, pas de consommation obligatoire 77th Street (6) M1, M2, M3, M4

**CAFÉ PIERRE**
Plan 187 E16
Fifth Avenue / 61st Street
Tel. : 212/838-8000
www.fourseasons.com
Kathleen Landis et Nancy Winston jouent et chantent des classiques du jazz et du cabaret, à la demande des clients.
Mar.-sam. 20 h 30-00 h 30, dim.-lun. 20 h 30-minuit Gratuit, 2 $ de consommation obligatoire 59th Street/Fifth Avenue (N, R, W) M1, M2, M3, M4

**CAJUN**
Plan 188 D21
129 Eighth Avenue, entre West 16th et 17th Streets
Tél. : 212/691-6174
www.jazzatthecajun
Un des rares clubs à proposer du jazz traditionnel tous les soirs.
Mer., dim. midi, lun.-sam. 20 h, dim. 19 h 30 Gratuit 14th Street (A, C, E) M20

**CORNELIA STREET CAFÉ**
Plan 188 D22
29 Cornelia Street, entre Bleecker Street et West 3rd Street
Tél. : 212/989-9319
www.corneliastreetcafe.com
Cette cave accueille de tout : du free jazz au cabaret en passant par la poésie et les performances variées.
Gratuit-15 $ West 4th Street (A, C, E, F, S, V) M5, M6, M21

**COTTON CLUB**
Hors plan 186 C12
656 West 125th Street, entre Broadway et Riverside Drive
Tél. : 212/663-7980
www.cottonclub-newyork.com
Ce monument du jazz de Harlem, qui connut ses heures de gloire entre 1923 et 1935 (à l'époque où il avait son adresse au 142nd Street), continue de vibrer au rythme d'un blues, d'un jazz et d'un gospel qui semblent tout droit sortis des années 1920. Le lundi, la scène est consacrée au swing.
Lun., jeu.-ven. 20 h-2 h, week-end midi-2 h 15-35 $ 125th Street (1, 9) M104, Bx 15

**DANNY'S SKYLIGHT ROOM**
Plan 186 D18
346 West 46th Street, entre Eighth et Ninth Avenues
Tél. : 212/265-8133
www.dannysgrandseapalace.com
De grands artistes de cabaret telle la chanteuse-pianiste Blossom Dearie se produisent dans cette élégante salle.
Gratuit-25 $, plus 15 $ ou 2 consommations obligatoires ; forfait dîner-spectacle possible 42nd Street (A, C, E) M11, M20

**DETOUR**
Plan 189 F21
349 East 13th Street, entre First et Second Avenues
Tél. : 212/533-6212
www.jazzatdetour.com
Ce petit jazz bar sympathique et sans prétention, qui ne fait pas payer le spectacle, offre leur chance aux jeunes talents du jazz traditionnel et expérimental.
Dim.-jeu. 16 h-2 h (concerts 21 h-00 h 30), ven.-sam. 16 h-4 h (concerts 22 h-1 h 30) 2 consommations obligatoires 14th Street/Union Square (L, N, Q, R, W, 4, 5, 6), First Avenue (L) M14, M15

**DON'T TELL MAMA**
Plan 186 D18
343 West 46th Street, entre Eighth et Ninth Avenues
Tél. : 212/757-0788
Chanteurs et artistes de cabaret se produisent ici.
Gratuit-40 $, plus 2 consommations obligatoires 42nd Street (A, C, E) M11, M20

**FEINSTEIN'S AT THE REGENCY**
Plan 187 E16
Regency Hotel, 540 Park Avenue / East 61st Street
Tél. : 212/339-4095 or 307-4100
www.loewshotels.com
Luxe, élégance et exclusivité pour cet endroit où joue parfois Michael Feinstein. Possibilité de dîner.
Spectacles mar.-sam., en général à 20 h 50-75 $, plus 40 $ de consommation obligatoire Lexington/63rd Street (F), 59th Street (4, 5, 6), 59th Street (N, R, W) M1, M2, M3, M4, M57

*Le Cotton Club, une institution new-yorkaise*

**IRIDIUM**
Plan 186 D17
1650 Broadway / 51st Street
Tél. : 212/582-2121
www.iridiumjazzclub.com
La légende de la guitare, Les Paul, joue tous les lundis soir dans ce club chic. Des maîtres du R&B et du jazz s'y produisent également, et des soirées de jazz cubain sont organisées deux fois par mois. Le dimanche, brunch jazz de 11 h à 15 h, avec concerts à 12 h 30 et 14 h 30.
Dim.-jeu. 17 h-minuit (sessions à 20 h et 22 h), ven.-sam. 19 h-2 h (sessions à 20 h, 22 h et 23 h 30) 25-95 $ (5 $ de consommation au bar, 10 $ à table) 49th Street (N, R, W), 50th Street (1, 9) M6, M7, M50

**JAZZ GALLERY**
Plan 189 F23
290 Hudson Street, entre Dominick Street et Spring Street
Tél. : 212/242-1063
www.jazzgallery.org
Ouvert en 1995, cet espace d'expositions et de spectacles est consacré à la littérature, au théâtre et à la musique jazz.
Jeu.-sam. (sessions à 21 h et 22 h 30) 12-65 $ Spring Street (C, E), Houston Street (1, 9) M20, M21

**JAZZ AT LINCOLN CENTER**
Plan 186 D16
Time Warner Center : Broadway / 60th Street
Tél. : 212/258-9800 ou 212/721-6500
www.jazzatlincolncenter.org
Des artistes jazz de haut vol se produisent au Rose Theater, de 1 230 places, à l'Allen Room, de 300 à 600 places (et dont la verrière de 15 m de hauteur surplombe Columbus Circle), ou au plus intime Dizzy's Club Coca Cola, prénommé en l'honneur de Dizzy Gillespie.
Variables 30-150 $ ; supplément-spectacle et consommation obligatoires 59th Street (1, 9) M5, M104

**JAZZ STANDARD**
Plan 188 F20
116 East 27th Street, entre Park Avenue South et Lexington Avenue
Tél. : 212/576-2232
www.jazzstandard.com
Danny Myers, fondateur de l'Union Square Café, a créé ce lieu musical populaire sous son restaurant, le Blue Smoke. Un endroit soigné et confortable pour allier cuisine et musique.
Tlj 18 h 30-3 h (horaires variables pour les spectacles) 15-30 $ 28th Street (6) M1, M101, M102, M103

### JOE'S PUB
Plan 189 F22
Public Theater, 425 Lafayette Street, entre Astor Place et East 4th Street
Tél. : 212/539-8770 ou 212/539 8778
www.joespub.com
Le cabaret préféré de nombreux New-Yorkais, baptisé d'après le fondateur du Public Theater, Joe Papp. Club confortable, avec tables et banquettes. Sessions de D.J. pendant les soirées « Late Night at Joe's ».
Tlj 18 h-4 h (spectacles à 20 h 30) 10-40 $, plus 2 consommations obligatoires Astor Place (6) M1, M8

### KAVEHAZ
Plan 188 E20
37 West 26th Street, entre Sixth Avenue et Broadway
Tél. : 212/343-0612
www.kavehaz.com
*Kavehaz* signifie « café » en hongrois. Cette galerie-café tout en longueur possède une ambiance très personnelle. On peut s'y nourrir le corps comme l'esprit, avec en général deux ou trois groupes de jazz qui se produisent par soirée, plus une exposition artistique mensuelle.
Dim.-jeu. 17 h-minuit, ven.-sam. 17 h-2 h (horaires des spectacles variables) Gratuit 23rd Street (F, V) M2, M3, M5, M6, M7

### LENOX LOUNGE
Hors plan 187 E12
288 Lenox Avenue, entre 124th et 125th Streets
Tél. : 212/427-0253
www.lenoxlounge.com
Ce rendez-vous de Harlem, fréquenté par les musiciens depuis longtemps, ouvre ses portes au jazz tous les soirs, mardi excepté.
Mer.-lun. (20 h et 22 h) 20 $ ven. et sam. 125th Street (2, 3) M7, M102

### OAK ROOM
Plan 188 E18
Algonquin Hotel, 59 West 44th Street, entre Fifth et Sixth Avenues
Tél. : 212/840-6800
www.algonquinhotel.com
En lançant des artistes tels que Steve Ross, Michael Feinstein, Harry Connick, Jr. ou Diana Krall, cette salle assure la renaissance du cabaret. Possibilité de dîner avant le premier spectacle.
Mar.-jeu. 21 h, ven.-sam. 21 h et 23 h 30 50 $, plus 2 consommations obligatoires ; forfait dîner 42nd Street (B, D, F, V) M1, M2, M3, M4, M5, M6, M7

### ST. PETER'S CHURCH
Plan 187 F17
Citicorp Center, 619 Lexington Avenue / 54th Street

*Les fans de jazz n'ont que l'embarras du choix*

Tél. : 212/935-2200
www.saintpeters.org
Les « vêpres jazz » chantées dans cette église luthérienne installée dans le Citicorp Center sont bien connues des New-Yorkais et des musiciens, de même que la session jazz du mercredi midi.
Variables 53rd Street/Lexington Avenue (E, V) M57, M98, M101, M102, M103

### SCHOMBURG CENTER FOR RESEARCH IN BLACK CULTURE
Hors plan 187 E12
515 Malcolm X Boulevard / 135th Street
Tél. : 212/491-2200
www.nypl.org
Ce centre de documentation sur la culture afro-américaine organise chaque année le Women's Jazz Festival, ainsi qu'une représentation de la pièce de l'écrivain noir américain Langston Hughes (1902-1967), *Black Nativity* (Nativité noire), en décembre.
Variables 135th Street (B, C) M7

### SHOWMAN'S JAZZ CLUB
Hors plan 186 D12
375 West 125th Street, entre St. Nicholas Avenue et Morningside Avenue
Tél. : 212/864-8941
Dans les années 1940 et 1950, les musiciens venaient souvent finir leur nuit ici pour jouer, ou simplement traîner. L'endroit est resté un lieu de rendez-vous tardif, où l'on voit parfois Grady Tate, George Benson ou Ed Bradley passer le temps.
Mar.-jeu. 20 h 30-00 h 30, ven.-sam. 22 h 30-3 h 30 Gratuit, 2 consommations obligatoires 125th Street (A, B, C, D) M3

### SMALL'S
Plan 188 C22
183 West 10th Street, entre West 4th Street et Seventh Avenue South
Tél. : 212/929-7565
L'un des clubs de jazz de la ville les moins chers et les plus précieux. Il porte bien son nom (« Petit ») avec sa salle étroite et nue. Les musiciens aiment y faire un bœuf au petit matin, et beaucoup y arrivent après avoir joué dans d'autres clubs. Plusieurs grands noms y ont saisi leur chance : Zaid Nasser, Grant Stewart, Jason Lindner et Ari Roland, entre autres.
Lun.-jeu. 21 h 30-2 h, ven.-sam. 20 h-4 h, dim. 21 h-2 h 20 $ dont 10 $ pour les deux consommations obligatoires 14th Street (1, 2, 3, 9) M20

### SMOKE
Hors plan 186 C12
2751 Broadway, entre 105th et 106th Streets

Tél. : 212/864-6662
www.smokejazz.com
Ce club intime et confortable, aux banquettes douillettes, aux tabourets de bar de velours rouge et aux lourds drapés, a ouvert en 1999. Nombre de grands noms du jazz y ont joué en tête d'affiche, comme l'organiste Dr. Lonnie Smith et le tromboniste Slide Hampton. C'est aussi un lieu tout indiqué pour écouter des artistes locaux un peu mois connus.
Tlj 21 h, 23 h, 00 h 30
Lun.-jeu. gratuit, avec 15 $ de consommation obligatoire, week-end spectacle 20-25 $
103 Street (1, 9) M104

**SWEET RHYTHM**
Plan 188 D22
88 Seventh Avenue South, entre Grove et Bleecker Streets
Tél. : 212/255-3626
Gil Evans exerça son art ici quand le club s'appelait encore Sweet Basil. L'endroit est détendu et accueille des artistes de jazz renommés ainsi que des chanteuses, célèbres telle Carla Cook.
12-25 $, plus 10 $ de consommation obligatoire
Christopher Street/Sheridan Square (1, 9), West 4th Street (A, C, E, F, S, V)
M8, M20

**TISHMAN AUDITORIUM**
Plan 188 E21
New School, 66 West 12th Street, entre Fifth et Sixth Avenues
Tél. : 212 229-5488
www.newschool.edu
Le New School's Afro-Cuban Jazz Orchestra joue ici sous la direction de Bobby Sanabria.
Variables 14th Street (F, V)
M2, M3, M5, M6

**TONIC**
Plan 189 G23
107 Norfolk Street, près de Delancey Street
Tél. : 212/358-7051
www.tonicnyc.com
Ce club très éclectique du Lower East Side est très vite devenu une institution de la musique expérimentale. Le groupe Masada de John Zorn, en a fait sa résidence et y a déjà réalisé plusieurs enregistrements de concerts (« Live at Tonic »).
8-15 $ Delancey Street (F, J, M, Z) M9, M14

**VILLAGE VANGUARD**
Plan 188 D21
178 Seventh Avenue / West 11th Street
Tél. : 212/255-4037
www.villagevanguard.com
Créé par Max Gordon en 1935, ce club de jazz célèbrissime reste l'étalon de la ville, aujourd'hui sous la direction de Lorraine Gordon depuis le décès de son mari en 1989.

*Pour les accros de jazz, de la musique jusqu'au petit matin*

Intime, le Vanguard possède une sonorisation hors du commun, pour accueillir des artistes parmi les plus doués. Tous les grands noms sont passés ici : Coleman Hawkins, Lester Young et Thelonious Monk dans les années 1940, John Coltrane dans les années 1960, Keith Jarrett dans les années 1970, et Miles Davis et Bill Evans sur plusieurs décennies.
Les concerts actuels évoluent le plus souvent vers des jam-sessions émouvantes. Le lundi est réservé au Vanguard Jazz Orchestra, fondé par Thad Jones et Mel Lewis.
Tlj à partir de 20 h (sessions : dim.-jeu. 21 h et 23 h, ven.-sam. 21 h, 23 h et 00 h 30) Tarifs variables, plus 10 $ de consommation obligatoire
14th Street (1, 2, 3, 9) M14, M20

**ZINC BAR**
Plan 189 E22
90 West Houston Street, entre LaGuardia Place et Thompson Street
Tél. : 212/477-8337
Les mélomanes et les musiciens aiment venir dans ce bar modeste et détendu pour écouter des débutants de la scène jazz ou des grands noms comme George Benson et Max Roach. Les samedis et dimanches sont généralement consacrés à la musique brésilienne.
Tlj 18 h-3 h 30 (horaires des spectacles variables) Tarifs variables
West 4th Street (A, C, E, F, S, V), Houston Street (1, 9), Bleecker Street (6) M5, M6, M21

## ROCK ET POP

**AARON DAVIS HALL**
Hors plan 186 D12
City College of New York, West 135th Street / Convent Avenue
Tél. : 212/650-7100
www.aarondavishall.org
Le principal centre des arts du spectacle de Harlem présente des artistes issus des minorités, connus et moins connus, évoluant dans le monde de la musique, de la danse, du théâtre et du multimédia. Ashford & Simpson, Craig Harris et le groupe de Jose Mangual Junior font partie des nombreux artistes à s'être produits ici.
Variables 137th Street/Broadway (1, 9) M4, M5

**APOLLO THEATER**
Hors plan 186 D12
253 West 125th Street, entre Frederick Douglass Boulevard et St. Nicholas Avenue
Tél. : 212/531-5305 ou 212/307-7171 (billetterie)
www.apollotheater.com
À l'origine salle de théâtre de vaudeville, l'Apollo est devenu

un lieu de rassemblement pour les artistes noirs dès 1934. De Duke Ellington et Billie Holiday à Aretha Franklin et Stevie Wonder, ils ont tous joué ici. Le célèbre Wednesday Amateur Night Competition (« Concours amateurs du mercredi soir ») attire un large public qui vient exprimer son accord ou son désaccord pour les chanteurs. Les spectacles vont de la musique et du chant au théâtre, la Royal Shakespeare Company y a notamment adapté le roman de Salman Rushdie, *Les Enfants de minuit*.
Variables 125th Street (A, B, C, D), Lenox (1, 2, 3) M104

**ARLENE'S GROCERY**
Plan 189 G23
95 Stanton Street, entre Ludlow et Orchard Streets
Tél. : 212/358-1633
www.arlenesgrocery.net
Cette ancienne bodega est devenue l'un des meilleurs clubs de rock de la ville. Le bar est agréable, et la salle, confortable. On y entend des jeunes aux débuts tout à fait prometteurs.
Tlj 18 h-4 h Variables Lower East Side/Second Avenue (F, V) M15, M21

**BEACON THEATRE**
Plan 186 C15
2124 Broadway / 74th Street
Tél. : 212/496-7070 or 212/307-7171
Des artistes de tous les genres se fondent ici, de l'artiste caribéen de calypso Mighty Sparrow à des groupes de rock et de pop.
33-90 $ 72nd Street (1, 2, 3, 9) M72, M104

**BOWERY BALLROOM**
Plan 189 F23
6 Delancey Street, entre Bowery et Chrystie Streets
Tél. : 212/533-2111
www.boweryballroom.com
Quand Patti Smith a décidé de sortir de sa retraite, elle a fait son retour dans ce joyeux club de trois étages installé dans un édifice art déco de 1929. Ouvert en 1997, l'endroit possède des salles confortables, une bonne sonorisation, une grande scène et une excellente visibilité quelle que soit votre place. Beth Orton, Soul Asylum, Chris Robinson, David Byrne et Counting Crows ne sont qu'une infime partie des artistes venus jouer ici.
13-35 $ Delancey/Essex (F, J, M, Z) M103

**CBGB DOWNSTAIRS LOUNGE**
Plan 189 F22
315 Bowery / Bleecker Street
Tél. : 212/982-4052

*De nombreux artistes de légende se sont produits à l'Apollo Theater*

www.cbgb.com
Depuis son ouverture, en 1973, cet endroit sombre et très branché a su rester un haut lieu du rock underground (bien que « CBGB » signifie « country bluegrass blues »). Les New-Yorkais s'y sont déhanchés sur la musique des Ramones ou de Patti Smith, puis sur celle des plus grands groupes punk et post-punk américains, de Blondie à Television en passant par les Talking Heads. Le dimanche soir, une session de musique jazz est proposée dans la salle du bas.
7-10 $ Bleecker Street (6) M21, M103

**COOPER UNION GREAT HALL**
Plan 189 F22
Seventh Street / Third Avenue
Tél. : 212/353-4195 ou 212/279-4200
www.cooper.edu/ce
Du fado portugais au classique contemporain, en passant par des groupes de percussions brésiliennes ou de samba, on peut entendre de tout dans cette salle du Cooper Union for the Advancement of Science and Art, université privée où les cursus sont financés entièrement par des bourses. Abraham Lincoln y fit un discours en 1860.
Gratuit-25 $ Astor Place (6), 8th Street (N, R, W) M8, M101, M102, M103

**KNITTING FACTORY**
Plan 189 E24
74 Leonard Street, entre Broadway et Church Street
Tél. : 212/219-3006 ou 212/219-3055
www.knittingfactory.com
Michael Dorf a ouvert ce club à TriBeCa en 1987 pour proposer sa scène à des groupes nationaux et internationaux tournés vers la musique expérimentale : free jazz, rock et klezmer (mélange de musique juive d'Europe de l'Est et d'influences jazz). Son public fidèle peut se répartir dans trois salles : le Main Space (salle principale), le Old Office et l'Alterknit Theater, où le micro est ouvert à tous les poètes chaque semaine, devant le Tapas Bar. Le bar propose de nombreuses bières à la pression, et permet d'assister à des spectacles gratuits, à minuit. Le club organise également des festivals et possède un label musical.
10-30 $ Franklin Street (1, 9) M1, M6

**MADISON SQUARE GARDEN**
Plan 188 D19
4 Penn Plaza
Tél. : 212/465-6741
Situé derrière Penn Station,

ce stade accueille des événements sportifs, des concerts et d'autres grands spectacles. Les tournées de Bob Dylan, Madonna, Michael Jackson, des Rolling Stones, d'Elton John et de beaucoup d'autres passent obligatoirement par là.
34th Street/Penn Station (A, C, E, 1, 2, 3, 9) M10, M16, M20, M34

**MAKOR**
Plan 186 D15
35 West 67th Street / Columbus Avenue
Tél. : 212/601-1000
www.92y.org
Cet endroit associé à un centre communautaire juif propose une sélection musicale hétéroclite, qui comprend du rap et du blues, ou encore de la musique tzigane ou klezmer. L'accent est mis sur les musiques du monde, avec des artistes tels que le Nigérian Kofo the Wonderman et Maria del Mar Bonet, de Majorque.
15-30 $ 66th Street (1, 9)
M5, M7, M66, M104

**MERCURY LOUNGE**
Plan 189 G22
217 East Houston Street, entre First Avenue et Avenue A
Tél. : 212/260-4700
www.mercuryloungenyc.com
Lieu très fréquenté de la scène musicale downtown, ce club accueille des groupes nationaux et internationaux qui jouent les uns après les autres dans une salle plutôt bruyante mais toujours extrêmement animée. On y écoutera, par exemple, Holly Go Lightly programmée avec la chanteuse punk britannique Billy Childish, pour une session de rock garage. La salle adjacente est un peu plus calme.
Tlj 20 h-3 h 8-20 $
Lower East Side/Second Avenue (F, V) M14, M21

**ROSELAND BALLROOM**
Plan 186 D17
239 West 52nd Street, entre Broadway et Eighth Avenue
Tél. : 212/247-0200
www.roselandballroom.com
Le club d'origine s'installa sur 51st Street en 1919, avant de déménager à l'adresse présente en 1956. Autrefois célèbre comme salle de bal où se produisaient les groupes de Fletcher Henderson et Tommy Dorsey, cette salle accueille aujourd'hui des concerts de rock et de danse de salon (années 1960, 1970 et 1980).
25-27,50 $ 50th Street (1, 9), 50th Street (C, E) M6, M7, M10, M20, M50

*Rythmes latino-américains à Sounds of Brazil (SOB's)*

**SOB'S**
Plan 189 D23
204 Varick Street / Houston Street
Tél. : 212/243-4940
www.sobs.com
Le club « Sounds of Brazil » est depuis 1982 l'avant-scène de la musique afro-latine, et produit des groupes de hip-hop, de rap ou encore de salsa. Pour se mettre dans l'ambiance, un cours de salsa est offert le vendredi soir.
10-20 $, plus 20 $ de consommation obligatoire Houston Street (1, 9) M20, M21

**SOUTHPAW**
Hors plan 189 G25
125 Fifth Avenue, entre Sterling et St. John's Place, Park Slope, Brooklyn
Tél. : 718/230-0236
Ce club dédié à la musique pop rock possède une sonorisation irréprochable et une scène de bonnes dimensions. Sa programmation est très ouverte puisqu'elle associe des artistes de la scène musicale new-yorkaise à des artistes venus d'Europe tels The Cardigans ou Keren Ann.
Variables Fourth Avenue (F, M, R, W)

**SYMPHONY SPACE**
Plan 186 C12
2537 Broadway / 95th Street
Tél. : 212/864-5400 ou 212/864-1414
www.symphonyspace.org
Depuis 1978, ce lieu original installé dans un cinéma rénové propose une programmation diversifiée dans deux salles : le Peter Jay Sharp Theatre et le Leonard Nimoy Thalia. L'endroit est réputé pour ses spectacles gratuits, des marathons de 12 heures célébrant l'intégralité d'une œuvre (Joni Mitchell, par exemple) ; pour son spectacle « Face the Music and Dance », qui associe des musiciens et des chorégraphes ; et pour ses « Selected Shorts », une soirée de lectures de nouvelles par de grands comédiens. Se produisent régulièrement ici le New Amsterdam Symphony Orchestra, les Gilbert and Sullivan Players et le Manhattan Chamber Orchestra. Par ailleurs, de nombreux musiciens du monde entier, comme le guitariste malien Djelimady Tounkara ou le joueur de tabla indien Zakir Hussain, jouent en ces lieux sous les auspices du World Music Institute.
18-50 $
96th Street (1, 2, 3, 9)
M96, M104

## Théâtre

Aucune majoration n'est appliquée sur les billets achetés aux guichets, la plupart ouvrant du lundi au samedi de 10 h à 20 h, et le dimanche de 11 h à 18 h 30. Les « standing room only tickets » (places debout), sont vendus au guichet le jour même de la représentation. Les spectacles peuvent débuter à des heures variées.

### LES SALLES DE BROADWAY

À Broadway, le prix des billets oscille entre 25 et 105 $ pour les grandes comédies musicales, et entre 50 et 90 $ pour les drames et les comédies.

**AL HIRSCHFELD**
Plan 188 D18
302 West 45th Street, entre Eighth et Ninth Avenues
Tél. : 212/239-6200
Récemment baptisé du nom d'un célèbre caricaturiste, cette salle au décor oriental a été fondée en 1924. Les sièges latéraux sont à éviter.
Mar.-sam. 20 h, matinée : mer., week-end 14 h 42nd Street/Eighth Avenue (A, C, E) M6, M7, M10, M11, M42, M104

**AMBASSADOR THEATRE**
Plan 188 D17
219 West 49th Street, entre Broadway et Eighth Avenue
Tél. : 212/239-6200
Ouvert en 1921, cet auditorium de 1 125 places est plus large que profond, ce qui assure une excellente visibilité.
Mar.-sam. 20 h, dim. 19 h, lun. 20 h, mar. 19 h, matinée : week-end 14 h 50th Street/Seventh Avenue (1, 9), 49th Street (N, R) M6, M7, M10, M27, M50, M104

**AMERICAN AIRLINES**
Plan 188 D18
227 West 42nd Street, entre Seventh et Eighth Avenues
Tél. : 212/719-1300
www.roundabouttheatre.org
Cette salle restaurée, datant de 1918, possède 750 places. Elle héberge aujourd'hui la Roundabout Theatre Company, créée en 1965 pour jouer des pièces classiques et modernes à des prix abordables.
Mar.-sam. 20 h, matinée : mer., week-end 14 h 42nd Street/Times Square (N, Q, R, S, W, 1, 2, 3, 7, 9) M6, M7, M10, M42, M104

**BARRYMORE THEATRE**
Plan 188 D18
243 West 47th Street, entre Seventh et Eighth Avenues
Tél. : 212/239-6200
Ethel Barrymore inaugura cette salle en 1928 avec *The Kingdom of God*, et Fred Astaire y donna sa dernière représentation théâtrale dans *The Gay Divorcee*, vers 1930.
Mar.-sam. 20 h, matinée : mer., week-end 14 h 50th Street (C, E), 50th Street (1, 9), 49th Street (N, R, W) M10, M20, M104

*Le théâtre American Airlines a été superbement rénové*

**BELASCO**
Plan 188 E18
11 West 44th Street, entre Broadway et Sixth Avenue
Tél. : 212/239-6200
Portant le nom du maestro de Broadway David Belasco, cette salle de 1 018 sièges possède des lustres Tiffany et des peintures murales d'Everett Shinn. Les places latérales de l'orchestre sont à éviter.
Mar.-sam. 20 h, matinée : mer., sam. 14 h, dim. 15 h 42nd Street/Times Square (N, R, S, W, 1, 2, 3, 7, 9), 42nd Street/Sixth Avenue (B, D, F) M5, M6, M7, M10, M42, M104

**BILTMORE THEATRE**
Plan 186 D18
261 West 47th Street, entre Broadway et Eighth Avenue
Tél. : 212/239-6200
Cette salle historique (capacité de 650 places) ouverte en 1925 a accueilli d'immenses succès, dont *Hair* et *Pieds nus dans le parc*, de Neil Simon. Elle héberge depuis peu le Manhattan Theatre Club.
Mar.-sam. 20 h, dim. 19 h, week-end 14 h 50th Street (C, E), 50th Street (1, 9) M10, M20

**BOOTH**
Plan 188 D18
222 West 45th Street, entre Broadway et Eighth Avenue
Tél. : 212/239-6200
De nombreux succès sont représentés dans cette salle à l'italienne de 781 places créée en 1913. Elle doit son nom au comédien Edwin Booth.
Lun., mer., ven.-sam. 20 h, mar. 19 h, matinée : mer. et sam. 14 h, dim. 15 h 42nd Street/Times Square (N, R, S, W, 1, 2, 3, 7, 9) M6, M7, M10, M42, M104

**BROADHURST**
Plan 188 D18
235 West 44th Street, entre Broadway et Eighth Avenue
Tél. : 212/639-6200
Baptisée d'après le dramaturge George Broadhurst, cette salle construite par les Shubert, deux frères directeurs de théâtre, accueille des troupes fameuses depuis 1918. 1 186 places.
Mar.-sam. 20 h, matinée : mer., sam. 14 h, dim. 15 h 42nd Street/Times Square (N, R, S, W, 1, 2, 3, 7, 9) M6, M7, M10, M42, M104

**BROADWAY**
Plan 186 D17
1681 Broadway, entre 52nd et 53rd Streets
Tél. : 212/239-6200
Cette ancienne salle de cinéma, construite en 1924, possède 1 752 sièges. Places du fond à éviter.

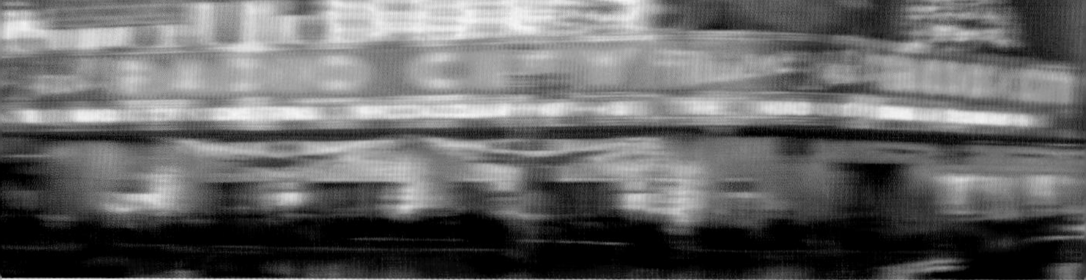

Mar.-sam. 20 h, matinée : mer., sam. 14 h, dim. 15 h 50th Street/Eighth Avenue (C, E), 50th Street/Seventh Avenue (1, 9) M6, M7, M10, M27, M50, M104

**BROOKS ATKINSON**
Plan 186 D18
256 West 47th Street, entre Broadway et Eighth Avenue
Tél. : 212/307-4100
www.nederlander.org
Construit en 1926, ce beau théâtre porte le nom du grand critique dramatique du *New York Times*, Brooks Atkinson. La salle possédant 1 086 places, vous risquez de vous sentir loin du spectacle si vous êtes placé au fond de la mezzanine.
Mar.-sam. 20 h, matinée : mer., sam. 14 h, dim. 15 h 50th Street/Eighth Avenue (C, E), 50th Street/Seventh Avenue (1, 9) M10, M27, M50, M104



**CADILLAC WINTER GARDEN**
Plan 186 D17
1634 Broadway, entre 50th et 51st Streets
Tél. : 212/563-5544
Cet édifice de 1885, qui regroupait autrefois une salle des ventes et des écuries, a été reconverti en théâtre par les frères Shubert en 1910. Al Jolson y fit ses premières apparitions, grimé en homme noir. 1 482 places.
Mer.-sam. 20 h, matinée : mer., sam. 14 h, dim. 15 h
50th Street/Eighth Avenue (C, E), 50th Street/Seventh Avenue (1, 9), 49th Street (N, R, W)
M6, M7, M10, M27, M50, M104

**CIRCLE IN THE SQUARE (UPTOWN)**
Plan 188 D17
1633 Broadway/50th Street
Tél. : 212/239-6200
Ouverte en 1972, cette salle se trouve dans le même bâtiment que le Gershwin Theater. Les 681 places assurent toutes une bonne visibilité.
Mar.-sam. 20 h, matinée : mer., sam. 14 h, dim. 15 h 50th Street/Eighth Avenue (C, E), 50th Street/Seventh Avenue (1, 9) M6, M7, M10, M27, M50, M104

**CORT**
Plan 188 E17
138 West 48th Street, entre Sixth et Seventh Avenues
Tél. : 212/239-6200
Du nom du producteur John Cort, cette salle de 1 084 sièges, construite en 1912, est inspirée du petit Trianon. Bonne visibilité de toutes les places.
Mar.-sam. 20 h, matinée : mer., sam. 14 h, dim. 15 h 47th-50th streets/Rockefeller Center (B, D, F, V) M6, M7, M10, M27, M50, M104

**EUGENE O'NEILL**
Plan 186 D17
230 West 49th Street, entre Broadway et Eighth Avenue
Tél. : 212/239-6200

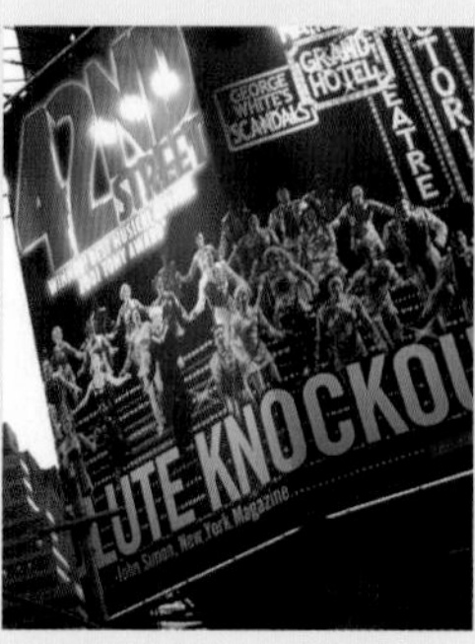


*Le Hilton Theater présente de grandes comédies musicales*

Inaugurée en 1926, la salle a reçu le nom du célèbre dramaturge en 1959.
Mar. 19 h, mer.-sam. 20 h, matinée : mer., sam. 14 h, dim. 15 h 50th Street/Eighth Avenue (C, E), 50th Street/Seventh Avenue (1, 9) M6, M7, M10, M27, M50, M104

**GERSHWIN**
Plan 186 D17
222 West 51st Street, entre Broadway et Eighth Avenue
Tél. : 212/307-4100
www.nederlander.org
Détenu par les grands producteurs de Broadway, les Nederlander, le Gershwin a ouvert ses portes en 1972. L'auditorium du 2e étage a reçu le nom de George et Ira en 1983.
Mar. 19 h, mer.-sam. 20 h, matinée : mer., sam. 14 h, dim. 15 h 50th Street/Eighth Avenue (C, E), 50th Street/Seventh Avenue (1, 9) M6, M7, M10, M27, M50, M104

**HELEN HAYES**
Plan 188 D18
240 West 44th Street, entre Seventh et Eighth Avenues
Tél. : 212/944-9450 ou 212/239-6200
Ce petit théâtre au décor colonial fut construit en 1912 pour accueillir des pièces expérimentales.
Mar.-sam. 20 h, matinée : mer., sam. 14 h, dim. 15 h 42nd Street/Times Square (N, Q, R, S, W, 1, 2, 3, 7, 9), 42nd Street/Eighth Avenue (A, C, E) M6, M7, M10, M42, M104

**HILTON THEATER**
Plan 188 D18
213 West 42nd Street, entre Seventh et Eighth Avenues
Tél. : 212/556-4750 ou 212/307-4100
Le Lyric (1903) et l'Apollo (1920) ont été rénovés et regroupés pour créer cette salle de 1 839 places qui se prête parfaitement aux immenses comédies musicales. Bonne visibilité.
Mar.-sam. 20 h, matinée : mer., sam. 14 h, dim. 15 h 42nd Street/Times Square (N, Q, R, S, W, 1, 2, 3, 7, 9), 42nd Street/Eighth Avenue (A, C, E) M6, M7, M10, M42, M104

**IMPERIAL**
Plan 188 D18
249 West 45th Street, entre Broadway et Eighth Avenue
Tél. : 212/239-6200
*Gypsy*, *Un violon sur le toit* et *Les Misérables* ont été joués dans ce théâtre de 1 421 places qui date de 1923.
Lun.-sam. 20 h, matinée : mer., sam. 14 h 42nd Street/Times Square (N, Q, R, S, W, 1, 2, 3, 7, 9), 42nd Street/Eighth Avenue (A, C, E) M6, M7, M10, M42, M104

**JOHN GOLDEN THEATRE**
Plan 188 D18
252 West 45th Street, entre Broadway et Eighth Avenue
Tél. : 212/239-6200

Petit théâtre baptisé en hommage au producteur John Golden et ouvert en 1927.
Mar.-sam. 20 h, matinée : sam., dim. 14 h 42nd Street/Times Square (N, Q, R, S, W, 1, 2, 3, 7, 9), 42nd Street/Eighth Avenue (A, C, E) M6, M7, M10, M42, M104

**LONGACRE**
Plan 188 D17
220 West 48th Street, entre Broadway et Eighth Avenue
Tél. : 212/239-6200
Construit à Longacre Square, nom que portait l'endroit avant de s'appeler Times Square avec la venue du *New York Times*, ce théâtre de 1 095 places existe depuis 1913. Les meilleures places sont celles de l'orchestre.
Mar.-ven. 20 h, sam. 17 h et 21 h, dim. 15 h et 19 h 50th Street/Seventh Avenue (1, 9), 49th Street (N, R), 47th-50th streets/Rockefeller Center (B, D, F, Q) M6, M10, M27, M42, M50, M104

**LUNT-FONTANNE**
Plan 188 D18
205 West 46th Street, entre Broadway et Eighth Avenue
Tél. : 212/575-9200 ou 212/307-4747
www.nederlander.org
Dessiné par Carrère & Hastings en 1910, ce théâtre fut rénové de fond en comble en 1958. La salle de 1 475 places a accueilli, entre autres, *La Mélodie du bonheur*.
Mar.-mer. 19 h, jeu.-sam. 20 h, dim. 18 h 30, matinée : mer. 14 h, sam. 14 h, dim. 13 h 42nd Street/Times Square (N, Q, R, S, W, 1, 2, 3, 7, 9), 50th Street/Seventh Avenue (1, 9), 50th Street/Eighth Avenue (C, E) M6, M10, M27, M42, M50, M104

**LYCEUM**
Plan 188 D18
149 West 45th Street, entre Broadway et Sixth Avenue
Tél. : 212/239-6200
Construit en 1903 dans un style Art déco, c'est le plus ancien théâtre de Broadway encore en activité.
Mar.-sam. 20 h, matinée : mer., sam. 14 h, dim. 15 h 49th Street (N, R), 47th-50th streets/Rockefeller Center (B, D, F) M5, M6, M7, M10, M42, M104

**MAJESTIC**
Plan 188 D18
245 West 44th Street, entre Broadway et Eighth Avenue
Tél. : 212/239-6200
Ce théâtre de 1 607 places, créé en 1927, a accueilli des succès célèbres, du *Carousel* au *Fantôme de l'opéra*.
Lun.-sam. 20 h, matinée : mer., sam. 14 h 42nd Street/Times Square (N, Q, R, S, W, 1, 2, 3, 7, 9), 42nd Street/Eighth Avenue (A, C, E) M6, M7, M10, M42, M104

**MARQUIS**
Plan 188 D18
1535 Broadway, entre 45th et 46th Streets
Tél. : 212/382-0100 or 212/307-4100
www.nederlander.org

*Le Music Box est un monument du monde théâtral*

Comptant parmi les plus récentes salles de Broadway (1 595 places), ce théâtre offre un confort incomparable
Mar. 19 h, mer.-sam. 20 h, matinée : mer., sam. 14 h, dim. 15 h 42nd Street/Times Square (N, Q, R, S, W, 1, 2, 3, 7, 9) M6, M7, M10, M27, M42, M50, M104

**MINSKOFF**
Plan 188 D18
200 West 45th Street, entre Seventh et Eighth Avenues
Tél. : 212/307-4100
www.nederlander.org
Cet autre théâtre des Nederlander construit en 1973 est plutôt impersonnel. Un escalier mécanique permet d'accéder à l'orchestre du 4$^{e}$ étage.
Mar. 19 h, mer.-sam. 20 h, matinée : mer., sam. 14 h, dim. 15 h 42nd Street/Times Square (N, Q, R, S, W, 1, 2, 3, 7, 9) M6, M7, M10, M42, M104

**MUSIC BOX**
Plan 188 D18
239 West 45th Street, entre Broadway et Eighth Avenue
Tél. : 212/239-6200
Dans le hall, une plaque commémorative rappelle qu'Irving Berlin fit construire ce théâtre en 1921, avec le producteur Sam Harris, pour accueillir ses spectacles.
Mar.-sam. 20 h, matinée sam. 14 h, dim. 15 h 42nd Street/Times Square (N, Q, R, S, W, 1, 2, 3, 7, 9), 42nd Street/Eighth Avenue (A, C, E) M6, M7, M10, M42, M104

**NEDERLANDER**
Plan 188 D18
208 West 41st Street, entre Seventh et Eighth Avenues
Tél. : 212/921-8000 ou 212/307-4100
www.nederlander.org
La comédie musicale *Rent* a élu domicile ici après avoir quitté l'East Village. C'est également dans ces lieux que fut créé *Qui a peur de Virginia Woolf ?* 1 189 places ; les sièges latéraux sont à éviter.
Lun.-mar., jeu.-sam. 20 h, matinée : week-end 14 h 42nd Street/Times Square (N, Q, R, S, W, 1, 2, 3, 7, 9) M6, M7, M10, M27, M42, M50, M104

**NEIL SIMON**
Plan 186 D17
250 West 52nd Street, entre Broadway et Eighth Avenue
Tél. : 212/757-8646 ou 212/307-4100
www.nederlander.org
Ce beau théâtre ouvert en 1927, et nommé en hommage au grand dramaturge, a accueilli nombre de comédies musicales, comme *Porgy and Bess*, *Drôle de frimousse* et *Hairspray*. 1 334 places.
Mar. 19 h, mer.-sam. 20 h, matinée : mer., sam. 14 h, dim. 15 h 50th Street/Eighth Avenue (C, E), 50th Street/Seventh Avenue (1, 9) M6, M7, M10, M27, M50, M104

À FAIRE

**NEW AMSTERDAM**
Plan 188 D18
214 West 42nd Street, entre Seventh et Eighth Avenues
Tél. : 212/282-2900 ou 212/307-4747 ou 212/282-2907 (visites guidées)
www.disneyonbroadway.com
Ce théâtre Art nouveau commandé par Florence Ziegfeld en 1903 a été restauré en 1997 par la Walt Disney Company : peintures murales, stuc, carreaux et ouvrages d'ébénisterie ont été inaugurés avec *Le Roi Lion*. Sièges latéraux à éviter.
Mer.-sam. 20 h, dim. 18 h 30, matinée : mer., sam. 14 h, dim. 13 h. Visites guidées lun. 9 h 30-17 h 30, mar., jeu.-sam. 9 h 30-11 h 30 Visite : ad. 12 $, enf. (moins de 12 ans) 5 $ 42nd Street/Times Square (N, Q, R, S, W, 1, 2, 3, 7, 9), 42nd Street/Eighth Avenue (A, C, E) M6, M7, M10, M42, M104

**PALACE**
Plan 188 D18
1564 Broadway, entre 46th et 47th Streets
Tél. : 212/730-8200 ou 212/307-4747
www.nederlander.org
Spécialisé dans le vaudeville, le Palace a ouvert en 1913. Des légendes telles que Bob Hope, Sophie Tucker, Jimmy Durante ou les Marx Brothers s'y sont produits. Les Nederlander ont restauré la salle en 1965.
Mar.-sam. 20 h, matinée mer., sam. 14 h, dim. 15 h 50th Street (1, 9), 49th Street (N, R) M7, M10, M27, M50, M104

**PLYMOUTH**
Plan 188 D18
236 West 45th Street, entre Broadway et Eighth Avenue
Tél. : 212/239-6200
Drames et comédies sont produits dans ce théâtre de 1918 comptant 1 078 places, de *Present Laughter*, pièce de Noel Coward, au plus récent *Nicholas Nickleby* par la Royal Shakespeare Company.
Mer.-sam. 20 h, lun. 20 h, mar. 19 h, matinée : mer., sam. 14 h, dim. 15 h 42nd Street/Times Square (N, Q, R, S, W, 1, 2, 3, 7, 9), 42nd Street/Eighth Avenue (A, C, E) M6, M7, M10, M42, M104

**RICHARD ROGERS**
Plan 188 D18
226 West 46th Street, entre Broadway et Eighth Avenue
Tél. : 212/221-1211
*Blanches colombes et vilains messieurs* compte parmi les grands spectacles qui ont ravi les spectateurs new yorkais dans ce théâtre néo-Renaissance construit en 1924. Baptisé en hommage au célèbre compositeur, il a une capacité de 1 400 places.
Mar.-sam. 20 h, matinée : mer., sam. 14 h, dim. 15 h 42nd Street/Times Square (N, Q, R, S, W, 1, 2, 3, 7, 9), 42nd Street/Eighth Avenue (A, C, E), 50th Street (1, 9) M10, M27, M50, M104

*Le New Amsterdam est un bijou Art nouveau*

**ROYALE**
Plan 188 D18
242 West 45th Street, entre Broadway et Eighth Avenue
Tél. : 212/239-6200
Laurence Olivier a joué *The Entertainer* (*Le Cabotin*) sur cette scène inaugurée en 1927.
Mar.-sam. 20 h, matinée : mer. 14 h, dim. 15 h 42nd Street/Times Square (N, Q, R, S, W, 1, 2, 3, 7, 9), 42nd Street/Eighth Avenue (A, C, E) M6, M7, M10, M42, M104

**ST. JAMES**
Plan 188 D18
246 West 44th Street, entre Seventh et Eighth Avenues
Tél. : 212/239-5800
*Oklahoma !*, *Le Roi et moi*, *Hello Dolly !* et *Les Producteurs* ont tous été présentés dans ce théâtre Art déco de 1927. Mezzanine au-dessus de l'orchestre.
Mar. 19 h, mer.-sam. 20 h, matinée : mer., sam. 14 h, dim. 15 h 42nd Street/Times Square (N, Q, R, S, W, 1, 2, 3, 7, 9), 42nd Street/Eighth Avenue (A, C, E) M6, M7, M10, M42, M104

**SHUBERT**
Plan 188 D18
225 West 44th Street, entre Seventh et Eighth Avenues
Tél. : 212/239-6200
Ce théâtre, ouvert en 1913, est la pierre angulaire de l'empire Shubert.
Lun.-mar., jeu.-sam. 20 h, dim. 19 h, matinée : week-end 14 h 42nd Street/Times Square (N, Q, R, S, W, 1, 2, 3, 7, 9), 42nd Street/Eighth Avenue (A, C, E) M6, M7, M10, M42, M104

**STUDIO 54**
Plan 186 D17
254 West 54th Street, entre Broadway et Eighth Avenue
Tél. : 212/239-6200
Cette ancienne discothèque reconvertie en théâtre de 920 places produit essentiellement des spectacles de cabaret.
Mar.-sam. 20 h, dim. 19 h, matinée : sam., dim. 14 h Seventh Avenue (B, D, E), 57th Street (N, R, Q) M6, M7, M27, M50, M57

**VIRGINIA**
Plan 186 D17
245 West 52nd Street, entre Broadway et Eighth Avenue
Tél. : 212/239-6200
Le Theater Guild (guilde du théâtre) fut à l'origine de la création de ce théâtre à la façade toscane, ouvert en 1925.
Mar.-sam. 20 h, matinée : mer., sam. 14 h, dim. 15 h 50th Street (1, 9), 50th Street (C, E) M6, M7, M10, M27, M50, M104

**VIVIAN BEAUMONT THEATER**
Plan 186 C16
150 West 65th Street
Tél. : 212/239-6200
Malgré son adresse, ce théâtre est classé dans les salles de Broadway. La scène très

avancée dans le public permet des mises en scène innovantes.
Mar.-sam. 20 h, matinée : mer., sam. 14 h, dim. 15 h 66th Street (1, 9) M5, M7, M66, M104

**WALTER KERR**
Plan 186 D17
219 West 48th Street, entre Broadway et Eighth Avenue
Tél. : 212/239-6200
Ce théâtre, qui porte le nom d'un célèbre critique du *New York Times,* offre une scène idéale aux pièces dramatiques et comiques. 947 places.
Mar.-sam. 20 h, matinée : mer., sam. 14 h, dim. 15 h 50th Street/Eighth Avenue (C, E), 50th Street/Seventh Avenue (1, 9) M7, M10, M27, M50, M104

## THÉÂTRES OFF-BROADWAY

Les salles de la scène off-Broadway contiennent au plus 500 places, et sont généralement situées dans l'East Village ou le West Village, ou sur 42nd Street, entre Eighth et Eleventh Avenues. On y donne des spectacles expérimentaux, des comédies musicales inédites et des reprises innovantes. Plusieurs grands succès de Broadway y sont nés. Le prix des billets s'échelonne entre 25 et 65 $.

**ACTOR'S PLAYHOUSE**
Plan 188 D22
100 Seventh Avenue South, entre Bleecker Street et West Fourth Street
Tél. : 212/463-0060 ou 212/239-6200
Cette salle modeste, en activité depuis une quarantaine d'années, présente des comédies musicales dont le thème tourne souvent autour de l'homosexualité.
Lun., mer.-ven. 20 h, sam. 19 h, 22 h, dim. 19 h, matinée : dim. 15 h
Christopher Street/Sheridan Square (1, 9) M20

**BOWERIE LANE**
Plan 189 F22
330 Bowery/Bond Street
Tél. : 212/677-0060
www.jeancocteaurep.org
D'août à juin, la Jean Cocteau Repertory Company, créée en 1971, présente entre cinq et sept grandes œuvres théâtrales, d'Euripide à Samuel Beckett, dans cette belle salle qui fut autrefois une banque. 140 places.
Broadway-Lafayette (F, V, S) M21, M103

**BROOKLYN ACADEMY OF MUSIC (BAM)**
Hors plan 189 G25
30 Lafayette Avenue
Tél. : 718/636-4100 ou 212/307-4100
www.bam.org
Le premier complexe culturel progressiste de New York se trouve à Brooklyn et abrite plusieurs salles de spectacle – dont la Howard Gilman Opera House, de 2 100 places et le Harvey Lichtenstein Theater de 1 000 places – un café et un complexe de quatre salles de cinéma. Chaque automne, la BAM organise le Next Wave Festival, qui mélange opéra, musique, théâtre, danse et cinéma expérimentaux.
DeKalb Avenue (B, D, N, Q, R) M51

*Le Bowerie Lane privilégie un théâtre de répertoire*

**CHERRY LANE**
Plan 188 D22
38 Commerce Street, entre Hudson et Bedford Streets
Tél. : 212/989-2020
www.cherrylanetheater.com
En 1924, la poète et dramaturge Edna St. Vincent Millay et certains de ses amis reconvertissaient cet ancien entrepôt en théâtre. Aujourd'hui, la Cherry Lane Alternative maintient la tradition de soutien aux nouveaux dramaturges.
Mar.-ven. 20 h, sam. 17 h, 21 h, dim. 15 h Christopher Street/Sheridan Square (1, 9) M20, M21

**DARYL ROTH THEATER**
Plan 188 F21
101 East 15th Street/Union Square
Tél. : 212/375-1110 ou 212/239-6200
Daryl Roth, lauréate d'un prix Pulitzer, dirige cette salle installée dans une ancienne banque.
14th Street/Union Square (L, N, Q, R, W, 4, 5, 6) M1, M2, M3, M6, M7, M14

**MANHATTAN ENSEMBLE THEATRE**
Plan 189 E23
55 Mercer Street, entre Broome et Grand Streets
Tél. : 212/925-1900
www.met.com
Foyer du Manhattan Ensemble fondé par David Fishelson, cette salle présente des pièces dont beaucoup sont écrites par des dramaturges réputés.
Canal Street (J, M, N, Q), Spring Street (C, E) M1, M6

**MANHATTAN THEATRE CLUB**
261 West 47th Street
Tél. : 212/581-1212 (billetterie) ou 212/399-3000 (renseignements)
www.mtc-nyc.org
Fondée en 1970 pour promouvoir les nouvelles œuvres théâtrales, cette compagnie est résidente au Biltmore (▷ 205).
57th Street (N, Q, R, W), 57th Street (F) M5, M6, M7

**MINETTA LANE**
Plan 188 E22
18 Minetta Lane
Tél. : 212/420-8000
Ce théâtre de Greenwich Village est un incontournable de la scène off-Broadway.
West 4th Street (A, C, E, F, S, V) M5, M6, M8

**MITZI NEWHOUSE THEATER**
Plan 186 C16
150 West 65th Street
Tél. : 212 239-6277 ou 212/239-6200
www.lct.org
Spalding Gray interpréta *Swimming to Cambodia* (1996, inspiré du film *La Déchirure*) dans ce théâtre du Lincoln Center de 299 sièges.
Mar.-sam. 20 h, matinée : mer., sam. 14 h, dim. 15 h 66th Street (1, 9) M5, M7, M66, M104

**THE NEGRO ENSEMBLE COMPANY**
Plan 188 D18
303 West 42nd Street/Eighth Avenue
Tél. : 212/582-5860
www.negroensemblecompany.org
Cette compagnie organise des ateliers pour comédiens et dramaturges.
42nd Street (A, C, E) M10, M20, M42

**NEW YORK THEATRE WORKSHOP**
Plan 189 F22
79 East 4th Street, entre Second Avenue et Bowery
Tél. : 212/780-9037 ou 212/239-6200
www.nytw.org
Ce haut lieu du théâtre de Manhattan a donné vie à *Rent*, ainsi qu'à la pièce *A Number* de Caryl Churchill. 150 places.
Mar.-sam. 20 h, matinée : sam., dim. 15 h Broadway-Lafayette (F, S, V), Bleecker Street (6) M1, M21

**THE ONTOLOGICAL HYSTERIC THEATER AT ST. MARKS**
Plan 189 F21
131 East 10th Street, entre Second et Third Avenues
Tél. : 212/420-1916 ou 212/533-4650
www.ontological.com
Important foyer de la scène avant-gardiste.
Astor Place (6), Eighth Street (N, R, W) M8, M15

**PLAYWRIGHTS HORIZONS THEATER**
Plan 188 C18
416 West 42nd Street, entre Ninth et Tenth Avenues
Tél. : 212/564-1235
www.playwrightshorizons.org
Cette compagnie produit des pièces et comédies musicales inédites. 198 places dans la grande salle et 96 dans le studio.
42nd Street (A, C, E) M11, M42

**PUBLIC THEATER**
Plan 189 F22
425 Lafayette Street, entre Astor Place et East Fourth Street
Tél. : 212/539-8500 ou 212/239-6200
www.publictheater.org
En 1967, le producteur Joe Papp persuadait la municipalité de lui louer l'Astor Library pour la convertir en un espace théâtral de cinq salles.
Mar.-sam. 20 h, dim. 19 h, matinée : week-end 14 h 8th Street (N, R, W), Astor Place (6) M1, M8

*Le Radio City a évité la destruction en 1979*

**RADIO CITY MUSIC HALL**
Plan 187 E17
1260 Sixth Avenue/50th Street
Tél. : 212/247-4777
www.radiocity.com
Au bord de la démolition, ce théâtre Art déco a été magnifiquement réaménagé en 1999. 5 882 places, réparties entre l'orchestre et trois mezzanines.
Visites d'une heure tlj 11 h-15 h
Visite : ad. 17 $, enf. (moins de 12 ans) 10 $ 47th-50th streets/Rockefeller Center (B, D, F, V) M5, M6, M7

**SECOND STAGE THEATER**
Plan 188 D18
307 West 43rd Street, entre Eighth et Ninth Avenues
Tél. : 212/787-8302
www.secondstagetheater.com
L'architecte néerlandais Rem Koolhaas a contribué à la rénovation de cette ancienne banque. 299 places.
Mar., jeu., sam. 20 h, mer., dim. 19 h, matinée : mer., sam. 14 h, dim. 15 h
79th Street (1, 9) M79, M104

**SHAKESPEARE IN THE PARK**
Plan 186 D14
Delacorte Theater, 81st Street (West Side), 79th Street (East Side)
Tél. : 212/539-8500
www.publictheater.org
Le Public Theater sponsorise ce festival d'été tenu dans Central Park au Delacorte Theater. Billets gratuits distribués à partir de midi.
Uniquement l'été mar.-dim. 79th Street (1, 9) M1, M2, M3, M4, M79, M104

**THEATER FOR THE NEW CITY**
Plan 189 F21
155 First Avenue, entre 9th et 10th Streets
Tél. : 212/254-1109
Des pièces engagées pour une compagnie communautaire fondée en 1970.
Jeu.-sam. 20 h, matinée : dim. 15 h
Astor Place (6) M8, M15

**VINEYARD THEATRE**
Plan 188 F21
108 East 15th Street, entre Union Square et Irving Place
Tél. : 212/353-3366, 212/353-0303 ou 212/239-6200
www.vineyardtheatre.org
Cette salle off-Broadway a présenté des pièces lauréates du Pulitzer avant qu'elles ne se frayent un chemin vers Broadway. 120 places.
Mar.-sam. 20 h, matinée : dim. 15 h
14th Street/Union Square (L, N, Q, R, W, 4, 5, 6) M14, M101, M102, M103

**WPP THEATRE FOUR**
Plan 186 C17
424 West 55th Street
Tél. : 212/765-1706, billetterie 212/757-3900
www.womensproject.org
Fondé en 1978 par Julia Miles, le Women's Project Theatre est

la compagnie théâtrale féminine la plus en vue du pays. 199 places.
Mar.-sam. 20 h, dim. 19 h 30, matinée : sam. 14 h, dim. 15 h 59th Street (A, B, C, D, 1, 9) M11, M57

**YORK (THEATRE AT ST. PETER'S)**
Plan 187 F17
619 Lexington Avenue/54th Street
Tél. : 212/935-5824
Cet espace théâtral, installé dans une église du Citicorp Center, présente des œuvres expérimentales. 147 places.
Ven.-sam. 20 h, dim. 19 h 30, matinée : week-end 14 h 30 51st Street (6), Fifth Avenue/53rd Street (E, V)
M98, M101, M102, M103

## OFF-OFF BROADWAY

Ces salles, de 100 places maximum, proposent des pièces contemporaines ou des reprises innovantes d'œuvres classiques. Du pire au meilleur, pour des prix compris entre 10 et 55 $.

**BLEECKER STREET THEATRE**
Plan 189 F22
45 Bleecker Street, entre Bowery et Lafayette Street
Tél. : 212/253-9983 ou 212/307-4100
www.45bleecker.com
Foyer du Culture Project, qui produit des pièces d'auteurs contemporains. 45 places.
Mar.-ven. 20 h, sam. 16 h, 20 h, dim. 16 h Bleecker Street (6), Broadway/Lafayette (F, S, V)
M1, M21, M103

**CENTER STAGE/NY**
Plan 188 E20
48 West 21st Street, entre Fifth et Sixth Avenues, 4e étage
Tél. : 212/929-2228
www.labtheater.org
Treize comédiens ont créé la Labyrinth Repertory Company en 1992 afin de permettre à ses membres d'écrire, de mettre en scène et de jouer.
Variables 23rd Street (N, R, W), 23rd Street (F, V)
M2, M3, M5, M6, M7

**CLASSICAL THEATER OF HARLEM**
Hors plan 186 D12
Harlem School of the Arts Theater, 645 St. Nicholas Avenue, près de 141st Street
Tél. : 212/564-9983, billetterie : 212/868-4444
Cette compagnie fondée en 1988 vient tout juste de sortir de la sphère de Harlem, grâce à des critiques très favorables pour des adaptations des *Nègres* de Genet et des *Troyennes* d'Euripide.
145th Street (A, B, C)

**FLEA THEATER**
Plan 189 E24
41 White Street, entre Broadway et Church Street

*Shakespeare in the Park, un festival d'été populaire*

Tél. : 212/226-2407
www.theflea.org
Foyer de la Bat Theater Company, qui présente des œuvres de dramaturges aimant franchir de nouvelles frontières.
Canal Street (A, C, E) M1, M6

**LA MAMA EXPERIMENTAL THEATER CLUB**
Plan 189 F22
74A East 4th Street, entre Second Avenue et Bowery
Tél. : 212/475-7710
www.lamama.org
Ce théâtre parmi les plus célèbres de la scène off-off-Broadway fut fondé en 1961 par Ellen Stewart pour encourager les jeunes dramaturges. Trois salles sont abritées ici : l'Annex, le First Floor et le Club.
Jeu.-dim. Astor Place (6)
M8, M15

**THE MINT SPACE**
Plan 188 D18
311 West 43rd Street, entre Eighth et Ninth Avenues
Tél. : 212/315-9434 ou 212/279-4200
www.minttheater.org
Cette salle accueille le Mint Theater, l'une des compagnies les plus reconnues d'off-off-Broadway, et propose des pièces stimulantes souvent d'influence étrangère. 74 places.
42nd Street (A, C, E)
M11, M20, M42

**PERFORMING GARAGE**
Plan 189 E23
33 Wooster Street/Grand Street
Tél. : 212/966-9796 ou 212/966-3651
www.thewoostergroup.org
Foyer du Wooster Group, troupe lauréate du prix Obie (qui récompense la créativité sur la scène off-Broadway), fondée en 1975 par Jim Clayburgh, Willem Dafoe et Spalding Gray entre autres.
Canal Street (A, C, E)
M6

**THEATRE AT ST. CLEMENTS**
Plan 188 C18
423 West 46th Street, entre Ninth et Tenth Avenues
Tél. : 212/246-7277 ou 212/279-4200
Des dramaturges tels David Mamet et Terrance McNally ont présenté leurs œuvres ici pour la première fois, et de nombreux comédiens aujourd'hui célèbres y ont joué en début de carrière. Les pièces montées explorent des thèmes contemporains liés au spirituel, à la morale et à l'éthique. Située dans une église épiscopalienne, la salle comprend 151 places.
Mer.-ven. 19 h 30, sam. 20 h, matinée : sam. 14 h, dim. 15 h
42nd Street (A, C, E) M11, M42

# VIE NOCTURNE

**Les New-Yorkais prennent la vie nocturne très au sérieux. On trouve toujours un lieu en effervescence, la fête alternant entre bars et boîtes de nuit, pour s'achever à l'aube dans le Meatpacking District.**

Certains clubs nocturnes de New York sont très fermés. Dans les plus branchés, on revêt ses plus beaux atours pour pouvoir entrer sous l'œil inquisiteur des videurs. À l'intérieur, il y a toujours une salle VIP et une liste réservée à des invités de choix, la « A-list » (il est parfois possible d'y être inscrit en réservant ou en consultant les sites www.sheckys.com ou www.promony.com). Pénétrer dans les clubs à la mode étant devenu un exploit, des sociétés comme Hence PartyBuddys (tél. : 1/877-93-2839, www.partybuddys.com), qui promet aux visiteurs un tour de la vie nocturne pour des tarifs à partir de 350 $ par personne, sont nées. Mais les clubs accessibles, souvent bien plus amusants, sont légion, entre autres dans le milieu gay (voir Next, HX, Metro Source et Go).

Côté bars, il y en a pour tous les goûts. Les grands salons sont souvent des institutions historiques. Le Cedar Tavern, par exemple, est associé aux expressionnistes abstraits qui en avaient fait leur repaire dans les années 1950, et le P. J. Clarke's à des écrivains tels que Damon Runyon. Les bars des hôtels de luxe, comme le St. Regis's King Cole ou le Carlyle's Bemelman's, permettent de se détendre dans une ambiance fastueuse. En outre, les bars sur les toits sont très appréciés pour les rendez-vous galants. On trouve des bars spécialisés dans tous les types d'alcool (bière, vin, champagne, vodka, saké, etc.). La scène gay, quant à elle, est concentrée à Chelsea et Greenwich Village. De nombreux bars-lounges engagent maintenant des DJs, mais il n'est pas possible d'y danser.

La vie nocturne new-yorkaise se déploie à Harlem, à Chelsea, dans l'East et le West Villages, ainsi que dans le Lower East Side. Mais Williamsburg, de l'autre côté de l'East River, est en pleine explosion. L'âge légal pour pouvoir consommer de l'alcool est 21 ans (toujours avoir une carte d'identité avec une photo sur soi).

*Des bars et des clubs pour tous les goûts*

*Des DJ se produisent dans de nombreux lounges*

## Bars et lounges

Outre les superbes bars d'hôtel classés ci-dessous, vous pouvez essayer : The Villard du New York Palace Hotel (24 East 51st Street, tél. : 212/303-7757) ; Thom's Bar, au 60 Thompson Hotel (60 Thompson Street, tél. : 212/219-2000) ; The Whiskey, W Times Square (1567 Broadway/47th Street, tél. : 212/930-7444) ; l'Underbar du W Hotel Union Square (201 Park Avenue South, tél. : 212/358-1560) ; le Monkey de l'Hotel Elysee (▷ 300) ; et le Rise Bar du Ritz Carlton (Battery Park, tél. : 917/790-2525).

Les bars mentionnés dans cette liste n'exigent pas de droit d'entrée. Notez par ailleurs qu'une loi interdit de fumer dans tous ces établissements depuis 2003. Seuls les bars qui tirent 10 % de leur chiffre d'affaires des cigares peuvent déroger à cette règle.

### ANGEL'S SHARE

8 Stuyvesant Street (2e étage), entre 9th Street et Third Avenue
Tél. : 212/777-5415

Logé à l'étage d'un restaurant japonais, ce petit bar doit son nom aux vapeurs d'alcool qui se dégagent du whisky pendant son vieillissement. Le daïquiri au lychee vaut le détour.

Tlj 18 h-2 h 30 Astor Place (6)

### AUBETTE

119 East 27th Street, entre Park Avenue South et Lexington Avenue
Tél. : 212/686-5500

La cheminée de ce lounge en fait une plaisante retraite hivernale. Vins au verre, cocktails bien préparés et clientèle sympathique.

Lun.-ven. 17 h-4 h, week-end 19 h-4 h 28th Street (6)

**THE AUCTION HOUSE**
300 East 89th Street, entre First et Second Avenues
Tél. : 212/427-4458
Ce lounge installé sur plusieurs étages, lambrissé de bois, voit se mêler une clientèle contrastée. On sirote ses cocktails sur des banquettes de velours, sous des portraits richement encadrés.
Tlj 19 h 30-4 h 86th Street (4, 5, 6)

**B BAR**
40 East 4th Street/Bowery
Tél. : 212/475-2220
Si le B Bar n'est plus aussi branché qu'autrefois, ses soirées extravagantes du mardi soir, les « Beige », continuent d'attirer la communauté gay. Patio d'été.
Dim.-jeu. 10 h 30-minuit, ven.-sam. 11 h 30-3 h 30 Broadway/Lafayette (F, S, V), Bleecker Street (6)

**BARAZA**
133 Avenue C, entre East 8th et 9th Streets
Tél. : 212/539-0811
Pas étonnant que cet endroit soit bondé : il suffit de goûter aux mojitos et aux caipirhinas à la saveur ensoleillée, au son de la merengue, de la salsa et d'autres rythmes afro-cubains, pour l'adopter.
Tlj 19 h 30-4 h Astor Place (6), First Avenue (L)

**BARRAMUNDI**
67 Clinton Street, entre Rivington et Stanton Streets
Tél. : 212/529-6900
Les habitants de Manhattan apprécient ce bar boisé aux accents montagnards. Martinis et caipirhinas de qualité, clientèle chaleureuse.
Tlj 18 h-4 h Delancey/Essex (F, J, M, Z)

**BED NY**
530 West 27th Street, entre Tenth et Eleventh Streets
Tél. : 212/594-4109
www.bedny.com
Ce nouveau bar en terrasse propose un cadre exceptionnel : 14 méridiennes recouvertes de toile permettent de se prélasser à la romaine les nuits d'été, devant une vue remarquable de la ville qui englobe l'Empire State. Les méridiennes font aussi partie du décor dans le lounge restaurant installé au sixième étage. Fêtes sur le toit le dimanche après-midi et DJ en action.
Mar.-sam. 19 h-4 h, dim. 14 h-1 h 23rd Street (C, E)

**BEMELMAN'S BAR**
Carlyle Hotel, 35 East 76th Street, entre Park et Madison Avenues
Tél. : 212/744-1600
Baptisé du nom du célèbre illustrateur américain, Ludwig Bemelmans, ce bar intimiste attire le meilleur de la ville avec ses excellents cocktails à déguster au son du piano, joué divinement par Tony De Sare, ou du Chris Gillespie Trio *(21 h 30-1 h 30).*
Tlj midi-2 h JVen.-sam. 20-25 $ (10 $ au bar) 77th Street (6)

*Le Bubble Lounge, un cadre luxueux pour prendre un verre*

**THE BUBBLE LOUNGE**
228 West Broadway, entre Franklin et White Streets
Tél. : 212/431-3433
www.bubblelounge.com
Ce lounge, très « années folles », célèbre le champagne avec 24 crus proposés à la coupe et 350 à la bouteille. On déguste autour de tables en marbre, cernées de banquettes rouges luxueuses, à la lumière des lustres.
Lun.-jeu. 17 h-2 h, ven.-sam. 18 h-4 h Franklin Street (1, 9)

**CAMPBELL APARTMENT**
15 Vanderbilt Avenue, Grand Central Station (angle sud-ouest)
Tél. : 212/953-0409
Ce bar, new-yorkais par excellence, fut à l'origine conçu comme bureau pour l'opulent homme d'affaires John W. Campbell. Sa décoration sombre et foisonnante attire aujourd'hui les habitants du Connecticut et du comté de Westchester.
Lun.-ven. 15 h-1 h, dim. 15 h-23 h 42nd Street/Grand Central (4, 5, 6, S)

**D.B.A.**
41 First Avenue, entre East 2nd et 3rd Streets
Tél. : 212/475-5097
Les grands amateurs apprécient la sélection de single malts (100) et de bières (20 à la pression) proposée dans ce bar délicieusement désuet. Arrière-cour très agréable en été.
Tlj 13 h-4 h Lower East Side/Second Avenue (F, V)

**DECIBEL**
240 East 9th Street, entre Second et Third Avenues
Tél. : 212/979-2733
Cet étroit bar japonais souterrain est très réputé pour sa large sélection de saké. Laissez-vous tenter…
Lun.-sam. 20 h-2 h, dim. 20 h-1 h Astor Place (6)

**DIVINE BAR**
244 East 51st Street, entre Second et Third Avenues
Tél. : 212/319-9463
La foule qui fréquente ce bar à tapas recrée une ambiance nocturne toute madrilène. 60 vins et 40 types de bière.
Mer.-ven. 17 h-1 h 30, sam. 19 h-20 h 30, lun. 17 h-minuit, mar. 17 h-00 h 30 51st Street (6), Lexington/53rd Street (E, V)

**DOUBLE HAPPINESS**
173 Mott Street, entre Broome et Grand Streets
Tél. : 212/941-1282

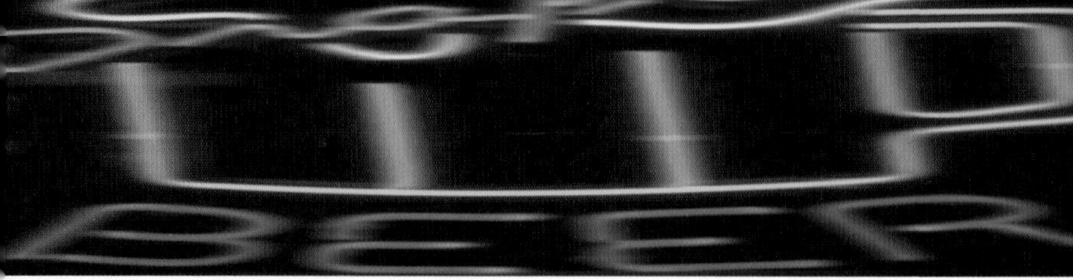

Le « double bonheur » tient ses promesses grâce à de bons cocktails, à une musique innovante et à une clientèle plutôt jeune.
Dim.-jeu. 18 h-2 h, ven.-sam. 18 h-4 h Bowery (J, M, Z)

**ELAINE'S**
1703 Second Avenue, entre East 88th et 89th Streets
Tél. : 212/534-8103
Les écrivains, acteurs, politiciens et mondains qui fréquentent cet établissement ont leur table réservée, mais tout le monde y est le bienvenu. On y croise, entre autres, Norman Mailer et Woody Allen.
Tlj 18 h-2 h 86th Street (4, 5, 6)

**ENOTECA I TRULLI**
122 East 27th Street, entre Park Avenue South et Lexington Avenue
Tél. : 212/481-7372
Ce bar à vins aéré propose quelque 50 vins au verre que l'on peut accompagner de viandes séchées, de fromages ou d'excellentes olives.
Lun.-jeu. 12 h-22 h 30, ven. 12 h-23 h, sam. 17 h-23 h 28th Street (6)

**EUGENE**
27 West 24th Street, entre Fifth et Sixth Avenues
Tél. : 212/462-0999
Le décor fastueux de ce club lounge – colonnes cannelées, fauteuils club de velours rouge, salle à manger sous véranda – attire la jet-set internationale.
Jeu., ven. 23 h-4 h, sam. 22 h-4 h 23rd Street (F, N, R, V)

**FEZ UNDER TIME CAFÉ**
380 Lafayette Street, entre Great Jones et East 4th Streets
Tél. : 212/533-7000 ou 212/533-2680 pour le calendrier des programmations
Ce bar de style marocain propose un confort douillet avec ses banquettes remplies de coussins, ses lampes mauresques suspendues et ses ventilateurs. Bonne sélection de cognacs et de single malts.
Dim.-jeu. 18 h-2 h, ven.-sam. 18 h-4 h Broadway-Lafayette (F, S, V), Bleecker Street (6)

**FLUTE**
205 West 54th Street, entre Seventh Avenue et Broadway
Tél. : 212/265-5169
Idéal (mais cher) pour prendre un verre après le théâtre, ce bar souterrain tout en miroirs et dorures propose 20 crus de champagne à la coupe. Les alcôves privatives sont très convoitées.
Lun.-ven. 17 h-4 h, sam. 19 h-4 h, dim. 19 h-2 h Seventh Avenue (B, D, E)

**GLASS**
287 Tenth Avenue, entre West 26th et 27th Streets
Tél. : 212/904-1580
Cet espace futuriste et original est à l'image du quartier où il est installé. Les miroirs sans tain des toilettes ne sont qu'un exemple des trompe-l'œil dont l'établissement est friand.
Jeu.-sam. 17 h-4 h, mar.-mer. 17 h-2 h 28th Street (1, 9)

*Boissons tentantes au Happy Ending*

**GRACE**
114 Franklin Street, entre West Broadway et Church Street
Tél. : 212/343-4200
Ce vaste et élégant espace attire les cadres de Wall Street et les hommes politiques, qui y viennent déguster les martinis-pomme et les margaritas-mandarine servis sur le grand bar en acajou.
Tlj 11 h 30-4 h Franklin Street (1, 9)

**HAPPY ENDING**
302 Broome Street, entre Eldridge et Forsythe Streets
Tél. : 212/334-9676
Ce lounge en duplex trahit son ancienne vie de salon de massage par ses pommeaux de douche, ses alcôves carrelées et ses cabines circulaires. Les boissons y sont très originales.
Mar.-mer. 18 h-2 h, jeu. 18 h-3 h, ven.-sam. 18 h-4 h Delancey/Essex (F, J, M, Z)

**HUDSON BARS**
Hudson Hotel, 356 West 58th Street, entre Eighth et Ninth Avenues
Tél. : 212/554-6000
Ces deux bars sont centraux dans la vie de cet hôtel huppé. Dans l'Hudson, une longue table joliment décorée fait office de bar et, tard le soir, le sol rétro éclairé est converti en piste de danse. Au Library, vous trouverez des fauteuils en cuir, des ottomanes et une belle cheminée.
Hudson dim.-mer. 16 h-1 h 30, jeu.-sam. 16 h-3 h ; Library dim.-mer. 12 h-1 h, jeu.-sam. midi-2 h 30 59th Street/Columbus Circle (A, B, C, D, 1, 9)

**IL POSTO ACCANTO**
192 East 2nd Street, entre Avenues A et B
Tél. : 212/228-3562
Bar à vins décontracté et chaleureux, qui propose des amuse-gueule avec ses 30 vins italiens servis au verre.
Mar.-dim. 18 h-2 h Lower East Side/Second Avenue (F, V)

**KING COLE BAR**
St. Regis Hotel, 2 East 55th Street, entre Fifth et Madison Avenues
Tél. : 212/753-4500
Baptisé d'après la peinture murale *Old King Cole* réalisée par Maxfield Parrish en 1906, ce bar affirme avoir inventé le célèbre bloody mary (qui s'appelait à l'origine « red snapper »). Excellente réserve de cognacs, grappas et single malts.
Lun.-jeu. 11 h 30-1 h, ven.-sam. 11 h 30-2 h, dim. midi-minuit Fifth Avenue/53rd Street (E, V)

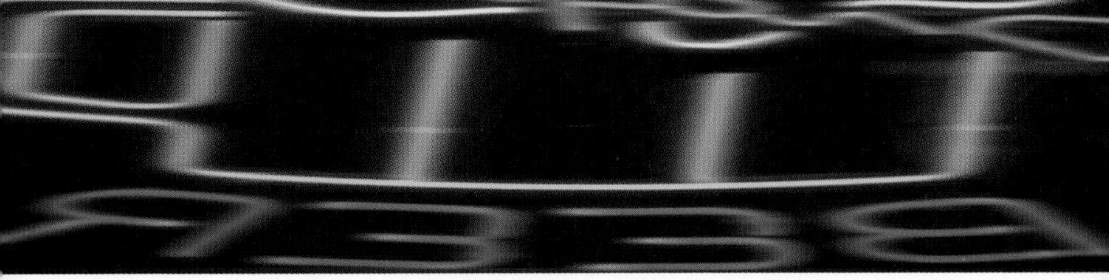

**KUSH**
191 Chrystie Street, entre Stanton et Rivington Streets
Tél. : 212/677-7328
www.kushlounge.com
Un décor exotique attend la clientèle branchée qui vient ici fumer le narguilé ou siroter un verre dans ce lounge séduisant par ses alcôves privées. Musique du monde en fond sonore
Mar.-mer. 17 h-2 h, jeu.-ven. 17 h-4 h, sam. 19 h-4 h
Lower East Side/2nd Avenue (F, V), Bowery (J, M, Z)

**LEVEL V**
675 Hudson Street/14th Street
Tél. : 212/699-2410
Ce lounge en sous-sol est le dernier endroit à la mode du Meatpacking District. Banquettes en cuir noir, tables en verre et éclairage bien pensé accueillent une clientèle jeune et apprêtée. Les VIP ont droit aux alcoves aux voûtes de brique. Réservation conseillée.
Jeu.-sam. 20 h-4 h, mar.-mer. 20 h-2 h
14th Street (A, C, E), Eighth Avenue (L)

**LIGHT**
129 East 54th Street, entre Lexington et Park Avenues
Tél. : 212/583-1333
Ce bar à l'ambiance feutrée, toute de velours rouge, attire essentiellement les célibataires.
Lun.-jeu. 17 h-2 h, ven. 17 h-4 h, sam. 21 h-4 h Lexington Avenue/53rd Street (E, V), 51st Street (6)

**LOT 61**
550 West 21st Street, entre Tenth et Eleventh Avenues
Tél. : 212/243-6555
Ce lounge branché occupe un ancien garage de camions. Des panneaux à glissière divisent l'espace en plusieurs décors, ici un pastiche des années 1940, là du chic exotique. Damien Hirst a laissé sa touche.
Ven.-dim. 22 h-4 h 23rd Street (C, E)

**LUNA PARK**
Union Square Park, entre Broadway et 17th Street
Tél. : 212/475-8464
Ce haut lieu estival de Manhattan est un bar restaurant en plein air qui occupe l'extrémité nord de Union Square Park. Cuisine méditerranéenne correcte.
Mai-sept. lun.-ven. midi-minuit, sam. 12 h-1 h, dim. 12 h-23 h 14th Street/Union Square (L, N, Q, R, W, 4, 5, 6)

**MARIE'S CRISIS**
59 Grove Street
Tél. : 212/243-9323
Une foule mélangée d'hétéros et d'homos se rassemble ici pour entonner des tubes de Broadway autour du piano droit.
Tlj 16 h-4 h Christopher Street/Sheridan Square (1, 9)

*Offrez-vous un verre dans l'un des nombreux bars new-yorkais*

**MARION'S CONTINENTAL**
354 Bowery, entre East 4th et Great Jones Streets
Tél. : 212/475-7621
Une clientèle fidèle se retrouve ici pour les martinis bon marché et les soirées à thème. Le lundi, par exemple, les Pontani Sisters donnent un spectacle digne des Folies-Bergères.
Tlj 17 h 30-2 h Broadway/Lafayette (F, S, V), Bleecker Street (6)

**MARKT**
40 West 14th Street/Ninth Avenue
Tél. : 212/727-3314
En été, la terrasse de ce bar qui semble sorti tout droit de Belgique est systématiquement bondée. Les bières belges à la pression accompagnent moules et fruits de mer.
Lun.-ven. 11 h 30-16 h 30, 17 h 30-minuit, week-end 10 h-16 h 30, 17 h 30-1 h 14th Street (A, C, E)

**MERC BAR**
151 Mercer Street, entre Houston et Prince Streets
Tél. : 212/966-2727
Même s'il n'est plus aussi « in » que par le passé, cet établissement offre toujours un confort agréable, une lumière séduisante et de la musique entraînante. En été, les banquettes proches de la rue constituent un excellent poste d'observation.
Lun.-mer. 17 h-1 h 15, jeu.-sam. 17 h-3 h 30, dim. 18 h-1 h 15
Broadway/Lafayette (F, S, V), Bleecker Street (6)

**METROPOLITAN MUSEUM ROOF GARDEN**
Metropolitan Museum of Art, 1000 Fifth Avenue/82nd Street
Tél. : 212/879-5500
La classe, la super classe. Que rêver de mieux pour prendre un verre que le soleil couchant sur Central Park ? Tout cela au son des accords de musique de chambre ou de jazz.
Jardin en terrasse mar.-jeu., dim. 9 h 30-17 h 15, ven.-sam. 9 h 30-20 h ; balcon ven.-sam. 17 h-20 h 86th Street (4, 5, 6), 77th Street (6)

**MORGANS BAR**
Morgans Hotel, 237 Madison Avenue, entre East 37th et 38th Streets
Tél. : 212/726-7600
Dissimulé en sous-sol, ce bar attire bon nombre de célébrités. Prélassez-vous dans ses fauteuils en cuir et profitez de la lumière des bougies et des délicieux cocktails. Ambiance à son apogée à partir de 22 h.
Lun.-ven. 17 h-2 h, sam. 18 h-3 h 15, dim. 18 h-minuit 33rd Street (6)

**N**
33 Crosby Street, entre Broome et Grand Streets
Tél. : 212/219-8856
Cette toute petite enseigne

propose de la sangria accompagnée d'appétissantes tapas. Bonne sélection de xérès et de vins espagnols.
Dim.-jeu. 17 h-2 h, ven.-sam. 17 h-4 h Spring Street (6)

**THE PARK**
118 Tenth Avenue, entre West 17th et 18th Streets
Tél. : 212/352-3313
Cet immense complexe, à la cour extérieure séduisante, est connu pour avoir accueilli la fête d'anniversaire de Jennifer Lopez.
Lun.-jeu. 16 h-1 h, ven.-dim. 16 h-4 h 14th Street (A, C, E), Eighth Avenue (L)

**PEN TOP BAR**
Peninsula Hotel, 700 Fifth Avenue/ 55th Street
Tél. : 212/903-3097
Comment résister à un élégant bar en terrasse sur un toit, en plein cœur de Manhattan ? Un privilège qui, d'ailleurs, se paie.
Lun.-jeu. 17 h-minuit, ven.-sam. 17 h-1 h Fifth Avenue/53rd Street (E, V), 51st Street (6)

**PRAVDA**
281 Lafayette Street, entre Houston et Prince Streets
Tél. : 212/226-4944
Caviar et autres entremets russes accompagnent la vodka servie dans ce lounge chic qui s'apparente davantage à une datcha qu'à un palais impérial. Pas moins de 65 vodkas sont proposées, dont nombre sont agrémentées d'éléments exotiques comme le gingembre, la mangue ou le raifort.
Mer.-jeu. 17 h-2 h, ven.-sam. 17 h-3 h, dim. 18 h-1 h, lun.-mar. 17 h-1 h Broadway/Lafayette (F, S, V), Bleecker Street (6)

**PUNCH AND JUDY**
26 Clinton Street, entre Houston et Stanton Streets
Tél. : 212/982-1116
Un décor quasi théâtral pour ce bar à vins confortable où l'on peut déguster 32 vins au verre, assis dans de douillets sofas de velours rouge.
Tlj 18 h-2 h Delancey/Essex (F, J, M, Z)

**RAINBOW GRILL BAR**
30 Rockefeller Plaza/49th Street, entre Fifth et Sixth Avenues
Tél. : 212/632-5000
Vous avez le choix entre vous ruiner dans un dîner dansant au Rainbow Room, et prendre simplement un verre dans ce bar installé au milieu des gratte-ciel de Midtown. Veste obligatoire pour les messieurs.
Dim.-jeu. 17 h-minuit, ven.-sam. 17 h-1 h, dîners dansants ven.-sam. 47th-50th Streets (B, D, F, V)

*Les bars les plus chics offrent le plus grand luxe*

**ROYALTON VODKA BAR**
Royalton Hotel, 44 West 44th Street, entre Fifth et Sixth Avenues
Tél. : 212/869-4400
Jouxtant le hall de l'hôtel ultra-chic du même nom, ce bar chaleureux est idéal pour prendre un verre avant ou après le théâtre.
Lun.-jeu. 17 h-00 h 45, ven.-sam. 17 h-1 h 45 42nd Street (B, D, F, V)

**RUBYFRUIT**
531 Hudson Street, entre Charles et West 10th Streets
Tél. : 212/929-3343
Sofas et fauteuils anciens sont disposés autour de la cheminée du bar en étage fréquenté surtout par des plus de 35 ans. Restaurant convivial à l'étage inférieur.
Lun.-jeu. 15 h-2 h, ven.-sam. 15 h-4 h, dim. 11 h 30-2 h Christopher Street (1, 9)

**RUSSIAN VODKA ROOM**
265 West 52nd Street, entre Broadway et Eighth Avenue
Tél. : 212/307-5835
Une très vaste sélection de vodkas aromatisées, pomme-cannelle ou raifort par exemple, sont mélangées à du martini ou bues pures, cette dernière manière ayant la préférence des Russes qui affluent dans ce bar désuet installé en sous-sol. Menu bon marché.
Mar.-jeu. 16 h-2 h, ven.-sam. 16 h-3 h, dim.-lun. 16 h-1 h 50th Street (C, E)

**ST. ANDREW'S**
120 West 44th Street, entre Broadway et Sixth Avenue
Tél. : 212/840-8413
Les amoureux de whisky affluent dans ce restaurant qui s'apparente à un véritable pub traditionnel pour choisir parmi les quelque 175 single malts proposés. Il est préférable de venir tôt ou tard pour éviter la foule qui s'y presse chaque jour.
Mar.-sam. 11 h 30-4 h, dim.-lun. 12 h-2 h 42nd Street (B, D, F, V)

**SAKAGURA**
211 East 43rd Street, entre Second et Third Avenues
Tél. : 212/953-7253
Installé dans le sous-sol d'une tour, ce bar pourrait venir tout droit du Japon : les étagères regorgent de 200 types de saké proposés, et que l'on peut commander par assortiment de quatre.
Lun.-jeu. 12 h-14 h 30, 18 h-minuit, ven. 12 h-14 h 30, 18 h-1 h, sam. 18 h-2 h, dim. 18 h-23 h 42nd Street/Grand Central (4, 5, 6)

**SERENA BAR AND LOUNGE**
Hotel Chelsea, 222 West 23rd Street, entre Seventh et Eighth Avenues
Tél. : 212/255-4646

La doyenne de la mode et des mondanités, Serena Bass, a créé ce temple du vin qui baigne dans le velours, le marbre et les miroirs, pour une clientèle qui aime la fête. Le mercredi soir, un DJ joue le meilleur de la musique « downtown ».
Mar.-ven. 18 h-4 h, sam. 19 h-4 h
23rd Street (1, 9)

**SLIPPER ROOM**
167 Orchard Street/Stanton Street
Tél. : 212/253-7246
Ce lounge présente des aspirants artistes de cabaret.
Mer.-sam. 20 h-4 h, mar. 20 h-2 h
Lower East Side/Second Avenue (F, V)

**SOHO 323**
323 West Broadway
Tél. : 212/334-2232
La plage constitue l'indéniable influence de ce lounge sur deux étages. Des feuilles de palmier, véritables ou peintes au pochoir, ornent l'espace, et la clientèle se détend sur des sofas ou des ottomanes en osier en sirotant des « two and three », mélanges de champagne, de liqueur et de jus de lychee. La salle du haut présente un bar en forme de cabane dans un décor minimaliste.
Lun.-sam. 17 h-4 h
Canal Street (C, E)

**STARLIGHT**
167 Avenue A, entre 10th et 11th Streets
Tél. : 212/475-2172
Starlight offre plus que des boissons grâce à sa petite arrière-salle où sont présentés toutes sortes de spectacles : spectacles de travestis, comédie, improvisation, poésie, etc.
Dim.-jeu. 18 h-3 h, ven.-sam. 18 h-4 h Astor Place (6), First Avenue (L)

**STONEWALL**
53 Christopher Street, entre Seventh Avenue South et Waverly Place
Tél. : 212/463-0950
www.stonewall-place.com
Ce bar, d'apparence anodine, est pourtant mythique auprès de la communauté gay. C'est ici qu'en 1969, des travestis repoussèrent la police à coups de talons aiguilles…
Tlj 16 h-4 h Christopher Street/Sheridan Square (1, 9)

**SUGARCANE**
245 Park Avenue South, entre 19th et 20th Streets
Tél. : 212 475-9377
La trouvaille de ce lounge latino est le « cocktail tree » qui, pour 50 $, permet de goûter à une sélection de boissons. Le DJ joue des rythmes brésiliens et caribéens pour une clientèle raffinée installée au bar ou sur les banquettes de la salle.
Mar.-sam. 16 h 30-2 h, dim.-lun. 16 h 30-minuit 23rd Street (6), 23rd Street (N, R, W)

*Une nuit new-yorkaise*

**SWIFT HIBERNIAN LOUNGE**
34 East 4th Street, entre Bowery et Lafayette Street
Tél. : 212/227-9438
De nombreuses bières en fût sont proposées dans cette enclave dublinoise de Manhattan baptisée en hommage au satiriste Jonathan Swift. Locaux et expatriés irlandais constituent le gros de la clientèle.
Tlj 12 h-4 h Broadway/Lafayette (F, S, V), Bleecker Street (6)

**TAO**
42 East 58th Street, entre Madison et Park Avenues
Tél. : 212/888-2288
Un grand Bouddha doré domine ce vaste espace, tellement célèbre pour ses beaux célibataires qu'il a servi de décor à l'un des épisodes de la série *Sex and the City*.
Mer.-ven. 11 h 30-1 h, sam. 17 h-1 h, dim. 17 h-minuit, lun.-mar. 11 h 30-minuit, Fifth Avenue/59th Street (N, R, W), 59th Street (4, 5, 6)

**TEMPLE BAR**
332 Lafayette Street, entre Houston et Bleecker Streets
Tél. : 212/925-4242
Ce bar ultra-cher est fréquenté par les mannequins et leur cénacle fortuné. Pour le plaisir des yeux.
Lun.-mer. 17 h-1 h, jeu.-sam. 17 h-2 h
Broadway/Lafayette (F, S, V), Bleecker Street (6)

**TOP OF THE TOWER**
Beekman Tower, 3 Mitchell Place sur First Avenue/49th Street
Tél. : 212/980-4796
Cet espace aérien situé au 26e étage n'est ni trop branché ni trop cher : un miracle, vu le panorama qu'offre l'établissement.
Dim.-jeu. 17 h-1 h, ven.-sam. 17 h-2 h 51st Street (6), 53rd Street/Lexington (E, V)

**TOWNHOUSE**
236 East 58th Street/Second Avenue
Tél. : 212/754-4649
Ce bar-club, bercé par le son du piano, plaît aux cadres supérieurs.
Dim.-mer. 16 h-3 h, jeu.-sam. 16 h-4 h
59th Street (4, 5, 6)

**XUNTA**
174 First Avenue, entre East 10th et 11th Streets
Tél. : 212/614-0620
Le jeudi, la guitare et la musique flamenco emplissent cette salle qui se prête à la dégustation de sangria et de tapas. Bonne sélection de xérès également.
Dim.-jeu. 17 h-minuit, ven.-sam. 17 h-2 h 14 Street (L), Lower East Side/Second Avenue (F, V)

## Le New York traditionnel

**CEDAR TAVERN**
82 University Place, entre 11th et 12th Streets
Tél. : 212/741-9754
Dans les années 1950, le Cedar Tavern (alors au numéro 24) était le point de ralliement des peintres abstraits, tels que Jackson Pollock et Willem de Kooning. Aujourd'hui, il est très couru par les étudiants de l'université de New York. En été, le jardin en terrasse sous verrière est un bonheur.
Lun.-sam. 9 h-3 h 30, dim. 12 h-3 h
14th Street/Union Square (L, N, Q, R, W, 4, 5, 6)

**CHUMLEY'S**
86 Bedford Street, entre Barrow et Grove Streets
Tél. : 212/675-4449
Bar clandestin lorsqu'il ouvrit en 1922, cet établissement était un repaire d'écrivains (dont les jaquettes de livre décorent les murs). Aujourd'hui, il attire une clientèle jeune.
Lun.-jeu. 17 h-minuit, ven. 17 h-1 h, sam. 12 h-1 h, dim. midi-minuit
Christopher Street/Sheridan Square (1, 9)

**EAR INN**
326 Spring Street, entre Greenwich et Washington Streets
Tél. : 212/226-9060
Ce café fondé en 1817 près de l'Hudson River était autrefois fréquenté par les marins et les dockers, supplantés à présent par les écrivains et les artistes.
Tlj 12 h-4 h
Spring Street (C, E), Canal Street (1, 9)

**FANELLI CAFE**
94 Prince Street/Mercer Street
Tél. : 212/226-9412
Une fois passée la porte aux motifs gravés sur verre, on se croirait à Londres. Quelques artistes aiment encore se rassembler ici, où une cuisine de pub typique est servie dans l'arrière-salle.
Lun.-jeu. 10 h-2 h, ven. 10 h-4 h, sam. 10 h-4 h, dim. 11 h-00 h 30
Prince Street (N, R)

**JOE ALLEN**
326 West 46th Street, entre Eighth et Ninth Avenues
Tél. : 212/581-6464
Ce bar restaurant est idéal pour prendre un verre avant ou après le théâtre. Cuisine américaine.
Dim., mer., sam. 11 h 30-23 h 45, lun.-mar. jeu.-ven. 12 h-23 h 45
42nd Street (A, C, E)

**LANDMARK TAVERN**
626 Eleventh Avenue, angle sud-est de 46th Street

*La décoration du Chumley's est dédiée à la littérature*

Tél. : 212/247-2562
Cette « taverne historique » a ouvert ses portes en 1868. Le bar en acajou, les vieux miroirs et le sol carrelé donnent l'impression de faire un saut dans le passé. La cuisine de pub traditionnel est bonne.
Tlj 11 h 30-3 h (fermeture de la cuisine à 23 h) 42nd Street (A, C, E), 50th Street (C, E)

**MCSORLEY'S OLD ALE HOUSE**
15 East 7th Street, entre Second et Third Avenues
Tél. : 212/473-9148
Le McSorley's, fondé en 1854, refusait l'admission des femmes jusqu'en 1970. Les murs sont parsemés de vieilles coupures de presse. Clientèle étudiante.
Lun.-sam. 12 h-1 h, dim. 13 h-1 h
Astor Place (6), 8th Street (N, R)

**OLD TOWN BAR**
45 East 18th Street, entre Broadway et Park Avenue
Tél. : 212/529-6732
Dans cet établissement authentique, ouvert en 1892, préférez les loges privatives. Sol carrelé, long miroir de bar, plafond en étain et lampes à gaz d'origine forment le décor. Pas de musique : la rumeur des conversations règne en maître.
Lun.-mer. 11 h 30-00 h 30, jeu.-ven. 11 h 30-1 h, sam. 12 h-1 h, dim. 13 h-23 h 30 14th Street/Union Square (L, N, Q, R, W, 4, 5, 6)

**P.J. CLARKE'S**
915 Third Avenue/55th Street
Tél. : 212/317-1616
Lové dans un minuscule bâtiment cerclé de gratte-ciel, ce bar a joué un grand rôle dans le film *Le Poison* de Billy Wilder (1945). En 2003, une restauration lui a redonné son ambiance « vieux New York ».
Tlj 11 h 30-4 h 59th Street (4, 5, 6)

**PETE'S TAVERN**
129 East 18th Street/Irving Place
Tél. : 212/473-7676
O'Henry aurait écrit *Le Cadeau des Mages* ici, sur une table tachée de bière. En été, préférez les tables en extérieur.
Lun.-sam. 11 h-2 h 30, dim. 12 h-2 h 30
14th Street/Union Square (L, N, Q, R, W, 4, 5, 6)

**WHITE HORSE TAVERN**
567 Hudson Street/11th Street
Tél. : 212/989-3956
Dylan Thomas, Brendan Behan et Jack Kerouac venaient tous étancher leur soif ici. En été, les bancs et les grandes tables en extérieur constituent un bon poste d'observation de la vie du Village.
Dim.-jeu. 11 h-2 h, ven.-sam. 11 h-4 h
Christopher Street/Sheridan Square (1, 9), 14th Street (A, C, E)

## Clubs et discothèques

Les entrées des clubs sont un spectacle à elles seules, tant s'affichent de poses affectées. Dans certains endroits, les videurs se montrent grossiers et méprisants ; et plus le week-end approche, plus la politique d'entrée se fait stricte. Notez par ailleurs que dans certains lieux, l'ambiance n'est pas au rendez-vous avant minuit.

**APT**
419 West 13th Street, entre Ninth Avenue et Washington Street
Tél. : 212/414-4245
www.aptwebsite.com
Inscription sur la A-list obligatoire pour se faire une place sur l'un des sofas de la salle du haut qui ressemble à un appartement (grand lit et tables de café assortis). La salle du bas est plus accessible, mais il faut tout de même être sur son trente et un pour entrer dans le club.
Dim.-mer. 18 h-2 h, jeu.-sam. 18 h-4 h (salle du bas : dim.-mer. 22 h-2 h, jeu.-sam. 22 h-4 h) 0-20 $ 14th Street (A, C, E), Eighth Avenue (L)

**BAKTUN**
418 West 14th Street, entre Ninth Avenue et Washington Street
Tél. : 212/206-1590
www.baktun.com
Club sans prétention mais animé, notamment pendant les soirées « drum and bass » du samedi, quand les jeunes se défoulent devant les écrans vidéo. Musique instrumentale et électronique, plus soirées spéciales (comme des percussionnistes de kodo japonais) les autres soirs.
Lun., mer.-sam. 21 h-4 h Variable 14th Street (A, C, E)

**CHINA CLUB**
268 West 47th Street, entre Broadway et Eighth Avenue
Tél. : 212/398-3800
www.chinaclubnyc.com
Ce haut lieu de la nuit attire les célébrités depuis 25 ans. De nos jours, ce sont surtout les sportifs et les musiciens qui fréquentent son salon VIP, en particulier le lundi soir. Selon les soirs, musique house, salsa, merengue ou R & B.
Lun.-sam. 22 h-4 h (ouverture à 18 h pour les événements de début de soirée) 15-20 $ 49th Street (N, R, W), 50th Street (1, 9)

**CIELO**
18 Little West 12th Street, entre Ninth Avenue et Washington Street
Tél. : 212/645-5700
Difficile de pénétrer ici à moins d'être beau ou célèbre, dans la mesure où l'endroit n'accueille que 300 personnes. L'endroit est confortable, avec une piste de danse en contrebas (où la fête bat son plein à 2 h) et un tas de petits recoins intimes. House aux influences latines, musique tribale et DJ *guests* chauffent l'ambiance.
Lun.-mer. 22 h-4 h, jeu.-sam. 23 h-4 h, dim. 18 h-minuit 5-20 $ 14th Street (A, C, E)

*Les clubs new-yorkais ne s'illustrent pas par leur accessibilté*

**CLUB SHELTER**
20 West 39th Street, entre Fifth et Sixth Avenues
Tél. : 212/719-4479
En haut : les « garage parties » les plus courues depuis une décennie. En bas : siège du LoverGirlNYC, un must de la communauté lesbienne.
Sam. 23 h-midi 10-25 $ 42nd Street (B, D, F, V), Fifth Avenue (7)

**COPACABANA**
560 West 34th Street/Eleventh Avenue
Tél. : 212/239-2672
www.copacabanany.com
Les danseurs professionnels viennent s'entraîner dans ce club latino au son de groupes *live* qui font vibrer la salsa, le merengue et autres rythmes latino. Le mardi, buffet gratuit de 18 h à 20 h. Jeans, baskets et t-shirts recalés à l'entrée.
Mar. 18 h-2 h 30, ven.-sam. 22 h-5 h 10-25 $ 34th Street (A, C, E)

**CORAL ROOM**
512 West 29th Street, entre Tenth et Eleventh Avenues
Tél. : 212/244-1965
Ambiance un peu kitsch mais amusante et accessible. Célèbre pour le grand aquarium qui trône derrière le bar. Dimanche réservé aux fêtards gays de Chelsea. Les autres soirs, on ne sait jamais quelle population on rencontrera : costumes-cravate, beaux gosses ou banlieusards...
Mer.-lun. 22 h 30-4 h 20 $ 23rd Street (C, E)

**CROBAR**
530 West 28th Street, entre Tenth et Eleventh Avenues
Tél. : 212/629-9000
www.crobar.com
Crobar est une boîte si grande qu'on y trouve rassemblés tous les styles et toutes les communautés. Musique tout aussi éclectique.
Ven.-sam. 22 h-5 h 20-30 $ 23rd Street (C, E)

**DISCOTHEQUE**
17 West 19th Street, entre Fifth et Sixth Avenues
Tél. : 212/352-9999
Soul, R & B rétro et disco attirent les mannequins

et leur sérail aisé dans ce club convoité et plutôt imperméable. Les DJ sont toujours de premier ordre. La boîte organise parfois des spectacles d'hommes pour un public féminin, entre autres événements.
Jeu.-dim. 22 h-4 h 10-25 $
23rd Street (N, R, W), 18th Street (1, 9)

**EL FLAMINGO**
547 West 21st Street, entre Tenth et Eleventh Avenues
Tél. : 212/243-2121
Ce club lounge reçoit une comédie musicale hilarante appelée *Donkey Show*. Après le spectacle, les clients peuvent aller se trémousser sur de la disco avec les artistes de la représentation, légèrement vêtus.
Ven. 21 h, sam. 19 h 30, 22 h
40-45 $, spectacle et danse inclus
23rd Street (C, E)

**EXIT 2**
610 West 56th Street, entre Eleventh et Twelfth Avenues
Tél. : 212/582-8282
www.exit2nightclub.com
Les soirées les plus chaudes de cet « entrepôt » de la danse (il peut accueillir 4 000 personnes) sont les fêtes reggae du samedi. Le jeudi, c'est hip-hop et le vendredi, musique latine.
Jeu. 23 h-4 h, ven. 23 h-4 h, sam. 22 h-4 h 20-30 $
59th Street/ Columbus Circle (A, B, C, D, 1, 9)

**GO**
73 Eighth Avenue, entre West 13th et 14th Streets
Tél. : 212/463-0000
Un éclairage spectaculaire mis en valeur par les murs intégralement blancs, ainsi qu'une clientèle qui en met plein la vue, font de ce club l'un des favoris du moment. Musique hip-hop, R & B et house. Entrée très sélective.
Mar.-sam. 22 h-4 h 20 $
14th Street (A, C, E)

**LOTUS**
409 West 14th Street, entre Ninth et Tenth Avenues
Tél. : 212/243-4420
www.lotusnewyork.com
La jet-set européenne est la clientèle privilégiée de ce club-restaurant qui accueille de grands DJs internationaux dans un salon luxueux proposant également une discothèque en sous-sol. Difficile d'émouvoir les cerbères à l'entrée. Faites une réservation pour dîner .
Dîner mar.-sam. 19 h-23 h ; discothèque mar.-sam. 23 h-4 h
20 $ 14th Street (A, C, E)

*La nuit new-yorkaise offre une gamme musicale éclectique*

**MARQUEE**
289 Tenth Avenue, entre 26th et 27th Streets
Tél. : 646/473-0202
www.marqueeny.com
Ce club, très apprécié en ce moment, attire une clientèle célèbre, charmée par le confort, l'élégance à la française (lustres modernes éclatants, banquettes de velours), la salle de cabaret et la bonne visibilité sur la scène. La Charm School University du lundi soir est une parodie hilarante, tandis que Baby Tuesday s'adresse à l'industrie de la mode. On y rencontre surtout des hétéros, et quelques représentants de la communauté homo. Hip hop, house, funk et soul sont à l'honneur.
Mar.-sam. 22 h-4 h Entrée 5-20 $
23rd Street (C, E)

**PIANOS**
158 Ludlow Street, entre Stanton et Rivington Streets
Tél. : 212/505-3733
www.pianosnyc.com
Ne vous attendez pas à voir un piano dans ce bar à deux étages, le nom n'est qu'une évocation de l'ancien occupant. La clientèle vient écouter de la musique alternative le vendredi et le lundi. Dimanche : stand-up comédie.
Tlj 17 h-4 h 5-10 $
DeLancey/Essex Street (F, J, M, Z)

**SPIRIT**
530 West 27th Street, entre Tenth et Eleventh Avenues
Tél. : 212/268-9477
www.spiritny.com
Actuellement fréquenté par les célébrités new-yorkaises de la mode et de la musique, ce club a pour vocation de faire vivre une expérience unique à ses membres, en proposant piste de danse, salle de massage et de réajustement du chakra pour le bien-être spirituel, et restaurant servant de la cuisine végétarienne biologique. Troupes de musique et de danse, plus DJ passant de la musique soufi, de la soul et du R & B.
Ven.-dim. (ouverture à 23 h)
Entrée 20-30 $
23rd Street (C, E)

**SWING 46**
349 West 46th Street, entre Eighth et Ninth Avenues
Tél. : 212/262-9554
www.swing46.com
Dans ce club de jazz très années 1940, on peut bouger au son d'excellentes formations. Les vendredis et les samedis sont exclusivement swing. Des leçons de danse sont proposées aux néophytes.
Tlj 17 h-1 h ou 2 h 10-12 $
42nd Street (A, C, E)

# ACTIVITÉS SPORTIVES

**New York accueille nombre d'événements sportifs, pour le plaisir des amateurs de base-ball, football américain, basket-ball, hockey sur glace ou tennis. Et ceux qui veulent se dégourdir les jambes auront le choix entre le jogging à Central Park et les salles de sport de la ville.**

Les rencontres locales et régionales sont en tête de liste des événements sportifs qui se déroulent à New York. Côté base-ball, les Yankees (Bronx) sont les grands rivaux des Mets (Queens). En outre, quand les Yankees affrontent les Red Sox, la rancune est toujours au rendez-vous, car Boston n'a jamais pardonné à New York de lui avoir volé Babe Ruth.

Les sports les plus suivis sont le football américain (avec les Giants et les Jets) et le basket-ball (Knicks et New Jersey Nets). Le hockey a aussi ses fans irréductibles des Rangers, des Islanders et des New Jersey Devils, qui jouent respectivement pour Manhattan, Long Island et le New Jersey.

La plupart des billets sont vendus à l'avance suivant un système d'abonnement. Ils sont aussi proposés au guichet (sans commission), par téléphone ou sur Internet. TicketMaster (tél. : 212/307-7171 ou www.ticketmaster.com) facture généralement une commission de 4 à 8 $ par billet. D'une façon générale, les places sont difficiles à obtenir, ou très chères, mais vous pouvez toujours suivre les matchs dans l'un des nombreux bars sportifs de la ville, ou encore au centre ESPN, à Times Square.

Principales saisons sportives : d'avr. à fin oct. pour le base-ball ; de nov. à fin avr. pour le basket-ball ; de mars à fin oct. pour le football européen ; de sept. à fin avr. pour le football américain et le hockey sur glace.

Malgré la qualité des équipes féminines de football européen et de basket-ball, comme Liberty, le sport professionnel féminin n'a pas encore trouvé son public.

Par ailleurs, les New-Yorkais pratiquent la gym, la marche, la course à pied, le vélo, le skate, et jouent au tennis, au football européen et au basket-ball de rue. Les amateurs d'équitation peuvent monter à Central Park. La ville a, de plus, redécouvert son front de mer et goûte aux plaisirs du kayak et de la voile de plusieurs jetées de Manhattan. Les moins sportifs préfèrent le bowling et le billard.

*Le basket-ball est très pratiqué à New York*

*Beaucoup de New-Yorkais font du sport à Central Park*

## AVIRON

### LOEB BOATHOUSE

Central Park, près d'East 72nd Street
Tél. : 212-517-2233
www.thecentralparkboathouse.com

Ici, vous pouvez louer toute l'année des vélos et des bateaux, pour ramer sur le lac.

Tlj 10 h-coucher du soleil
Vélos : 9-21 $/h, bateaux : 10 $/h
68th Street (6), 72nd Street (B, C)
M1, M2, M3, M4, M10

## BASE-BALL

### BROOKLYN CYCLONES

Keyspan Park, 1904 Surf Avenue, entre 17th et 19th streets, Coney Island
Tél. : 718/449-8497 or 718/507-TIXX
www.brooklyncyclones.com

Ce club de deuxième division ravit ses supporters car les rencontres auxquelles on assiste ici sont comme celles du bon vieux temps. Être assis dans la tribune en plein air, dans ce stade en bord de mer, est un spectacle en soi, notamment pour les fans inaltérables des Dodgers.

5-12 $ (billets disponibles à partir de mi-avr.)
Stillwell Avenue/Coney Island (W)
B36, B64, B74 (Stillwell/Surf Avenue)

### NEW YORK METS

Shea Stadium, Roosevelt Avenue/126th Street, Flushing, Queens
Tél. : 718/507-8499
www.mets.com

Quand les Dodgers de Brooklyn ont quitté New York en 1957, ils ont été remplacés par les Mets. Bien qu'ils n'aient pas remporté de championnat depuis 1986 et finissent même souvent en bas du classement, ils peuvent compter sur des fans fidèles. Les places sont accessibles, sauf quand ils rencontrent les Yankees ou les Red Sox de Boston. Situé juste en dessous

de la piste d'atterrissage de l'aéroport LaGuardia, le Shea Stadium est un endroit bruyant.
8-60 $ Willets Pt/Shea Stadium (7) Week-end uniquement : New York Waterway (tél. : 800/533-3779) depuis le port maritime de South Street, East 34th Street ou East 90th Street, 18 $ l'aller et retour. Réservation recommandée.

**NEW YORK YANKEES**
Yankee Stadium, East 161st Street/River Avenue, Bronx
Tél. : 212/307-1212 pour la billetterie, 718/579-4531 pour les visites
www.yankees.com
Depuis que les Yankees ont entamé leur carrière en 1903, sous le nom des New York Highlanders, ils ont raflé la victoire de 26 championnats du monde. Les places sont difficiles à obtenir pour certaines rencontres (matchs d'ouverture, rencontres contre les Mets, matchs éliminatoires, séries) mais accessibles pour les autres. Même si vous n'assistez pas à un match, faites la visite d'une heure qui vous fera découvrir les coulisses de ce stade associé à plusieurs légendes du base-ball.
8-90 $ 161st Street/Yankee Stadium (C, D, 4) New York Waterway (tél. : 800/533-3779) depuis le port maritime de South Street, East 34th Street ou East 90th Street, 18 $ l'aller et retour. Réservation recommandée.

**STATEN ISLAND YANKEES**
Richmond County Bank Ballpark/St. George
Tél. : 718/720-9265 ou 718/720-9200
www.siyanks.com
Cette équipe de deuxième division joue dans un stade qui surplombe le port. Le trajet par le Staten Island Ferry est très agréable.
9-11 $ South Ferry (1, 9) à Staten Island Ferry Staten Island Ferry

## BASKET-BALL

**NEW JERSEY NETS**
Continental Airlines Arena, East Rutherford, N.J.
Tél. : 201/935-3900 ou 1800-7NJNETS
www.nba.com ou www.meadowlands.com
Cette équipe de la « Division atlantique » surfe sur une vague gagnante grâce au passeur Jason Kidd, à Vince Carter et à Richard Jefferson.
15-120 $ Bus New Jersey sur 42nd Street/Port Authority Bus Terminal, Eighth Avenue

**NEW YORK KNICKS**
Madison Square Garden, 2 Pennsylvania Plaza, Seventh Avenue, entre West 31st et 33rd Streets
Tél. : 212/465-5867 ou 212/465-6741 (Madison Square Garden), 212/307-7171 pour la billetterie
www.nyknicks.com ou www.thegarden.com
Les Knicks sont l'équipe de basket-ball du moment. Avec les Boston Celtics, ce sont les derniers membres d'origine de la NBA. Walt Frazier, Bill Bradley et Willis Reed les ont fait monter au sommet dans les années 1970, et Patrick Ewing a laissé son empreinte aux éliminatoires de 1994 et 1999. Depuis le départ d'Ewing, l'équipe lutte, avec un Allan Houston à observer de près. Les majorettes de l'équipe, les Knicks City Dancers, font partie du patrimoine américain. Spike Lee est l'un des célèbres fans de l'équipe. Pour les visites, tél. : 212/465-5802.
10-100 $ 34th Street/Penn Station (A, C, E, 1, 2, 3, 9) M20, M34

*Allez chez Larry & Jeff's et explorez la ville en deux-roues*

**NEW YORK LIBERTY**
Madison Square Garden, 2 Pennsylvania Plaza, Seventh Avenue, entre West 31st et 33rd Streets
Tél. : 212/564-9622
www.nyliberty.com
Cette équipe créée à l'été 1997 est devenue une star de la Women's National Basketball Association (Association nationale de basket-ball féminin, WNBA) et a déjà participé à nombre de finales de la division. Tari Phillips met les foules en délire sous l'œil de la mascotte officielle de l'équipe, Maddie.
10-69,50 $ 34th Street/Penn Station (A, C, E, 1, 2, 3, 9) M20, M34

## BILLARD

**PRESSURE**
110 University Place, entre 12th et 13th Streets
Tél. : 212/255-8188
www.pressurenyc.com
Cette salle installée sur les hauteurs de Bowlmor Lanes est le billard-lounge multimédia le plus en vogue du moment. Il abrite 21 tables de billard, et un immense lounge équipé de sept écrans plasma géants.
Ven.-sam. 21 h-3 h, jeu. 19 h-3 h
Jeu. 23 $/h, ven.-sam. 26 $/h 14th Street/Union Square (L, N, Q, R, W, 4, 5, 6) M2, M3, M14

**SLATE**
54 West 21st Street, entre Fifth et Sixth Avenues
Tél. : 212/989-0096
www.slate-ny.com
L'une des meilleures salles de billard de la ville, avec 31 tables.
Jeu.-sam. 11 h-4 h, dim.-mer. 11 h-3 h
7-17 $/h 23rd Street (N, R, W), 23rd Street (F, V) M2, M3, M5, M6, M7

## BOWLING

**BOWLMOR LANES**
110 University Place, entre 12th et 13th Streets
Tél. : 212/255-8188
www.bowlmor.com
Ce bowling attrayant possède 42 pistes et fait venir un DJ pour les compétitions du lundi soir (Monday's Night Strike, 22 h-3 h).

Dim., mar.-mer. 11 h-1 h, jeu. 11 h-2 h, ven.-sam., lun. 11 h-4 h 8,45-8,95 $ la partie (location de chaussures 5 $) 14th Street/Union Square (L, N, Q, R, W, 4, 5, 6) M3

**LEISURE TIME**
625 Eighth Avenue/West 42nd Street (2e étage)
Tél. : 212/268-6909
www.leisuretimebowl.com
Ce bowling du Port Authority Bus Terminal possède 30 pistes. Bar sportif et jeux vidéos.
Dim.-jeu. 10 h-minuit, ven.-sam. 10 h-3 h 6-8 $ la partie (location de chaussures 5 $) 42nd Street (A, C, E) M20, M42

## CENTRE SPORTIF

**CHELSEA PIERS**
Piers 59-62, entre 17th et 23rd Streets
Tél. : 212/336-6000 ou 212/336-6400 pour le golf, 212/336-6500 pour le vestiaire, 212/336-6100 pour Skyrink
www.chelseapiers.com
Le plus grand centre sportif de la ville propose de nombreuses activités. Il comprend un terrain d'entraînement au golf sur quatre étages, des terrains de basket et de volley, et une immense salle de gym.
Tlj 6 h-minuit Forfait journée 50 $, golf 20 $ minimum pour 80 balles après 17 h (118 balles avant 17 h), patinage ad. 10 $ 23rd Street (C, E) M23

## COURSE À PIED

**MARATHON DE NEW YORK**
New York Road Runners Club, 9 East 89th Street/Fifth Avenue
Tél. : 212/860-4455
www.ingnycmarathon.org
Trente mille athlètes participent chaque année à ce marathon suivi par près de 2,5 millions de spectateurs. La ligne d'arrivée est à Central Park.
Premier dim. de nov.

## COURSES HIPPIQUES

**AQUEDUCT**
108th Street/Rockaway Boulevard, Ozone Park, Queens
Tél. : 718/641-4700
www.nyra.com
Cet hippodrome, ouvert en 1894, n'est qu'à 30 minutes de Times Square en train.
Mi-oct. à début mai mer.-dim. heure de départ : 13 h 1-4 $ Aqueduct Racetrack (A)

**BELMONT PARK**
2150 Hempstead Turnpike/Plainfield Avenue, Elmont, Queens
Tél. : 516/488-6000
www.nyra.com
Ce magnifique hippodrome de 174 ha est le plus grand d'Amérique du Nord. Il reçoit en juin la course Belmont Stakes, troisième et dernière étape de la Triple Crown.
Mai-fin juil., sept.-oct. mer.-dim., heure de départ : 13 h 2-5 $ Pony Express du Long Island Railroad, à Penn Station

*Les New-Yorkais sont des fanatiques de foot américain*

**THE MEADOWLANDS**
East Rutherford, New Jersey
Tél. : 201/935-8500
www.meadowlands.com
Courses de trotteurs de janvier à août et galop de septembre à décembre.
Mer.-sam., heure de départ : 19 h 30 Gratuit-2 $ Bus New Jersey : 42nd Street/Port Authority bus terminal, Eighth Avenue

**YONKERS RACEWAY**
Yonkers, New York
Tél. : 914/968-4200
www.yonkersraceway.com
L'un des hippodromes majeurs du pays pour les courses de trot. Il se trouve dans le nord du Bronx et a fêté son centième anniversaire en 1999. La course la plus illustre qui y est disputée est la Night of Champions, avec une prime au propriétaire de 1,2 million de dollars.
Mer.-dim., heure de départ : 19 h 30 2,25-4,25 $ Woodlawn (4) et Beeline 20 bus

## CRICKET

**VAN CORTLANDT PARK**
Van Cortlandt Park, Park South/Bailey Avenue
Depuis que la communauté caribéenne a initié la ville au cricket, c'est le meilleur endroit pour assister à une partie.
Du lever au coucher du soleil en été Gratuit 242nd Street (1, 9)

## CYCLISME

**LARRY & JEFF'S**
1690 Second Avenue, entre East 87th et 88th Streets
Tél. : 212-722-2201
Ce magasin situé près de Central Park loue des vélos de ville et des VTT.
Tlj 10 h-19 h (jusqu'à 20 h en été) 30 $/jour (3,5 h ou plus) 86th Street (4, 5, 6) M15, M86

## ÉQUITATION

Claremont Riding Academy
175 West 89th Street, entre Columbus et Amsterdam Avenues
Tél. : 212/724-5100
Ici, seuls les cavaliers expérimentés maîtrisant toutes les allures peuvent louer un cheval pour se balader dans Central Park.
Tlj 7 h-coucher du soleil 50 $/h (leçon : 60 $ les 30 min.) 86th Street (B, C) 86th Street (1, 9)

## FOOTBALL AMÉRICAIN

**NEW YORK GIANTS**
Giants Stadium, The Meadowlands, East Rutherford, New Jersey
Tél. : 201/935-8111 ou 201/935-8222 pour la billetterie
www.giants.com ou www.meadowlands.com
Également connue sous le nom de Big Blue Wrecking Crew, cette équipe peut se targuer d'avoir des fans incroyablement fidèles, d'où une impossibilité

de se procurer des billets pour les matchs. L'équipe remporta son premier championnat de la ligue en 1927, et elle connut son apogée à la fin des années 1950 et dans les années 1960, quand Frank Gifford, Roosevelt Brown et Sam Huff monopolisaient le ballon. L'équipe a joué le Super Bowl en 2001.
Sur abonnement uniquement
Bus New Jersey : 42nd Street/ Port Authority Bus Terminal, Eighth Avenue

**NEW YORK JETS**
Giants Stadium, The Meadowlands, East Rutherford, New Jersey
Tél. : 516/560-8100 ou 516/560-8200
www.newyorkjets.com ou www.meadowlands.com
Cette équipe de l'American Football League joue depuis 1960. Elle a emménagé au Giants Stadium en 1984. Les billets sont quasi inaccessibles : il faut attendre 15 ans pour s'abonner.
Sur abonnement uniquement
Bus New Jersey : 42nd Street/Port Authority Bus Terminal, Eighth Avenue

À FAIRE

## FOOTBALL EUROPÉEN

**METROSTARS**
Giants Stadium, Continental Airlines Arena
Tél. : 1-888-4METROTIX
www.metrostars.com
Malgré le triomphe de l'équipe nationale féminine lors de la Coupe du monde, le football européen peine encore à séduire le public américain. Les faibles performances des MetroStars n'ont certes pas aidé.
20-75 $ Bus New Jersey : 42nd Street/Port Authority Bus Terminal, Eighth Avenue

## GLISSE

**BLADES BOARD & SKATE**
120 West 72nd Street/Columbus Street
Tél. : 212/787-3911
www.blades.com
Magasin de location le plus pratique à Central Park, où vous pouvez trouver des rollers. Autre boutique à Chelsea Piers.
Lun.-sam. 11 h-20 h, dim. 11 h-19 h
Location : 21,65 $ pour 24 h 72nd Street (1, 2, 3, 9) M7, M11, M72

**EMPIRE SKATE CLUB**
Tél. : 212/774-1774
www.empireskate.org
Ce club encourage la pratique du roller en groupe. Toute l'année, balade le dimanche matin à partir de Columbus Circle, à 11 h, et le mardi soir à partir de Blades, 120 West 72nd Street, à 20 h.
Carte de membre 25 $ (pas indispensable pour participer aux balades en groupe)

*Central Park est un endroit de rêve pour le jogging*

**ROCKEFELLER CENTER ICE RINK**
1 Rockefeller Center Plaza, Fifth Avenue, entre 49th et 50th Streets
Tél. : 212/332-7654
Glisser sur cette légendaire patinoire est un délice. DJ le jeudi de 19 h à 23 h.
Oct.-fin avr. lun.-jeu. 9 h-22 h 30, ven.-sam. 8 h 30-minuit, dim. 8 h 30-22 h Lun.-mer. 9 $, jeu.-dim. ad. 13 $, enf. (moins de 12 ans) 7-8 $, location de patins 7 $
47th-50th streets/Rockefeller Center (B, D, F, V) M1, M2, M3, M4, M50

**WOLLMAN RINK**
Central Park/62nd Street
Tél. : 212/439-6900
www.wollmanskatingrink.com
On patine face aux gratte-ciel de Manhattan sur cette belle patinoire en plein air, convertie en piste pour rollers l'été.
Lun.-mar. 10 h-14 h 30, mer.-jeu. 10 h-22 h, ven.-sam. 10 h-23 h, dim. 10 h-21 h Ad. 8,50-11 $, location de patins 4,75 $ 59th Street/Fifth Avenue (N, R, W) M5

## GOLF

**VAN CORTLANDT GOLF COURSE**
Tél. : 718/543-4595
www.americangolf.com
Le plus ancien parcours de golf public des États-Unis n'est pas de première fraîcheur, mais il reste correct. 18 trous, parcours de 6 km, club et bar.
Du lever au coucher du soleil
37-43 $ pour les non-membres
242nd Street (1, 9)

## HOCKEY SUR GLACE

**NEW JERSEY DEVILS**
Continental Airlines Arena, East Rutherford, N.J.
Tél. : 201/935-3900, 201-507-8900 ou 1-800-NJDEVILS
www.newjerseydevils.com ou www.meadowlands.com
Les Devils, qui n'ont remporté la Stanley Cup que deux fois, sont actuellement la première équipe de hockey de la région, en grande partie grâce à leur excellent goal Martin Brodeur et leurs attaquants comme Scott Niedermayer. Places facilement disponibles.
20-90 $ Bus New Jersey sur 42nd Street/Port Authority Bus Terminal, Eighth Avenue

**NEW YORK ISLANDERS**
Nassau Coliseum, Long Island
Tél. : 516/794-4100
www.newyorkislanders.com
Les billets pour les matchs de cette équipe de Long Island sont plus faciles à obtenir que ceux des Rangers, bien que les Islanders aient remporté la Stanley Cup quatre fois d'affilée entre 1980 et 1983. Les deux équipes sont en constante rivalité, renforcée par les résultats des Islanders

lors des phases finales de 2003.
19-120 $ (40-265 $ pendant les phases finales) LIRR pour Hempstead, puis bus, ou pour Westbury puis taxi

**NEW YORK RANGERS**
Madison Square Garden, 2 Pennsylvania Plaza, Seventh Avenue, entre West 31st et 33rd Streets
Tél. : 212/465-4459, 212/307-7171 pour la billetterie, 212/465-6225 pour les invitations, 212/465-5802 pour les visites et 212/465-6741 pour le Jardin
www.newyorkrangers.com ou www.thegarden.com
Les Rangers sont les mieux lotis de la National Hockey League. Les billets pour leurs matchs sont quasi impossibles à obtenir. La violence légendaire qui règne sur la glace s'étend rarement dans les tribunes, mais mieux vaut ne pas encourager l'adversaire…
27-150 $ 34th Street/Penn Station (A, C, E, 1, 2, 3, 9) M20, M34

## JOGGING

**CENTRAL PARK RESERVOIR**
Cette piste de gravier longue de 2,6 km est le rendez-vous des coureurs de l'Upper West Side et de l'Upper East Side.
Gratuit 86th Street (4, 5, 6), 86th Street (B, C) M1, M2, M3, M4, M10, M86

## KAYAK

**DOWNTOWN BOATHOUSE**
Pier 26, 241 West Broadway/North Moore Street
Tél. : 646/613-0375
www.downtownboathouse.org
Cette association propose des cours et des tours en kayak gratuits sur l'Hudson River, à partir des jetées 26 et 64.
Mi-mai à mi-oct. Gratuit
Franklin Street (1, 9) M20

**MANHATTAN KAYAK COMPANY**
Pier 63, West 23rd Street
Tél. : 212/924-1788
www.manhattankayak.com
Ce club propose des cours et une trentaine de parcours pour débutants et de perfectionnement. Les trajets les plus longs peuvent dépasser le Verrazano Bridge.
Mi-avr. à fin oct. Petits parcours 50-65 $, longs parcours 75-250 $
23rd Street (C, E) M11, M23

**NEW YORK KAYAK COMPANY**
Pier 40, Houston Street
Tél. : 212/924-1327
www.nykayak.com
Ici, on propose des cours ainsi que des visites guidées d'une durée de deux à trois heures.
Visites début mai à mi-oct.
Cours : 40 $/h ; parcours : 80-120 $
Houston Street (1, 9) M21

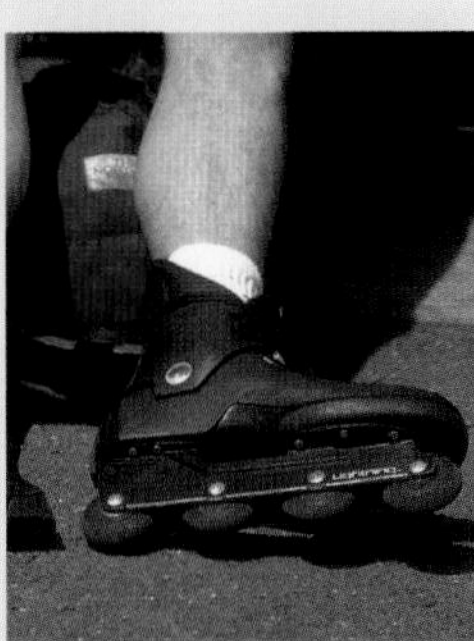

*À New York, le roller est à l'honneur*

## OBSERVATION DES OISEAUX

**CHARLES A. DANA DISCOVERY CENTER**
Central Park, 110th Street, entre Fifth Avenue et Lenox Avenue
Tél. : 212/860-1370
www.centralparknyc.org ou www.nyc.gov/parks
Dans le parc, des expositions se penchent sur la nature, et le centre organise des activités de plein air. Pour participer à des promenades avec un guide forestier, appelez le 1-866-NYCHAWK.
Tlj 10 h-17 h Gratuit
Central Park North (2, 3)
M4

**NEW YORK CITY AUDUBON SOCIETY**
Tél. : 212/691-7483
www.nycaudubon.org
La New York City Audubon Society permet aux visiteurs de se joindre à ses promenades d'observation des oiseaux de Central Park pour un tarif de 5 $.

## TENNIS

**DEPARTMENT OF PARKS AND RECREATION**
830 Fifth Avenue/64th Street
Tél. : 212/360-8111 ou 212/408-0243 pour le bassin
www.centralparknyc.org
Voici les meilleurs courts : Central Park/93rd Street (tél. : 212/280-0205), 30 surfaces dures ; Riverside Drive/96th Street (tél. : 212/496-2006), 8 courts en terre battue ; Riverside Drive/119th Street (tél. : 212/496-2006), 8 surfaces dures.
Courts de tennis : début avr.-fin nov. ; bureau : lun.-ven. 9 h-16 h, sam. 9 h-12 h
Tennis : 7 $ de l'heure à payer au bureau ou sur les courts de Central Park
Fifth Avenue/59th Street (N, R, W)
M1, M2, M3, M4

**U.S. OPEN**
USTA National Tennis Center, Flushing Meadows-Corona Park, Queens
Tél. : 718/760-6200 ou 516/354-2590
www.usopen.org ou www.usta.com
Ce championnat s'étend sur deux semaines et fait partie des tournois du Grand Chelem. Les billets sont valables pour les grands matchs joués au stade Arthur Ashe, ainsi que pour les autres courts. Préférez les rencontres de jour, car la plupart des courts extérieurs ne sont pas utilisés la nuit. Les billets sont mis en vente à partir de mi-avril mais il ne reste en général que les places les plus éloignées du court, ce qui n'est pas trop grave pour les matchs de jour joués sur les courts extérieurs.
Fin août-fin sept. 56-104 $
Willetts Pt/Shea Stadium (7)
LIRR pour le Shea Stadium

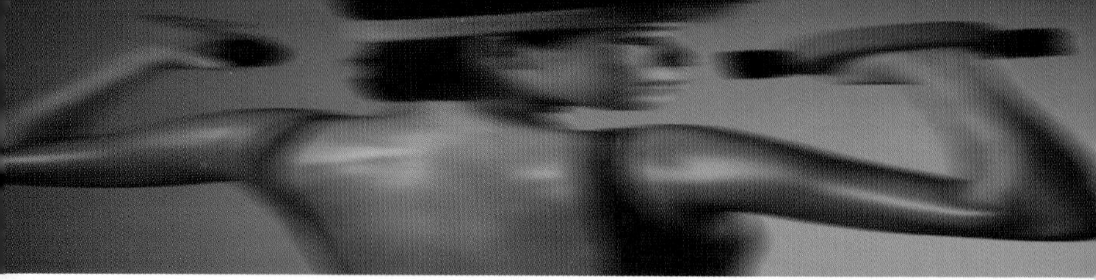

# BEAUTÉ ET BIEN-ÊTRE

**Presque tous les quartiers de New York abritent une grande variété de clubs équipés d'appareil de mise en forme (et parfois d'une piscine). Massages, consultations en diététique et entraîneurs personnels peuvent être réservés sur rendez-vous. La plupart des clubs de gym proposent des forfaits journaliers aux non-membres (entre 20 et 50 $). Évitez les heures de pointe : entre 12 h et 14 h et 17 h et 20 h.**

La ville a toujours été à la pointe en matière de yoga, mais elle a récemment connu une explosion d'instituts de balnéothérapie et autres endroits où se faire dorloter. Certains sont mondialement réputés, telle La Prairie, au Ritz, d'autres s'adressent à la communauté New Age. Les salons de manucure brésiliens ont la réputation d'être très spéciaux.

## CENTRES DE BIEN-ÊTRE

### ASPHALT GREEN

555 East 90th Street, entre York et East End Avenues
Tél. : 212/369-8890
www.asphaltgreen.org

Ce complexe de 2,25 ha est le seul de Manhattan à posséder une piscine olympique. Il comprend en outre des pistes de course intérieure et extérieure, des terrains d'entraînement pour les équipes sportives, une grande terrasse sur le toit donnant sur l'East River, ainsi qu'un centre de fitness sur plusieurs niveaux qui propose plus de 50 activités.

*À l'Asphalt Green, nager est l'une des options pour garder la forme*

Lun.-ven. 5 h 30-22 h, week-end 8 h-20 h Forfait journalier 25 $ 96th Street (6) M15, M31, M86

### BALLY TOTAL FITNESS

335 Madison Avenue/43rd Street
Tél. : 212/983-5320
www.ballyfitness.com

Cette chaîne possède 8 centres à Manhattan. Celui de Madison Avenue comprend une piscine de 25 m, des appareils pour tous les exercices de maintien en forme et de musculation, et propose différents cours (kick-boxing, méthode Pilates, step, yoga, cardio-vélo...).

Lun.-ven. 5 h 30-22 h, week-end 9 h-18 h Forfait journalier 25 $ 42nd Street (4, 5, 6) M1, M2, M3, M4, M42

### CHELSEA PIERS

Piers 59-62/23rd Street et Hudson River
Tél. : 212/336-6000
www.chelseapiers.com

Le plus grand complexe sportif de la ville englobe quatre quais de l'Hudson River et propose des équipements pour 21 sports. En été, on peut être tenté par la plage, les promenades, une grande piscine et les kayaks. On trouvera par ailleurs un mur d'escalade, des pistes de course de 200 mètres et de 400 mètres, une patinoire et une infinité de matériels pour faire travailler le cœur en particulier et la forme en général. Il y a également des terrains de basket, de volley et de foot (en intérieur), ainsi qu'un ring de boxe, des terrains d'entraînement au golf et au base-ball. Quelque 125 cours, de l'aérobic au yoga, sont assurés chaque semaine. À noter également une clinique sportive, un café et un centre de balnéothérapie.

Lun.-ven. 6 h-23 h, week-end 8 h-21 h Forfait journalier 50 $ 23rd Street (C, E) M23

### CRUNCH FITNESS

54 East 13th Street, entre Broadway et University Place
Tél. : 212/475-2018
www.crunch.com

Avec ses 12 centres disséminés dans la ville, Crunch est la première enseigne, très populaire, de Bally Fitness. Chaque lieu possède son décor original. Les entraîneurs sont excellents, et les clubs se sont fait un nom avec des cours innovants, du « street stomp » au « vélo-karaoké ».

*Greenhouse Spa, l'un des meilleurs centres de soins*

Lun.-ven. 6 h-22 h, week-end 8 h-20 h Forfait journalier 24 $ 14th Street/Union Square (L, N, Q, R, W, 4, 5, 6) M1, M2, M3, M5

### EQUINOX FITNESS CLUB

521 Fifth Avenue/44th Street
Tél. : 212 972-8000
www.equinoxfitness.com

Les 17 clubs Equinox de Manhattan sont tous aussi

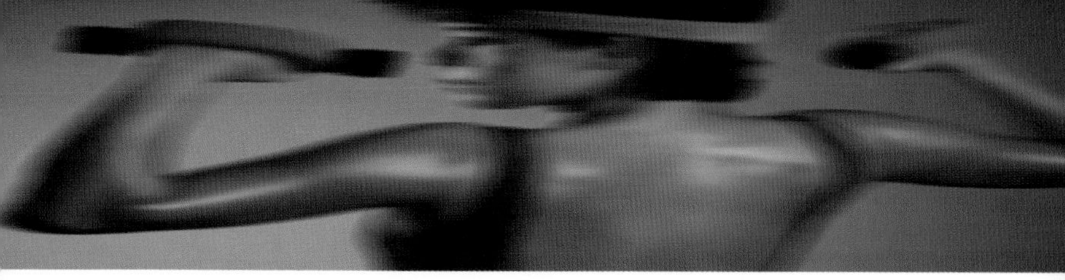

élégants les uns que les autres et sont les rois du cardio-équipement. Également cours de yoga et même de cardio-boxing.
Lun.-jeu. 5 h 30-22 h, ven. 5 h 30-21 h Forfait journalier 35 $ 42nd Street/Grand Central (4, 5, 6) M1, M2, M3, M4, M5

**NEW YORK HEALTH AND RACQUET CLUB**
24 East 13th Street, entre Fifth Avenue et University Place
Tél. : 212/924-4600
www.hrabest.com
Les neuf centres de cette chaîne répartis dans Manhattan proposent équipements et cours, du taï chi et du karaté à la gym aquatique. Chaque centre possède une piscine, et celui situé à l'angle de 57th Street et Lexington a également un centre de balnéothérapie. Plage, club de tennis à New Rochelle et yacht amarré sur 23rd Street pour les membres
Lun.-ven. 6 h-23 h, week-end 7 h-20 h Forfait journalier 50 $ 14th Street/Union Square (L, N, Q, R, W, 4, 5, 6) M1, M2, M3, M5

**NEW YORK SPORT CLUBS**
128 Eighth Avenue/16th Street
Tél. : 212/627-0065
www.nysc.com
Cette chaîne possède près de cent centres dans la ville, en grande partie des studios d'aérobic équipés de cardio-machines et d'haltères. De nombreux cours sont proposés, comme du cardio-kick-boxing, du step, de la musculation abdominale et du yoga. Des massages sont proposés le plus souvent.
Lun.-jeu. 6 h-23 h, ven. 6 h-22 h, week-end 8 h-21 h Forfait journalier 25 $ 18th Street (1, 9) M20

**SPORTS CLUB/LA**
330 East 61st Street, entre First et Second Avenues
Tél. : 212/355-5100
45 Rockefeller Plaza
Tél. : 212/218-8600
www.thesportsclubla.com
Au 61st Street, ce centre sportif occupe 13 500 mètres carrés et propose 50 cours de fitness, cinq salles de squash, deux terrains de basket, un mur d'escalade, des haltères et une salle spéciale cardio avec 200 machines. Sur le toit, on peut aussi s'entraîner au tennis et au golf.
Lun.-ven. 5 h-23 h, week-end 7 h-21 h Forfait journalier 35 $, accompagné d'un membre uniquement 59th Street (4, 5, 6) M15

## CENTRES DE SOINS ET DE BALNÉOTHÉRAPIE

**AVON SALON AND SPA**
725 Fifth Avenue, entre 56th et 57th Streets, 6e étage

*Faites des étirements en profitant d'une vue magnifique au Clay*

Tél. : 212/755-2866
www.avonsalonandspa.com
Nombre de clientes viennent ici pour mettre leurs sourcils entre les mains de celle qui se surnomme la « Queen of the Arch » (« reine de l'arcade »), Eliza Petrescu. On y trouve également un salon de coiffure. Toutes sortes d'autres soins sont égalment proposés : soins du visage, massages, épilations à la cire et soins corporels variés.
Lun. 8 h-18 h, mar.-ven. 7 h 30-20 h, sam. 8 h 30-18 h, dim. 11 h-18 h
Soin du visage : 100-180 $, massage : 100-140 $
59th Street/Fifth Avenue (N, R, W)
M1, M2, M3, M4, M57

**CLAY**
25 West 14th Street, entre Fifth et Sixth Avenues
Tél. : 212/206-9200
www.insideclay.com
Épuré, serein et minimaliste, Clay associe soins corporels et exercices (haltères, cardio-boxing, yoga). Le lounge à cheminée et la terrasse sur le toit sont des plus appréciables.
Lun.-jeu. 8 h-21 h 30, ven. 8 h-20 h, week-end 9 h 30-20 h Massage : 110-185 $ 14th Street/Union Square (L, N, Q, R, W, 4, 5, 6) M2, M3, M5, M14

**CORNELIA DAY RESORT**
663 Fifth Avenue, entre 52nd et 53rd Streets
Tél. : 212/871-3050
www.cornelia.com
La météo et le caractère hautement urbain de New York ne se prêtent pas aux soins en extérieur à la californienne. Mais cela est peut-être sur le point de changer avec les massages proposés ici sur la terrasse et les massages shiatsu effectués dans la piscine « watsu ». Toute une gamme de soins aquatiques : massages du visage et du corps, soins aux algues, etc.
Lun.-ven. 9 h-21 h, sam. 9 h-19 h, dim. 11 h-18 h Soin du visage : 175 $, massage à partir de 150 $ 5th Avenue/53rd Street (E, V)
M1, M2, M3, M4

**THE GREENHOUSE SPA**
127 East 57th Street, entre Park et Lexington Avenues
Tél. : 212/644-4449
www.greenhousespa.com
Ce centre de balnéothérapie de premier choix utilise les produits de beauté Elemis. On y vient pour se délecter de traitements relaxants sophistiqués, frotté au coco ou recouvert de soins au citron et au gingembre. Possibilité de massages et de séances de thalassothérapie.
Lun.-ven. 9 h-20 h, sam. 9 h-18 h, dim. 10 h-18 h Soin du visage : 75-135 $, massage : 65-160 $ 59th Street/Lexington Avenue (N, R, W), 59th Street (4, 5, 6)

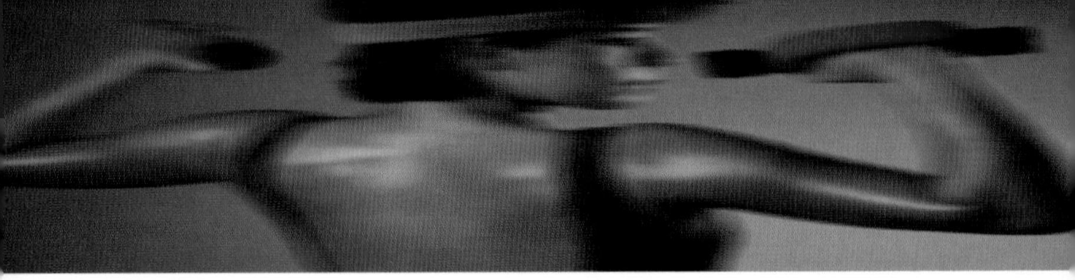

**À FAIRE**

### INSPARATIONS AT THE 92ND STREET Y

139 Lexington Avenue/92nd Street
Tél. : 212/415-5795
www.insparations.com

Les gens pressés apprécient ici les mini-soins du visage (45 $) et les massages aux pierres chaudes.

Mar.-ven. 9 h-21 h, sam. 12 h-20 h, dim. 10 h-19 h, lun. 11 h-19 h Soin du visage : 90-130 $, massage : 75-130 $ 86th Street (4, 5, 6) M98, M101, M102, M103

### J. SISTERS

35 West 57th Street, entre Fifth et Sixth Avenues
Tél. : 212/750-2485
www.jsisters.com

En 1987, sept sœurs brésiliennes décident d'ouvrir un salon afin proposant des manucures et des pédicures brésiliennes « dignes de ce nom ». Elles ont diversifié leurs activités et proposent de parfaites épilations du maillot, des soins du visage et des massages.

Mar., ven.-sam. 8 h-17 h 30, mer.-jeu. 8 h-19 h 30 Manucure : 45-55 $, pédicure : 65-75 $, soin du visage : 60-90 $ 57th Street (F), 59th Street/ Fifth Avenue (N, R, W) M1, M2, M3, M4, M5, M6, M7, M57

### JENIETTE

58 East 13th Street, entre University Place et Broadway
Tél. : 212/529-1616
www.jeniette.com

Depuis 1979, ce salon de l'East Village prodigue des manucures, des soins du visage et des massages de qualité à des prix intéressants.

Lun.-mer., ven.-sam. 10 h-19 h, jeu. 10 h-20 h, dim. 11 h-18 h Manucure 10-18 $, soin du visage : 60 $, massage : 75-120 $ 14th Street/Union Square (L, N, Q, R, W, 4, 5, 6) M1, M5, M6, M14

### LE PETIT SPA

140 East 34th Street, entre Lexington et Third Avenues
Tél. : 212/685-0773
www.lepetitspanyc.com

Ce modeste salon offre toute une gamme de traitements, dont un mini-soin du visage et un gommage corporel.

Tlj 10 h-20 h Soin du visage : 100 $, massage : 75-95 $ 33rd Street (6) M98, M101, M102, M103, M34

### OASIS DAY SPA

108 East 16th Street, près de Union Square, 2e étage
Tél. : 212/254-7722
www.nydayspa.com

L'éclairage à la bougie et la musique ajoutent au charme de ce centre qui propose 15 types de soins différents.

Lun.-ven. 10 h-22 h 15, week-end 9 h-21 h 15 Soin du visage : 95-200 $, massage : 85-160 $ 14th Street/Union Square (L, N, Q, R, W, 4, 5, 6) M1, M2, M3

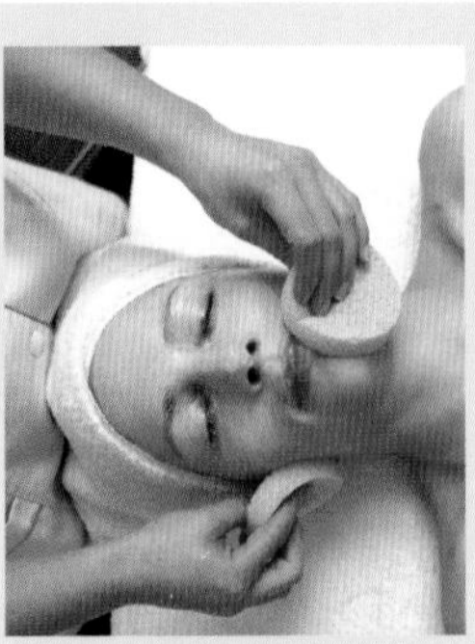

*Laissez le stress s'enfuir à l'Oasis Day Spa*

### PAUL LABRECQUE SALON AND SPA

171 East 65th Street, entre Lexington et Third Avenues
Tél. : 212/595-0099
www.paullabrecque.com

Formé à Londres, Labrecque prend soin des riches et célèbres depuis plusieurs décennies. Dans ce salon attrayant, le soin facial apporte cinq degrés d'hydratation. Sont également proposés des soins corporels voluptueux et des massages, de la phytothérapie et de l'acupuncture.

Lun.-ven. 8 h-21 h, sam. 9 h-20 h, dim. 10 h-20 h Soin du visage : 110-160 $, massage : 105-160 $ 68th Street (6) M98, M101, M102, M103

### RESCUE BEAUTY LOUNGE

34 Gansevoort Street, entre Hudson et Greenwich Streets, 2e étage
Tél. : 212/206-6409
www.rescuebeauty.com

Rescue a choisi une approche médicale pour prodiguer ses soins, dans une propreté digne d'un hôpital. C'est l'endroit où aller pour les meilleures manucures et pédicures.

Mar.-ven. 11 h-20 h, week-end 10 h-18 h Manucure : 23-50 $, pédicure : 45-100 $, soin du visage : 85-160 $, massage : 120 $ 14th Street (A, C, E), Eighth Avenue (L) M11, M20

### SOHO SANCTUARY

119 Mercer Street, près de Prince Street
Tél. : 212/334-5550
www.sohosanctuary.com

Ce centre de balnéothérapie et de yoga doit sa réputation aux fréquentes visites qu'y faisait Julia Roberts. Soins du visage et corporels, et massages.

Mar.-ven. 10 h-21 h, sam. 10 h-18 h, dim. 12 h-18 h, lun. 15 h-21 h Soin du visage : 110-170 $, massage : 110-175 $ Prince Street (N, R, W) M1, M6

## BALNÉOTHÉRAPIE D'HÔTELS

Voici deux des meilleures adresses parmi les nombreux centres de soins présents dans les hôtels.

### AFFINIA SPA AND WELLNESS CENTER

Benjamin Hotel, 125 East 50th Street, entre Lexington Avenue et Third Avenue, 3e étage
Tél. : 212/715-2517
www.affiniaspa.com *FR*

Les traitements proposés empruntent à l'aromathérapie, la réflexologie et l'hydrothérapie.

### LA PRAIRIE SPA

Ritz Carlton, 50 Central Park South/ Sixth Avenue
Tél. : 212/521-6135
www.ritzcarlton.com

Les traitements comprennent l'élimination des toxines, les massages shiatsu et l'exfoliation.

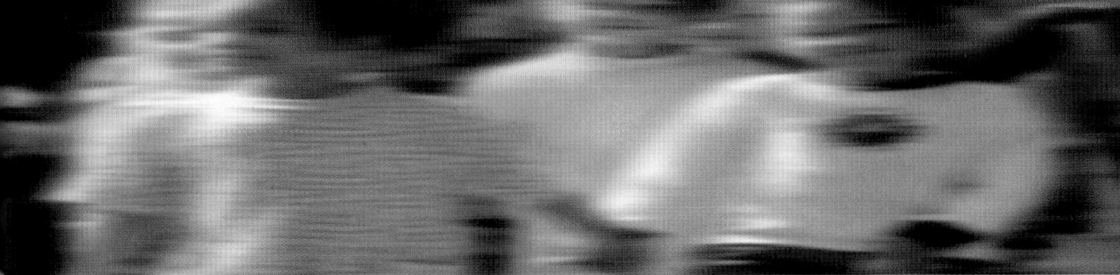

# POUR LES ENFANTS

**Avec ses gratte-ciel et ses rues animées, New York est une ville fantastique pour les enfants. Même un trajet en métro est une aventure. Quelques lieux pour la famille sont classés ci-dessous, mais vous pouvez aussi vous reporter aux rubriques « Activités sportives » et « Shopping » (notamment pour Niketown et le Disney Store). En outre, de nombreux événements saisonniers s'adressent aux enfants : spectacles du Big Apple Circus et ballet *Casse-Noisette* pendant Noël, ainsi que le Radio City Christmas Spectacular ; le cirque des Ringling Brothers au printemps ; et les parades et les fêtes foraines qui se déroulent toute l'année. Appelez les salles de concert et les musées pour connaître les spectacles à l'affiche pendant votre séjour et réserver ceux qui vous intéressent avant votre départ.**

## CINÉMA, TÉLÉVISON, THÉÂTRE ET MUSIQUE

### BACKSTAGE AT LINCOLN CENTER

Tél. : 212/769-7020

Cette visite d'une heure organisée par la guilde de l'opéra vous fait découvrir les coulisses où sont réalisés les décors et les costumes, ainsi que les salles de répétition.

Oct.-juin (sem.15 h 30, dim. 10 h 30). Sur réservation : Ad. 10 $, enf. (à partir de 6 ans uniquement) 5 $ 66th Street (1, 9) M5, M7, M104

*Théâtre sur mesure pour les enfants au New Victory*

### LITTLE ORCHESTRA SOCIETY

Avery Fisher Hall, Lincoln Center, Broadway/West 65th Street

Tél. : 212/971-9500

www.littleorchestra.org

Cette compagnie présente deux cycles de concerts pour les familles : *Happy Concerts* (pour les 6-12 ans) et *Lollipops* (entre 3 et 5 ans).

10-35 $ 66th Street (1, 9) M5, M7, M104

### LOEWS IMAX THEATER

1998 Broadway/68th Street

Tél. : 212/336-5020

Pour les plus petits, l'expérience du cinéma IMAX en 3D peut être trop intense. Pour les autres, elle sera captivante. L'écran fait la hauteur de huit étages, et la programmation change environ tous les deux mois.

Ad. 12 $, enf. 9 $ 66th Street (1, 9) M5, M7, M104

### NBC STUDIO TOUR

30 Rockefeller Plaza, 49th Street, entre Fifth et Sixth Avenues

Tél. : 212/664-3700

www.shopnbc.com

La visite d'une heure des studios du réseau NBC débute par une vidéo retraçant l'histoire de la chaîne. On peut voir les studios et découvrir comment les émissions sont produites. La visite s'achève sur une démonstration de télévision haute définition.

Lun.-sam. 8 h 30-17 h 30, dim. 9 h 30-16 h 30 Ad. 17,95 $, enf. (à partir de 6 ans uniquement et jusqu'à 16 ans) 15,50 $ 47th-50th streets/ Rockefeller Center (B, D, F, V) M1, M2, M3, M4, M5, M6, M7

### NEW VICTORY THEATER

209 West 42nd Street, entre Broadway et Eighth Avenue

Tél. : 212/239-6200

www.newvictory.org

Ce théâtre pionnier dans les spectacles familiaux est un petit bijou. Toutes les formes de théâtre y sont représentées, et si les spectacles s'adressent d'abord aux 4-12 ans, ils raviront aussi les plus grands.

10-30 $ 42nd Street/Times Square (N, Q, R, S, W, 1, 2, 3, 7, 9) M6, M7

### PAPER BAG PLAYERS

Sylvia and Danny Kaye Playhouse Hunter College, East 68th Street, entre Park and Lexington Avenues

Tél. : 212/772-4448

Les membres de cette troupe attachante fabriquent leurs costumes avec du carton et des sacs en papier, pour des spectacles plus originaux les uns que les autres.

Jan.-mars sam. 14 h, dim. 13 h et 15 h 20-25 $ 68th Street (6) M1, M2, M3, M4, M98, M101, M102, M103

*Les hélicoptères Liberty offrent un point de vue incomparable*

### TADA THEATER AND DANCE ALLIANCE

15 West 28th Street/Sixth Avenue

Tél. : 212/252-1619

www.tadatheater.com

De jeunes comédiens âgés de 8 à 17 ans présentent des spectacles entraînants dans ce théâtre qui est aussi une école.

Ad. 18 $, enf. 8 $ 23rd Street (F, V) M5, M6, M7

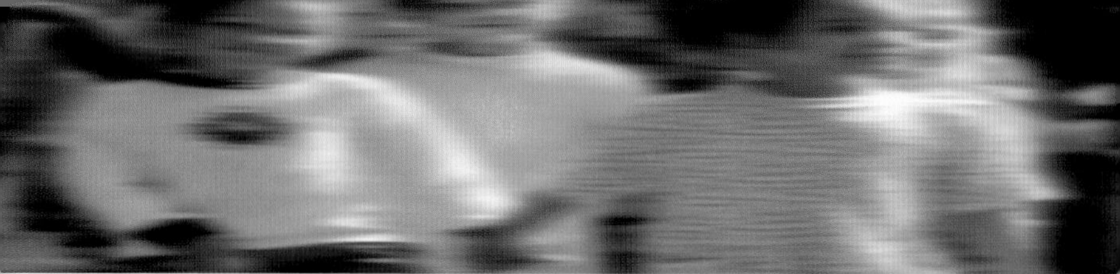

**THEATREWORKS USA**
Auditorium, Equitable Tower, 787 Seventh Avenue, entre West 51st et 52nd streets
Tél. : 212/627-7373
www.theatreworksusa.org
Cette compagnie monte des spectacles pour enfants à partir de classiques comme *Le Monde de Narnia : le lion, la sorcière blanche et l'armoire magique* ou *Le Petit Monde de Charlotte*.
Sept.-avr. week-end 12 h ou 14 h (appelez pour se renseigner) 25 $ 50th Street (1, 9), 49th Street (N, R, W) M6, M7

**THE « TODAY SHOW »**
NBC Studios, Rockefeller Plaza
Il peut plaire à certains enfants d'être pressés au milieu de la foule pour avoir une chance d'être vu à la télé dans tout le pays. Il suffit pour cela d'arriver à l'aube, à l'angle de 49th Street et de Rockefeller Plaza…
Lun.-ven. 7 h-10 h Gratuit 47th-50th streets/Rockefeller Center (B, D, F, V) M1, M2, M3, M4

**YOUNG PEOPLE'S CONCERTS**
Lincoln Center
Tél. : 212/875-5656 ou 212/721-6500
www.newyorkphilharmonic.org ou www.lincolncenter.org
Parrainés par le philharmonique de New York, ces concerts initient les enfants à la musique. Les petits peuvent aussi assister à des ateliers tenus par des membres de l'orchestre. Programmation également pour les adolescents.
Quatre samedis dans l'année 6-25 $ 66th Street (1, 9) M5, M7, M104

## MUSÉES ET ATELIERS

**AMERICAN MUSEUM OF THE MOVING IMAGE**
35th Avenue/36th Street, Astoria, Queens
Tél. : 718/784-0077
www.movingimage.us
Cette exposition interactive permanente retrace le processus de fabrication, de production et de distribution d'un programme cinématographique ou télévisuel. Les enfants peuvent ensuite s'amuser à créer leurs propres animations.
Mer.-jeu. 12 h-17 h, ven. 12 h-20 h, week-end 11 h 30-18 h Ad. 10 $, enf. (5-18 ans) 5 $, gratuit pour les moins de 5 ans Broadway (N), Steinway Street (R, G) Q66, Q101 ou Queens Artlink

**AMERICAN MUSEUM OF NATURAL HISTORY**
▷ 68-72

**BROOKLYN MUSEUM OF ART**
▷ 153

**CHILDREN'S MUSEUM OF MANHATTAN**
212 West 83rd Street, entre Broadway et Amsterdam Avenue
Tél. : 212/721-1223
www.cmom.org

*Apprendre en s'amusant au Children's Museum of Manhattan*

Le « musée de Manhattan pour les enfants » a pour vocation d'être une première expérience de musée pour les enfants âgés de 10 mois à 10 ans. Il propose une multitude d'expositions sur les sens, plus un atelier de chant et d'autres programmes très intelligents.
Sept.-fin juin mer.-dim. 10 h-17 h ; fin juin-août mar.-dim. 10 h-17 h Ad. 8 $, enf. (moins de un an) gratuit 86th Street (1, 9), 81st Street (B, C) M7, M11, M79, M104

**CHILDREN'S MUSEUM OF THE ARTS**
182 Lafayette Street, entre Broome et Grand Streets
Tél. : 212/274-0986
Les enfants de 1 à 11 ans sont les bienvenus dans ce musée qui possède une salle de jeux et propose des ateliers manuels.
Mer.-dim. 12 h-17 h 6 $, enf. (moins de un ans) gratuit Spring Street (6), Prince Street (N, R) M1

**CONEY ISLAND**
▷ 152

**ELLIS ISLAND**
▷ 90-93

**EMPIRE STATE BUILDING**
▷ 94-96

**FORBES MAGAZINE GALLERIES**
▷ 99

**GUGGENHEIM MUSEUM**
▷ 110-111

**INTREPID SEA, AIR AND SPACE MUSEUM**
▷ 101

**MADAME TUSSAUD'S**
234 West 42nd Street, entre Eighth et Seventh Avenues
Tél. : 800/246-8872
www.madame-tussauds.com
La version new-yorkaise du célèbre musée de cire londonien a ouvert en 2000 et expose la collection habituelle de célébrités (entre autres : Woody Allen et Michael Jordan).
Dim.-jeu. 10 h-20 h, ven.-sam. 10 h-22 h Ad. 28 $, enf. (4-12 ans) 22 $, gratuit pour les moins de 4 ans 42nd Street (A, C, E), 42nd Street/Times Square (N, Q, R, S, W, 1, 2, 3, 7, 9) M5, M6, M7, M42

**METROPOLITAN MUSEUM OF ART**
▷ 114-119

**MUSEUM OF THE CITY OF NEW YORK**
▷ 123

**MUSEUM OF COMIC AND CARTOON ART**
594 Broadway (4e étage), entre Houston et Prince
Tél. : 212/254-3511
www.moccany.org

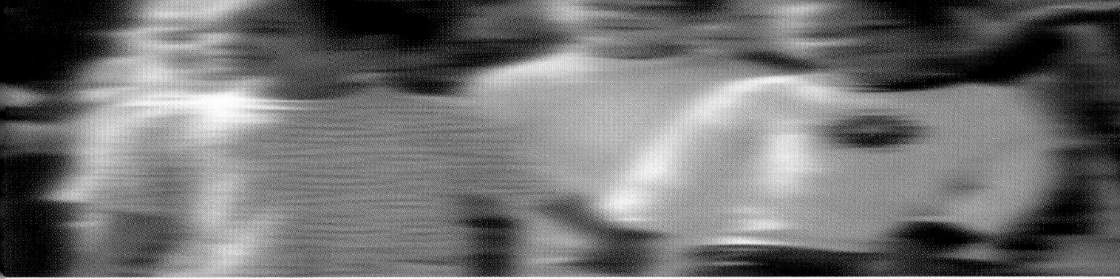

Les adultes qui ont gardé leur âme d'enfant adorent venir avec leur progéniture dans ce musée qui célèbre l'art de raconter des histoires en images. Les expositions sont consacrées à des grandes figures de la bande dessinée, comme Harvey Kurtzman, fondateur de *Mad Magazine*, ou à des thèmes majeurs, comme la récente exposition « Toon Town », qui se penchait sur l'histoire d'amour qui lie les dessinateurs à New York.
Ven.-lun. 12 h-17 h 3 $, gratuit pour les moins de 12 ans Broadway-Lafayette (B, D, F, V, 6), Prince Street (N, R, W) M1, M6

**MUSEUM OF MODERN ART**
▷ 125

**MUSEUM OF TELEVISION AND RADIO**
▷ 124

**NEW YORK HALL OF SCIENCE**
47-01 111th Street/48th Avenue, Flushing Meadows-Corona Park, Queens
Tél. : 718/699-0005
www.nyscience.org
Ce musée fait partie des premiers aux États-Unis consacré aux sciences. Le sous-sol est réservé aux expositions interactives, tandis que des expositions permanentes s'attachent à la biologie, à la chimie et à la physique et que des expositions temporaires explorent des sujets tels que les illusions d'optique. On y trouve aussi une vaste aire de jeux scientifique en extérieur.
Lun.-jeu. 9 h 30-14 h, ven. 9 h 30-17 h, week-end 10 h-18 h Ad. 11 $, enf. (5-17 ans) 8 $ (gratuit ven. 14 h-17 h, dim. 10 h-11 h) 111th Street (7) Q23, Q48

**NEW YORK TRANSIT MUSEUM**
Boerum Place and Schermerhorn Street, Brooklyn
Tél. : 718/694-1600
www.mta.nyc.ny.us/mta/museum/index.htlm *FR*
Des wagons de métro d'époque et des activités interactives racontent l'histoire du métro.
Mar.-ven. 10 h-16 h, week-end 12 h-17 h Ad. 5 $, enf. (3-17 ans) 3 $, gratuit pour les moins de 3 ans Borough Hall (2, 3, 4, 5), Hoyt Street (A, C, G), Jay Street (F)

**SONY WONDER TECHNOLOGY LAB**
Sony Plaza, East 56th Street, entre Madison et Fifth Avenues
Tél. : 212/833-8100
www.sonywondertechlab.com
Des expositions interactives sur quatre étages montrent les dernières découvertes dans des domaines variés : communication, robotique, technologie médicale et industrie des loisirs. Réservation obligatoire (jusqu'à deux semaines à l'avance).
Mar.-sam. 10 h-17 h, dim. 12 h-17 h Gratuit Fifth Avenue/53rd Street (E, V), Fifth Avenue/59th Street (N, R, W) M1, M2, M3, M4

*Le New York Transit Museum plaira aux apprentis conducteurs*

**SOUTH STREET SEAPORT MUSEUM AND MARKETPLACE**
▷ 134-135

**STATUE DE LA LIBERTÉ**
▷ 136-137

**TIMES SQUARE**
▷ 138-140

## PARCS ET JARDINS

**BROOKLYN BOTANIC GARDEN**
▷ 152

**CENTRAL PARK**
▷ 78-83

**NEW YORK BOTANICAL GARDEN**
Kazimiroff (Southern) Boulevard/200th Street, Bronx
Tél. : 718/817-8700
www.nybg.org
Cette retraite idyllique de 101 ha possède deux aires pour les enfants : l'Adventure Garden (Jardin d'aventures) de 3 ha et le Family Garden (Jardin familial). Le jardin d'hiver et les nombreux jardins spécialisés rivalisent de beauté.
Avr.-oct. mar.-dim. 10 h-18 h ; nov.-mars 10 h-17 h Ad. 13 $, enf. (2-12 ans) 5 $ (moins pour le parc seulement) Bedford Park Boulevard (B, D, 4) puis marche, ou bus Bx 26 Bx 19, Bx 26 Botanical Garden Station (Metro North)

**WAVE HILL**
675 West 249th Street/Independence Avenue, Bronx
Tél. : 718-549-3200
www.wavehill.org
L'emplacement de ce parc dans l'élégant quartier Riverdale du Bronx est spectaculaire, tout comme les jardins extérieurs et les jardins d'hiver. Des activités artistiques sont souvent organisées le week-end.
Mar.-dim. 9 h-17 h 30 (15 oct.-14 avr. jusqu'à 16 h 30) Ad. 4 $, enf. 2 $, gratuit pour les moins de 6 ans (gratuit mar. et sam. matin) 231st Street (1, 9), puis Bx ou Bx 10 Bx 7, Bx 10 Riverdale (Metro North, tél. : 212/532-4900)

## MAGASINS DE JOUETS

**FAO SCHWARZ**
767 Fifth Avenue, entre 58th et 59th Streets
Tél. : 212/644-9400
www.fao.com
Ce sommet du magasin de jouets enchante les petits et les grands, avec toutes les sortes de jeux imaginables, des jouets anciens aux boîtes de magie.
Lun.-sam. 10 h-19 h, dim. 11 h-18 h Fifth Avenue/59th Street (N, R, W) M1, M2, M3, M4

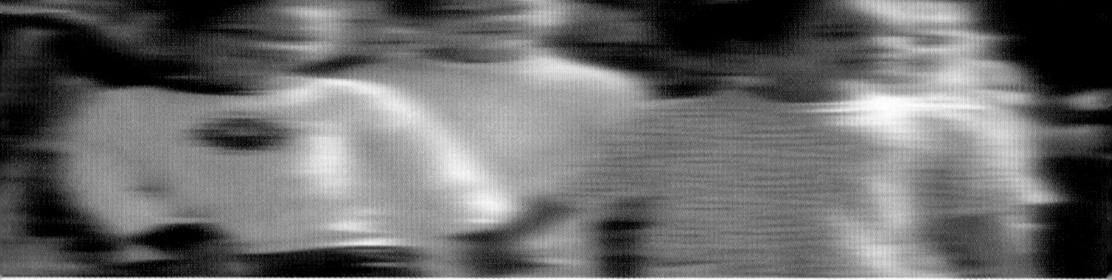

## VISITES

### CIRCLE LINE CRUISES

Pier 83, West 42nd Street/Hudson River
Tél. : 212/563-3200
www.circleline.com *FR*

Observer Manhattan de la mer est le meilleur moyen de voir l'île et l'extraordinaire ville qui l'occupe. Selon la capacité de concentration de vos enfants, choisissez le tour de deux heures ou de trois heures. Les commentaires peuvent être formidables ou médiocres, mais l'air frais, la promenade sur l'eau et les sites aperçus se suffisent à eux-mêmes. Cette compagnie organise par ailleurs des balades d'une journée sur l'Hudson River.

Appeler pour les horaires. En hiver, du jeu. au lun. uniquement Ad. 28 $, enf. (moins de 12 ans) 15 $ (23 et 12 $ pour les tours de 2 h)
42nd Street (A, C, E) puis M42
M42, M50

### LIBERTY HELICOPTERS

West 30th Street/Twelfth Avenue
Tél. : 212/967-6464
www.libertyhelicopters.com

Si vous en avez les moyens, vous pouvez observer la ville en hélicoptère, pendant 5, 10 ou 15 minutes.

63 $ (5 min.), 108 $ (10 min.), 169 $ (15 min.) 34th Street (A, C, E) M11, M34

### MADISON SQUARE GARDEN

4 Penn Plaza, Seventh Avenue, entre West 31st et 34th Streets
Tél. : 212/465-5800

Des visites d'une heure permettent de découvrir ce stade de 20 000 places qui héberge les équipes de basket des Knicks et de Liberty, et l'équipe de hockey des Rangers. Vous pouvez aussi assister à un match ou à un spectacle, comme le Westminster Dog Show (concours de chiens de race) ou le Westminster Cat Show (concours de chats de race).

Tlj 10 h-15 h Ad. 17 $, enf. (2-12 ans) 12 $, gratuit pour les moins de 2 ans
34th Street (A, C, E), 34th Street/Penn Station (1, 2, 3, 9) M10, M20, M34

### ROOSEVELT ISLAND TRAM

Second Avenue/60th Street
Tél. : 212/832-4555
www.rioc.com

Les enfants qui n'ont jamais pris un téléphérique seront réjouis par ce voyage en « tramway aérien » au-dessus de l'East River.

Dim.-jeu. 6 h-2 h, ven.-sam. 6 h-3 h 30
2 $ 59th Street (4, 5, 6) M15, M57

### STATEN ISLAND FERRY

Whitehall Terminal, 1 Whitehall Street
Tél. : 718/727-2508 ou 718/815-2628

La vue sur les quais, la statue de la Liberté et Lower Manhattan est époustouflante… et gratuite.

Tlj Gratuit South Ferry (1, 9), Whitehall Street (N, R, W) M1, M6, M15

*Le Staten Island Ferry offre des panoramas spectaculaires*

### YANKEE STADIUM

▷ 158

## NATURE

### BRONX ZOO

▷ 157

### CENTRAL PARK WILDLIFE CENTER

Fifth Avenue/64th Street
Tél. : 212/439-6500
www.wcs.org

Ce zoo aux dimensions parfaites pour les enfants est un classique de Manhattan, où les plus petits pourront observer leurs animaux préférés. Le Tisch Children's Zoo est idéal pour les tout-petits, qui pourront regarder des poissons, des oiseaux, des lamas, des cochons, etc.

Tlj 10 h-17 h (week-end et jours fériés jusqu'à 17 h 30) Ad. 6 $, enf. (3-12 ans) 1 $, gratuit pour les moins de trois ans Fifth Avenue (N, R), 68th Street (6)
M1, M2, M3, M4

### NEW YORK AQUARIUM

Surf Avenue/West 8th Street, Coney Island, Brooklyn
Tél. : 718-265-3400
www.nyaquarium.com

Ce parc organise des spectacles quotidiens de dauphins et d'otaries en été. Il héberge par ailleurs des pingouins, des morses, des baleines (300 espèces en tout). Dans le centre de découverte (Discovery Center), les enfants peuvent attraper des étoiles de mer, des crabes et d'autres petites créatures marines.

Dernier lun. de mai-premier lun. de sept., lun.-ven. 10 h-18 h, week-end 10 h-19 h ; avr.-dernier lun. de mai et premier lun. de sept.-31 oct. lun.-ven. 10 h-17 h, week-end 10 h-17 h 30 ; nov.-mars tlj 10 h-16 h 30 Ad. 11 $, enf. (2-12 ans) 7 $, gratuit pour les moins de 2 ans Stillwell Avenue (D), 8th Street (F, Q) Depuis Manhattan, appeler le 718/330-1234

## CONCERTS

Les salles suivantes proposent des concerts et des spectacles familiaux, uniques, ou par cycles, à divers moments de l'année : Brooklyn Center for the Performing Arts at Brooklyn College (tél. : 718-951-4500, www. brooklyncenter.com) ; Carnegie Hall, Seventh Avenue/57th Street (tél. : 212/247-7800, www.carnegiehall.org) ; Metropolitan Opera, Lincoln Center (tél. : 212/769-7008, www.lincolncenter.org) ; Jazz at Lincoln Center (tél. : 212/258-9800, www.jalc.org) ; Chamber Music Society, Lincoln Center (tél. : 212/875-5788, www. chambermusicsociety.org).

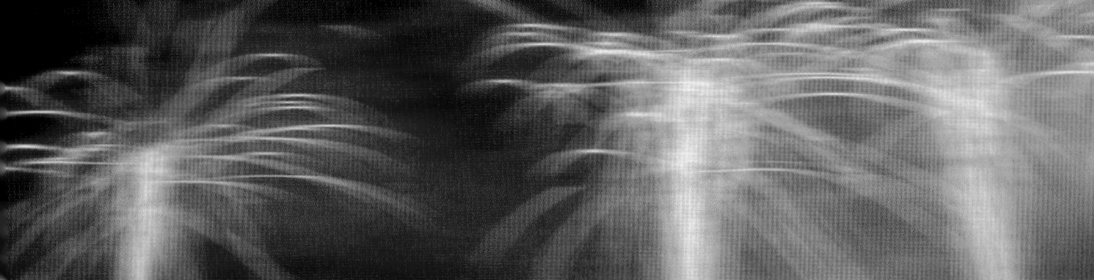

# FÊTES ET FESTIVALS

**L'office du tourisme officiel de New York est une mine de renseignements sur les événements (tél. : 212/484-1222 ou www.nycvisit.com/home/index.cfm *FR*). Autres sites utiles : www.nyc.com et www.nyctourist.com.**

## FÉVRIER

### NOUVEL AN CHINOIS

En fonction du calendrier lunaire

Feux d'artifice et danseurs déguisés en dragons et en lions emplissent les rues de Chinatown.

212/484-1222

www.chinatown-online.com

### NEW YORK ARMORY ANTIQUES SHOW

Deuxième week-end

Le plus célèbre salon d'antiquités de la ville,

*L'Independence Day donne lieu à des feux d'artifice spectaculaires*

installé dans l'arsenal du septième régiment.

212/472-1180 (pendant le salon uniquement) ; 212/484-1222

### WESTMINSTER KENNEL DOG SHOW

Deuxième week-end

Plus de 2 500 chiens de race se pavanent au Madison Square Garden.

800/455-3647

www.westminsterkennelclub.org

## MARS

### ST PATRICK'S DAY PARADE

17 mars

Des joueurs de cornemuse et des fanfares défilent sur Fifth Avenue, de 86th à 44th Streets, pour célébrer le saint patron de l'Irlande.

212/484-1222

www.saintpatricksdayparade.com

## MARS-AVRIL

### EASTER PARADE

Le jour de Pâques

Les férus de mode défilent sur Fifth Avenue entre 49th et 57th Streets pour exposer des chapeaux farfelus mais toujours magnifiques.

## AVRIL

### NEW YORK INTERNATIONAL AUTO SHOW

10 jours comprenant les deux derniers week-ends d'avril

Le paradis des amateurs d'automobile.

Jacob Javits Convention Center

800/282-3336

www.autoshowny.com, www.javitscenter.com

### MACY'S FLOWER SHOW

Deux dernières semaines

Plus de 30 000 sortes de fleurs sont exposées dans le magasin pour fêter le printemps.

212/494-4495

### CHERRY BLOSSOM FESTIVAL

Fin avril, en fonction de la floraison des arbres

Activités et spectacles japonais se déroulent, devant un magnifique décor de cerisiers roses en fleur au Brooklyn Botanic Garden.

718/623-7200

www.bbg.org

## MAI

### NINTH AVENUE INTERNATIONAL FOOD FESTIVAL

Deuxième ou troisième week-end

Entre 37th et 57th Streets, Ninth Avenue est bordée de stands promouvant toutes sortes de cuisines. La musique est aussi au rendez-vous.

212/484-1222

www.9th-ave.com

### FLEET WEEK

Troisième semaine

Les plus grands navires et les porte-avions forment une parade majestueuse au départ du port de New York, et remontent l'Hudson River. Le festival comprend des défilés militaires, des concours de tir à la corde, pour s'achever le jour du Memorial Day. Le meilleur moment est le défilé des marins en uniforme blanc.

212/245-0072

www.fleetweek.com

*Le Macy's Flower Show est une rivière de couleurs*

### WASHINGTON SQUARE

Exposition artistique en extérieur pendant le week-end du Memorial Day

Les rues autour de Washington Square s'emplissent d'artistes, de photographes et d'artisans qui proposent leurs créations.

212/982-6255

www.nycgv.com

## JUIN

### BELMONT STAKES

Premier week-end de juin

La dernière étape du Triple Crown est courue au Belmont, à Long Island.

516/488-6000

www.nyracing.com

**PUERTO RICAN DAY PARADE**
Deuxième week-end de juin
Débauche de drapeaux portoricains dans les rues de la ville.
☎ 212/484-1222

**LESBIAN AND GAY PRIDE PARADE**
Dernier dimanche de juin
Le défilé, de 52nd Street à Greenwich Village, en passant par Fifth Avenue, est le bouquet final d'une semaine de festivités organisées par la communauté gay.
☎ 212/807-7433
www.hopinc.org

## JUILLET

**INDEPENDENCE DAY HARBOR FESTIVAL AND FIREWORKS**
4 juillet
New York fête le jour de l'indépendance de la nation avec un festival à Lower Manhattan et des feux d'artifice extraordinaires tirés depuis des barges sur l'East River.
☎ 212/484-1222

## AOÛT

**HARLEM WEEK**
Presque tout le mois d'août
Une série d'événements à Harlem – festivals de cinéma, de jazz, de cuisine, etc. – rend hommage aux cultures afro-américaine et hispanique.
☎ 212/862-8477 ou 212/484-1222
www.harlemdiscover.com

## SEPTEMBRE

**WEST INDIAN PARADE AND CARNIVAL**
Labor Day (premier lun. de sept.)
Des milliers de badauds envahissent Brooklyn pour voir les danseurs et les fanfares de reggae, de soca et de calypso. Cuisine caribéenne pour revigorer les troupes.
☎ 212/484-1222

**WIGSTOCK**
Labor Day
Ce rassemblement informel de travestis dans l'East Village est devenu un événement de premier ordre. Les lieux changent, mais la plus grande fête se déroule en général sur les quais de 13th Street, à l'ouest de Manhattan.
www.wigstock.nu www.gaycenter.org

**FÊTE DE LA SAINT-JANVIER**
11 jours comprenant les premier et deuxième week-ends
Le saint patron de Naples est célébré sur Mulberry Street par toutes sortes de spécialités culinaires et de spectacles italiens.
☎ 212/484-1222
www.sangennaro.org

**NEW YORK FILM FESTIVAL**
17 jours, fin septembre et/ou début octobre

*La Harlem Week a pris possession du mois d'août*

La Film Society of Lincoln Center organise ce festival de cinéma de New York, dont le centre principal est le Walter Reade Theatre.
☎ 212/875-5600
www.filmlinc.com

## OCTOBRE

**BLESSING OF THE ANIMALS**
Premier dimanche
Les églises de la ville s'ouvrent pour bénir les animaux domestiques des New-Yorkais, le jour de la Saint-François d'Assise. La plus courue est la cathédrale St. John the Divine.
☎ 212/316-7540
www.stjohndivine.org

**HALLOWEEN PARADE**
Une véritable institution qui attire les plus grands sponsors. Prévoyez d'arriver tôt pour avoir une chance d'admirer les fantastiques costumes.
☎ 212/484-1222
www.halloween-nyc.com

## NOVEMBRE

**MARATHON DE NEW YORK**
Premier week-end
Des milliers de coureurs traversent le Queensborough Bridge pour pénétrer dans Manhattan et franchir la ligne d'arrivée à Central Park.
☎ 212/423-2249
www.nyrrc.org

**MACY'S THANKSGIVING DAY PARADE**
Dernier jeudi
Les familles se regroupent de l'angle de 77th Street et Central Park West à Herald Square pour observer la parade d'énormes ballons gonflés à l'hélium.
☎ 212/484-1222

## DÉCEMBRE

**ILLUMINATION DE L'ARBRE DE NOËL**
Première semaine de décembre
Cet événement rassemble des chanteurs célèbres. Assurez-vous une place tôt, ou évitez la zone car la foule bloque tous les passages.
Rockefeller Center
☎ 212/332-6868
www.rockefellercenter.com

**RADIO CITY SPECTACULAR**
Jusqu'au 30 décembre
Les spectateurs affluent pour le spectacle annuel des Rockettes, qui comprend un défilé de soldats de bois.
☎ 212/247-4777
www.radiocity.com

**NOUVEL AN**
31 décembre
Times Square se remplit de milliers de fêtards venus voir la descente de la grande boule de cristal qui annonce l'entrée officielle dans la nouvelle année.

New York s'explore de préférence à pied. Présentés en deuxième de couverture, les 10 itinéraires décrits dans ce chapitre parcourent les lieux les plus intéressants. Des idées d'excursions à la lisière de la ville vous sont également suggérées.

# Se promener

1. À PIED

# DE 42ND STREET AU SIÈGE DE L'ONU

**D'un grand intérêt architectural et très agréable en famille, cette balade le long de 42nd Street vous fera découvrir certains des plus beaux édifices new-yorkais, dont neuf sont classés. Les panneaux étincelants, les écrans électroniques, les téléscripteurs, les affiches et marquises des théâtres de Times Square sont un véritable spectacle en eux-mêmes. La promenade aboutit au complexe des Nations Unies, situé dans un endroit tranquille, au bord de l'East River.**

## PROMENADE

**Distance** : 2,4 km
**Durée** : 2 heures
**Départ** : métro 42nd Street/Port Authority
**Arrivée** : immeuble de l'ONU, 46th Street et First Avenue

## COMMENT S'Y RENDRE ?

**Métro** : A
**Bus** : M15, M27, M42, M50

De la station de métro 42nd Street/Port Authority, prenez à droite pour gagner l'angle de West 42nd Street et de Eighth Avenue.

❶ Times Square et 42nd Street sont célèbres pour leurs théâtres, leurs gigantesques affiches publicitaires lumineuses et leurs grands magasins. En tournant la tête vers Ninth Avenue, vous découvrirez un secteur plus ancien. La vénérable Holy Cross Church date de 1887.

En portant le regard vers l'est et Seventh Avenue, vous apercevrez la flèche rutilante du Chrysler Building, au loin. En vous dirigeant vers elle, vous laisserez sur votre droite le multiplexe AMC. Situé dans l'ancien Empire Theater, ce cinéma de 25 salles jouxte le musée de Mme Tussaud et le Candler Building.

❷ Baptisé du nom d'un ancien commercial de la maison Coca-Cola, son maître d'ouvrage, le Candler Building est une tour blanche en terre cuite, datant de 1914. Le New Amsterdam Theater se dresse à deux bâtiments de là, vers l'est. Somptueusement restauré par la Walt Disney Company, il comporte un remarquable foyer Art nouveau.

Pour rejoindre le New Victory Theater, juste en face, marchez vers l'est jusqu'au feu et traversez cette rue très fréquentée au passage clouté. Autrefois appelé Minsky's, le New Victory Theater fut construit par Oscar Hammerstein I, en 1899. À l'intérieur, malgré sa restauration en 1995, il a conservé un magnifique décor suranné. Poursuivez votre route vers l'est en restant sur le même trottoir. Le Reuters Building se tient à deux numéros du New Victory Theater et à deux pas de Times Square (▷ 138-140), un trapèze formé par 42nd Street, Seventh Avenue et Broadway.

❸ Au n° 1 de Times Square, une tour de bureaux de 25 étages abrite le siège du New York Times depuis le 31 décembre 1904. Ce soir-là, les feux d'artifice de la cérémonie d'inauguration furent quasiment éclipsés par la descente d'une boule lumineuse du sommet de l'immeuble. Presque un siècle plus tard, cette dernière continue d'annoncer la nouvelle année sur Times Square, devant une foule de New-Yorkais et de touristes.
À l'angle sud-est de West 42nd Street et de Broadway, sur la droite, subsiste l'ancien Knickerbocker Hotel, construit pour le compte du Colonel John Jacob Astor. Actuellement morcelé en appartements, il pourrait bien retourner à sa vocation initiale. Le parolier George M. Cohan y vécut quelques temps.

Traversez Broadway et Sixth Avenue (officiellement appelée Avenue of the Americas) en restant sur 42nd Street.

❹ Immeuble de verre clinquant, le W. R. Grace Building se dresse à l'écart de la circulation, sur le flanc nord de 42nd Street, au 41 West 42nd Street. Conçu par les architectes Skidmore, Owings et Merrill, il date de 1974.

Passez sur l'autre trottoir pour gagner Bryant Park. Ce parc a été créé au-dessus des conduites souterraines de la New York Public Library. Le Crystal Palace y fut construit pour la foire internationale de 1853, tenue pour la première fois sur le sol américain. Pour rejoindre la bibliothèque, longez 42nd Street vers l'est, jusqu'à l'angle de Fifth Avenue.

❺ De style Beaux-Arts, la majestueuse New York Public Library (▷ 127) est gardée par Patience et Fortitude, deux lions de pierre installés au pied d'un escalier imposant. Situés respectivement au rez-de-chaussée et au 1er étage, le hall en marbre et la grande salle de lecture, souvent bondée, méritent le coup d'œil.

Poursuivez votre chemin dans 42nd Street et traversez Madison Avenue, puis Park Avenue pour entrer dans Grand Central Terminal, à gauche.

❻ Dans Grand Central Terminal (▷ 102-104), admirez le plafond orné de constellations zodiacales du hall principal et le hall de restauration (sous-sol).

De 42nd Street, prenez vers l'est, en direction de Lexington Avenue et du Chanin Building (à l'angle sud-ouest). Baptisé du nom des deux frères chargés du chantier du Times Square Theater District, cet immeuble possède une façade ornée d'un bas-relief Art déco, signé Edward Trumbull. Le Chrysler Building se dresse au nord-ouest du croisement.

❼ Achevé en 1929, le Chrysler Building (▷ 85) est l'un des joyaux architecturaux du XXe siècle. Sur le pourtour du 30e étage, une frise en brique figure des enjoliveurs. On distingue également des ananas de 3 m de hauteur et de gigantesques bouchons de radiateurs en inox. Le hall Art déco est habillé de marbre africain et de chrome.

Les néons de Times Square

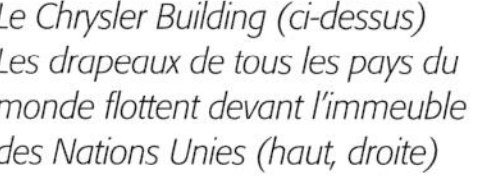

Le Chrysler Building (ci-dessus)
Les drapeaux de tous les pays du monde flottent devant l'immeuble des Nations Unies (haut, droite)

Continuez jusqu'au Daily News Building, situé au 220 East 42nd Street.

**❽ Le Daily News Building (▷ 87) fut le siège du premier tabloïd américain jusqu'en 1995.**

Toujours sur 42nd Street, marchez jusqu'aux escaliers situés de chaque côté de la rue, au-delà de Second Avenue. Ceux-ci mènent aux charmants immeubles de Tudor City et offrent une vue magnifique sur l'immeuble des Nations Unies, l'East River et le Queens. Tournez vers Tudor City Place, à gauche, puis à droite, dans 43rd Street. De là, des marches conduisent au Ralph Bunche Park. Traversez United Nations Plaza (alias First Avenue) et prenez à gauche.

**❾ Au siège des Nations Unies (▷ 144), visitez le hall de l'Assemblée générale et promenez-vous dans les jardins. L'entrée du complexe se trouve sur 46th Street. Le terrain fut acheté avec les deniers de John D. Rockefeller Jr. pour 8,5 millions de $.**

## QUAND ?

Débutez la promenade en semaine avant 10 h, la rue sera encore calme.
Pour visiter le bâtiment des Nations Unies en fin d'itinéraire, arrivez tôt car la dernière visite débute à 16 h 45.

## OÙ MANGER ?

Le hall de restauration (Dining Concourse) du Grand Central Terminal, à l'angle de 42nd Street et de Park Avenue (*tél. : 212/340-2210*) offre un grand choix à des prix défiant toute concurrence. Situé au même niveau, mais plus cher, l'Oyster Bar & Restaurant (*tél. : 212/490-6650*) sert d'excellents fruits de mer.

## À VISITER

**Madame Tussaud's Wax Museum**
✉ 234 West 42nd Street
☎ 212/512-9600
🕒 Dim.-jeu. 10 h-20 h, ven.-sam. 10 h-22 h
✋ Ad. 28 $, enf. de 4 à 12 ans 22 $

2. À PIED

# DE L'ANGLE NORD-EST DE CENTRAL PARK À LA TOMBE DE GRANT

**Cette partie de Central Park est riche de ravissants jardins plantés en 1936, à la demande du responsable des parcs, Robert Moses. Un joli étang, des chemins sinueux, des bois et de pittoresques cascades complètent le tableau. Aux abords du parc, se tient la plus grande église des États-Unis : la Cathedral Church of St. John the Divine. Le tombeau du général Ulysses Grant, figure illustre de la guerre de Sécession, se trouve non loin de là.**

## PROMENADE

**Distance :** 3,2 km
**Durée :** 2 heures
**Départ :** Fifth Avenue et 105th Street
**Arrivée :** 122nd Street et Riverside Drive

## COMMENT S'Y RENDRE ?

**Bus :** M4 jusqu'à l'angle de Madison Avenue et de 104th Street. Fifth Avenue se trouve à un pâté de maisons plus à l'ouest.

De Madison Avenue, prenez à gauche et longez brièvement East 105th Street vers l'ouest pour gagner Fifth Avenue et l'entrée du Conservatory Garden, juste en face d'El Museo del Barrio (▷ 87).

**❶ Les jardins du Conservatory Garden sont resplendissants en juillet et en août. En entrant, rejoignez la fontaine de style classique du jardin italien (Italian Garden). Prenez à gauche pour parcourir le labyrinthique jardin anglais (English Garden). À droite du jardin italien, s'étend le beau jardin à la française (French Garden), orné d'une ravissante fontaine, appelée *Untermeyer Fountain* ou *Three Dancing Maidens* (« Trois jeunes filles dansant »). Dépassez la fontaine et franchissez la porte en vous dirigeant vers le Harlem Meer (« lac de Harlem » en hollandais), à droite.**

Longez ce lac par la droite.

**❷ Le Charles A. Dana Discovery Center occupe un édifice de style victorien, au centre de la rive. Ses expositions traitent d'histoire naturelle.**

Restez sur la rive, en longeant les flancs droits du Lasker Pool et de la patinoire. Gravissez une volée de marches, descendez-en une autre, prenez à droite, puis passez sous le Huddlestone Arch. Restez à droite et laissez une jolie petite cascade sur votre gauche. Au bout de 250 m, traversez un minuscule pont en bois rustique (gauche). En restant à droite, vous atteindrez le Glenspan Arch, qui précède une petite cascade et un petit lac. Face à vous, un ou deux chemins mènent à Central Park West. Celui de droite conduit également à 103rd Street.

Une fois dans Central Park West, quittez le parc, tournez à droite en suivant cette rue animée, puis laissez Strangers Gate sur votre droite et gagnez Frederick Douglass Circle. Traversez Central Park West à la hauteur de 110th Street, contournez le carrefour par la droite jusqu'aux feux. Traversez 110th Street, et obliquez immédiatement à gauche, dans Harlem. À deux rues de 110th Street, vers l'ouest, vous atteindrez Amsterdam Avenue après avoir passé l'entrée du Morningside Park. Bifurquez à droite et marchez vers 111th Street et la Cathedral Church of St. John the Divine, au nord.

**❸ L'immense Cathedral Church of St. John the Divine (▷ 67) mérite une visite. Dans le jardin de sculptures, la statue en bronze *Peace Fountain* (Fontaine de la paix) représente la mise à mort du démon par l'archange Michel.**

De la cathédrale, traversez Amsterdam Avenue et suivez brièvement 112th Street jusqu'à Broadway. Connu des inconditionnels du feuilleton « Seinfeld », le Tom's Restaurant se trouve à droite. Si vous êtes trop fatigué pour continuer à pied, prenez un bus sur le côté ouest de Broadway, le M4 jusqu'à Midtown East ou le M104 pour Midtown West. Sinon, remontez Broadway jusqu'à 122nd Street, en passant à gauche de la Columbia University (▷ 77), doyenne des universités new-yorkaises. Obliquez à gauche, dans 122nd Street, et parcourez deux pâtés de maisons jusqu'à Riverside Drive, en dépassant la Manhattan School of Music (gauche). La Riverside Church se tient sur la gauche.

**❹ Haut de 119 m, le clocher de la Riverside Church (▷ 126) offre une vue sublime sur l'Hudson River.**

*La fontaine* Three Dancing Maidens, *dans le jardin à la française du Conservatory Garden*

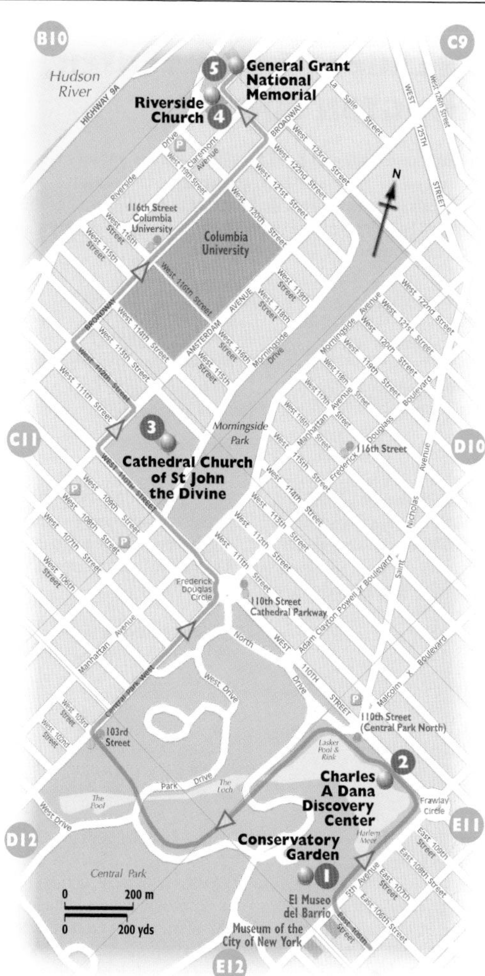

*Cathedral of St. John the Divine (en haut)*
*La très prestigieuse Columbia University (ci-dessus)*

❺ Juste à côté, le General Grant National Memorial (▷ 99) abrite les sépultures de Grant et de son épouse, Julia. Le couple repose côte à côte dans des sarcophages noirs. Près des tombes, vous pourrez pique-niquer agréablement sur des bancs et des tables couverts de mosaïques à la Gaudí.

De là, regagnez Broadway et prenez le M4 ou le bus M104 pour le sud de la ville.

## QUAND ?

Balade tranquille et à l'écart de la foule, cette promenade est à faire par beau temps. Ne vous aventurez pas seul dans le parc, même s'il est surveillé par des patrouilles et généralement sûr. Emportez un pique-nique.

## OÙ MANGER ?

Tom's Restaurant, 2880 Broadway, niveau 112th Street (*tél. : 212/ 864-6137*).

## À VISITER

**General Grant National Memorial**
✉ Riverside Drive et West 122nd Street
☎ 212/666-1640
🕒 Tlj 9 h-17 h

**Riverside Church**
✉ 490 Riverside Drive
☎ 212/870-6700
🕒 Boutique de souvenirs : mar.-jeu., sam. 10 h 30-17 h, mer. 10 h 30-19 h, dim. 9 h 45-10 h 45, midi-16 h

*Cascade à Glenspan Arch (en haut à droite)*
*Le tombeau d'Ulysses S. Grant*

# GREENWICH VILLAGE : DE L'IFC CENTER À WASHINGTON SQUARE

**Des œuvres majeures de la littérature américaine et des idées subversives ont vu le jour dans ce quartier. De l'indépendantiste Thomas Paine, qui fustigea la taxation décidée unilatéralement par les anglais, aux émeutiers de Stonewall, qui déclenchèrent le mouvement de libération gay en 1969, les habitants du Village ont été longtemps à l'avant-garde du mouvement libéral américain.**

## PROMENADE

**Distance** : 3 km
**Durée** : 2 heures
**Départ/Arrivée** : métro West 4th Street/Washington Square

## COMMENT S'Y RENDRE ?

**Métro** : trains A, C, E, F
**Bus** : M5, M6

Quittez le métro par l'Avenue of the Americas (6th Avenue) et traversez au niveau de West 4th Street. Une fois en face de l'IFC Center, tournez à gauche et longez l'avenue jusqu'à Carmine Street. Bifurquez à droite.

❶ Dans Carmine Street, jetez un coup d'œil à la librairie Unoppressive, Non-Imperialist Bargain Books (gauche), puis à la House of Oldies Rare Records (droite).

Obliquez vers Seventh Avenue South, traversez-la et tournez à droite. À St. Luke's Place (alias Leroy Street), prenez à gauche. À votre gauche, s'étend le J. J. Walker Park, ancien cimetière, où une légende situe la dernière demeure du fils disparu de Louis XVI et de Marie-Antoinette. Les maisons en brique et en grès brun datent des années 1850. Théodore Dreiser écrivit *Une tragédie américaine* au n° 16. Obliquez à droite, dans Hudson Street, traversez une rue, puis prenez à gauche, dans Barrow Street.

❷ Dans Barrow Street, faites un saut au charmant jardin situé derrière la Church of St. Luke-in-the-Fields (1822). L'entrée se trouve à droite, juste avant Greenwich Street.

Regagnez l'angle de Barrow Street et de Hudson Street, et arrêtez-vous pour une collation au très populaire café belge : Petite Abeille. Traversez Hudson Street pour rejoindre le 81 Barrow Street, où une plaque rappelle l'histoire architecturale du quartier. Longez Barrow, en direction de l'est, puis obliquez à droite, dans Commerce Street. Le Cherry Lane Theater se dresse à droite, dans un tournant.

❸ Le Cherry Lane Theater fut fondé en 1924 par le lauréat du prix Pulitzer, le poète Edna St. Vincent Millay. Sa scène a accueilli les premières de *En attendant Godot* et *Fin de partie* de Samuel Beckett, ainsi que des pièces d'Edward Albee, David Mamet et tant d'autres.

Suivez Commerce Street vers l'est, puis bifurquez à droite, dans Bedford Street. Notez les deux premières maisons sur votre droite.

❹ L'Isaacs-Hendricks House, au 77 Bedford Street, est la plus ancienne maison du West Village. Au n° 75, le bâtiment le plus étroit de la ville fut la résidence d'Edna St. Vincent Millay, en 1923-1924. L'acteur Cary Grant y vécut également dans sa jeunesse.

Regagnez Bedford Street, en passant devant le Chumley's. Idéal pour boire un verre ou se restaurer, ce célèbre bar clandestin a été filmé dans *Reds* de Warren Beatty et dans *Accords et désaccords* de Woody Allen. John Steinbeck, Eugene O'Neill, E. E. Cummings et Francis Scott Fitzgerald l'ont fréquenté et les couvertures de leurs ouvrages ornent ses murs. Au niveau de Grove Street, prenez à gauche.

❺ Adorable, la Grove Court, au 10-12 Grove Street, était jadis surnommée « Ale Alley » (« Allée de la bière ») en raison du goût de ses habitants irlandais pour la bière.

Retournez à l'angle de Grove Street et de Bedford Street. La plus ancienne maison en bois du Village se tient au 17 Grove Street. Dans Bedford Street, parcourez un pâté de maisons jusqu'à Christopher Street, au nord, puis tournez à droite.

❻ Le McNulty's Rare Teas and Choice Coffee Shop, établi en 1895 au 109 Christopher Street, n'a pas changé depuis son ouverture. Entrez pour savourer les arômes des cafés et des thés.

Longez Christopher Street vers l'est et traversez Seventh Avenue South.

❼ Situé à votre droite, le Christopher Park faisait partie d'une plantation de tabac de 1633 à 1638. Faites une pause sur le banc voisin de la sculpture de George Segal, intitulée *Gay Liberation*. En vous retournant, vous verrez le Stonewall Bar and Club, où un affrontement entre la police et des homosexuels dégénéra en émeute (la Stonewall Riot de 1969) et donna le coup d'envoi au mouvement de libération des gays. Sur le bâtiment, une plaque rappelle cet épisode. La partie de Christopher Street comprise entre le parc et Greenwich Avenue s'appelle également Stonewall Place.

Marchez jusqu'à Greenwich Avenue en restant sur le trottoir du Stonewall, puis obliquez à gauche. Parcourez un pâté de maisons vers le nord et prenez à droite, dans West 10th Street. Le 4 Patchin Place fut la demeure du célèbre poète E. E. Cummings. Longez West 10th Street jusqu'au croisement suivant.

❽ Au 425 Sixth Avenue, la Jefferson Market Library est un ancien palais de justice. Richement décoré, cet édifice classé date de 1877. Autrefois,

*St. Luke's Place (gauche), Grove Court (ci-dessus), la statue* Gay Liberation *(droite)*

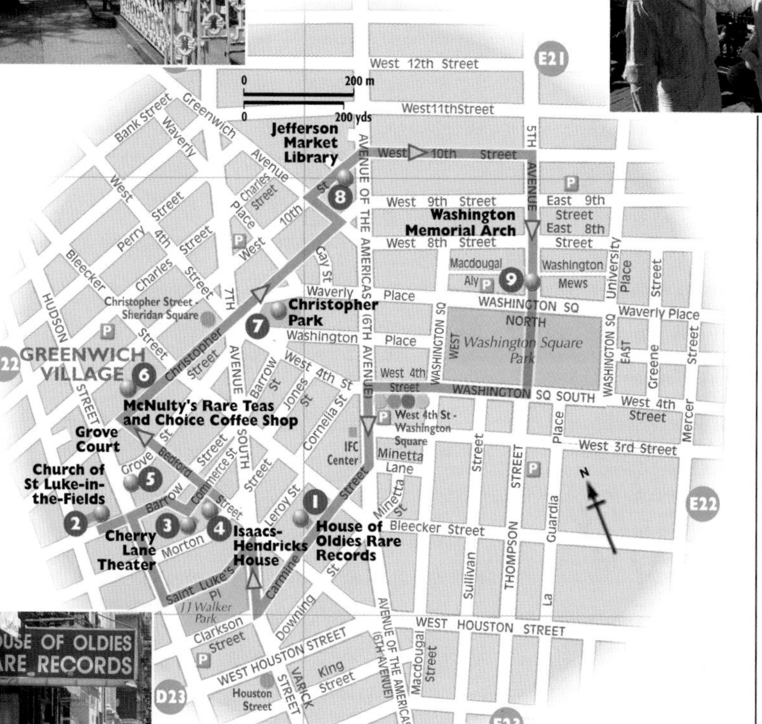

*Boutique de vinyles rares de Carmine Street, Greenwich Village*

sa tour servait à guetter les départs de feu.

Traversez l'Avenue of the Americas et suivez West 10th Street jusqu'à Fifth Avenue. Prenez à droite, dans cette dernière. Trois rues plus loin, franchissez le Washington Memorial Arch.

❾ L'arc initial était en bois et fut érigé en 1889, en l'honneur de George Washington, soit un siècle après son investiture. L'arc en marbre blanc actuel (Stanford White Arch) date de 1895. Au nord de celui-ci et à l'est de Fifth Avenue, Washington Mews est une rue résidentielle dont les bâtiments abritaient les fiacres des habitants des hôtels particuliers de Washington Square Park (au sud de l'arc). John Dos Passos vécut au n° 14A et Sherwood Anderson, au n° 54.

Washington Square Park fut le cimetière des pauvres et un lieu d'exécutions jusque dans les années 1800.

Passez par le parc pour rejoindre Washington Square South. Longez cette rue vers la droite (elle devient West 4th Street), jusqu'à la station de métro située sur Avenue of the Americas.

## QUAND ?

Faites cette promenade entre 10 h et 17 h, du lundi au samedi, si vous souhaitez faire du shopping.

## OÙ MANGER ?

Petite Abeille, 466 Hudson Street (*tél. : 212/741-6479, ouvert 24h/24*).
Chumley's, 86 Bedford Street (*tél. : 212/675-4449*).

# DU PUCK BUILDING AU SOHO GRAND HOTEL

**Si vous aimez parcourir les galeries d'art et éprouvez de l'intérêt pour l'architecture, cette promenade est pour vous. Abréviation de « South of Houston » (prononcez hao-steune), SoHo est un quartier classé et réputé pour ses immeubles construits avec de la fonte et du fer. Ses nombreuses galeries exposent les œuvres d'artistes contemporains de premier ordre.**

**PROMENADE**

Distance : 3,2 km
Durée : 1 heure 30 ou 2 heures
Départ : métro Broadway/Lafayette
Arrivée : métro Canal Street

**COMMENT S'Y RENDRE ?**

Métro : F et downtown 6
Bus : M6

En sortant du métro Broadway/Lafayette Street, tournez à droite (sud), dans Lafayette St.

❶ Bâtiment restauré, le Puck Building se tient au 295 Lafayette Street. Ne manquez pas la statue de lutin dorée à la feuille, au-dessus de l'entrée. C'est ici que le magazine satirique *Puck* fut publié en allemand (1876-1896) et en anglais (1877-1918). Côté Houston Street, une plaque relate l'histoire de cet immeuble. D'une complexité exquise, son briquetage rouge lui valut immédiatement le statut de fleuron de l'architecture commerciale new-yorkaise.

Longez Lafayette Street vers le sud, prenez Prince Street, à droite, puis Broadway, à gauche.

❷ Le Little Singer Building, au 561 Broadway, a été conçu par Ernest Flagg. Ses ferronneries ondulées, ses fenêtres en retrait et ses briques grenues lui conféraient un aspect très novateur en 1904. Il représente une étape majeure dans l'évolution des techniques de construction : le remplacement des supports de plancher en fonte par des fers, utilisés dans les gratte-ciel d'aujourd'hui.

Parcourez deux pâtés de maisons vers le sud et regardez vers l'angle nord-est de Broadway et de Broome Street.

❸ Le superbe Haughwout Building est le plus vieil immeuble en fonte de SoHo (1857). Les façades en fonte avaient le mérite d'être décoratives, élégantes, bon marché, faciles à assembler et recyclables. L'architecte du Haughwout Building a composé sa façade en répliquant 92 fois l'arc de fenêtre d'une bibliothèque vénitienne. Le premier ascenseur Otis fut installé dans cet édifice, annonçant l'ère de la course à l'immeuble le plus haut.

Empruntez Broome Street (droite), puis Mercer Street (droite) en direction du nord.

❹ Deux numéros plus loin, arrêtez-vous au Bar 89, pour prendre un verre et jeter un œil à la mezzanine et à ses toilettes aux portes « transparentes ».

Continuez et tournez une première fois à gauche dans Prince Street, puis une deuxième fois dans Greene Street, où d'autres bâtiments en fonte vous attendent.

❺ À l'origine, nombre de ces constructions servaient d'entrepôts. Vers 1962, certaines furent abandonnées et il fut question de les raser pour faire passer une route, mais la protestation des riverains mit un terme à ce projet. À l'époque, les loyers bon marché de locaux immenses et lumineux attirèrent les artistes. Dans les années 1970, ceux-ci avaient presque envahi le quartier, classé en 1973. En descendant Greene Street, repérez l'immeuble situé au n° 72-76. Appelé King of Greene Street, il arbore des colonnes corinthiennes en fonte. Au n° 28-30, le Queen of Greene Street est coiffé d'un toit de style Second Empire.

Descendez Greene St jusqu'à Grand Street. Tournez à droite, puis de nouveau à droite, dans Wooster Street. À l'angle de Broome Street et de Wooster Street, le magasin Vintage New York vend plus de 200 vins cultivés dans l'État de New York.

❻ Au 119 Wooster Street, la Tony Shafrazi Gallery mérite une visite. Keith Haring et Julian Schnabel y ont exposé. Au n° 120, la Howard Greenberg Gallery est une galerie très en vue, dédiée à la photographie du XX$^{e}$ siècle. Au n° 141, une installation de monceaux de terre vous attend dans l'innovante New York Earth Room.

Tournez à gauche dans West Houston Street, puis de nouveau à gauche, dans West Broadway. Ensuite, descendez cette rue jusqu'à Canal Street.

❼ Le SoHo Grand Hotel se trouve juste au nord de Canal Street. Notez le décor intérieur, puis mêlez-vous à la clientèle « branchée » du bar.

Descendez West Broadway jusqu'à Canal Street et bifurquez à gauche. La station de métro Canal Street (lignes A, C et E) se tient à deux rues de là et deux rues avant les gares ferroviaires 1 et 2.

*Un lutin doré orne la façade du Puck Building*

*Immeubles en fonte de Greene Street (ci-dessus), le Little Singer Building (droite)*

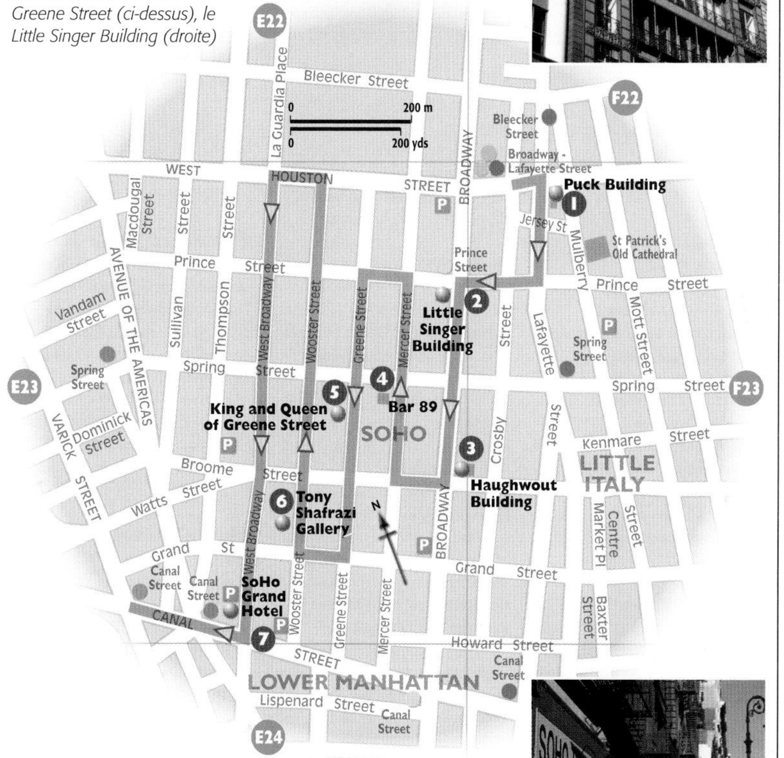

**QUAND ?**

Pour profiter pleinement de cette balade, faites-la coïncider avec les horaires d'ouverture des galeries (généralement mar.-dim., 10 h-18 h).

**OÙ MANGER ?**

Bar 89, 89 Mercer Street (*tél. : 212/274-0989*).

**À VISITER**

**New York Earth Room**

141 Wooster Street

212/989-5566

Mer.-dim. midi-15 h, 15 h 30-18 h

Gratuit

*Installez-vous à une terrasse pour observer les passants (gauche) West Broadway est une avenue typique de SoHo (ci-dessus)*

# DE BOWLING GREEN À SCHERMERHORN ROW

**Le XVIIe siècle a vu naître New York dans ce quartier. Cette promenade est donc recommandée si l'histoire locale vous intéresse. De Bowling Green à South Street Seaport, découvrez les plus belles facettes de la ville.**

**PROMENADE**

**Distance** : 4 km

**Durée** : de 2 heures à 2 heures 30

**Départ** : métro Bowling Green

**Arrivée** : métro Fulton Street (A, 2, 3)

**COMMENT S'Y RENDRE ?**

**Métro** : 4, 5

**Bus** : M6

En quittant la station Bowling Green, face à Battery Park, empruntez le chemin de droite, en direction du Castle Clinton.

❶ Dépassez la sculpture sphérique. Avant le 11 septembre 2001, ce symbole de paix se trouvait entre les deux tours du World Trade Center. Depuis, il sert temporairement de mémorial aux victimes de l'attentat. Le Castle Clinton *(tél. : 212/ 344-7220, lun.-dim. 8 h 30-17 h)* fut un centre d'examen des immigrants avant Ellis Island. En 1850, P. T. Barnum convia la plus grande soprano d'Europe, Jenny Lind, au Castle Clinton. Le succès fut considérable et international. Derrière la barrière, à droite, un petit musée renferme des dioramas illustrant les divers usages du Castle Clinton : fort, salle de spectacles, billetterie pour les ferries en partance pour la Statue de la Liberté (▷ 136-137) et l'Ellis Island Immigration Museum (▷ 90-93)…

Ressortez en suivant le chemin de droite, puis bifurquez à gauche, en dépassant Slip 6.

❷ Sur le fleuve, juste au-delà de Slip 6, on aperçoit l'American Merchant Mariners Memorial. Cette sculpture de Marisol représente le naufrage d'un navire et honore la mémoire des marins de la marine marchande qui servirent les États-Unis, de la guerre d'Indépendance à nos jours.

Faites demi-tour et dirigez-vous vers l'est. Dépassez les ferries et gagnez Slip 3. Gravissez les marches sur votre gauche.

❸ La sculpture en bronze d'Albino Manca, l'East Coast Memorial, figurant un aigle et une couronne funéraire, est dédiée aux personnes ayant péri dans les eaux américaines durant la Seconde Guerre.

Suivez le chemin en direction de l'ouest, et tournez à droite, au niveau de l'entrée est. Dépassez le Hope Garden (Jardin de l'Espoir) pour rejoindre le croisement de Battery Place, Broadway et State Street. Dans ce parc, appelé Bowling Green, la statue du roi George III fut saccagée par des nationalistes en 1776.

❹ À droite, le bureau de douane de style néoclassique abrite le National Museum of the American Indian (musée des Amérindiens). Admirez la rotonde du grand hall.

Dépassez Bowling Green et remontez Broadway, vers le nord. À droite, le taureau en bronze d'Arturo DiModica (Charging Bull) garde l'entrée du Museum of American Financial History. Dépassez ce symbole de prospérité financière et ralliez la Trinity Church, sur votre gauche.

❺ La Trinity Church (▷ 142-143) est une église chargée d'histoire. Nombre de personnalités illustres reposent dans son cimetière, notamment l'homme d'État Alexander Hamilton, l'inventeur du bateau à vapeur Robert Fulton et le capitaine James Lawrence, dont les dernières paroles (« Don't give up the ship » ou « N'abandonnez pas le navire ») sont restées dans les annales.

En ressortant du cimetière, traversez Broadway et continuez tout droit (est) jusqu'à la célèbre Wall Street.

❻ Wall Street (▷ 146-147) abrite la Bourse de New York, ou New York Stock Exchange. Fermée au public, celle-ci se dresse au milieu de la rue, sur la droite. Le Trump Building se trouve au n° 40.

Longez Wall Street jusqu'à William Street, tournez à gauche, puis de nouveau à gauche, dans Pine Street.

❼ Dans Pine Street, des marches mènent à la Chase Manhattan Plaza, sur laquelle trône le *Groupe de quatre arbres* de Jean Dubuffet. La place surplombe le jardin de sculptures d'Isamu Noguchi.

Regagnez William Street par l'escalier, à droite du *Groupe de quatre arbres*. Bifurquez à gauche pour voir les quatre sculptures de la Louise Nevelson Plaza. En face de la plus grande sculpture, de l'autre côté de la rue, se dresse la Federal Reserve Bank aux allures de palais florentin. Dépassez la banque et empruntez Maiden Lane, à gauche, puis Nassau Street (droite) et John Street (droite). Au 44 John Street, notez la fenêtre palladienne de la United Methodist Church. Parcourez cinq pâtés de maisons, puis obliquez à gauche, dans Water Street.

❽ Le South Street Seaport Historic District (▷ 134-135) regorge de boutiques et

*La Sphère, provisoirement placée dans Battery Park en souvenir des victimes du 11-Septembre.*

*Partie d'échecs sur Wall Street (ci-dessus) Les immeubles de Wall Street et leurs drapeaux (à droite)*

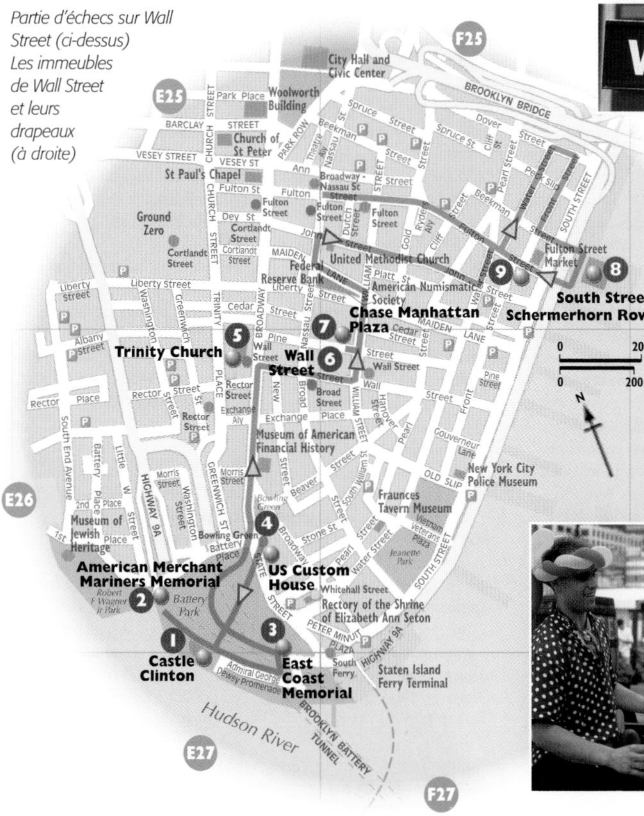

*Ambiance joyeuse à South Street Seaport*

de restaurants. Toutefois, la proximité du fleuve a de quoi séduire, tout comme la jolie vue sur l'East River et le Brooklyn Bridge. Situé à l'extrémité nord de Water Street, le Bridge Café est le plus vieux saloon de Manhattan (1847).

Tournez à droite (est), dans Dover Street, puis de nouveau à droite, dans Front Street. Une fois dans Beekman Street, gagnez le Fulton Street Market (marché aux poissons), à gauche. Traversez South Street et marchez jusqu'au bout de Pier 17. Au sommet des marches, une belle vue sur le Brooklyn Bridge (▷ 74-75) vous attend. Retraversez South Street, puis empruntez Fulton Street.

❾ Rangée de bâtiments de style fédéral, la Schermerhorn Row servait d'entrepôts et de locaux administratifs au début du XIXe siècle. Elle porte le nom de son maître d'œuvre.

Longez Fulton Street jusqu'à William Street et la station de métro, à l'ouest.

**QUAND ?**

Profitez de l'effervescence de Wall Street en semaine.

**OÙ MANGER ?**

Bridge Café, 279 Water Street (*tél. : 212/227-3344*) ou l'un des restaurants de South Street Seaport.

**À VISITER**

**National Museum of the American Indian**

✉ 1 Bowling Green
☎ 212/668-6624
⏲ Lun.-mer., ven.-dim. 10 h-17 h, jeu. 10 h-20 h
Gratuit

# DU CITY HALL PARK AU WASHINGTON SQUARE PARK

**Cet itinéraire débute au City Hall Park et passe devant le célèbre Woolworth Building, qui fut le plus haut immeuble du monde jusqu'à ce que le Chrysler Building le dépasse, en 1930. Ground Zero, le site du World Trade Center, se trouve à deux pas de là. Vous poursuivrez ensuite votre chemin vers SoHo et ce qui subsiste de la vibrante Little Italy.**

### PROMENADE

**Distance** : 4,8 km
**Durée** : de 2 heures à 2 heures 30
**Départ** : métro Park Place
**Arrivée** : West 4th Street/Washington Square

### COMMENT S'Y RENDRE ?

**Métro** : 2, 3
**Bus** : M6

En sortant de la station de métro Park Place, vous trouverez le City Hall et son parc à votre gauche, à l'extrémité nord du City Hall Park.

❶ Le Français Joseph François Mangin fut le principal architecte du City Hall (▷ 77). Il participa aussi à la création de la place de la Concorde, à Paris. Ce petit palais abrite les bureaux du maire et du conseil municipal. Une grille en fer forgé en barre l'accès. Dans le parc situé en face du City Hall, une statue représente Nathan Hale. Juste avant sa pendaison par les Anglais, en 1776, cet espion de l'armée de George Washington fit sensation en exprimant le regret de n'avoir qu'une seule vie à offrir à sa patrie. Baptisées Draft Riots, les émeutes de 1863 éclatèrent au même endroit (▷ 33). Située derrière le City Hall, en face de Chambers Street, la vénérable Tweed Courthouse abrite l'équivalent du ministère de l'Éducation. Bâti en 1872, cet ancien palais de justice aurait dû coûter quelque 250 000 $ aux contribuables. Au lieu de cela, Boss Tweed (▷ 33), leur maire, leur soutira 14 millions sur lesquels il préleva 10 millions de pots-de-vin pour ses amis et lui-même.

En 1878, il mourut sans le sou, en prison. Conçu par Cass Gilbert, le Woolworth Building (▷ 144) se dresse sur Broadway, entre Park Place et Barclay Street. Admirez sa somptueuse décoration gothique et le faste de son hall.

*Le majestueux Woolworth Building date de 1913*

Longez Broadway en direction du sud.

❷ Située sur Broadway, entre Fulton Street et Vesey Street, la St. Paul's Chapel est le seul bâtiment d'époque pré-révolutionnaire que Manhattan ait conservé. On peut encore voir le banc sur lequel George Washington venait prier durant les deux années où New York fut la capitale du pays.

Empruntez Fulton Street, à droite, et poursuivez vers l'ouest.

❸ Au bout de Fulton Street, dans Church Street, photos, drapeaux, bougies, fleurs, ours en peluche et autres objets ont été déposés le long des grilles du site du World Trade Center (appelé Ground Zero, ▷ 108), en hommage aux victimes de la tragédie. Près de ce mémorial, des vendeurs proposent des T-shirts, des photographies et des chapeaux en souvenir de la catastrophe du 11-Septembre. Le site est déjà en cours de reconstruction. Pour le voir de plus près, gagnez le mur d'observation, de l'autre côté de Church Street.

Prenez à droite, dans Church Street.

❹ À l'angle de Church Street et de Barclay Street, se tient la Church of St. Peter. Il s'agit de la plus ancienne église paroissiale catholique de New York (1785).

Sur Park Place, bifurquez à droite, puis traversez le City Hall Park en vous dirigeant vers l'est, afin de profiter de la vue sur le pont de Brooklyn. Gagnez Centre Street par Park Row et marchez jusqu'à l'US Courthouse (tribunal fédéral), au nord.

❺ Œuvre de l'architecte Cass Gilbert, l'US Courthouse occupe l'angle de Centre Street et de Foley Square.

Les cours d'assises se trouvent un peu plus au nord. Aux abords de Canal Street, la proximité de Chinatown se fait plus perceptible : les devantures des boutiques regorgent de marchandises, des lanternes chinoises aux aimants de réfrigérateurs, en passant par la bimbeloterie *made in China*. Au croisement de Centre Street et de Canal Street, prenez à droite. Deux pâtés de maisons plus loin (est), obliquez à gauche, dans Mulberry Street. Continuez en direction du nord.

❻ Vous êtes au cœur de Little Italy (▷ 109), comme en atteste une poignée de restaurants et cafés italiens. Deux rues plus au nord, au 195 Grand Street, le Ferrara sert du café corsé et de délicieuses pâtisseries depuis 1892.

Longez Mulberry Street jusqu'à Prince Street, puis tournez à gauche.

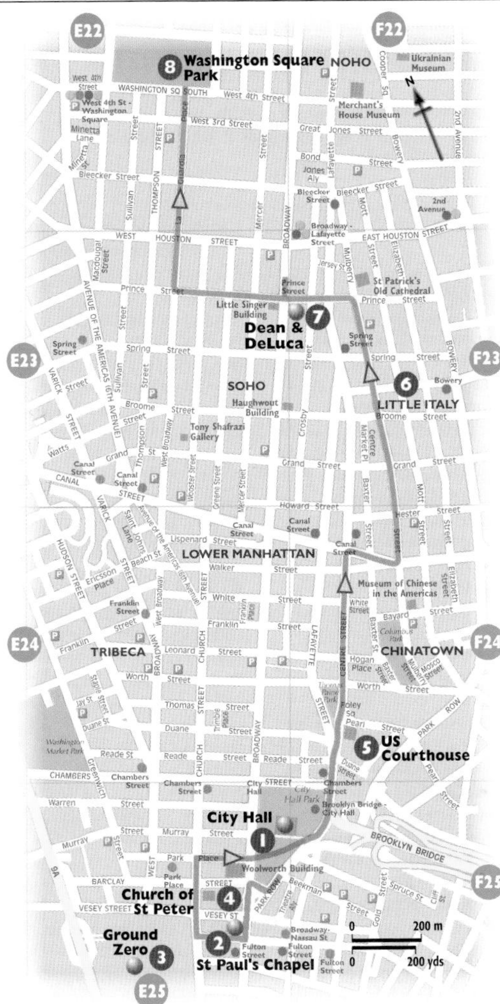

*De style fédéral, le City Hall date de 1802 (ci-dessus)*

*Chinatown et Ground Zero (ci-dessus)*

❼ À l'angle sud-est de Prince Street et de Broadway, le Dean & DeLuca est le paradis des gourmands. Il propose un florilège de pâtisseries, de viandes, de poissons et autres produits alimentaires, sans oublier un bon café, servi au comptoir. Traversez Broadway en restant sur Prince Street, tournez à droite et suivez West Broadway jusqu'à Houston Street.

Au-delà de Houston Street, West Broadway devient LaGuardia Place.

❽ Trois rues plus loin, vous atteindrez Washington Square Park. Cet ancien site d'exécutions publiques et cimetière de plus de 10 000 indigents anonymes a été transformé en jardin public en 1828.

Après une pause dans le parc, vous pourrez prendre un train à West 4th Street/Washington Square pour regagner Chambers Street, près du City Hall.

**QUAND ?**

Les abords du City Hall Park sont plus animés en semaine.

**OÙ MANGER ?**

Ferrara, 195 Grand Street, entre Mulberry Street et Mott Street (*tél. : 212/226-6150*).

*Dans Little Italy, le Ferrara est une institution et ses gâteaux exquis (ci-contre)*

# DE MACY'S AU ROCKEFELLER CENTER

**Certains des sites new-yorkais les plus remarquables jalonnent cet itinéraire. C'est le cas de l'Empire State Building, du Diamond District et de la Rockefeller Plaza.**

**PROMENADE**

**Distance :** 4,8 km
**Durée :** 2 heures 30
**Départ :** métro 34th Street/Penn Station
**Arrivée :** 34th Street/Herald Square

**COMMENT S'Y RENDRE ?**

**Métro :** 1, 2, 3, 9
**Bus :** M10

En quittant le métro 34th Street/Penn Station, optez pour la sortie située à l'angle de West 34th Street et de Seventh Avenue (alias Fashion Avenue).

**1** En face de vous, le Macy's englobe deux pâtés de maisons. Il faudrait plusieurs journées pour explorer ce célébrissime magasin new-yorkais.

Suivez West 34th Street vers l'est, traversez Broadway et bifurquez dans Sixth Avenue (Avenue of the Americas), à gauche. Après avoir longé magasins et banques et traversé six rues, le Bryant Park apparaîtra à votre droite. Si vous ne vous y arrêtez pas pour boire un café, poursuivez votre chemin vers le nord.

À la hauteur de 43rd Street, vous découvrirez l'International Center of Photography (▷ 101).

**2** Le Diamond District s'étire sur 47th Street, entre Fifth Avenue et Sixth Avenue. Notez les éclairages en forme de diamant, au coin des rues. Chaque jour, les commerçants du Diamond District brassent des millions de dollars pour cette pierre précieuse.

Continuez vers le nord, en restant sur Sixth Avenue.

**3** Au niveau de 49th Street, à droite, on aperçoit les 70 étages du G. E. Building. Situé au 30 Rockefeller Plaza, cet immeuble classé est le siège de General Electric et de NBC (National Broadcasting Corporation) et fait partie du Rockefeller Center (▷ 128-130). Le rez-de-chaussée mérite une visite. Signées José Maria Sert, ses fresques représentent le progrès de l'humanité. Au 65e étage, le Rainbow Room Restaurant offre une vue fabuleuse sur la ville.

De l'Avenue of the Americas (Sixth Avenue), continuez vers 50th Street.

**4** Prenez le temps d'admirer le Radio City Music Hall (▷ 129). De style Art déco, ce bâtiment classé est l'une des structures importantes du Rockefeller Center. Renommé pour la revue *Christmas Spectacular* des Rockettes, il accueille d'autres spectacles tout au long de l'année. À son ouverture, en 1932, il était le plus grand théâtre du monde. Les visites guidées d'une heure vous enchanteront. La somptueuse entrée s'étend sur un pâté de maisons. Son plafond est doré à l'or 24 carats et ses lustres en verre pèsent deux tonnes.

L'AXA Financial Center se situe au 1290 Avenue of the Americas, juste après Radio City. Contemplez les magnifiques peintures murales de Thomas Hart Benton, représentant la vie économique et sociale du pays à la veille de la Dépression.

Revenez sur l'Avenue of the Americas, continuez jusqu'à 52nd Street et tournez à droite. Édifice en granit sombre, le CBS Building se dresse depuis 1965 à l'angle d'Avenue of the Americas et de 52nd Street. Une partie de cette dernière rue s'appelle Swing Street car une pléthore de clubs de jazz y fleurirent au lendemain de la Prohibition.

**5** Sis au 25 West 52nd Street, le Museum of Television and Radio (▷ 124) jouxte le 21 Club (au n° 21). Toujours à la mode, ce club né pendant la Prohibition est devenu un délicieux restaurant. Notez les jockeys, au-dessus de l'entrée.

Au croisement de 52nd Street et de Fifth Avenue, obliquez à droite et longez un pâté de maisons vers le sud.

**6** La St. Patrick's Cathedral (▷ 131) est la plus grande cathédrale catholique d'Amérique. Ses arcs-boutants et ses deux flèches identiques (100 m) semblent rivaliser pour attirer l'œil du passant.

Tournez à gauche, dans 51st Street, dépassez la cathédrale, puis traversez Madison Avenue (est).

**7** À l'angle sud-est de 51st St et de Madison, le New York Palace Hotel s'élève au-dessus des Villard Houses. Identiques, ces hôtels particuliers en grès brun datent de 1884. Ils ont été construits par Henry Villard, journaliste, financier et magnat des chemins de fer.

Longez 51st Street jusqu'à Park Avenue (est), prenez à gauche et parcourez un pâté de maisons.

*Qui dit grand magasin, dit Macy's*

SE PROMENER

**8** Au 375 Park Avenue, se dresse la tour de bronze et de verre du Seagram Building (▷ 141). Animé en été, cet endroit devient féerique à Noël. De l'autre côté de l'avenue, le métal et le verre du mur-rideau de la Lever House (1952) produisent un effet miroir.

Tournez à gauche et longez East 53rd Street jusqu'à Sixth Avenue. Prenez de nouveau à gauche et parcourez quatre pâtés de maisons vers le sud.

**9** Le Rockefeller Center est parfait pour faire du shopping, une pause grignotage ou flâner.

De là, vous pourrez rejoindre Herald Square en métro.

## QUAND ?

Pour faire les magasins ou visiter la St. Patrick's Cathedral, il est préférable de suivre cet itinéraire du lundi au samedi (10 h-18 h), et d'éviter le dimanche.

## OÙ MANGER ?

Rainbow Room, au Rockefeller Center (*tél. : 212/632-5000*) ou Rockefeller Center Café, 20 West 50th Street (*tél. : 212/332-7620*)

## À VISITER

**Museum of Television and Radio**
✉ 25 West 52nd Street
☎ 212/621-6800
🕐 Mar.-dim. midi-18 h, jeu. jusqu'à 20 h

**Radio City Music Hall**
✉ 1260 Sixth Avenue
☎ 212/247-4777
🕐 Tlj 11 h-15 h
Visite des coulisses toutes les 30 min (1 heure)

*L'été, il fait bon s'arrêter au Bryant Park pour grignoter un en-cas (gauche)*

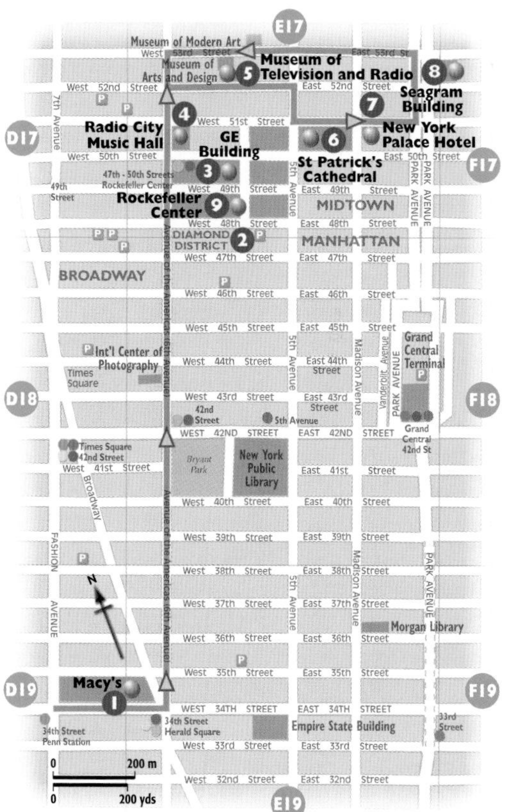

*Radio City Music Hall (haut), St. Patrick's Cathedral (ci-dessus)*

*Patinoire du Rockefeller Center, à Noël (ci-dessus)*

# CENTRAL PARK WEST HISTORIC DISTRICT

**Commencez cette balade par le Dakota Building où John Lennon fut assassiné en 1980. En face, dans Central Park, faites une halte devant le mémorial de l'ex-Beatle. Dans les années 1960, quelque 165 millions de dollars de fonds privés permirent de raser les immeubles de l'Upper West Side pour les remplacer par le Lincoln Center. Très agréable, ce complexe se compose de zones piétonnes, de théâtres, de salles de concerts, de cinémas et de musées. De nombreux acteurs et cinéastes travaillent et résident dans le quartier. Peut-être croiserez-vous leur chemin ?**

## PROMENADE

**Distance** : 2,4 km
**Durée** : 1 heure 30 ou 2 heures
**Départ/Arrivée** : métro 72nd Street

## COMMENT S'Y RENDRE ?

**Métro** : B, C
**Bus** : M10

Quittez la station de métro 72nd Street par l'angle de 72nd Street et de Central Park West.

❶ L'immeuble Dakota (▷ 87) se trouve à l'angle nord-ouest de Central Park West et de 72nd Street. John Lennon a été tué devant l'entrée, côté 72nd Street. Yoko Ono y vit toujours.

Traversez Central Park West, à l'est, et suivez le chemin des Strawberry Fields, droit devant vous.

❷ Intitulée *Imagine*, une mosaïque noire et blanche honore la mémoire de Lennon.

Regagnez Central Park West et tournez à gauche (sud). Sur la droite, des immeubles en grès brun du XIXe siècle borde les rues Au niveau de West 67th Street, entrez dans le parc, à gauche.

❸ La Tavern on the Green reçoit la visite de célébrités, pour des galas et des projections privées. Quant aux touristes, ils paient le prix fort pour s'asseoir dans le patio verdoyant, en été. En face, le Sheep Meadow est une étendue de 6 ha, créée par Olmsted et Vaux, architectes de Central Park. À l'époque, les immigrants venaient y trouver un peu de fraîcheur et de verdure.

Retournez dans Central Park West, traversez deux rues en direction du sud et obliquez à droite, dans 65th Street. Traversez Broadway, puis Columbus Avenue. Le Lincoln Center se situe à l'ouest du croisement.

❹ Le Lincoln Center (▷ 112-113) abrite l'Alice Tully Hall (angle nord-ouest de 65th Street) et l'Avery Fisher Hall (angle sud-ouest). Une grande partie de *West Side Story* fut filmée dans les immeubles qui se trouvaient là autrefois. L'Avery Fisher Hall se tient à 250 m de la place centrale du Lincoln Center (sud) et de sa fontaine. Siège du New York City Ballet, le New York State Theater borde le sud de la place. Le Metropolitan Opera House domine son flanc ouest et sa façade vitrée laisse transparaître des lustres autrichiens et une fresque de Marc Chagall. Au sud du Met, un charmant espace découvert accueille des concerts estivaux et les numéros du Big Apple Circus, pour les fêtes de fin d'année. Au nord, on découvre le bassin où baigne la sculpture *Reclining Figure* (*Figure étendue*) de Henry Moore et le Vivian Beaumont Theater.

Gravissez les marches menant à la Juilliard School (nord), tournez à droite, puis à gauche, en descendant les marches jusqu'à Broadway. Traversez 66th Street, puis Broadway, à droite. Rejoignez Columbus Avenue (est) par 66th Street et prenez à gauche. Immeuble contemporain, l'ABC Building se tient au 147 Columbus, sur la droite. Longez Columbus jusqu'à West 70th Street et bifurquez à gauche.

❺ Le Pythian Temple se situe au 135 West 70th Street, près de l'intersection de 70th Street et de Broadway. Conçu par Thomas W. Lamb, en 1926, cet immeuble en copropriété était initialement un temple pythien, dédié au culte de l'oracle de Delphes. Des sages assyriens en gardent encore l'entrée. En 1954, Bill Haley et les Comets y ont enregistré « Rock Around the Clock ». En face, au 154 West 70th Street, le Café Mozart sert des cakes et d'autres gâteaux hors de prix.

Poussez vers l'ouest, jusqu'à Amsterdam Avenue, et prenez à droite. Juste avant West 72nd Street, à gauche, subsiste l'un des rares vestiges du métro du début du XXe siècle. Sur le trottoir opposé, une harmonieuse structure récente complète la précédente. Traversez West 72nd Street.

❻ De style Beaux-Arts, le somptueux Ansonia Building se dresse au 2109 Broadway, entre West 73rd Street et West 74th Street. Caruso, Stravinski et Toscanini vécurent dans cet édifice, dont l'isolation sonore continue de séduire d'illustres musiciens, chanteurs et chefs d'orchestre.

Bifurquez à droite pour découvrir, au 248-272 West 73rd Street, les plus anciennes constructions du quartier : une rangée de 18 maisons datant de 1885. Obliquez à gauche, dans Central Park West.

❼ Sises au 145-146 Central Park West et réalisées par l'architecte Emery Roth, les tours des San Remo Apartments (1930) s'élancent avec grâce dans le ciel new-yorkais. Paul Simon et Dustin Hoffman y ont vécu.

Continuez jusqu'à 77th Street, au nord.

❽ La New-York Historical Society (▷ 126) se situe à l'angle de 77th Street et de Central Park West. L'admirable collection et l'étonnante variété des articles de la boutique de souvenirs méritent le détour.

Traversez West 77th Street.

❾ L'immense American Museum of Natural History

Le fascinant American Museum of Natural History

Le Dakota

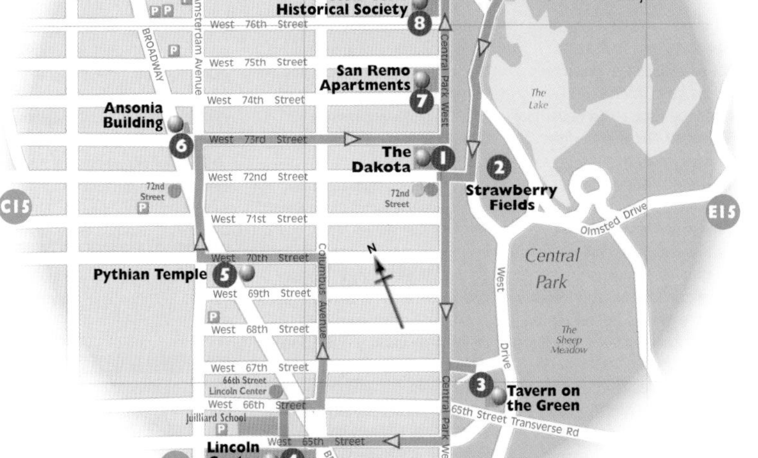




(▷ 68-72) se tient sur la gauche. Devant l'entrée principale, admirez la statue équestre en bronze du président Theodore Roosevelt. Dans le Roosevelt Memorial Hall, à l'intérieur, les superbes peintures murales de William Mackay relatent des épisodes de la vie de Roosevelt.

En sortant du musée, remontez Central Park West. Au croisement de 81st Street, entrez dans le parc et prenez aussitôt le chemin de droite pour rejoindre West 72nd Street (sud) et la station de métro 72nd Street.

## QUAND ?

Cette promenade est très agréable le dimanche après-midi. La plupart des magasins et restaurants restent ouverts ce jour-là.

## OÙ MANGER ?

Café Mozart, 154 West 70th Street (*tél. : 212/595-9797*).

## À VISITER

**American Museum of Natural History**
✉ Central Park West et 79th Street
☎ 212/769-5100
🕑 Tlj 10 h-17 h 45, ven. jusqu'à 20 h 45

**New-York Historical Society**
✉ 2 West 77th Street
☎ 212/873-3400
🕑 Mar.-dim. 10 h-18 h

*Des brebis paissaient dans le Sheep Meadow jusqu'en 1934*

9. À PIED

# FORT TRYON PARK

**Prenez une bouffée d'air pur au Fort Tryon Park, parcourez ses bois, ses jardins et son monastère moyenâgeux. Point culminant de Manhattan, ce parc offre une vue époustouflante sur l'Hudson.**

### PROMENADE

**Distance** : 2,4 km
**Durée** : 1 heure 30 ou 2 heures
**Départ/Arrivée** : Margaret Corbin Circle, près de la station de métro 190th Street

### COMMENT S'Y RENDRE ?

**Métro** : A jusqu'à 190th Street
**Bus** : M4

Descendez du bus M4 à l'arrêt 190th Street et non au terminus (Cloisters). Si vous prenez le train A, descendez à la station 190th Street et ressortez par l'ascenseur. En quittant la gare, tournez à droite.

❶ Le Fort Tryon Park fut le théâtre de l'une des premières batailles de la guerre d'Indépendance. Le 16 novembre 1776, victorieux des troupes en sous-effectif de George Washington (600 hommes contre 4 000), les Britanniques baptisèrent le fort du nom du gouverneur Sir William Tryon. Bien que les environs du parc s'appellent Washington Heights, le fort n'a jamais été débaptisé.

En 1917, John D. Rockefeller acheta le site. En 1938, il transforma les cloîtres en une annexe du Metropolitan Museum of Art, dotée d'une vaste collection médiévale. Frederick Law Olmsted, Jr., a créé les jardins avec plus de 250 variétés végétales. Dessinés par Olmsted, les murs en pierre, les arcs, les terrasses et les escaliers rappellent l'Europe médiévale et confèrent à ce domaine de 25 ha un cachet exceptionnel.

Le Margaret Corbin Circle doit son nom à une courageuse Américaine : suite à la blessure mortelle de son époux, pendant la bataille de Fort Tryon, elle le relaya derrière le canon. Elle est la seule femme enterrée à West Point. À votre gauche, sur le côté ouest du rond-point, la petite construction en pierre était la maison du gardien du domaine de Cornelius K. G. Billings. Originaire de Chicago, cet homme fortuné et bon cavalier, dépensa 2 millions de dollars pour la construction de sa demeure de Tryon Hill, entre 1901 et 1905.

Franchissez l'entrée en pierre et gagnez la Promenade, puis, tournez immédiatement à gauche.

❷ Le Heather Garden (1,2 ha) offre d'une vue sublime sur l'Hudson, les Palisades (New Jersey) et le George Washington Bridge. Dans ce jardin de bruyères, le plus grand de la côte est, les genêts poussent aux côtés des plantes persistantes et des arbustes. Vers le mois de mai, ses 5 000 bulbes fleurissent, dont plus de 30 espèces de jonquilles et de tulipes. De juin à septembre, 1 000 lys s'épanouissent à leur tour.

Du Heather Garden, reprenez la Promenade jusqu'à la Linden Terrace (environ 250 m).

❸ En 1909, Billings fit poser une stèle sur la Linden Terrace, en souvenir des combats de l'Armée continentale pour défendre le site. Des tilleuls ombragent cet endroit ravissant, doté de bancs, de balustrades et d'une vue splendide sur le fleuve. À l'angle nord-est de la terrasse, des marches mènent à un drapeau. Cette éminence est le point culminant de Manhattan.

Redescendez les marches et rejoignez la Promenade, qui part vers la gauche, devient un escalier de pierre, puis oblique vers la droite.

❹ Les Cloisters (▷ 86) apparaissent droit devant vous (nord). Continuez vers le nord, en marchant à droite du fleuve. Si vous voulez vous arrêter au musée, traversez la route au passage clouté (à droite) et suivez le chemin. À gauche, une entrée mène à la boutique de souvenirs. Vous y trouverez des verreries de style Tiffany, des livres d'art, des jouets, des vidéocassettes et des CD de musique médiévale.

Reprenez le chemin des cloîtres (nord) et de leurs ravissants bois et pelouses. Le chemin le plus proche de la route (Margaret Corbin Drive) traverse le parc et conduit au New Leaf Café.

❺ Le site sensationnel, la cuisine au goût du jour et les prix abordables font tout l'attrait du New Leaf Café. Il s'agit d'une succursale du New York Restoration Project, dont les bénéfices servent à financer les travaux en cours dans le parc.

Le chemin vous ramène à l'entrée principale du parc et au Margaret Corbin Circle.

### QUAND ?

Évitez le lundi, jour de fermeture des cloîtres et du restaurant. Une brève visite des cloîtres est conseillée.

### OÙ MANGER ?

New Leaf Café, Fort Tryon Park *(tél. : 212/568-5323 ; fermé lun.)*.

### À VISITER

**The Cloisters**
✉ Fort Tryon Park
☎ 212/923-3700
🕒 Mars.-oct. mar.-dim. 9 h 30-17 h 15 ; reste de l'an. mar.-dim. 9 h 30-16 h 45
🎟 Ad. 15 $, moins de 12 ans gratuit

*Le Margaret Corbin Circle, à l'entrée du parc, point de départ de la balade (ci-dessous)*
*Geai bleu (droite)*

SE PROMENER

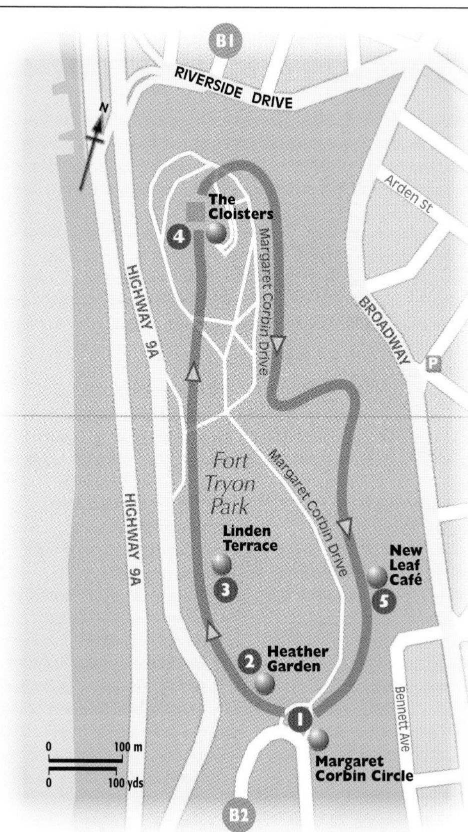

*Silhouette d'un cloître (ci-dessus)*
*Chemin de ronde encerclant le parc (ci-dessous)*

*Musée d'art médiéval européen, les Cloisters comptent de nombreuses et magnifiques galeries (ci-dessous)*

SE PROMENER

# DE BROOKLYN HEIGHTS À MANHATTAN

**Si Brooklyn ne faisait pas partie de New York, ce serait la sixième plus grande ville d'Amérique. Ses nombreuses églises classées, ses beaux immeubles en grès brun et ses rues arborées font de Brooklyn Heights l'un des quartiers résidentiels les plus élégants de la ville. La traversée du Brooklyn Bridge vous permettra de jouire d'une vue exceptionnelle sur Lower Manhattan.**

## PROMENADE

**Distance :** 4 km

**Durée :** 2 heures ou 2 heures 30 (prenez le temps de profiter de la vue sur Manhattan depuis le Brooklyn Bridge)

**Départ :** métro High Street/Brooklyn Bridge

**Arrivée :** métro Brooklyn Bridge/City Hall

## COMMENT S'Y RENDRE ?

**Métro :** A, C

En quittant la station de métro High Street/Brooklyn Bridge, vous apercevrez les grands arbres, les bancs et les sentiers du Cadman Plaza Park. Empruntez Cadman Plaza West pour longer le parc en direction du sud.

❶ Arrêtez-vous devant le grand monument en pierre (à gauche), dédié aux combattants brooklyniens de la Seconde Guerre mondiale. Vous aurez sans doute envie de vous attarder sur les bancs de ce parc arboré.

Traversez Tillary Street en restant sur Cadman Plaza West. Laissez la Korean War Veterans Plaza sur votre gauche et dépassez le Federal Building, la poste et le palais de justice de style néo-roman. Traversez Johnson Street.

❷ Devant l'énorme Cour Suprême de New York (gauche), arrêtez-vous pour admirer la statue de Christophe Colomb et le buste en bronze du sénateur Robert F. Kennedy (assassiné comme son frère, John F. Kennedy).

❸ Une délicate fontaine se trouve juste en face, devant l'édifice néoclassique du Brooklyn Borough Hall (1848).

Juste après le Borough Hall, prenez Joralemon Street (ouest) et parcourez un pâté de maisons et demi, jusqu'à Sidney Place, à gauche. L'imposante masse rouge de l'église romaine catholique St. Charles Borromeo domine la petite rue depuis 1849. Restez sur Joralemon, passez deux rues et bifurquez à droite. Dans Hicks Street, marchez brièvement vers le nord.

❹ Comme pour beaucoup d'églises new-yorkaises, les plans de la Grace Church ont été tracés par Richard Upjohn. Elle date de 1849 et se trouve au 254 Hicks Street. Dans la cour d'entrée, à l'écart de Hicks Street, un grand orme offre une ombre rafraîchissante.

Après l'église, prenez la première à droite. Une fois dans Remsen Street, traversez Henry Street.

❺ À votre gauche, se tient la Cathedral of Our Lady of Lebanon, conçue par Richard Upjohn. Il s'agit du premier édifice ecclésiastique néo-roman à baie en arceau du pays. Notez les médaillons des portes d'entrée. Achetées aux enchères, en 1945, celles-ci proviennent de la salle à manger du luxueux paquebot : le *Normandie*.

Après Henry Street, prenez la première rue à gauche. Dans Clinton Street, dépassez Montague Street en notant l'église épiscopale St. Ann and the Holy Trinity (gauche). Cette œuvre majeure de James Renwick, Jr., est l'une des principales églises de style gothique victorien des États-Unis. Au bout de Clinton Street, tournez une première fois à gauche, dans Cadman Plaza West, puis de nouveau dans Clark Street. Bifurquez à droite, dans Henry Street, parcourez deux pâtés de maisons jusqu'à Orange Street et tournez à gauche.

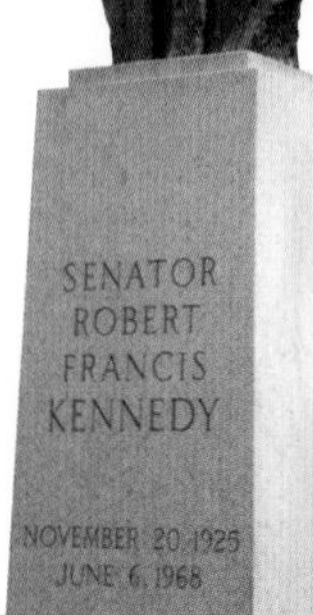


*Le buste de Robert Kennedy, devant la Cour Suprême de New York*

❻ La Plymouth Church of the Pilgrims (1849) se situe dans Orange Street, entre Henry Street et Hicks Street. Avant la guerre de Sécession, elle fut le foyer de l'anti-esclavagisme. Pasteur abolitionniste, Henry Ward Beecher y prêcha contre l'esclavage. À deux reprises, Abraham Lincoln pria dans cette église qui constituait un maillon clé de l'Underground Railroad : un réseau d'évasion des esclaves du Sud. De beaux vitraux ornent ce modeste édifice et sa cour abrite une statue de bronze de Henry Ward Beecher. Gutzon Borglum, son sculpteur, a également sculpté les fameux bustes de présidents sur le mont Rushmore.

Regagnez Henry Street et prenez à gauche. Une myriade de cafés, de restaurants et de traiteurs borde la rue. Après les feux, bifurquez à droite, dans Middagh Street. De Cadman Plaza West, un chemin vous mènera dans le parc. Sur la gauche, une plaque fournit des informations sur ses faucons pèlerins. À l'embranchement, restez à gauche pour rejoindre Washington Street. Obliquez à gauche et, juste avant d'atteindre les feux de Prospect Street, gravissez les marches de gauche.

❼ Quittez Brooklyn Heights par la large passerelle en bois du Brooklyn Bridge (▷ 74-75). En 1883, celui-ci devint le plus long pont suspendu du monde. Il enjambe l'East River et relie Brooklyn à Manhattan. Doté d'un maillage de câbles en acier, cet ouvrage spectaculaire suscite autant d'émerveillement qu'au premier jour.

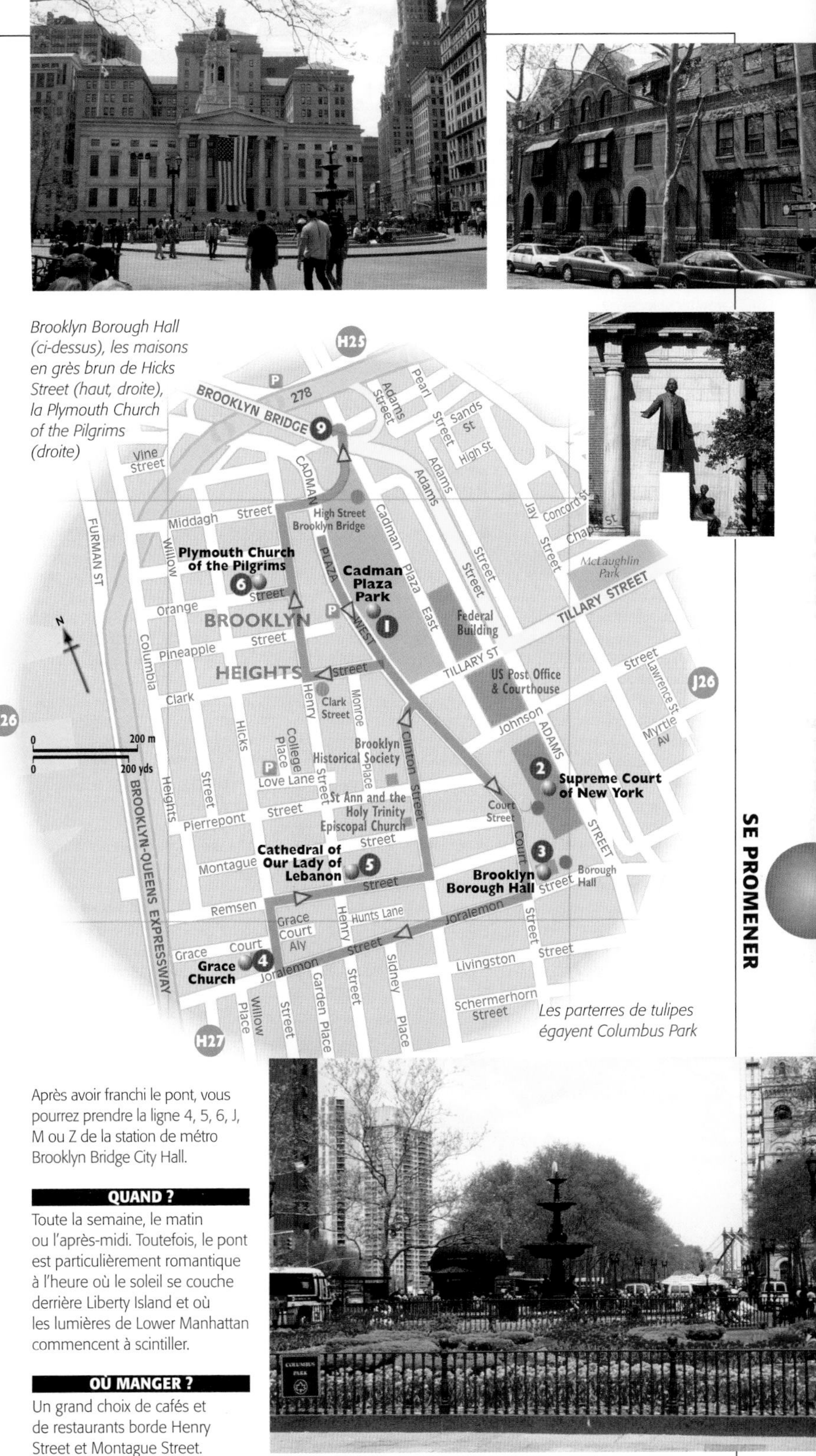


*Brooklyn Borough Hall (ci-dessus), les maisons en grès brun de Hicks Street (haut, droite), la Plymouth Church of the Pilgrims (droite)*

*Les parterres de tulipes égayent Columbus Park*

Après avoir franchi le pont, vous pourrez prendre la ligne 4, 5, 6, J, M ou Z de la station de métro Brooklyn Bridge City Hall.

**QUAND ?**

Toute la semaine, le matin ou l'après-midi. Toutefois, le pont est particulièrement romantique à l'heure où le soleil se couche derrière Liberty Island et où les lumières de Lower Manhattan commencent à scintiller.

**OÙ MANGER ?**

Un grand choix de cafés et de restaurants borde Henry Street et Montague Street.

1. EXCURSION

# VALLÉE DE L'HUDSON

**L'Hudson (508 km) prend sa source dans les monts Adirondack, traverse New York et se jette dans l'Atlantique. Au XIXe siècle, les splendeurs de cette vallée étaient un thème cher aux peintres de la Hudson River School. De nos jours, cette région ne manque pas d'attrait, surtout lorsque la végétation du littoral se pare des couleurs de l'automne.**

## MÉMO

Historic Hudson Valley
☎ 914/631-8200
www.hudsonvalley.org

National Trust for Historic Preservation
☎ 914/631-4481

National Park Service
☎ 845/229-9115

## COMMENT S'Y RENDRE ?

**En train :** la partie située au nord de New York City se visite aisément en train. De Grand Central Terminal, prenez la ligne Metro-North Hudson Line jusqu'à l'arrêt suivant. Des taxis stationnent devant la plupart des arrêts, il est aussi possible d'en réserver un auprès de la compagnie Rivertowns Taxi (tél. : 914/478-2222).

**En voiture :** empruntez la West Side Highway jusqu'à la Henry Hudson Parkway, puis la Saw Mill River Parkway (trois dénominations pour une même route). Mieux vaut demander votre chemin aux services de la Saw Mill Parkway, en téléphonant.

**En bateau :** New York Waterway propose des excursions d'une journée sur l'Hudson, au départ de l'embarcadère Pier 78, à l'ouest de Manhattan (tél. : 1800/533-3779, www.newyorkwaterway.com).

### HUDSON RIVER MUSEUM

Le Hudson River Museum *(tél. : 914/963-4550 ; mai-fin sept. mer.-dim. midi-17 h, ven. midi-20 h)* se compose d'un bâtiment ancien et d'une annexe moderne. Il traite d'art et d'histoire. Au café, vous pourrez prendre un repas léger en admirant la vue sur l'Hudson et les Palisades (New Jersey). Ralliez Yonkers par la ligne Metro-North, puis prenez un taxi (environ 5 $).

### DE SUNNYSIDE À LYNDHURST

Monument national, **Sunnyside** fut la résidence de Washington Irving, l'auteur de *La Légende de Sleepy Hollow*. Le cottage *(tél. : 914/631-8200, avr.-fin déc. mer.-lun. 10 h-16 h, mars sam.-dim. 10 h-16 h)* a été bâti au XVIIIe siècle, puis agrandi par Irving, en 1835. La dernière visite guidée de la maison et des jardins débute une heure avant la fermeture. Vous trouverez un centre d'accueil des visiteurs, une boutique de souvenirs et un café (fermé une partie de l'année). De Grand Central Terminal, prenez un train pour Tarrytown, puis un taxi.

**Lyndhurst** est un remarquable manoir de style néogothique *(tél. : 914/631-4481, mi-avr. à fin oct. mar.-dim. 10 h-17 h, reste de l'an. sam.-dim. 10 h-16 h)*. Jay Gould, nabab des chemins de fer, en était propriétaire. Ses pelouses offrent une vue splendide sur l'Hudson. Vous pouvez appeler un taxi ou rejoindre Sunnyside à pied par le sentier.

### PHILLIPSBURG MANOR ET KYKUIT

Situé à Sleepy Hollow (Route 9) et ex-propriété des puissants Phillips, le **Phillipsburg Manor** est une ferme restaurée, d'époque coloniale *(avr.-fin déc. mer.-lun. 10 h-16 h ; visites guidées)*. Dans différents bâtiments, des guides en costumes d'époque vous raconteront la vie des anciens habitants de la vallée de l'Hudson.

Propriété classée, la **Kykuit** fut habitée par quatre générations de Rockefeller. Cette demeure regorge de meubles anciens et d'œuvres d'art, tandis que des sculptures décorent ses beaux jardins paysagers. Les visites guidées *(mi-avr. à fin nov., mer.-lun. 10 h-15 h)* débutent au Phillipsburg Manor. Les tickets sont en vente dès 9 h et il n'est pas possible de réserver (les enfants de moins de 10 ans ne sont pas admis).

### VAN CORTLANDT MANOR

Situé dans la vallée de l'Hudson, ce manoir du XVIIIe siècle a appartenu à la famille Van Cortlandt pendant plus de 260 ans. Pierre Van Cortlandt fut le premier lieutenant-gouverneur de l'État de New York. Une bonne partie du mobilier d'origine subsiste et la cuisine, avec son âtre et son four rond, est l'une des pièces les plus intéressantes *(avr.-fin oct. mer.-lun. 10 h-17 h ; nov.-fin déc. mer.-lun. 10 h-16 h ; mars sam.-dim. 10 h-16 h)*.

### WEST POINT, LE FRANKLIN D. ROOSEVELT NATIONAL HISTORIC SITE ET LA VANDERBILT MANSION

En pénétrant davantage dans l'État, on découvre plusieurs sites importants sur la rive orientale de l'Hudson, notamment l'académie

*Une longue passerelle en bois mène au Phillipsburg Manor*

SE PROMENER

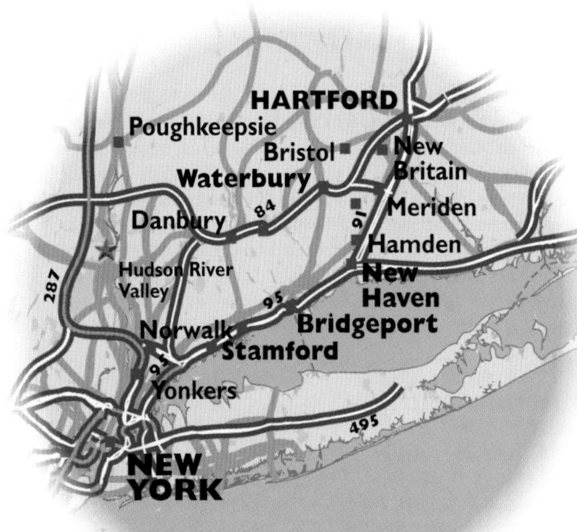

militaire de West Point. Non loin de là, Cold Spring est une adorable bourgade arrosée par l'Hudson et réputée pour ses antiquaires. Elle jouxte Garrison et son manoir du XIXe siècle : Boscobel (*tél. : 845/265-3638*). L'arrêt suivant pourrait être Beacon, au bord du fleuve. La voiture est le meilleur moyen de rallier deux sites dédiés aux Roosevelt, plus au nord.

Première étape : **West Point** (*tél. : 914/938-2638*) est l'académie militaire la plus réputée d'Amérique. D'éminents généraux et présidents se sont formés sur ses bancs. Son musée renferme des armes, des uniformes et les étendards des ennemis d'hier. Jardins magnifiques.

Le **Franklin D. Roosevelt National Historic Site** (*tél. : 845/229-8114 ; tlj 9 h-17 h*) est la maison natale du président Roosevelt. La maison, la bibliothèque et le musée recèlent une vaste collection de souvenirs familiaux. Dans la roseraie, un monument en marbre blanc se dresse à proximité des tombes de Franklin et de son épouse, Eleanor.

Un bus fait la navette entre ce site et l'**Eleanor Roosevelt National Historic Site** (*tlj 9 h-17 h*), situé dans la propriété de la famille.

La **Vanderbilt Mansion** (*tél. : 845/229-7770 ; tlj 9 h-16 h, visite guidée uniquement*) se situe à 1 km au nord du Roosevelt Historic Site. Cette demeure de style Beaux-Arts fut construite par les architectes McKim, Mead et White, pour le petit-fils de Cornelius Vanderbilt. À l'intérieur, œuvres d'art et meubles de style Renaissance, rococo et autres, témoignent de la richesse des Vanderbilt. Les jardins sont ravissants et plusieurs sentiers pédestres longent le fleuve.

*Monument du soldat américain, à l'académie militaire de West Point (ci-dessus)*
*À Sunnyside, Irving trouva l'inspiration pour écrire* La Légende de Sleepy Hollow *(ci-contre)*

**OÙ MANGER ?**

Tarrytown compte trois bonnes adresses : l'Equus Restaurant (*The Castle, tél. : 914/631-3646*), le Main Street Café (*24 Main Street, tél. : 914/ 524-9770*) et le Striped Bass (*236 Main Street, tél. : 914/366-4455*).

*Feuillage automnal autour du monument à la victoire de l'académie militaire de West Point*

# LONG ISLAND

**Long Island mesure 202 km de long sur 19 à 37 km de large. Située à l'est de New York, cette île est baignée par l'Atlantique, au sud, et par le Long Island Sound, au nord. Parfois appelé Gold Coast, son littoral septentrional est rocheux et festonné de plages, de criques et de promontoires. Il attire des résidents fortunés depuis la fin du XIXe siècle. À l'est de l'île, sur la côte Atlantique, les Hamptons sont le terrain de jeu de riches familles, propriétaires de belles maisons de vacances et de demeures cossues. Battues par l'Atlantique, les superbes plages de la côte méridionale offrent un refuge estival, loin de la touffeur urbaine. La partie occidentale de l'île se compose de Brooklyn et du Queens, deux banlieues densément peuplées de Manhattan, mais des zones plus rurales subsistent à l'est. Vous y verrez des demeures historiques, des ports de pêche, d'anciens centres baleiniers, des musées et des parcs naturels.**

## MÉMO

NYC & Company
212/484-1222
Lun.-ven. 8 h 30-18 h, sam.-dim. 9 h-17 h
www.longisland.com

## COMMENT S'Y RENDRE ?

**En train** : de la Pennsylvania Station, sur 7th Avenue (entre 31st Street et 33rd Street), prenez le train Long Island Railroad pour la ville la plus proche de votre destination.

**En voiture** : de Manhattan, prenez la Long Island Expressway (I-495) en direction de l'est. Il est généralement plus aisé de rallier Long Island en bus ou en train, mais il sera plus commode de circuler en voiture d'un site à l'autre.

## OLD WESTBURY GARDENS ET SAGAMORE HILL HISTORIC SITE

Les **Old Westbury Gardens** *(tél. : 516/333-0048)* furent le lieu de résidence du financier John S. Phipps (1874-1958), de son épouse Margarita et de leurs quatre enfants. Dans ce manoir de style Charles II, du mobilier anglais d'époque côtoie des œuvres d'art. Ponctué d'étangs et de lacs, le domaine de 64 ha comprend 36 ha de somptueux jardins à la française, des sentiers, des folies architecturales et des bois. Les jardins se trouvent entre la Long Island Expressway et le Jericho Turnpike (Route 25). En voiture, quittez l'I-495 par la sortie 39 (Glen Cove Road). Roulez 1,5 km vers l'est, sur la voie de desserte. Bifurquez à droite, dans l'Old Westbury Road, et parcourez encore 800 m.

Au nord-est d'Old Westbury, vous découvrirez le **Sagamore Hill National Historic Site**. Habitée par le président Theodore Roosevelt de 1885 à sa mort, en 1919, cette demeure a conservé son mobilier d'origine *(tél. : 516/922-4788 ; dernier lun. de mai-1er lun. de sept. tlj 10 h-16 h ; reste de l'an. mer.-dim.)*. Pour les visites guidées (30 min), les premiers arrivés sont les premiers servis. Venez tôt car le nombre de visiteurs est limité (l'été, les ventes de billets peuvent être closes dès midi). En voiture, quittez l'I-495 par la sortie 41N (Oyster Bay). Empruntez la route 106, vers le nord. Au bout de 6 km et au niveau de la route 25A, tournez à droite et roulez 4 km jusqu'au troisième feux. Après une longue descente, prenez la Cove Road, à gauche.

*Sagamore Hill House (gauche) Au sud de Long Island, l'Atlantique borde le Robert Moses State Park, sur Fire Island (ci-dessous)*

*Le Vanderbilt Museum de Centerport fut bâti par William K. Vanderbilt, en 1910*

Roulez 2,5 km, tournez à droite pour rejoindre la Cove Neck Road et parcourez 2,5 km.

**DE LA MAISON NATALE DE WALT WHITMAN, À OLD BETHPAGE VILLAGE**

Walt Whitman (1819-1892) fut l'un des plus grands poètes du pays. Située au sud de Sagamore Hill, sa maison natale *(tél. : 631/427-5240 ; 15 juin-1er lun. de sept. tlj 11 h-16 h ; reste de l'an. mer.-ven. 13 h-16 h, sam.-dim. 11 h-16 h)* renferme des photos et des extraits de ses ouvrages et de sa correspondance. En voiture, quittez l'I-495 par la sortie 49N pour rattraper la route 110 North. À Huntington Station, prenez la Walt Whitman Road, à gauche. Le site étant cher aux groupes scolaires, mieux vaut téléphoner au préalable.

Old Bethpage Village *(tél. : 516/572-8400 ; mars-fin oct. mer.-dim. 10 h-17 h ; reste de l'an. mer.-ven. 10 h-16 h, sam.-dim. 10 h-17 h)* s'étire sur 40 ha. Ses boutiques « vintage » avoisinent des fermes, la salle de classe de l'école, l'église, des jardins et des maisons remplies de meubles anciens. Dans ces dernières, on vous contera la vie des habitants de Long Island au XIXe siècle.

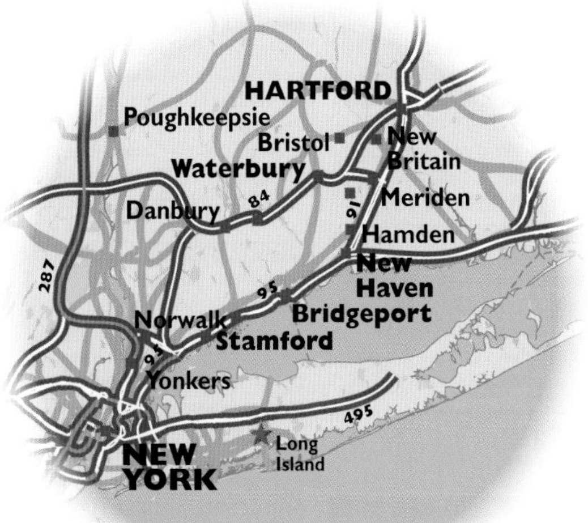

*Sanctuaire de Sagamore Hill (Theodore Roosevelt Sanctuary)*

SE PROMENER

## CIRCUITS ORGANISÉS

**New York est la championne des visites guidées : excursions à pied, en vélo, en bus, en limousine, en train, visite du port, exploration des coulisses de la ville, excursions multilingues, art et théâtre, exotisme, gastronomie, shopping… Certains grands magasins consacrent des rayonnages entiers aux guides sur New York. Ceux-ci proposent des itinéraires individuels sur divers thèmes, de la nature à l'histoire. La liste de tour-opérateurs suivante est loin d'être exhaustive.**

*Pour plus de détails :* www.nycvisit.com *(cliquez sur Visitors, Things To Do et Tours)*

### À VÉLO

**CENTRAL PARK BICYCLE TOURS**
2 Columbus Circle/Broadway et 59th Street
Tél. : 212/541-8759
www.centralparkbiketour.com
Louez un vélo et pédalez deux heures dans Central Park, en compagnie d'un guide compétent. Circuits quotidiens à 10 h, 13 h et 16 h.
Ad. 35 $, moins de 16 ans 20 $. Location seule : 20/25/35 $ les 2 heures/3 heures/la journée

### EN BUS

**ON LOCATION TOURS**
Tél. : 212/209-3370
www.screentours.com
Les bus partent de divers endroits. Réservation recommandée. Le Manhattan TV Tour dure 3 heures et comporte 60 étapes. Le Sex and the City Tour dure 4 heures, à l'instar du Sopranos Tour.
Manhattan TV Tour : ad. 32 $, enf. de 6 à 9 ans 17 $, moins de 6 ans gratuit. Sex and the City Tour : 37 $. Sopranos Tour : 42 $

### EN HÉLICOPTÈRE

Les hélicoptères décollent du Downtown Manhattan Heliport, au niveau de Pier 6 et de South Street, et du VIP Heliport, à la hauteur de West 30th Street.

**LIBERTY HELICOPTER TOURS**
Tél. : 212/967-6464
www.libertyhelicopters.com
Survolez les gratte-ciel de Manhattan, le port de New York et ses cinq quartiers.
63 $, 5 à 7 min ; 169 $, 15 à 17 min

### EN BATEAU

**CIRCLE LINE**
Tél. : 212/563-3200
www.circleline.com *FR*
Les croisières de Circle Line (Pier 83, au niveau de West 42nd Street/12th Avenue ou Pier 16, South Street Seaport, au niveau de Fulton Street et East River) ne vous décevront pas. Vous aurez le choix entre la Full Island Cruise (3 heures), la Semi-Circle Cruise (1 heure), la Seaport Liberty Cruise (1 heure) et d'autres options. Les formules Combo (mixtes) sont plus onéreuses. Les croisières avec musique *live* (pour adultes) ont lieu de mai à septembre. Au printemps et en automne, il fait au minimum 10 °C de moins sur le bateau que sur la terre ferme et il faudra compter avec le vent frisquet.
Ad. 18-28 $, moins de 12 ans 10-15 $. Croisière 30-45 $

### À PIED

La brève sélection suivante vous est vivement recommandée. Demandez les horaires par téléphone.

**BIG APPLE GREETER**
Tél. : 212/669-8159
www.bigapplegreeter.org *FR*
Un organisme public et gratuit. New-Yorkais, les guides bénévoles sont chargés des groupes de visiteurs en fonction de leur langue et de leurs centres d'intérêt. Réservez au moins une semaine à l'avance (davantage en haute saison).

**BIG ONION WALKING TOURS**
Tél. : 212/439-1090
www.bigonion.com
Excursions de 2 h. Les guides sont diplômés en histoire américaine. Réservation non requise.
Ad. 15 $, enf. 10 $

**GRAND CENTRAL PARTNERSHIP**
Tél. : 212/883-2420
www.grandcentralpartnership.org
Visites gratuites de Grand Central Terminal, tous les vendredis à 12 h 30. Présentez-vous devant la gare, près de l'immeuble Philip Morris et de l'angle de 42nd Street et de Park Avenue.

### PROMENADES THÉMATIQUES

**HERITAGE TRAILS**
Tél. : 212/269-1500 poste 209
Quatre itinéraires parcourent cinquante lieux classés, dans Lower Manhattan. Le bureau d'information du Federal Hall National Memorial distribue des plans gratuits.

**MUNICIPAL ARTS SOCIETY**
Tél. : 212/439-1049
www.mas.org
Ces circuits portent sur l'architecture. Ils vous feront découvrir Grand Central Terminal, Ground Zero, Madison Avenue, Rockefeller Center et Martin Luther King Boulevard (Harlem)… Les guides sont architectes, historiens, enseignants ou écrivains.
Ad. 12-15 $

**NEW YORK GALLERY TOURS**
Tél. : 212/946-1548
www.nygallerytours.com
Visitez dix galeries d'art moderne situées notamment à Chelsea et SoHo (2 h).
Ad. 15 $

# Se restaurer et se loger



hotel chambre café sleep pranzo dinner

# MANGER À NEW YORK

**À New York, on peut faire un tour du monde culinaire pour quelques dollars, ou pour une fortune. Certains New-Yorkais dînent dehors tous les soirs, d'autres réservent les restaurants haut de gamme aux grandes occasions. Les tendances culinaires changent avec les saisons, la nouveauté du moment étant la « galerie des restaurants chics » du Time Warner Center, et l'obsession en vogue les sushis ultra-chers.**

### RÉSERVATIONS, CODE VESTIMENTAIRE, HORAIRES ET AUTRES INFORMATIONS

D'une façon générale, il est conseillé de réserver pour dîner, en particulier le week-end. Dans les restaurants haut de gamme, la réservation est obligatoire et un numéro de téléphone vous sera demandé. Si vous voulez une table au Jean-Georges, chez Alain Ducasse ou dans un autre établissement du genre, appelez bien à l'avance. Et sachez que la persévérance est de mise. Si vous souhaitez manger seul, sur le pouce, il peut être possible de dîner au bar dans ces lieux très prisés. Certains établissements ne prennent pas de réservation pour moins de six personnes. Dans Midtown, il faut réserver aussi pour le déjeuner.

Les États-Unis sont plus tolérants en matière vestimentaire que d'autres pays, et une tenue chic décontractée suffira. Cependant, quelques endroits exigent toujours le port de la veste et de la cravate pour dîner : renseignez-vous en réservant.

Fumer est interdit dans tous les espaces publics. La plupart des restaurants disposent d'un bar ; certains ne vendent que de la bière et du vin, et quelques-uns ne vendent pas d'alcool mais acceptent que les clients apportent le leur. Attention, dans les grands restaurants, les « frais de débouchage » sont conséquents.

Les végétariens trouveront leur bonheur. Nombre des plus grandes tables proposent des menus végétariens, et même les chaînes de fast-food se sont lancées dans une cuisine plus saine.

Le petit déjeuner est servi à toute heure dans les cafés et les snack-bars (appelés « diners »). Sinon, on petit-déjeune généralement entre 7 h et 11 h. Le déjeuner est servi entre 11 h 30 et 14 h ou 14 h 30, et le dîner, entre 17 h et 22 h ou 23 h selon les jours de la semaine. La plupart des grands restaurants ferment pour le déjeuner le samedi et le dimanche. Beaucoup d'établissements proposent un brunch le dimanche, parfois même le samedi.

### TAXES ET POURBOIRES

Une taxe sur les ventes de 8,65 % est appliquée sur les factures dans les restaurants. Pour les pourboires, les Américains ont tendance à se montrer très généreux ; en tout état de cause, le minimum à verser (quand le service a été bon) est de 15 %, mais beaucoup vont jusqu'à 17 voire 18 %. En janvier et fin juin, de très nombreux établissements proposent à titre promotionnel des menus de trois plats à 20 $ (déjeuner) ou 35 $ (dîner) ; cette promotion est souvent prolongée, alors renseignez-vous.

### DESSERT ET CAFÉ

Greenwich Village est réputé pour ses cafés depuis les années 1950. Parmi ceux qui ont survécu, on notera le Caffe Reggio (*119 MacDougal Street, tél. : 212/475-9557*), véritable café italien où l'on peut passer un après-midi entier à prendre quelques expressos ; Le Gamin (*183 Ninth Avenue / 21st Street, tél. : 212/243-8864*), version française du précédent ; le Palacinka (*28 Grand Street, tél. : 212/625-0362*), petit café généralement bondé qui attire une clientèle artistique de SoHo par ses crêpes orientales nappées de chocolat ou de sauces aux fruits frais ; le Payard Patisserie & Bistro (*1032 Lexington Avenue, tél. : 212/717-5252*), très parisien, qui sert les créations de l'ancien chef pâtissier du Restaurant Daniel, François Payard, dont des pâtisseries, des chocolats maison et des sorbets ; le discret Magnolia Café (*401 Bleecker Street, tél. : 212/462-2572*), célèbre pour ses petits gâteaux aux glaçages exquis ; et le Veniero's dans l'East Village, (*342 East 11th Street, tél. : 212/674-7070*), qui fabrique des pâtisseries italiennes délicieuses depuis la nuit des temps.

## LA CUISINE AMÉRICAINE TRADITIONNELLE

L'Amérique est une terre d'immigration et, à ce titre, la cuisine traditionnelle du pays a emprunté à toutes les populations qui sont venues s'y installer : Allemands, Juifs d'Europe de l'Est, Italiens, Scandinaves, Latino-Américains, Asiatiques, sans oublier les Indiens d'Amérique et les Afro-Américains. Chaque nationalité a apporté ses ingrédients et ses recettes : choucroute, saucisses et *pumpernickel* (pain noir) pour les Allemands ; goulache et chou farci pour les Hongrois ; soupe aux haricots noirs et sandwichs pour Cuba ; bœuf salé et chou pour les Irlandais ; sushis et teriyaki pour les Japonais ; foie haché, *pastrami* et *knishes* (petits pains fourrés aux pommes de terre) pour les Juifs ; kébab pour les Grecs ; caviar d'aubergines et falafel pour les Libanais ; salsa, tacos et haricots frits pour les Mexicains ; couscous pour les Marocains ; blinis et caviar pour les Russes ; tapas, chorizo et paella pour les Espagnols ; *gravlax* (saumon mariné) pour les Suédois ; et tarte aux poireaux et aux pommes de terre pour les Gallois. Nombre de ces plats (ou leur version américaine) sont devenus des classiques dans les menus des restaurants typiques, y compris dans les plus petits *diners*. Les États-Unis possèdent aussi leurs cuisines régionales, notamment celle du Sud, du Sud-Ouest et la tex-mex (cuisine mexicaine à l'américaine).

*Un vendeur de rue propose ses hot-dogs.*

### BOIRE

Les établissements vont du petit bistrot, où l'on boit pour pas cher, aux lounges luxueux, où les cocktails ne coûtent pas moins de 10 $. La plupart des bars proposent des happy hours où le verre coûte moitié prix ou donne droit à une seconde boisson. Notez que les barmen s'attendent à recevoir un pourboire (d'au moins 10 %). Concernant les boissons, les bières sont largement distribuées. Les cocktails sont en vogue, et chaque jour amène sa nouveauté. Dans les bars, la cuisine proposée va des hamburgers et des amuse-gueules, à des plats plus élaborés. La plupart des établissements ouvrent en milieu de matinée et ferment entre 1 h et 4 h du matin. L'âge légal pour consommer de l'alcool est de 21 ans. Les contrôles d'identité étant fréquents, pensez à vous munir de papiers possédant une photo. Les vins et spiritueux s'achètent dans les magasins spécialisés ; les supermarchés ne vendent que de la bière.

### INSTITUTIONS CULINAIRES NEW-YORKAISES

La plus célèbre des institutions culinaires de New York est le *deli*, abréviation de *delicatessen* qui signifie littéralement « épicerie fine ». Les plus traditionnels sont les *delis* juifs, qui vendent une variété de viandes et de poissons fumés, des bagels, des sandwichs au pastrami et au bœuf salé, du foie haché, des pickles et des *knishes*. Le mot *deli* désigne par ailleurs de petites épiceries de quartier, généralement tenues par des Coréens. On y trouve du café, des bagels, des sandwichs, des salades, etc.

Le *diner* est une autre institution, où l'on peut consommer au comptoir ou en salle du matin au soir. La ville offre également toute une panoplie de fast-foods et de vendeurs de rues. Ces derniers vendent de tout, des bretzels chauds aux soupes, en passant par les hot-dogs et les snacks « ethniques ». Autre passage obligé : les pizzerias. Côté cafés, si les enseignes de la chaîne Starbucks semblent à tous les coins de rue, il y a également une multitude de cafés indépendants, notamment dans les West et East Villages.

## MANGER LA NUIT/24 H SUR 24

Bien que New York ait la réputation d'être une ville qui ne dort jamais, il n'est pas si facile de trouver à manger au petit matin. Parmi les adresses nocturnes testées et approuvées, le très apprécié mais pourtant modeste Blue Ribbon (*97 Sullivan Street, tél. : 212/274-0404*) régale les fêtards et les matinaux de son poisson au sésame, de ses raviolis au tofu, de sa paella et de ses huîtres. Ouvert de 4 h à 16 h tous les jours.

Le Coffee Shop (*29 Union Square West, tél. : 212/243-7969*) surprend par sa cuisine variée proposée par un gérant brésilien.

À l'Empire Diner (*210 Tenth Avenue, tél. : 212/243-2736*), vous payerez le décor Art déco noir et chromé, où sont servis différents plats d'œufs, des sandwichs et du pain de viande. Ouvert 24 h sur 24, sauf le lundi.

Dans le Meatpacking District, Florent (*69 Gansevoort Street, tél. : 212/989-5779*) sert une cuisine de bistro à une clientèle de noctambules et aux manœuvres du marché – soupe à l'oignon, boudin, steak frites et classiques du petit-déjeuner.

Quand on est seul, il est presque toujours possible de manger au comptoir. Si la salle est pleine ou si vous voulez manger rapidement, il suffit de demander.

## COMPRENDRE LE MENU

**Bagel**
Pain sans sucre et sans œufs, moulé avec un trou au milieu, cuit à l'eau puis au four.

**Boston baked beans**
Petits haricots blancs à la mélasse et au petit-salé.

**Chicken-fried steak**
Escalope de poulet dans une pâte à frire.

**Chowder**
Potage épais aux fruits de mer ou au maïs.

**Cobbler**
Tarte aux fruits recouverte d'une pâte à biscuit croustillante.

**Egg cream**
Boisson dense à base de sirop de chocolat, de lait et de soda.

**Eggplant**
Aubergine.

**Eggs over easy**
Œufs frits qui ont été retournés pour être cuits à l'intérieur.

**Eggs sunnyside up**
Œufs frits classiques.

**French toast**
Tranche de pain de mie recouverte d'œufs brouillés. Servie avec du sirop d'érable.

**Grits**
Grains d'avoine sans son et sans ferment (gruau).

*Le célèbre Oyster Bar de Grand Central Terminal*

**Hero**
Très grand sandwich.

**Key lime pie**
Tarte au citron à base d'une variété de citron de Floride.

**London broil**
Partie spécifique du flanchet de bœuf.

**Lox**
Saumon fumé.

**Meat loaf**
Bœuf, dinde ou porc haché mélangé à des miettes de pain et des œufs, puis cuit au four.

**New York cheesecake**
Gâteau au fromage dense et crémeux, nature ou aux fruits.

**On the rocks**
Avec glaçons.

**Pot roast**
Bœuf braisé.

**Pretzel**
Biscuit allongé plié en forme de nœud. Assaisonné de gros sel et servi chaud dans la rue.

**Salisbury steak**
Boulettes de bœuf plates.

**Scotch**
Whisky écossais.

**Stack of pancakes**
Trois ou quatre crêpes épaisses (des pancakes) servies avec du sirop d'érable.

**Sub**
Diminutif de *submarine* ; autre appellation d'un grand sandwich (voir « hero »).

**Straight up**
Sans glaçon.

**Waldorf salad**
Pommes, céleri et noix à la mayonnaise ; salade inventée à l'hôtel Waldorf Astoria.

**Whiskey**
Whisky (de seigle) américain.

## RESTAURANTS PAR TYPE DE CUISINE

Les restaurants classés par ordre alphabétique des pages 270 à 290 sont regroupés ici par type de cuisine.

**Barbecues**
Blue Smoke
Virgil's Real Barbecue

**Cuisine afro-américaine et sudiste**
Amy Ruth's
Londel's

**Cuisine américaine contemporaine**
Annisa
Aureole
Blue Hill
Blue Ribbon Bakery
Cafe Gray
Craft and Craftbar
Cru
Eleven Madison Park
Etats-Unis
Gotham Bar & Grill
Gramercy Tavern
The Harrison
Ouest
Per Se
Prune
Red Cat
River Café
Sarabeth's
Tasting Room
Tavern on the Green
Town
Union Square Café
Veritas
WD-50

**Cuisine américaine régionale**
Mesa Grill

**Cuisine américaine traditionnelle**
'21' Club

**Cuisine asiatique**
Biltmore Room
Spice Market

**Cuisine caribéenne**
Maroons
Ruby Foo's
Negril Village

**Cuisine chinoise**
Dim Sum Go Go
Shun Lee Palace
66

**Cuisine coréenne**
Do Hwa
Woo Lae Oak

**Cuisine espagnole**
Bolo
Casa Mono
Pintxos
Pipa

**Cuisine européenne**
Four Seasons

**Cuisine française**
Aix
Alain Ducasse
Artisanal
Balthazar
Bouley
Brasserie
Café Boulud
Chanterelle
Daniel
DB Bistro Moderne
Fleur de Sel
Jean-Georges
JoJo
Le Zinc
Montrachet
Odeon
Pastis

**Cuisine grecque**
Estiatorio Milos
Molyvos
Periyali

**Cuisine indienne**
Banjara
Dawat
Devi
Diwan
Hampton Chutney
Mirchi
Tabla
Tamarind

**Cuisine italienne**
Babbo
Bar Pitti
Bread
Cesca
Felidia
Fiamma Osteria
Gonzo
I Coppi
L'Impero
Lupa
Peasant
Picholine

**Cuisine japonaise**
Bond Street
Jewel Bako
Masa
Nobu
Sugiyama
Sushi Yasuda
Taka
Tomoe Sushi

**Cuisine latino-américaine**
Calle Ocho
Pio Pio

**Cuisine malaise**
Nyonga

**Cuisine marocaine/orientale**
Chez Es Saada
Moustache

**Cuisine mexicaine**
Dos Caminos
Hell's Kitchen
La Palapa
Maya
Mi Cocina
Pamano
Rosa Mexicano
Zarela

**Cuisine russe**
Uncle Vanya Café

**Cuisine scandinave**
Aquavit
Good World Bar and Grill

**Cuisine thaï**
Holy Basil
Kittichai
Pam Real Thai
Vong

**Cuisine variée**
Spotted Pig

**Cuisine végétarienne**
Angelica Kitchen

**Cuisine vietnamienne**
Le Colonial
Nam

**Delis**
Barney Greengrass
Katz's Deli
Second Avenue Deli

**Fruits de mer/poissons**
Aquagrill
Blue Fin
Esca
Grand Central Oyster Bar
Le Bernardin
Mermaid Inn
Oceana
Pearl Oyster Bar

**Hamburgers**
Corner Bistro

**Nouilles asiatiques**
Big Wong
Honmura An

**Pizzerias**
John's Pizzeria Pizza
Otto Enoteca Pizzeria

**Viande rouge**
Mark Joseph Steakhouse
Peter Luger Steakhouse
Strip House

## HÔTELS DONT LA TABLE EST RÉPUTÉE

Four Seasons
Hotel Wales
Le Parker Meridien
Mandarin Oriental
Mark
Mercer Hotel
New York Palace
Ritz-Carlton (Central Park South)
Royalton
Sherry Netherland
Surrey
Trump International Hotel
W-NY

# LES RESTAURANTS : SE REPÉRER

E
F
G
Mill Rock Park
13
14
15
16
17
Sarabeth's
Pio Pio
Etats-Unis
Café Boulud
Daniel
JoJo
Maya
Aureole
Felidia
Dawat
Le Colonial
Shun Lee Palace
Town (Chambers Hotel)
Aquavit
Oceana
Vong
Brasserie
Four Seasons
"21" Club
Zarela
Pampano
Diwan
Jewish Museum
Cooper-Hewitt National Design Museum
National Academy of Design
Guggenheim Museum
Neue Galerie
The Metropolitan Museum of Art
Whitney Museum of American Art
Conservatory Water
Frick Collection
Asia Society and Museum
68th Street Hunter College
86th Street
77th Street
Lexington Avenue
5th Avenue
59th Street
57th Street
51st Street
47th - 50th Streets Rockefeller Center
Gracie Mansion
Carl Schurz Park
John Jay Park
Mount Vernon Hotel Museum and Garden
Trump Tower
Dahesh Museum of Art
Museum of Modern Art
Museum of Arts and Design
Museum of Television and Radio
Seagram Building
St Patrick's Cathedral
Municipal Art Society
Radio City Music Hall
G E Building
Rockefeller Center
DIAMOND DISTRICT
MIDTOWN MANHATTAN
FIFTH AVENUE
ROOSEVELT ISLAND
Roosevelt Island
Main Street
West Road
East Road
River
HIGHWAY 25
QUEENSBORO BRIDGE
FRANKLIN DELANO ROOSEVELT DRIVE
The Pond
Park
Transverse Road
East Drive
South
North
Drive
5th Avenue
Madison Avenue
PARK AVENUE
Lexington Avenue
3rd Avenue
2nd Avenue
1st Avenue
York Avenue
Sutton Place
Avenue of the Americas (6th Avenue)
Rockefeller Plaza
Mitchell Pl
East 95th Street
East 94th Street
East 93rd Street
East 92nd Street
East 91st Street
East 90th Street
East 89th Street
East 88th Street
East 87th Street
East 86th Street
East 85th Street
East 84th Street
East 83rd Street
East 82nd Street
East 81st Street
East 80th Street
East 79th Street
East 78th Street
East 77th Street
East 76th Street
East 75th Street
East 74th Street
East 73rd Street
East 72nd Street
East 71st Street
East 70th Street
East 69th Street
East 68th Street
East 67th Street
East 66th Street
East 65th Street
East 64th Street
East 63rd Street
East 62nd Street
East 61st St
East 60th Street
East 59th Street
West 58th Street
East 58th Street
WEST 57TH STREET
EAST 57TH STREET
East 56th Street
West 56th Street
West 55th Street
East 55th Street
West 54th Street
East 54th Street
West 53rd Street
East 53rd Street
West 52nd Street
East 52nd Street
West 51st Street
East 51st Street
West 50th Street
East 50th Street
West 49th Street
East 49th Street
West 48th Street
East 48th Street
West 47th Street
East 47th Street
West 46th Street
East 46th Street
East 45th Street

Museum of Arts and Design
Museum of Television and Radio
Seagram Building
Brasserie
Four Seasons
"21" Club
Le Bernardin
Radio City Music Hall
St Patrick's Cathedral
Municipal Art Society
47th - 50th Streets Rockefeller Center
G E Building
Rockefeller Center
MIDTOWN MANHATTAN
DIAMOND DISTRICT
Pam Real Thai
Blue Fin
(W Times Square Hotel)
Diwan
Hell's Kitchen
BROADWAY
DB Bistro Moderne
Int'l Center of Photography
Times Square
Virgil's
Real Barbecue
Grand Central Terminal
Sushi Yasuda
Chrysler Building
Esca
Holy Cross Church
Reuters Building
Grand Central Oyster Bar
L'Impero
Chanin Building
42nd Street Port Authority Bus Terminal
New Amsterdam Theater
Times Square 42nd Street
Bryant Park
New York Public Library
Morgan Library
Macy's
34th Street Penn Station
34th Street Herald Square
Empire State Building
Madison Square Garden
Pennsylvania Station
Artisanal
Little Church Around the Corner
Chelsea Park
Dos Caminos
Blue Smoke
Biltmore Room
Madison Square Park
Tabla
Eleven
Madison Park
Metropolitan Life Insurance Tower
Red Cat
Bolo
Tamarind
Flatiron Building
CHELSEA
Periyali
Fleur de Sel
Veritas
Gramercy Park
Theodore Roosevelt Birthplace
Gramercy Tavern
Craft and Craftbar
GRAMERCY PARK HISTORIC DISTRICT
Pipa
Devi
Casa Mono
Union Square Café
Union Square Park
Maroons
Mesa Grill
UNION SQUARE
Spice Market
Pastis
Gonzo
Forbes Magazine Galleries
Strip House
Corner Bistro
Mi Cocina
Gotham Bar & Grill
Grace Church
Jefferson Market Library
Cru
Wanamaker Place
Otto Enoteca Pizzeria
Spotted Pig
Christopher Street - Sheridan Square
Babbo
Blue Hill
Washington Square Park
Taka
GREENWICH VILLAGE
NOHO
Annisa
McNulty's Rare Teas and Choice Coffee Shop
Negril Village
Merchant's House Museum
John's Pizzeria Pizza
Pearl Oyster Bar
Bond Street
Church of St Luke-in-the-Fields
Mirchi
17
18
19
20
21
22
C
D
E
F

LES RESTAURANTS :
SE REPÉRER
UNION SQUARE
EAST VILLAGE
NOHO
SOHO
LITTLE ITALY
LOWER EAST SIDE
LOWER MANHATTAN
CHINATOWN
TRIBECA
GROUND ZERO
BATTERY PARK CITY
WALL ST
Gonzo
Strip House
Gotham Bar & Grill
Angelica Kitchen
Moustache
Cru
Second Avenue Deli
Holy Basil
La Palapa
I Coppi
Otto Enoteca Pizzeria
Babbo
Blue Hill
Annisa
Mermaid Inn
Banjara
Jewel Bako
John's Pizzeria Pizza
Pearl Oyster Bar
Negril Village
Mirchi
Prune
Bond Street
Chez Es Saada
Tasting Room
Dok Suni
Bar Pitti
Tomoe Sushi
Lupa
Blue Ribbon Bakery
Katz's Deli
Honmura An
Woo Lae Oak
WD-50
Hampton Chutney
Fiamma Osteria
Aquagrill
Balthazar
Peasant
Kittichai
Bread
Pintxos
Nyonya
Good World Bar and Grill
Big Wong
Montrachet
Nobu
Chanterelle
The Harrison
66
Dim Sum Go Go
Pico
Odeon
Bouley
Le Zinc
Nam
Mark Joseph Steakhouse
River Café
Peter Luger Steakhouse
Union Square Park
Washington Square Park
Tompkins Square Park
Seward Park
Rutgers Park
Washington Market Park
City Hall Park
Columbus Park
Grace Church
St Mark's-in-the-Bowery
Ukrainian Museum
Merchant's House Museum
St Patrick's Old Cathedral
New Museum of Contemporary Art
Little Singer Building
Haughwout Building
Tony Shafrazi Gallery
New York City Fire Department Museum
Lower East Side Tenement Museum
Museum of Chinese in the Americas
Forbes Magazine Galleries
Jefferson Market Library
Woolworth Building
Church of St Peter
St Paul's Chapel
City Hall and Civic Center
Courthouse
Fulton Street Market
South Street Seaport
American Numismatic Society
Federal Reserve Bank
Federal Hall National Monument
Trinity Church
Museum of American Financial History
Fraunces Tavern Museum
New York City Police Museum
Vietnam Veterans Plaza
Museum of Jewish Heritage
BROOKLYN BRIDGE
MANHATTAN BRIDGE
FRANKLIN DELANO ROOSEVELT DRIVE
East River
HIGHWAY 9A
21
22
23
24
25
26
E
F
G

**PRIX**

Les prix indiqués correspondent à un déjeuner de deux plats (déj.) et à un dîner de trois plats à la carte (dîn.), pour une personne. Le prix du vin est celui de la bouteille la moins chère.

**AIX**

Plan 266 C13
2398 Broadway / 88th Street
Tél. : 212/874-7400
www.aixnyc.com

Didier Virot a apporté la cuisine provençale dans ce restaurant sur trois niveaux de l'Upper West Side. Le chef ajoute sa touche personnelle à des recettes comme la soupe au pistou, qui se voit agrémentée de crème au citron, ou comme le foie gras mariné dans du calvados et de la vanille, servi poêlé avec des amandes et une réduction à la cannelle. Desserts inventifs : craquez pour une brioche pomme-romarin à la sauce au miel et au calvados.

Dim.-jeu. 17 h 30-22 h 30, ven.-sam. 17 h 30-23 h
Dîn. 60 $, vin 32 $
86th Street (1, 9)
M104

**ALAIN DUCASSE**

Plan 266 D16
Essex House, 155 West 58th Street, entre Sixth et Seventh Avenues
Tel. : 212/265-7300
www.alain-ducasse.com *FR*

Quand Alain Ducasse, le chef aux trois étoiles Michelin, a ouvert cet opulent restaurant, il a été taxé de snobisme. Aujourd'hui, pourtant, même les critiques les plus exigeants portent aux nues le salon de velours tout aussi luxueux que le service, qui débute sur du champagne et s'achève par la carte des friandises (caramels, nougat, macarons). Ce qui vient entre les deux est divin : bar aux poireaux, pommes de terre et truffes, ou crabe frais aux agrumes et poivre noir accompagné d'un délicat velouté de maïs, entre autres délices. La carte des vins comprend 1 400 crus, avec une nette préférence pour les vins français.

Lun.-sam. 18 h 30-21 h
Dîn. 150-175 $, vin 56 $
57th Street (F, N, Q, R, W)
M6, M7

**AMY RUTH'S**

Hors plan 266 D12
113 West 116th Street, entre Malcolm X Blvd et Adam Clayton Powell Jr. Blvd
Tél. : 212/280-8779

La propriétaire de ce restaurant l'a prénommé comme sa grand-mère, qui lui a transmis ses recettes de cuisine du Sud. La plupart des plats rendent hommage à une personne, comme le « Reverend Al Sharpton » (poulet et gaufres). Pour le dîner, vous aurez le choix entre le copieux poulet frit façon Sud, le potage à la queue de bœuf et la barbue frite ou cuite au four. Pas d'alcool servi.

Lun.-jeu. 7 h 30-23 h, ven.-dim. 24 h/24
Déj. 17 $, dîn. 22 $
116th Street (2, 3, B, C)
M3, M7, M116

**ANGELICA KITCHEN**

Plan 269 F21

300 East 12th Street, entre First et Second Avenues
Tél. : 212/228-2909

Cet établissement simple au décor sixties prouve que la cuisine végétarienne n'est pas condamnée à être fade. Laissez-vous tenter par les soupes généreuses, l'excellent chili, les pâtes goûteuses et les riches sandwichs. Pas d'alcool. Carte de crédit refusée.

Tlj 11 h 30-22 h 30
Déj. 15 $, dîn. 20 $
14th Street/Union Square (4, 5, 6, L, N, Q, R, W)
M14, M15

**ANNISA**

Plan 268 D22
13 Barrow Street, entre Bleecker et West 4th Streets
Tél. : 212/741-6699
www.annisarestaurant.com

La chef de ce restaurant minimaliste, Anita Lo, fait dans la fusion harmonieuse. En entrée, les huîtres sont servies avec trois légumes, tandis que le potimarron grillé et les champignons maïtake sont mariés avec du chocolat amer. L'agneau fumé à la bouillie de maïs est, lui, associé aux piments et au citron. Les cartes bancaires ne sont pas acceptées.

Lun.-sam. 17 h 30-22 h, dim. 17 h 30-21 h 30
Dîn. 55 $, vin 27 $
West 4th Street (A, C, E, F), Christopher Street/Sheridan Square (1, 9)
M20, M21

**AQUAGRILL**

Plan 269 E23
210 Spring Street / Sixth Avenue
Tél. : 212/274-0505

Chaque jour apporte son lot de produits de la mer – cabillaud, flétan, mérou, baudroie, thon – préparés selon le goût de chacun, frit, poché ou grillé, ou cuisinés, comme le bar, aux poivrons et au bacon servi avec une sauce au thym. La vedette incontestée reste le buffet d'huîtres, qui ne comporte pas moins de 24 variétés. Bon rapport qualité / prix.

Mar.-jeu. 12 h-15 h, 18 h-22 h 45, ven. 12 h-15 h, 18 h-23 h 45, sam. 12 h-15 h 30, 18 h-23 h 45, dim. 12 h-15 h 30, 18 h-22 h 30
Déj. 30 $, dîn. 45 $, vin 29 $
Spring Street (C, E)
M6

**AQUAVIT**
Plan 267 E17
65 East 55th Street, entre Madison et Park Avenues
Tél. : 212/307-7311
www.aquavit.org
Dans cet établissement moderne et fastueux, le chef Marcus Samuelsson crée des versions contemporaines de recettes scandinaves, tels des huîtres alliées à du sorbet mangue-curry, ou du bouillon aux champignons délicatement versé sur de l'omble chevalier. Grande sélection d'aquavits, et 250 vins (15 servis au verre). La veste est de mise dans la salle à manger, mais le café de devant, qui propose une chère scandinave plus traditionnelle, est plus décontracté.
Tlj 12 h-14 h 30, 17 h 30-22 h 30
Déj. 35 $, dîn. 75 $, vin 45 $
Fifth Avenue (E, V)
M1, M2, M3, M4, M5, M6, M7

**ARTISANAL**
Plan 268 E19
2 Park Avenue / 32nd Street
Tél. : 212/725-8585
Ce petit royaume du fromage détient dans sa cave quelque 250 variétés, du cabécou de Rocamadour au *callu de crabettu* (fromage sarde), à déguster tel quel ou en fondue. Si par hasard vous n'aimez pas le fromage, vous trouverez également des escargots, des moules et des plats complets comme l'aile de raie aux oranges sanguines ou le steak frites. 170 crus sont proposés au verre.
Lun.-jeu. 12 h-23 h, ven-sam. midi-minuit, dim. 12 h-22 h
Déj. 34 $, dîn. 46 $, vin 28 $
33rd Street (6)
M1

**AUREOLE**
Plan 267 E16
34 East 61st Street, entre Madison et Park Avenues
Tél. : 212/319-1660
www.aureolerestaurant.com
Le propriétaire et chef cuisinier de l'Aureole, Charlie Palmer, est l'un des plus grands talents actuels de la scène culinaire américaine. Son élégant établissement de l'Upper East Side, qui impressionne par son large escalier, ses cascades de fleurs et ses empilements de bouteilles de vins et de liqueurs, est tout indiqué pour les grandes occasions. Palmer n'emploie que des produits ultra-frais pour des créations telles que le homard du Maine poché aux tomates cœur de bœuf, servi avec un bouillon à la verveine et au citron, et le foie gras Hudson Valley passé à la poêle. La carte des vins comporte 600 crus, dont 25 au verre. En été, préférez la cour intérieure.
Lun.-ven. 12 h-14 h 30, lun.-jeu. 17 h 30-23 h, ven.-sam. 17 h-23 h
Déj. 46 $, dîn. menu 3 plats 79 $, 6 plats 89 $, vin 40 $
59th Street (4, 5, 6), 59th Street/Fifth Avenue (N, R, W)
M1, M2, M3, M4

**COUP DE CŒUR**

**BABBO**
Plan 268 E22
110 Waverly Place, entre MacDougal Street et Sixth Avenue
Tél. : 212/777-0303
www.babbonyc.com
Avec sa queue de cheval et ses sabots orange, Mario Batali affiche une bonhomie fort sympathique. Chez Babbo, l'accueil est chaleureux et la cuisine parmi les plus fraîches et les plus sensuelles du moment. Laissez-vous tenter par les raviolis maison à la joue de bœuf ou par le *prosciutto* à la confiture de figue. La liste des vins italiens réserve de belles surprises.
Lun.-sam. 17 h 30-23 h, dim. 17 h-23 h
Dîn. 60 $, vin 25 $
West 4th Street (A, C, E, F, S, V)
M5, M6

**BALTHAZAR**
Plan 269 F23
80 Spring Street, entre Broadway et Lafayette Street
Tél. : 212/965-1414
www.balthazarny.com
Keith McNally a reproduit une brasserie parisienne classique avec ses miroirs à dorures, son sol carrelé, ses banquettes de cuir rouge et son bar étendu. La cuisine de bistro comprend un plateau de fruits de mer avec huîtres, palourdes, crevettes et pétoncles ; du poulet au paprika ; et de la raie au beurre noir. L'endroit est le plus souvent bondé et apprécié des célébrités. Le pain et les pâtisseries proviennent de la boulangerie voisine, et la carte des 300 vins est exclusivement française.
Lun.-jeu. 7 h 30-11 h 30, 12 h-17 h, 17 h 45-1 h 30, ven. 7 h 30-11 h 30, 12 h-17 h, 17 h 45-2 h 30, sam. 7 h 30-15 h 30, 17 h 45-2 h 30, dim. 7 h 30-15 h 30, 17 h 30-00 h 30
Déj. 30 $, dîn. 40 $, vin 26 $
Prince Street (N, R), Spring Street (6)
M1, M5

**BANJARA**
Plan 269 F22
97 First Avenue / 6th Street
Tél. : 212/477-5956
Avec sa cuisine d'Inde du Nord, Banjara est le meilleur des innombrables restaurants indiens de Sixth Street. Les plats tandoori subtilement fumés sont particulièrement savoureux. On peut aussi être tenté par l'agneau *pasanda*, préparé dans une sauce au yaourt et au curry, ou par le *palak ghost*, plat d'agneau cuisiné dans un mélange d'épinards, de tomates, de gingembre et de graines de cumin.
Tlj midi-minuit
Déj. 20 $, dîn. 30 $, vin 19 $
Astor Place (6) M8, M15

**BAR PITTI**
Plan 269 E22
268 Sixth Avenue, entre Bleecker et Houston Streets
Tél. : 212/982-3300
Acteurs, écrivains, stylistes et habitants du Village aiment à se retrouver dans cet établissement au cachet européen. En été, la terrasse installée sur le trottoir permet d'observer à son aise la vie de la rue et de surveiller les allées et venues des célébrités qui fréquentent le très branché Da Silvano. On peut difficilement se tromper avec les plats du jour de viande, de poisson ou de pâtes. On peut aussi préférer des pâtes classiques, comme les spaghettis aux palourdes. Carte de crédit refusée.
Tlj midi-minuit
Déj. 25 $, dîn. 35 $, vin 30 $
West 4th (A, C, F, S, V), Houston Street (1, 9)
M5, M6

**BARNEY GREENGRASS**
Plan 266 C13
541 Amsterdam Avenue, entre West 86th et 87th Streets
Tél. : 212/724-4707
www.barneygreengrass.com

Institution de l'Upper West Side depuis 1929, le Barney Greengrass est toujours comble le week-end, quand les habitants du quartier viennent se régaler de gargantuesques plateaux de poissons fumés (harengs, églefins, esturgeons et saumon) ou de sandwichs à base des mêmes ingrédients. On trouvera également du caviar frais, de la salade aux filets de hareng, des blinis au fromage et du bortsch (soupe russe), entre autres spécialités. Plus calme en semaine. Carte de crédit à partir de 25 $.
Mar.-ven. 8 h 30-4 h, week-end 8 h 30-5 h
Déj. 15 $, dîn. 20 $
86th Street (1, 9) M7, M86, M104

**BIG WONG**
Plan 269 F24
67 Mott Street, entre Bayard et Canal Streets
Tél. : 212/964-0540
Ce restaurant vous garantit une cuisine goûteuse et bon marché, mais n'attendez pas un décor subtil ou un service remarquable. On vient ici pour les nouilles (au canard, au poulet, aux crevettes), le *congee* (bouillie de riz) et les autres plats cantonais typiques. Carte de crédit refusée.
Tlj 7 h 30-22 h
Déj. 15 $, dîn. 20 $
Canal Street (J, M, N, Q, R, W, Z, 6)
M1

**BILTMORE ROOM**
Plan 268 D20
290 Eighth Avenue, entre 24th et 25th Streets
Tél. : 212/807-0111
www.thebiltmoreroom.com
Le marbre, les miroirs et le lustre plantent le décor traditionnel de cet établissement spécialisé dans la cuisine asiatique, et dans la cuisine du monde, à l'occasion. Les gambas en sarong, composition à base de gambas, de betteraves dans une vinaigrette au miel et au gingembre, et de salade de tomate et d'avocat sauce mangue-menthe, constituent l'entrée la plus surprenante. Vous pouvez continuer avec le saumon épicé à l'indienne ou le carré d'agneau algérien.
Lun.-jeu. 17 h 30-22 h 30, ven.-sam. 17 h 30-23 h, dim. 17 h 30-22 h
Déj. 33 $, dîn. 55 $, vin 40 $
23rd Street (C, E) M20

**BLUE FIN**
Plan 268 D18
W Times Square Hotel
1567 Broadway / 47th Street
Tél. : 212/918-1400
www.brguestrestaurants.com
Le grandiose Blue Fin a bouleversé les modes culinaire et décoratif à son ouverture, en 2002. Il offre du poisson de première fraîcheur, préparé dans des plats simples comme le saumon au bacon à la sauce au xérès, ou le flétan poché dans un bouillon aux anchois, piments et légumes.
Les sushis tiennent la vedette au premier étage.
Tlj 7 h-11 h, 11 h 30-16 h, dim.-lun. 17 h-minuit, mar.-jeu. 17 h-00 h 30, ven.-sam. 17 h-1 h
Déj. 30 $, dîn. 45 $, vin 32 $
49th Street (N, R, W), 50th Street (1, 9) M10, M20, M27, M104

**BLUE HILL**
Plan 268 E22
75 Washington Place, entre MacDougal et Sixth Avenues
Tél. : 212/539-1776
www.bluehillnyc.com
Éclairage à la bougie et bouquets de fleurs monumentaux donnent un ton séduisant à ce restaurant en sous-sol. Il doit son nom à une ferme du Massachusetts où le chef se fournit en produits de terroir et de saison. Le menu comprend six entrées et sept plats ; par exemple, tarte aux champignons braisés et aux pommes de terre, suivie d'une truite grillée à la purée de légumes et au pistou, ou d'un canard poché au ragoût de carottes épicées. Les desserts sont irrésistibles.
Lun.-sam. 17 h 30-23 h, dim. 17 h 30-22 h
Dîn. 55 $, vin 35 $
W 4th Street (A, C, E, F, S, V)
M5, M6

**BLUE RIBBON BAKERY**
Plan 269 D22
33 Downing Street / Bedford Street
Tél. : 212/337-0404
Les sandwichs frais au pain maison et les petits plats savoureux de ce restaurant attirent les foules le midi, tandis que les plats comme les crevettes au barbecue façon

Nouvelle-Orléans ou le filet mignon servi avec de la tomate, des oignons, une salade au cresson et du gâteau de pommes de terre ont les faveurs des clients du soir. Les plats sont si variés – raviolis aux champignons, *soppressata* (sorte de saucisson italien), omble fumé – qu'on pourrait manger ici pendant deux mois sans se lasser. Les amateurs de fromage apprécieront les variétés de chèvre, de vache et de brebis. Grand choix de vins.
Mar.-jeu. midi-minuit, ven. 12 h-2 h, sam. 11 h 30-2 h, dim. 11 h 30-minuit
Déj. 22 $, dîn. 45 $, vin 28 $
Houston Street (1, 9) M20

**BLUE SMOKE**
Plan 268 F20
116 East 27th Street, entre Park Avenue South et Lexington Avenue
Tél. : 212/447-7733
www.bluesmoke.com
Le secret du barbecue tient à une cuisson lente et à de bonnes épices. Danny Meyer l'a étudié trois ans et a parcouru près de 100 000 km avant d'ouvrir ce restaurant rustique mais branché où accourent les accros au barbecue. Huit bières pression sont proposées, outre les 50 vins qui se marient parfaitement avec la cuisine. L'agréable salle de jazz du bas fait écho à la qualité de la cuisine du haut.

Mer.-ven. 11 h-1 h, sam. 12 h-1 h, dim. 12 h-23 h, lun.-mar. 11 h 30-23 h
Déj. 25 $, dîn. 36 $, vin 27 $
23rd Street (6)
M1, M101, M102, M103

**BOLO**
Plan 268 E20
23 East 22nd Street, entre Broadway et Park Avenue
Tél. : 212/228-2200
www.bolorestaurant.com
La cuisine espagnole contemporaine est ici à l'honneur, dans un décor raffiné. Le chef Bobby Flay sait jouer avec les contrastes et la complémentarité des saveurs. Anchois aux oranges amères, palourdes au safran et à la tomate en tapas, filet de thon ou de porc glacé au rioja dans une sauce aux dattes caramélisées comptent parmi les plats les plus étonnants. Bonne sélection de vins (13 au verre) et formidable variété de xérès.
Lun.-ven. 12 h-14 h 30, dim.-jeu. 17 h 30-22 h, ven.-sam. 17 h 30-23 h
Déj. 30 $, dîn. 50 $, vin 24 $
23rd Street (N, R, W, 6)
M1, M2, M3, M6, M7

**BOND STREET**
Plan 269 F22
6 Bond Street, entre Broadway et Lafayette Street
Tél. : 212/777-2500
Ce bel établissement japonais, situé dans un édifice de grès brun typique de SoHo, n'est plus aussi fréquenté que par le passé, mais les appétissants sushis et sashimis n'ont pas perdu leur qualité pour autant. Vous pourrez par ailleurs vous essayer au canard poêlé nappé aux truffes, servi avec des champignons shitaké, ou au filet de lotte à la sauce amère et piquante. Les desserts, japonais, sont inventifs. En bas, la salle est meublée de tatamis traditionnels, tandis qu'en haut un lounge très stylé sert d'exotiques cocktails saketinis.
Lun.-sam. 18 h-minuit, dim. 18 h-23 h
Dîn. 45 $, omakase 60-100 $, vin 35 $
Broadway/Lafayette (F, S, V)
M1, M5, M6

**BOULEY**
Plan 269 E24
120 West Broadway / Duane Street
Tél. : 212/964-2525
www.davidbouley.com
David Bouley s'est fait un nom

en 1987 en ouvrant son premier restaurant, qui est un véritable bijou : la première salle, en stuc vénitien, possède une cheminée, tandis que l'autre présente des plafonds voûtés de couleur pourpre et des murs vernis ornés de peintures impressionnistes. L'excellente cuisine fait des clins d'œil occasionnels à l'Asie, tel le homard glacé au jambon Serrano, à la mangue et l'artichaut, servi avec une sauce thaï au curry. Ne manquez pas le soufflé au chocolat Valrhona !
Tlj 11 h 30-15 h, 17 h 30-23 h 30
Déj. 55 $, dîn. 75 $, vin 45 $
Chambers Street (A, C, E, 1, 2, 3, 9)
M6, M20

**BRASSERIE**
Plan 267 F17
100 East 53rd Street, entre Park et Lexington Avenues
Tél. : 212/751-4840
www.restaurantassociates.com
De son entrée remarquable à son bar vibrant, la Brasserie est un lieu délicieusement new-yorkais. Le menu, d'influence méditerranéenne, comble tous les goûts, de la salade niçoise et des hamburgers (aux pleurotes, bacon et oignons frits), au cassoulet au canard et au bar noir en croûte de riz au bouillon de citronnelle et de citron vert. Sushis très honorables, également, et buffet de coquillages.
Lun.-ven. 7 h-1 h, sam. 11 h-1 h, dim. 11 h-23 h
Déj. 35 $, dîn. 50 $, vin 29 $
53rd Street/Lexington Avenue (E, V), 51st Street (6) M1, M2, M3, M4, M98, M101, M102, M103

**BREAD**
Plan 269 F23
20 Spring Street, entre Elizabeth et Mott Streets
Tél. : 212/334-1015
Ce petit café décontracté sert des paninis succulents, des soupes, des salades et des plats du jour. Rafraîchissez-vous avec un gaspacho en été, et essayez le *prosciutto di Parma* à l'huile de truffe, les bruschettas, la salade de crevettes marinées, le pain exquis et la soupe de tomate en hiver. Bon choix de vins, dont 12 au verre.
Tlj 11 h-23 h
Déj. 15 $, dîn. 25 $
Spring Street (6), Bowery (J, M, Z), Grand Street (S)
M1

**CAFÉ BOULUD**
Plan 267 E15
20 East 76th Street, entre Fifth et Madison Avenues
Tél. : 212/772-2600
www.danielnyc.com
De nombreux gourmets considèrent ce restaurant chic, aux accents du vieux Paris des années 1930, comme l'enseigne de Daniel Boulud qu'ils préfèrent. Pour composer son menu, le chef a trois sources d'inspiration : recettes classiques, saisons et influences d'ailleurs. On trouve ainsi un pot-au-feu et une bouillabaisse, avec des entrées qui ont emprunté à la Toscane, au Maroc, au Vietnam, à l'Espagne et aux Caraïbes. Les 450 vins sont classés par cépage.
Mar.-sam. 12 h-14 h 30, 17 h 45-23 h, dim.-lun. 17 h 45-23 h
Déj. 40 $, dîn. 60 $, vin 25 $
77th Street (6)
M1, M2, M3, M4, M79

**CAFE GRAY**
Plan 266 D16
10 Columbus Circle, 3e étage
Tél. : 212/823-6338
Malgré la vue sur Central Park, la salle n'est pas totalement digne de la cuisine concoctée par le chef d'origine suisse, Gray Kunz, ancien de Lespinasse. Cet artiste accompli picore dans les recettes du monde entier pour créer des petites merveilles, telles que des côtelettes d'agneau aux carottes avec un mélange d'orange, de citron, de cumin et de cayenne, ou le *branzino* (loup de mer) au bouillon de verveine.
Lun.-sam. 11 h 30-14 h 15, lun.-mar. 17 h 30-22 h, mer.-sam. 17 h 30-23 h
Déj. 40 $, dîn. 60 $, vin 40 $
59th Street/Columbus Circle (A, B, C, D, 1, 9)
M5, M7, M10, M20, M104

**CALLE OCHO**
Plan 266 D14
446 Columbus Avenue, entre West 81st et 82nd Streets
Tél. : 212/873-5025
www.calleochonyc.com

Calle Ocho confère une note latine à l'Upper West Side. Goûtez les rafraîchissantes entrées – comme du homard au citron vert et piment jalapeño –, ou par une *arepa* (galette de maïs) aux côtelettes braisées épicées. Les poissons, ainsi que les viandes, sont délicieux, qu'il s'agisse du thon glacé au café ou du poulet à la sauce basilic-*chimichurri* et aux amandes grillées.
Lun.-jeu. 18 h-23 h, ven. 18 h-minuit, sam. 17 h-minuit, dim. 11 h 30-15 h, 17 h-22 h
Dîn. 45 $, vin 22 $
81st Street (B, C)
M7, M11, M79

**CASA MONO**
Plan 268 F21
52 Irving Place / 17th Street
Tél. : 212/253-2773
Mario Batali a choisi l'Espagne comme source d'inspiration pour ce petit bar à tapas digne de Madrid ou Barcelone. Toujours animé, l'endroit invite à l'expérimentation : croquettes de morue à l'aïoli parfumé à l'orange, coques aux œufs brouillés et au jambon serrano, ou encore queue de bœuf aux piments piquillo, sans parler des plats plus complets et de délicieux fromages artisanaux. Vins abordables et très bonne sélection de xérès donnent la touche finale.
Tlj 11 h 30-14 h 30, 17 h 30-minuit
Déj. 25 $, dîn. 36 $, vin 20 $
14th Street/Union Square L, N, Q, R, W
M1, M2, M3, M6, M7, M101, M102, M103

**CESCA**
Plan 266 C15
164 West 75th Street (Amsterdam Avenue)
Tél. : 212/787-6300
www.cescanyc.com
Cette modeste trattoria sert une cuisine très subtile dans une salle composée de loges recouvertes de velours. Les boulettes de veau en bouillon le disputent aux huîtres rôties, dissimulées sous un sabayon aux tomates épicées et une *pancetta* croustillante. Savoureux, relaxant et tout à fait abordable.
Mar.-ven. 11 h 30-14 h, mar.-jeu. 17 h-23 h, ven.-sam. 17 h-23 h 30, dim. 17 h-22 h
Déj. 20 $, dîn. 45 $, vin 23 $
72nd Street (1, 2, 3, 9)
M7, M11, M104

**CHANTERELLE**
Plan 269 E24
2 Harrison Street / Hudson Street
Tél. : 212/966-6960
www.chanterellenyc.com
Ce classique culinaire ultra-spacieux excelle dans l'art de présenter ses mets, qui changent tous les mois et sont toujours un gage de saveur. N'hésitez pas à finir sur l'un des savoureux desserts.
Mar.-sam. 12 h-14 h 30, 17 h 30-23 h, lun. 17 h 30-23 h
Déj. 35 $, menu trois plats 43 $, dîn. menu trois plats 95 $, dégustation 115 $, vin 30 $
Franklin Street (1, 9)
M20

**CHEZ ES SAADA**
Plan 269 F22
42 East 1st Street, entre First et Second Avenues
Tél. : 212/777-5617
Cette aventure aux saveurs marocaines débute sur une porte sans signe distinctif, qui s'ouvre sur un bar style casbah, se poursuit sur un escalier parsemé de pétales de rose et s'achève dans une salle à manger aux aspects de grotte. Tagines et couscous rivalisent de savoir-faire, tout comme les spécialités. Le traditionnel mezze – des crevettes dans une pâte kataifi au yaourt et à l'harissa – constitue en soi un repas fantastique.
Lun.-jeu. 18 h-minuit, ven.-sam. 18 h-1 h
Dîn. 36 $, vin 30 $
Lower East Side/Second Avenue (F, V) M15, M21

**CORNER BISTRO**
Plan 268 D21
331 West 4th Street, entre Jane Street et Eighth Avenue
Tél. : 212/242-9502
Les tables et les loges recouvertes de graffitis de ce bar sans prétention du West Village constituent le meilleur

endroit de la ville pour déguster un hamburger. Garnis de copieux steaks hachés de 225 g, ils sont servis nature ou avec du bacon ou du bleu. Vous trouverez d'autres sandwichs et des chilis honnêtes. Juke-box et bonne bière. Carte de crédit refusée.
Lun.-sam. 11 h 30-4 h, dim. 12 h-4 h
Déj. 10 $, dîn. 15 $
14th Street (A, C, E)
M14, M20

**CRAFT AND CRAFTBAR**
Plan 268 E20
43 East 19th Street, entre Broadway et Park Avenue South
Tél. : 212/780-0880
Quand Tom Colicchio ouvrit Craft, il voulait que ses hôtes créent leurs propres plats à partir d'un menu qui se contentait de dresser une liste d'ingrédients. L'idée est toujours là, mais le chef se permet maintenant des conseils, et ce pour le plus grand bonheur de tous. Beaucoup de plats sont rôtis (bar, caille) ou braisés (travers). Les desserts vont du fruit frais le plus impeccable au sorbet délicieux et à l'alléchant pudding au *toffee*. Sans oublier les fromages, succulents. Le cuir, le cuivre, l'acier et le bois brut des meubles et de la décoration rappellent le mouvement Arts & Crafts. L'établissement s'applique aussi pour les sandwichs originaux et les huîtres frites.
Lun.-ven. 12 h-14 h, dim.-jeu. 17 h 30-22 h, ven.-sam. 17 h 30-23 h
Déj. 50 $, dîn. 60 $, vin 28 $
23rd Street (N, R, W), 23rd Street (6)
M1, M2, M3, M6, M7

SE RESTAURER

**COUP DE CŒUR**

### DB BISTRO MODERNE

Plan 268 E18
55 West 44th Street, entre Fifth et Sixth Avenues
Tél. : 212/391-2400
www.danielnyc.com

L'adresse la plus décontractée du chef lyonnais Daniel Boulud, établissement particulièrement recommandé dans le quartier des théâtres, offre un décor fait de meubles en bois sculpté, de rideaux ornés de perles et de tissus habillant le plafond. Il est réputé pour son hamburger d'aloyau à 27 $, un morceau d'aloyau qui enveloppe des côtelettes braisées au vin rouge, des truffes et du foie gras, servi avec des tomates confites et du raifort frais. Autres délices : un saumon rôti aux aubergines dorées et aux fleurs de courgette farcies, ou le canard à la moscovite au jus d'orange sanguine.

Lun.-sam. 12 h-14 h 30, 17 h 45-23 h, dim. 17 h-22 h
Déj. 45 $, dîn. 60 $, vin 25 $
42nd Street/Grand Central (S, 4, 5, 6, 7), 42nd Street (B, D, F, V)
M1, M2, M3, M4, M42

### CRU

Plan 268 E22
24 Fifth Avenue / Ninth Street
Tél. : 212/529-1700
www.cru-nyc.com

La carte de 3 000 crus (dont 50 au verre, on est à New York !) est une véritable curiosité pour les amateurs, qui n'auront que l'embarras du choix pour accompagner leur dégustation d'une délicate cuisine moderne européenne, servie dans un cadre élégant. Pour commencer, vous avez le choix entre entrées froides et chaudes, tels du flétan à la mangue et au caviar, ou du thon à la crème de câpres et à la tapenade. Les plats sont tout aussi tentants, certains étant même des révélations... Essayez le coquelet satiné cuit au babeurre et servi avec des carottes aux oranges et au paprika et des chanterelles.

Lun.-sam. 17 h 30-23 h (fermé lun. en août)
Dîn. 62 $, vin 35 $
8th Street (N, R, W)
M2, M3, M5, M8

### DANIEL

Plan 267 E16
60 East 65th Street / Park Avenue
Tél. : 212/288-0033
www.danielnyc.com

Daniel Boulud a ouvert cet établissement en 1993. Dîner dans ce palais néo-Renaissance

est une expérience extatique ! Les plats vedettes : le velouté d'huîtres à la citronnelle et au caviar, le pigeonneau rôti farci au foie gras et aux truffes et le fondant au chocolat et à la nougatine. Madeleines chaudes, chocolats et petits fours maison complètent le repas. La carte des vins, essentiellement française, propose plus de 1 600 crus... Veste et cravate exigées.

Lun.-jeu. 17 h 45-23 h, ven.-sam. 17 h 30-23 h
Dîn. menu 3 plats 92 $, dégustation 103-168 $, vin 30 $
63rd Street/Lexington (F), 68th Street (6)
M1, M2, M3, M4, M66

### DAWAT

Plan 267 F16
210 East 58th Street, entre Second et Third Avenues
Tél. : 212/355-7555
www.restaurant.com/dawat

Madhur Jaffrey est toujours attentif au menu de ce confortable restaurant indien, très justement appelé « invitation au festin ». Les épices sont savamment mêlées pour un effet des plus subtils dans des plats tels que les crevettes à la sauce

noix de coco, aux feuilles de curry et au tamarin fumé, le classique poulet tikka et le chevreau à la sauce de cardamome. Spécialités de riz et de légumes.

Lun.-sam. 12 h-15 h, 17 h-23 h, dim. 17 h-23 h
Déj. 60 $, dîn. 65 $, vin 23 $
59th Street/Lexington Avenue (6)
M15, M57, M98, M101, M102, M103

### DEVI

Plan 268 E21
8 East 18th Street, entre Fifth Avenue et Broadway
Tél. : 212/691-1300

Portes d'un ancien palais, lanternes en verre coloré gravé et tentures de soie vous transportent très vite en Inde, de même que la cuisine inspirée de recettes régionales. Les crevettes de Goa sont cuites au *balchao*, une sauce à base de vinaigre ; les poissons sont cuits dans des feuilles de banane ; le « chou-fleur mandchou » est une sauce tomate très relevée aux oignons blancs et aux piments. Les senteurs de la coriandre, de la menthe, du tamarin et de la noix de coco émanent de tous les plats.

Lun.-sam. 12 h-14 h 30, lun.-jeu. 17 h 30-22 h 30, ven.-sam. 17 h 30-23 h, dim. 17 h-22 h
Déj. menu 20-25 $, dîn. 40 $, dégustation 7 plats 95 $, menu végétarien 55 $, vin 30 $
14th Street/Union Square (L, N, Q, R, W, 4, 5, 6)
M2, M3, M5, M6, M7

### DIM SUM GO GO

Plan 269 F24
5 East Broadway, entre Catherine et Oliver Streets
Tél. : 212/732-0797

Ce restaurant modeste et moderne propose une cuisine chinoise dernier cri : *dim sum* (bouchées cuites à la vapeur) remis au goût du jour, présentés dans des paniers traditionnels en bambou ou assortis sur des plateaux, boulettes au *jicama*, aux racines de lotus et aux carottes, et beignets de chair de crabe aux épinards. Porc en brioche et beignets de crevettes se chargent aussi de faire honneur à la tradition.

Tlj 10 h-22 h 30
Déj. 16 $, dîn. 20 $
East Broadway (F), Canal Street (J, M, N, R, Q, W, Z, 6)
M9, M15, M22

**DIWAN**
Plan 267 F16
148 East 48th Street, entre Lexington et Third Avenues
Tél. : 212/593-5425
Ce restaurant indien, initiateur de tendance de l'uptown, propose, outre des plats traditionnels – poulet vindaloo et tandooris par exemple – du poulet makhani, du poulet Cornish à l'abricot, de l'agneau à la sauce aux amandes et du bar sauce fenugrec.
Dim.-jeu. 11 h 30-14 h 30, 17 h-22 h 30, ven.-sam. 11 h 30-14 h 30, 17 h-23 h
Déj. 15 $, dîn. 40 $, vin 20 $
51st Street (6)
M50, M98, M101, M102, M103

**DO HWA**
Plan 269 D22
55 Carmine Street, entre Bedford Street et Seventh Avenue South
Tél. : 212/414-1224
Do Hwa (anciennement Dok Suni) vous fera découvrir le barbecue coréen et la bonne manière d'enrouler les ingrédients dans des feuilles de laitue. Commencez par une soupe traditionnelle aux algues et au bœuf, et poursuivez avec des côtes de porc au piment, à l'ail et au gingembre, ou avec un *bulgogi*, de fines tranches de faux-filet marinées dans le soja et l'ail et enroulées dans de la laitue avec du riz et du miso. Autre adresse au 119 First Avenue (*tél. : 212/477-9506*). Carte de crédit refusée.
Lun.-ven. 12 h-15 h, mar.-sam. 17 h-minuit, dim.-lun. 17 h-23 h
Déj. 15 $, dîn. 32 $, vin 27 $
West 4th Street (A, C, E, F, S, V)
M5, M6, M20, M21

**DOS CAMINOS**
Plan 268 E20
373 Park Avenue South, entre 26th et 27th Streets
Tél. : 212/294-1000
www.brguestrestaurants.com
Loin de la petite échoppe à enchiladas, ce vaste restaurant possède un bar servant 150 tequilas, et offre une cuisine qui ne tourne le dos à aucun classique. Les desserts favorisent les glaces et les sorbets, tel le sorbet goyave-mangue.
Lun.-ven. 12 h-16 h, week-end 11 h 30-16 h, dim.-mar. 17 h-22 h, mer.-jeu. 17 h-23 h, ven.-sam. 17 h-minuit
Déj. 25 $, dîn. 40 $, vin 26 $
28th Street (6) M1

**ELEVEN MADISON PARK**
Plan 268 E20
11 Madison Avenue / 24th Street
Tél. : 212/889-0905
Cette superbe salle, qui abritait autrefois le hall des courtiers d'assurance de Metropolitan Life, est à la hauteur de la cuisine créée par Kerry Heffernan. Les plats de poisson

sont délicieusement moelleux (omble chevalier poêlé dans une sauce aux truffes), et les plats de viande, généreux (onglet grillé aux échalotes). La sélection de vins, dont 36 au verre, fait la part belle aux crus français.
Lun.-ven. 11 h 30-14 h, sam. 12 h-14 h, lun.-jeu. 17 h 30-22 h 30, ven.-sam. 17 h 30-23 h, dim. 17 h 30-22 h
Déj. 45 $, dîn. 60 $, vin 32 $
23rd Street (6) M1, M2, M3

**ESCA**
Plan 268 D18
402 West 43rd Street / Ninth Avenue
Tél. : 212/564-7272
Autre étoile au firmament de Mario Batali, l'Esca propose des poissons préparés à la façon de l'Italie du Sud. Le menu change quotidiennement, mais vous trouverez souvent du loup au gros sel ou du *fritto misto* façon Amalfi, à base de petites morues, de raie, de calmars, de coques, d'huîtres et

de crevettes. Côté entrées, l'anguille croustillante à la napolitaine rivalisent avec le buffet de coquillages.

Lun.-sam. 12 h-14 h 30, lun. 17 h-22 h 30, mar.-sam. 17 h-23 h 30, dim. 16 h 30-22 h 30
Déj. 35 $, dîn. 50 $, vin 28 $
42nd Street (A, C, E) M11

**ESTIATORIO MILOS**
Plan 266 D17
125 West 55th Street, entre Sixth et Seventh Avenues
Tél. : 212/245-7400
www.milos.ca *FR*
Les quelque 19 variétés de poissons facturés à la livre de ce restaurant incluent de la lotte, du thon et de l'espadon. Le poisson de votre choix est préparé sous vos yeux. Les entrées lorgnent également du côté de la mer avec, pour exemple, des calamars fourrés aux trois fromages et à la menthe fraîche. Pour les desserts, les noix et le yaourt tiennent le haut de l'affiche.
Lun.-sam. 12 h-15 h, 17 h 30-23 h, dim. 17 h-23 h
Déj. menu trois plats 35 $, dîn. 67 $, vin 35 $ 57th Street (F), 57th Street (N, Q, R, W) M10, M20

**ETATS-UNIS**
Plan 267 F14
242 East 81st Street, entre Second et Third Avenues
Tél. : 212/517-8826
Si les références françaises sont ici indéniables, ce restaurant n'en reste pas moins un lieu américain typique. Le menu, qui penche côté bistro, change quotidiennement. Laissez-vous tenter par le veau au riesling servi avec des champignons shitaké et des pleurotes, ou l'espadon grillé au charbon accompagné d'une purée de poivrons rouges. Les fromages sont variés et les desserts, délicieux.
Tlj 18 h-23 h
Dîn. 50 $, vin 20 $
77th Street (6)
M15, M79, M98, M101, M102, M103

**FELIDIA**
Plan 267 F16
243 East 58th Street, entre Second et Third Avenues
Tél. : 212/758-1479
www.lidiasitaly.com
La propriétaire de ce restaurant, Lidia Bastianich, est une partisane invétérée de la cuisine italienne. Felidia est l'un des plus grands restaurants italiens de la ville, dont la qualité justifie le prix. Les « coussins de noces de l'Istrie » (*Istrian wedding pillows*), pâtes

**COUP DE CŒUR**

**FOUR SEASONS**
Plan 267 F17
99 East 52nd Street, entre Park et Lexington Avenues
Tél. : 212/754-9494
www.fourseasonsrestaurant.com
Les grands de ce monde ont leur table attitrée dans ce restaurant moderniste conçu par Philip Johnson et Mies van der Rohe en 1959.
Le bar carré, au centre du Grill Room, plaqué de bois de rose, est un temple des cocktails. La salle à manger proprement dite, la Pool Room, est décorée d'une vaste fontaine en son centre. Le plat de prédilection du chef Christian Albin est le rôti de canard, découpé à la table des convives. Les soufflés sont inoubliables, et la carte des vins de grande qualité.
Lun.-ven. 12 h-14 h, 17 h-21 h 30, sam. 17 h-23 h
Déj. 70 $, dîn. 100 $, vin 27 $
51st Street (6), Fifth Avenue/53rd Street (E, V)
M50, M98, M101, M102, M103

garnies au rhum, aux raisins et aux trois fromages, sont une recette originale, mais le chef Fortunato Nicotra concocte

aussi de nombreux plats régionaux, comme les raviolis au rôti d'oie. La carte des vins favorise les grands crus italiens.
Lun.-jeu. 12 h-14 h 30, 17 h-23 h, ven. 12 h-14 h, 17 h-23 h 30, sam. 17 h-23 h 30 Déj. 40 $, menu trois plats 29,50 $, dîn. 55 $, vin 35 $
59th Street (4, 5, 6)
M15, M57, M98, M101, M102, M103

**FIAMMA OSTERIA**
Plan 269 E23
206 Spring Street, entre Sixth Avenue et Sullivan Street
Tél. : 212/653-0100
www.brgnestrestaurants.com
Ce bistro italien, sur deux niveaux, cultive le style hollywoodien tant en matière de décor que de cuisine.
Le poulpe braisé au vin rouge accompagné de fèves, d'olives et de poivrons, les *stracci* bolognaise au lapin et les autres pâtes, exceptionnelles, sans oublier les escalopes de veau à la sauge servies avec des petits oignons aigres-doux caramélisés, ne sont que quelques-uns des succulents plats proposés.
Lun.-ven. 12 h-14 h 30, dim.-jeu. 17 h 30-23 h, ven.-sam. 17 h 30-minuit
Déj. 36 $, dîn. 60 $, vin 32 $
Spring Street (C, E) M6

**FLEUR DE SEL**
Plan 268 E20
5 East 20th Street, entre Broadway et Fifth Avenue
Tél. : 212/460-9100
www.fleurdeselnyc.com
Ce petit bijou français sans prétention sert une excellente cuisine, aux produits parfois surprenants. Imaginez,

par exemple du gibier dans une sauce aux betteraves et à la réglisse ou un carré d'agneau à la crème au raifort et au jus de romarin.
Les desserts sont tout aussi innovants.
Tlj 12 h-14 h, lun.-jeu. 18 h-22 h 30, ven.-sam. 17 h 30-22 h 30, dim. 17 h 30-21 h
Déj. menu 30 $, dîn. menu 52 $, 6 plats 82 $, vin 37 $
23rd Street (N, R, W)
M2, M3, M5, M6, M7

**GONZO**
Plan 268 D21
140 West 13th Street, entre Sixth et Seventh Avenues
Tél. : 212/645-4606
Si Gonzo affiche des prix modérés, la cuisine rustique préparée à base d'ingrédients ultra-frais y est excellente, pour la joie des papilles d'une foule assez branchée, qui profite aussi d'un cadre confortable. Commencez par déguster un plateau de viandes froides et de fromages ou des *cicchetti* (sortes de tapas à l'italienne), tels qu'une salade aux betteraves et au gorgonzola, ou des pois chiches assortis de tomates séchées. Pour ce qui concerne les plats de résistance, le foie de veau à la vénitienne est un délice.
Tlj 17 h 30-minuit
Dîn. 40 $, vin 28 $
14th Street
M5, M6, M20

**GOOD WORLD BAR AND GRILL**
Plan 269 G24
3 Orchard Street, entre Canal et Division Streets
Tél. : 212/925-9975
Cette salle animée et joviale sert une cuisine suédoise contemporaine. Vous trouverez plusieurs types de harengs, ainsi que du *gravlax* (saumon mariné), des boulettes de viande et du gibier, en saison.
Tlj 12 h-4 h
Déj. 30 $, dîn. 35 $, vin 28 $
East Broadway (F), Grand Street (S)
M15

**GOTHAM BAR & GRILL**
Plan 268 E21
12 East 12th Street, entre Fifth Avenue et University Place
Tél. : 212/620-4020
www.gothambarandgrill.com
Phénomène unique parmi les chefs célèbres de Manhattan, Alfred Portale n'a pas encore créé sa propre mini-chaîne culinaire. C'est peut-être pour cela que sa cuisine contemporaine, si fraîche et si joliment présentée, continue de séduire après plus de vingt ans. Le carré d'agneau est le plat de prédilection de Portale, mais vous ne pourrez pas vous tromper avec le flétan en croûte aux truffes dans une sauce au verjus, ou avec le porc Snake River Farms aux oignons caramélisés. La tarte aux pommes chaude, la tarte Tatin et le Gotham, gâteau au chocolat chaud, sont sublimes. Sélection de thés exceptionnelle.
Lun.-ven 12 h-14 h 15, lun.-jeu. 17 h 30-22 h, ven. 17 h 30-23 h, sam. 17 h -23 h, dim. 17 h-22 h
Déj. 35 $, dîn. 70 $, vin 40 $
14th Street/Union Square (L, N, Q, R, W, 4, 5, 6) M2, M3, M5

**GRAMERCY TAVERN**
Plan 268 E20
42 East 20th Street, entre Broadway et Park Avenue South
Tél. : 212/477-0777
www.gramercytavern.com

Le restaurant phare de Danny Meyer continue de briller sous l'égide du chef Tom Colicchio. La grande salle (un dédale de petites pièces douillettes) et la salle du devant, plus décontractée, sont aussi agréables l'une que l'autre. L'accueil réellement chaleureux et le service impeccable font de ce restaurant l'un des plus grands de la ville. La carte ne vous décevra pas, qui propose du foie gras poêlé accompagné d'une tarte à la rhubarbe, de roquette et de vinaigre de xérès, ainsi que de la lotte rôtie roulée dans des tranches de bacon. Parmi la magnifique carte des vins, 25 sont disponibles au verre. Rien à redire sur les desserts non plus.
Grande salle : lun.-ven. 12 h-14 h, lun.-jeu. 17 h 30-22 h, ven.-sam. 17 h 30-23 h ; salle du devant : dim.-jeu. 12 h-23 h, ven.-sam. midi-minuit
Déj. 35 $, menu 3 plats 36 $, dîn. menu 3 plats 76 $, menu dégustation 95 $ ; salle du devant déj. 30 $, dîn. 40 $, vin 20 $
23rd Street (N, R, W)
M1, M2, M3, M6, M7

**GRAND CENTRAL OYSTER BAR**
Plan 268 E18
Grand Central Terminal, 42nd Street / Park Avenue
Tél. : 212/490-6650
www.oysterbarny.com
Pas la peine d'aimer les huîtres pour apprécier cette table légendaire située à l'étage inférieur de la gare Grand Central. Ouvert en 1913, ce vaste espace carrelé conçu par l'architecte Rafael Guastavino est apparu dans plus d'un film. À midi et en début de soirée, il est toujours bondé de clients se régalant des 20 ou 30 poissons

du jour, ou des dizaines de variétés d'huîtres proposées quotidiennement. Les potages aux fruits de mer sont fameux.
Lun.-ven. 11 h 30-21 h 30, sam. 12 h-21 h 30
Déj. 35 $, dîn. 45 $, vin 25 $
42nd Street/Grand Central (4, 5, 6)
M1, M2, M3

**HAMPTON CHUTNEY**
Plan 269 F23
68 Prince Street, entre Crosby et Lafayette Streets
Tél. : 212/226-9996
Les *dosas* (crêpes de farine de riz) et les *uttapas* (dosas plus épaisses) de l'Inde du Sud sont les spécialités de ce petit restaurant à contre-courant. La *dosa* classique est fourrée aux patates épicées, mais vous aurez aussi le choix entre des versions plus occidentales, comprenant de l'avocat, de la tomate, de la roquette et du fromage, ou du thon dans une sauce coriandre-chutney. Bonne sélection de sandwichs à différentes sortes de pain. Le *chai* et le *lassi* sont les boissons incontournables.
Tlj 11 h-21 h
12 $
Prince Street (N, R), Broadway/Lafayette (F, S, V), Spring Street (6) M1, M6

**THE HARRISON**
Plan 269 E24
355 Greenwich Street / Harrison Street
Tél. : 212/274-9310
www.theharrison.com
Avec ses banquettes de cuir très confortables, ses panneaux de bois patinés par le temps et sa cuisine hautement savoureuse, ce restaurant chaleureux fait la joie des habitués du quartier. Le foie de veau poêlé est servi avec du bacon, des oignons et un strudel aux pommes de terre, le tout nappé d'une riche sauce au xérès, et la raie dégage des saveurs de *pancetta* et de citron confit. Les frites épicées sont un régal.
Lun.-jeu. 17 h 30-23 h, ven.-sam. 17 h 30-23 h 30, dim. 17 h-22 h
Dîn. 45 $, vin 25 $
Franklin Street (1, 9) M20

**HELL'S KITCHEN**
Plan 268 D18
679 Ninth Avenue, entre West 46th et 47th Streets
Tél. : 212/977-1588
Cet établissement de cuisine mexicaine contemporaine utilise des ingrédients américains de première qualité. Commencez par les calamars au *chipotle* (sorte de piment séché) ou par les rouleaux de chayotes et de champignons portobello à la sauce *chipotle*. Les boissons exotiques fortes conviennent parfaitement aux robustes saveurs des plats.
Mar.-ven. 11 h 30-15 h, dim.-mar. 17 h-23 h, mer.-sam. 17 h-minuit
Déj. 20 $, dîn. 37 $, vin 24 $
42nd Street (A, C, E) M11

**HOLY BASIL**
Plan 269 F22
149 Second Avenue, entre East 9th et 10th Streets
Tél. : 212/460-5557 ou 212/645-8965
www.holybasilrestaurant.com
Ce restaurant, parmi les meilleurs thaïs de la ville, excelle dans l'art du sucré-salé.

En plats vedettes, on mentionnera les poissons, dont certains sont servis entiers, à commander au choix avec une sauce aux piments rouges ou une sauce exquise au tamarin. La carte des vins se marie subtilement avec la cuisine.
Lun.-jeu. 17 h-23 h 30, ven. 17 h-minuit, sam. 15 h-minuit, dim. 15 h-23 h 30
Dîn. 30 $, vin 23 $
Astor Place (6) M15

**HONMURA AN**
Plan 269 E23
170 Mercer Street, entre Houston et Prince Streets
Tél. : 212/334-5253

Lorsque la célèbre critique gastronomique Ruth Reichl a choisi ce restaurant comme l'un de ses premiers coups de cœur à son arrivée au *New York Times*, elle a mis en émoi l'establishment culinaire. Mais ce restaurant de nouilles n'a pas son pareil pour préparer ses mets favoris – *udon* et *soba* froids et chauds, garnis et servis avec des sauces (*nori*, champignons, œufs de saumon et verdure). Les plats de dégustation sont magnifiques (tranches de canard marinées dans du vin rouge et du *soba* ou des asperges, avec une sauce aux graines de sésame).
Mer.-sam. 12 h-14 h 30, mar.-jeu. 18 h-22 h, ven.-sam. 18 h-22 h 30, dim. 18 h-21 h 30
Déj. 22 $, dîn. 40 $, vin 44 $
Broadway/Lafayette (F, S, V), Prince Street (N, R), Bleecker Street (6)
M1, M6

**I COPPI**
Plan 269 G22
432 East 9th Street, entre First Avenue et Avenue A
Tél. : 212/254-2263
www.icoppinyc.com
Ce restaurant est une bouffée de Toscane en plein Manhattan. Les tables en bois et les chaises usées créent un charme rustique, complété par de la musique d'opéra et de beaux arrangements floraux. Le carpaccio de thon, fin comme du papier, est relevé d'une sauce au poivre vert ; les poires en tranches et le gorgonzola composent une excellente salade. Pour les *secondi* (deuxièmes plats), vous trouverez certainement du bar aux câpres et aux olives noires. La carte des vins regarde du côté de l'Italie.
Lun.-jeu. 17 h-23 h, ven. 17 h-23 h 30, sam. 11 h 30-15 h, 17 h-22 h, dim. 11 h 30-16 h, 17 h-22 h 30
Dîn. 50 $, vin 22 $
Astor Place (6)
M8, M14, M15

**L'IMPERO**
Hors plan 268 F18
45 Tudor City Place
(accès par East 41st Street)
Tél. : 212/599-5045
www.limpero.com
Niché dans Tudor City, L'Impero constitue un havre délicieux avec ses salles confortables et savamment éclairées, son service accueillant et sa cuisine excellente et abordable. Laissez-vous tenter par le homard grillé aux pois chiches, les pâtes succulentes (*farfalle* aux ris de veau, à la salade amère, aux chanterelles et aux échalotes, ou *agnolotti* au canard et au foie gras), ou encore par le chevreau rôti. La carte des vins est très équilibrée et bon marché.
Lun.-jeu. 12 h-14 h 30, 17 h 30-22 h 30, ven. 12 h-14 h 30, 17 h-23 h 30, sam. 17 h-23 h 30
Déj. 36 $, dîn. 50 $, menu dégustation 95 $, vin 26 $
42nd Street/Grand Central (4, 5, 6)
M15, M27, M42, M50

**COUP DE CŒUR**

**JEAN-GEORGES**
Plan 266 D16
Trump International Hotel Tower
1 Central Park West, entre 60th et 61st Streets
Tél. : 212/299-3900
www.jean-georges.com

Jean-Georges Vongerichten représente le *nec plus ultra* de la ville. Français jusqu'au bout des ongles, il a développé une cuisine unique aux saveurs intenses et aux textures inédites, à partir d'essences de fruit et de légume, d'huiles, de sauces et de bouillons. Exemples parmi les plus parlants, le crabe à la fondue de petits pois accompagné d'une gelée de rhubarbe et de purée de *shiso*. S'il est trop difficile de décrocher une place dans ce restaurant, vous pourrez manger à la Nougatine, moins formelle et à la même adresse.
La carte des vins comprend plus de 700 crus.
Terrasse en été.
Lun.-ven. 12 h-14 h 30, 17 h 30-23 h, sam. 17 h 30-23 h, fermé dim.
Déj. 45 $, menu 3 plats 20 $ (chez Nougatine), menu 2 plats 24 $ ; dîn. 60 $, menu 4 plats 95 $, 7 plats 125 $, vin 22 $
59th Street/Columbus Circle (A, C, B, D, 1, 9)
M7, M10, M20

**JEWEL BAKO**
Plan 269 F22
239 East 5th Street, entre Second et Third Avenues
Tél. : 212/979-1012
Ce petit restaurant est le royaume de l'expert du sushi, Kazuo Yoshida, qui régale les connaisseurs par ses créations, en prenant parfois le risque de les choquer par ses innovations. Les tables et les chaises en bambou doré sont installées sous un plafond voûté recouvert de bambou lui aussi, pour des hôtes qui voient défiler des tranches de bar, de brochet, d'anguille, de maquereau et de poulpe, assaisonnées de gros sel, de *yuzu* (poivre), de sésame, de *daikon* (sorte de radis) râpé ou de *wasabi* (pâte de raifort).
Lun.-sam. 18 h 30-22 h 30
Dîn. 50 $, omakase 50 $, menu dégustation 85 $, vin 36 $
Astor Place (6)
M8, M15, M103

**JOHN'S PIZZERIA PIZZA**
Plan 268 D22
278 Bleecker Street, entre Sixth et Seventh Avenues
Tél. : 212/243-1680

Les pizzas servies ici sont souvent considérées comme les meilleures de la ville, et effectivement, elles sont excellentes. Notez qu'elles ne sont pas servies à la part. Installez-vous dans l'un des boxes, et commandez parmi la cinquantaine de choix proposés. Carte de crédit non acceptées.
Lun.-sam. 11 h 30-23 h 30, dim. 12 h-23 h 30
Déj. 20 $, dîn. 30 $, vin 18 $
West 4th Street (A, C, E, F, S, V), Christopher Street/Sheridan Square (1, 9)
M5, M20

**JOJO**
Plan 267 F16
160 East 64th Street, entre Lexington et Third Avenues
Tél. : 212/223-5656
www.jean-georges.com
Jean-Georges avait 29 ans en 1986, quand il ouvrit ce bistro qui lui a acquis sa réputation à New York. Les salles installées dans cette maison de ville sont toujours aussi somptueuses, confortables (banquettes lie-de-vin) et élégamment éclairées. L'entrée du chef reste les crevettes à la poudre d'orange. Les desserts sont aussi exceptionnels que le reste de la carte – il suffit pour vous en convaincre de goûter le fondant au chocolat.
Tlj 12 h-14 h 30, 17 h 30-22 h
Déj. 45 $, dîn. 60 $, vin 36 $
63rd Street/Lexington (F)
M66, M98, M101, M102, M103

**KATZ'S DELI**
Plan 269 G22
205 East Houston Street, entre Ludlow et Orchard Streets
Tél. : 212/254-2246
www.katzdeli.com
Le lieu où fut tournée la scène hilarante de simulation

d'orgasme de *Quand Harry rencontre Sally* est le dernier *deli* de cette zone qui était autrefois un quartier juif des plus vivants. Ouvert en 1888, il respecte la tradition : décor des plus simples et immenses *knishes* et sandwichs au pastrami. Carte de crédit à partir de 20 $.
Dim.-mar. 8 h-22 h, mer.-jeu. 8 h-23 h, ven.-sam. 8 h-3 h
Déj. 15 $, dîn. 20 $
Lower East Side/Second Avenue (F, V)
M14, M15, M21

**KITTICHAI**
Plan 269 E23
60 Thompson Street, entre Broome et Spring Streets
Tél. : 212/219-2000
www.kittichairestaurant.com
Des drapés luxueux et une piscine éclairée donnent le ton de ce lieu thaï vibrant de « downtown », baptisé du nom de son chef. Il est passé maître dans la création de saveurs nées de citron sauvage, de basilic, de coriandre et de noix de coco, avec le savant équilibre requis entre salé, sucré, aigre et doux. Les musts sont le carré d'agneau au pistou thaï et le bar caramélisé au curry rouge.
Tlj 12 h-15 h, dim.-jeu. 18 h-23 h, ven.-sam. 18 h-minuit
Déj. 30 $, dîn. 40 $, vin 35 $
Spring Street (C, E)
M1, M6

**LA PALAPA**
Plan 269 F22
77 St. Mark's Place, entre First et Second Avenues
Tél. : 212/777-2537
www.lapalapa.com
Ce restaurant mexicain sombre et luxueux s'inspire sans restriction de Diana Kennedy, célèbre auteure d'ouvrages de cuisine et experte dans l'art de révéler les saveurs de l'*epazote*, des feuilles de cactus et d'avocat et

de nombreux piments. L'équilibre est toujours respecté, que ce soit dans les crevettes à la sauce rouge ou dans le cabillaud au *guajillo*, ail et sauce *achiote*. Les plats de viande sont tout aussi savamment épicés. Petit bonus : les haricots pinto au bacon et chayotes dans une sauce crémeuse épicée.
Lun.-ven. midi-minuit, week-end 11 h-minuit
Déj. 25 $, dîn. 35 $, vin 26 $
Astor Place (6) M8, M15

**LE COLONIAL**
Plan 267 F16
149 East 57th Street, entre Lexington et Third Avenues
Tél. : 212/752-0808
www.lecolonialnyc.com
L'ambiance coloniale recréée à l'aide de bambou et de ventilateurs s'allie à ravir avec la cuisine de l'Asie du Sud-Est de cette excellente adresse. Commencez par le *chao tom* (crevettes grillées au sucre de canne accompagnées de cheveux d'ange, de laitue, de menthe et d'une sauce à l'arachide) ou par les succulents raviolis vapeur au poulet et aux champignons. Les plats de bar à la vapeur sont extraordinaires.
Lun.-ven. 12 h-14 h, dim.-lun. 17 h 30-22 h 30, mar.-jeu. 17 h 30-23 h, ven.-sam. 17 h 30-23 h 30
Déj. 30 $, dîn. 40 $, vin 38 $
59th Street (4, 5, 6), 59th Street/Lexington Avenue (N, R, W)
M57, M98, M101, M102, M103

**COUP DE CŒUR**

**LE BERNARDIN**
Plan 266 D17
155 West 51st Street, entre Sixth et Seventh Avenues
Tél. : 212/489-1515
www.le-bernardin.com
Le Bernardin est sans conteste le meilleur restaurant de fruits de mer de la ville, s'il n'en est pas le meilleur restaurant toutes catégories confondues. La salle est spacieuse et confortable, le service discret, et la chère exquise. Les préparations du chef Eric Ripert ont pour vocation de tirer le meilleur du goût et de la texture de chaque type de poisson. Le cabillaud est ainsi servi dans un bouillon à la sauge et à l'ail, et le flétan se voit poché dans un bouillon à base de citronnelle et de noix de coco. Les entrées – carpaccio de thon, noix de saint-jacques vapeur dans une feuille de chou au foie gras et aux truffes – sont autant de bijoux. Desserts pareillement inspirés.
Lun.-ven. 12 h-14 h 30, lun.-jeu. 17 h 30-22 h 30, ven.-sam. 17 h 30-23 h
Déj. menu 49 $, dîn. menu 3 plats 92 $, vin 45 $
47th-50th streets/Rockefeller Center (B, D, F, V), 49th Street (N, R, W)
M5, M6, M7

**LE ZINC**
Plan 269 E24
139 Duane Street
Tél. : 212/513-0001
www.lezincnyc.com
Les rideaux en dentelle, le comptoir de zinc et les affiches françaises confèrent une touche de bistro français à ce restaurant qui sert pourtant une cuisine résolument internationale.
Les Waltuck, qui possèdent

également le Chanterelle (▷ 274), gardent un œil intransigeant sur la qualité, mais pour des prix abordables. Aux côtés de plats de bistro comme l'onglet au vin rouge, des terrines, de la charcuterie et de la raie aux pignons et aux groseilles, vous trouverez des entrées inspirées de l'Asie. Les desserts sont le fait de l'excellent chef pâtissier du Chanterelle.
Bonne carte des vins.
Tlj 8 h-minuit
Déj. 25 $, dîn. 40 $, vin 21 $
Chambers Street (A, C), Chambers Street (1, 2, 3, 9)
M1, M6

**LONDEL'S**
Hors plan 266 D12
2620 Frederick Douglass Boulevard, entre 139th et 140th Streets
Tél. : 212/234-6114
www.londelsrestaurant.com
Ce restaurant sert les meilleures recettes du Sud des États-Unis. Que vous choisissiez le poulet frit façon Sud, les côtes au barbecue ou la barbue « noircie » avec un accompagnement de chou vert ou des patates douces au sucre, ou encore le pain perdu au rhum, ce sera, dans tous les cas, un festin. Musique *live* le vendredi et le samedi.
Mar.-sam. 11 h 30-16 h, 17 h-minuit, dim. 11 h-17 h
Déj. 18 $, dîn. 30 $, vin 25 $
145th Street (A, B, C, D)
M10

**LUPA**
Plan 269 E22
170 Thompson Street, entre Bleecker et Houston Streets
Tél. : 212/982-5089
www.luparestaurant.com
L'un des propriétaires de ce restaurant aux prix honnêtes est le présentateur vedette de la chaîne de télévision *Food Channel*, Mario Batali. Dans un décor de trattoria romaine, les repas commencent par des produits ultra-frais, dans de délicates préparations maison,

en particulier les pâtes, les charcuteries et les fromages. Les plats de résistance, simples mais intenses, comprennent la classique *saltimbocca* et les *bucatini all' amatriciana*, au bacon, oignons et coriandre. Les accompagnements tels que la scarole braisée et le chou-fleur aux câpres sont à la hauteur du reste.
Lun.-ven. 12 h-14 h 30, 17 h-23 h 30, week-end 12 h-14 h 30, 16 h 45-23 h 30
Déj. 27 $, dîn. 35 $, vin 21 $
West 4th Street (A, C, E, F, S, V)
M5, M6, M21

**MARK JOSEPH STEAKHOUSE**
Plan 269 F25
261 Water Street / Peck Slip
Tél. : 212/277-0020
www.markjosephsteakhouse.com
Ceux qui se sont lassés du style frustre de Peter Luger affirment que ce restaurant de viande plus chic et plus moderne est aujourd'hui le meilleur *steakhouse* de la ville. Le chateaubriant est le morceau de choix ; ajoutez-y une salade et des pommes de terre rissolées (une vraie drogue !), et finissez sur une galette aux pommes ou une tarte aux noix de pécan.
Lun.-ven. 11 h 30-22 h, ven. 11 h 30-23 h, sam. 17 h-23 h
Déj. 30 $, dîn. 60 $, vin 30 $
Broadway-Nassau (A, C), Fulton Street (J, M, Z, 2, 3, 4, 5) M9, M15

**MAROONS**
Plan 268 D21
244 West 16th Street, entre Seventh et Eighth Avenues
Tél. : 212/206-8640
www.maroons.citysearch.com
Les saveurs du Sud et de la Jamaïque sont à l'honneur dans ce petit restaurant sans prétention. Vous y trouverez des tomates vertes frites, un généreux poulet frit, un solide poulet « jerk » jamaïcain et d'autres délices de la région.
Mar.-dim. 11 h 30-15 h 30, tlj 17 h 30-minuit
Déj. 25 $, dîn. 35 $, vin 21 $
18th Street (1, 9), 14th Street (A, C, E)
M20

**MASA**
Plan 266 D16
Time Warner Center
10 Columbus Circle, 4e étage
Tél. : 212/823-9800
www.masanyc.com
Actuellement le plus haut lieu culinaire de Manhattan, où le chef des sushis, M. Takayama (de Tokyo *via* Los Angeles), prépare derrière son comptoir ce qu'il a trouvé de plus frais et de meilleur en provenance du monde entier. Seulement 26 places (10 au bar).
Mar.-ven. 12 h-13 h 30, lun.-sam. 18 h-21 h 30
Menu 350 $ (100 $ retenus pour toute annulation de réservation moins de 48 heures à l'avance), vin 35 $
59th Street/Columbus Circle (A, B, C, D, 1, 9) M5, M7, M10, M20, M104

**MAYA**
Plan 267 F16
1191 First Avenue, entre East 64th et 65th Streets
Tél. : 212/585-1818
www.modernmexican.com
On concocte ici de la cuisine mexicaine élaborée. Le *chile relleno* aux fruits de mer et au gouda est un plaisir inédit pour le palais, et le guacamole, servi dans le mortier en pierre dans lequel il est préparé, fait partie des meilleurs de la ville. Le filet de porc mariné dans une sauce aux oignons et à l'orange est archi-tendre et délicieusement parfumé. Une valeur sûre.
Carte de crédit refusée.
Mar.-jeu. 17 h-23 h, ven.-sam. 17 h-23 h 30, dim.-lun. 17 h-22 h
Dîn. 42 $, vin 28 $
Lexington Avenue/63rd Street (F), 68th Street (6)
M15

**MERMAID INN**
Plan 269 F22
96 Second Avenue, entre 5th et 6th Streets
Tél. : 212/674-5870
www.themermaidnyc.com
Voici ce que Manhattan offre de plus proche de l'océan. La carte s'ouvre sur une petite sélection de coquillages, et se poursuit avec une diversité de plats impressionnante, du potage aux fruits de mer et des spaghettis *fra diavolo*, à la *zarzuela* qui réunit queue de homard, morue et calmars dans un même plat. Pas de dessert, si ce n'est ce que la maison offre gracieusement.
Lun.-sam. 18 h-1 h
Dîn. 30 $, vin 24 $
Astor Place (6), Eighth Street (N, R, W)
M15, M103

**MESA GRILL**
Plan 268 E21
102 Fifth Avenue, entre 15th et 16th Streets
Tél. : 212/807-7400
www.mesagrill.com
Quand Bobby Flay a ouvert ce restaurant en 1991, il a fait découvrir aux New-Yorkais

les épices du Sud-Ouest du pays, et le succès de l'adresse ne s'est pas démenti à ce jour. Les murs ocres évoquent les paysages de Sedona, les crevettes sortent du grill, et les margaritas à la figue de Barbarie rafraîchissent le gosier. Faites succéder aux huîtres panées à la farine de maïs et à la sauce mangue et *habanero* un poulet aux six épices. Le brunch est tout aussi innovant : on ne trouve pas partout des *quesadillas* au saumon fumé et à la tequila.
Lun.-ven. 12 h-14 h 30, sam. 11 h 30-14 h 30, dim. 11 h 30-15 h, dim.-ven. 17 h 30-22 h 30, sam. 17 h-23 h
Déj. 25 $, dîn. 48 $, vin 26 $
14th Street/Union Square (L, N, Q, R, W, 4, 5, 6) M2, M3, M5, M14

**MI COCINA**
Plan 268 D21
57 Jane Street / Hudson Street
Tél. : 212/627-8273
Mi Cocina fut l'un des premiers restaurants de la ville à proposer une cuisine mexicaine authentique. On peut

commencer par les crevettes à la sauce *adobo* bien relevée. Ensuite, vous avez le choix entre les copieuses *enchiladas* au poulet *mole* et, plus léger, le poulet mariné dans du citron vert, de l'origan et de la tequila d'agave bleu. Les murs de couleur vive décorés d'art folklorique sont parfaitement dans le ton, et la petite arrière-cour confère un romantisme certain aux soirées d'été.
Week-end 11 h 30-14 h 30, dim.-jeu. 16 h 30-22 h 30, ven.-sam. 16 h 30-23 h 30
Dîn. 40 $, vin 25 $
14th Street (A, C, E) M20

**MIRCHI**
Plan 268 D22
29 Seventh Avenue South, entre Bedford et Morton Streets
Tél. : 212/414-0931
www.mirchiny.com
Cette table néo-indienne chic sert des plats régionaux copieux, avec une carte des vins bien assortie. Pour les snacks, essayez le *bhel poori*, préparation à base de riz soufflé, d'oignons et de tomates et servie avec du tamarin et des chutneys à la coriandre. Le *Gujarat* est un gâteau de pois chiches servi avec des piments et de la coriandre. Le tandoori offre des viandes et des poissons succulents diversement épicés au piment, à la coriandre, au gingembre et à l'ail.
Lun.-ven. 12 h-15 h, 17 h 30-minuit, sam. 12 h-1 h, dim. 12 h-23 h
33 $, vin 20 $
Houston Street (1, 9)
M20, M21

**MOLYVOS**
Plan 266 D17
871 Seventh Avenue, entre West 55th et 56th Streets
Tél. : 212/582-7500
www.molyvos.com
Ce grand espace comprenant un café, un bar et deux salles de restaurant a fait entrer la Grèce à Manhattan. La purée d'aubergine grillée à l'ail et le *tzatziki* sont irrésistibles. Les entremets froids sont également divins, que ce soit le poulpe grillé aux olives, au fenouil, au citron et à l'origan, ou les fèves des marais broyées à l'huile d'olive. Le jarret d'agneau mariné, le poisson grillé entier et le ragoût de lapin font partie des plats de résistance traditionnels. La carte des vins propose

165 références, dont 50 crus grecs et 10 servis au verre.
Lun.-sam. 12 h-15 h, 17 h 30-23 h 30 (sam. jusqu'à minuit), dim. 12 h-23 h
Déj. 30 $, dîn. 43 $, vin 32 $
Seventh Avenue (B, D, E), 57th Street (N, R, Q, W) M10, M20

**MONTRACHET**
Plan 269 E24
239 West Broadway, entre Walker et White Streets
Tél. : 212/219-2777
www.myriadrestaurantgroup.com
Un restaurant minimaliste où le chef, Chris Gesualdi, exprime sa créativité dans des plats tels que le saumon rôti au riesling ou le magret de canard au verjus et aux airelles. Les entrées comprennent du homard, de la soupe de maïs et du foie gras. Pour les desserts, le chocolat et les fruits sont au centre des recettes.
Lun.-jeu. 17 h 30-21 h 45, ven. 12 h-14 h, 17 h 30-22 h 45, sam. 17 h 30-22 h 45
Déj. 33 $, dîn. menu trois plats 35 $ et 46 $, à la carte 56 $, vin 28 $
Canal Street (A, C, E), Franklin Street (1, 9)
M6, M20

**MOUSTACHE**
Plan 269 G21
265 East 10th Street, entre First Avenue et Avenue A
Tél. : 212/228-2022
Ce modeste restaurant sert une cuisine moyen-orientale excellente et bon marché. La grande spécialité est l'*ouzi* – une pâte feuilletée enroulée autour d'un mélange de riz basmati parfumé, de poulet, de carottes, de pois de senteur, d'oignons, de raisins et d'amandes. Les pizzas proposent huit garnitures différentes. Carte de crédit non acceptées.
Tlj midi-minuit
Déj. 25 $, dîn. 30 $, vin 18 $
First Avenue (L), Astor Place (6)
M8, M14, M15

**NAM**
Plan 269 E24
110 Reade Street / West Broadway
Tél. : 212 267 1777
Nam se distingue par son style et par sa cuisine authentique. Les entrées sont particulièrement tentantes. *Banh xeo*, par exemple, est une crêpe aux champignons, pousses de soja, riz parfumé à la noix de coco, crevettes et poulet. Parmi les plats principaux, le poulet à la sauce piment-citron vert est une valeur sûre.
Lun.-ven. 12 h-14 h, dim.-jeu. 17 h 30-22 h, ven.-sam. 17 h 30-23 h
Déj. 22 $, dîn. 28 $, vin 28 $
Chambers Street (1, 9)
M20

**NEGRIL VILLAGE**
Plan 269 E22
70 West 3rd Street, entre La Guardia Place et Thompson Street
Tél. : 212/477-2804
Les plats caribéens de ce restaurant sensuel laissent des saveurs exquises sur le palais. Difficile de se décider entre la succulente chèvre au curry et les spécialités telles que le poisson séché. Parmi les desserts tropicaux, un remarquable gâteau au citron vert et au coulis de mangue. En bas, la rhumerie sert 50 types de rhum différents.
Lun.-ven. midi-minuit, week-end 12 h-2 h
Déj. 22 $, dîn. 40 $, vin 20 $
West 4th Street (A, C, E, F, S, V)
M5, M21

**COUP DE CŒUR**

**NOBU**
Plan 269 E24
105 Hudson Street, entre Franklin et North Moore Streets
Tél. : 212/219-0500
www.myriadrestaurantgroup.com
Les célébrités se bousculent à la porte de ce restaurant branché de TriBeCa pour les sushis et les sashimis confectionnés par le chef Nobu Matsuhisa. Si votre bourse le permet, prenez un menu *omakase*, qui vous fera découvrir les inspirations du jour du chef. Finissez sur une touche de crème caramel au thé vert. Les réservations étant difficiles à négocier, vous avez la possibilité de vous rabattre sur le Next Door Nobu (à la porte à côté).
Lun.-jeu. 17 h 45-minuit, ven.-sam. 17 h 45-1 h, dim. 17 h 45-23 h
Dîn. 50 $, omakase 80-120 $, vin 40 $
Franklin Street (1, 9)
M20

**NYONYA**
Plan 269 F23
194 Grand Street, entre Mott et Mulberry Streets
Tél. : 212/334-3669
La cuisine malaise mêle de nombreuses influences venues de toute l'Asie – Chine, Inde, Thaïlande. Vous pourrez vous laisser tenter par l'un des nombreux plats, dont certains plutôt épicés, de ce lieu très couru qui propose un grand choix de riz, nouilles, ragoûts et autres mets. On commence par un *roti* (crêpe indienne) ou un *satay* (brochette de poulet mariné), pour continuer avec un *sambal* bien fort ou un curry à la citronnelle, au piment et au lait de coco. Cartes de crédit non acceptées.
Tlj 11 h-23 h 30
Déj. 20 $, dîn. 25 $
Grand Street (S)
M1

**OCEANA**
Plan 267 E17
55 East 54th Street, entre Madison et Park Avenues
Tél. : 212/759-5941
www.oceanarestaurant.com
Avec son décor marin, l'Oceana fait penser à un yacht profilé

bien qu'il soit en réalité installé dans une belle maison de ville. La cuisine franco-asiatique est osée et souvent surprenante, avec, par exemple, un loup à la sauce tamarin et au *wasabi*, ou le roulé de saumon, cuit avec du bacon fumé et de la pomme verte poivrée, et servi avec une sauce au vin rouge et aux olives. La carte des vins, internationale, propose 1 100 crus, dont 15 au verre.
Lun.-ven. 12 h-14 h 30, lun.-ven. 17 h 30-22 h 30, sam. 17 h-22 h 30
Déj. menu 3 plats 48 $, dîn. menu 3 plats 72 $, vin 30 $
53rd Street/Fifth Avenue (E, V)
M1, M2, M3, M4

**ODEON**
Plan 269 E24
145 West Broadway, entre Thomas et Duane Streets
Tél. : 212/233-0507
www.theodeonrestaurant.com
Au début des années 1980, cette cafétéria convertie en bistro chic fut l'incubateur de la scène « downtown ». L'Odeon a conservé ses stores vénitiens et ses tabourets de

bar chromés, mais aujourd'hui, il draine les habitants du quartier ainsi que les célébrités de downtown avec un menu de bistro typique : soupe à l'oignon, moules et steak frites. Idéal pour faire une pause nocturne.
Lun.-ven. 11 h 45-2 h, week-end 11 h-2 h
Déj. 28 $, dîn. 42 $, vin 18 $
Chambers Street (A, C, E), Chambers Street (1, 2, 3, 9)
M6, M20

**OTTO ENOTECA PIZZERIA**
Plan 269 E22
1 Fifth Avenue / 8th Street
Tél. : 212/995-9559
www.ottopizzeria.com
Mario Batali ne se lasse pas d'initier les palais américains à la vraie cuisine italienne. La pizza est la reine de la piste, à déguster *alla marinara* (aux fruits de mer) ou, mieux encore, selon l'une des inventions de Mario, comme cette garniture aux cèpes et au *taleggio*, ou aux tomates, au fenouil, à la *poutargue* (« caviar sarde »), au pecorino et à la mozzarella. La carte des vins est à tomber, et les glaces sont sans conteste les meilleures de la ville.
Tlj 11 h 30-23 h 30
Déj. 18 $, dîn. 27 $, vin 20 $
West 4th Street (A, C, E, F, S, V)
M2, M3, M5

**OUEST**
Plan 266 C14
2315 Broadway, entre West 83rd et 84th Streets
Tél. : 212/580-8700
www.ouestny.com
Ce restaurant vivant et attrayant a contribué à lancer la réputation culinaire de l'Upper West Side grâce aux menus de saison de Tom Valenti. Installez-vous dans l'une des loges rouges, et régalez-vous de succulents travers, de viandes braisées ou rôties tels que le poulet fermier rôti au jus aillé, ou encore d'un poisson, comme le thon poêlé à la purée de haricot, à la tapenade et au coulis de poivrons rouges. Les plats du jour ont leurs fidèles, surtout le lundi soir, quand le chef prépare son jarret d'agneau braisé. Les desserts s'inspirent de l'Italie.
Mar.-jeu. 17 h-22 h 30, ven.-sam. 17 h-22 h 30, dim. 10 h-14 h, 17 h-22 h 30
Dîn. 50 $, vin 26 $
86th Street (1, 9) M 104

**PAM REAL THAI**
Plan 266 C17
404 West 49th Street, entre Ninth et Tenth Avenues
Tél. : 212/333-7500
www.pamrealthai.com
Dans ce restaurant thaïlandais authentique, aucune des saveurs aigres, douces, sucrées ou salées n'a été aseptisée pour convenir aux palais timides. Les favoris traditionnels sont tous là : délicieux currys forts et moins forts, salades piquantes à la papaye verte, porc haché à la citronnelle, plats de nouilles et, dernier mais non des moindres, canard à la sauce pimentée et aux feuilles de citronnelle. Apportez votre bouteille. Cartes bancaires non acceptées.
Tlj 11 h 30-23 h
Déj. 15 $, dîn. 20 $
50th Street (C, E, 1, 9) M11, M50

**PAMPANO**
Plan 267 F17
209 East 49th Street, entre 2nd et 3rd Avenues
Tél. : 212/751-4545
www.modernmexican.com
Placido Domingo, grand amateur de bonne chère, a contribué à la création de ce restaurant où le chef Richard Sandoval, originaire de Mexico et passé par la Californie, prépare une superbe cuisine mexicaine contemporaine avec tous les ingrédients d'usage : *huitlacoche* (« truffe mexicaine »), *epazote*, grenade, fromage blanc et toutes les sortes de piments imaginables. Les *chile rellenos* sont rôtis et garnis de fruits de mer et de *manchego* acidulé. Vous pourrez commencer par l'un des excellents hors-d'œuvre et continuer avec l'un des épatants plats de la mer. Les carnivores ne seront pas vraiment gâtés, à part avec le très goûteux agneau à la sauce à l'orange. La terrasse se rapproche autant du bord de l'océan qu'il est possible dans le centre de Manhattan.
Lun.-ven. 11 h 30-14 h 30, lun.-mer. 17 h-22 h, jeu.-sam. 17 h-22 h 30, dim. 17 h-21 h 30
Déj. 30 $, dîn. 51 $, vin 32 $
51st Street (6)
M15, M27, M50, M101, M102, M103

**PASTIS**
Plan 268 D21
9 Ninth Avenue / Little 12th Street
Tél. : 212/929-4844
www.balthazarny.com

Pastis nous transporte à Paris, et plus précisément dans les Halles. Tout sonne juste : le zinc, les miroirs fumés, le carrelage et les publicités françaises. Et puis, il y a la cuisine : soupe à l'oignon, croque-monsieur, raie au beurre noir, steak et moules frites et, pour le petit déjeuner, de succulentes brioches et des œufs. Le propriétaire Keith McNally laisse transpercer ses origines avec le *fish and chips* et les haricots servis sur toast. Le vin se boit dans des verres droits. Il y a fréquemment la queue, et quelques célébrités en été.
Lun.-ven. 9 h-11 h 30, week-end 9 h-10 h (petit-déjeuner continental), lun.-ven. 12 h-17 h, week-end 10 h-17 h (brunch), tlj 18 h-minuit (dîner dim.-mer. jusqu'à 1 h, jeu. jusqu'à 2 h et ven.-sam. jusqu'à 3 h)
Déj. 30 $, dîn. 35 $, vin 18 $
14th Street (A, C, E)
M11, M14

**COUP DE CŒUR**

**PER SE**
Plan 266 D16
Time Warner Center, 10 Columbus Circle 4e étage
Tél. : 212/823-9335
Si le restaurant propose un décor urbain chic et de belles vues, les amateurs viennent à cette table pour se régaler de la cuisine exceptionnelle de Thomas Keller, considéré par beaucoup comme le plus grand chef américain, qui a officié au fameux restaurant French Laundry de Napa Valley (Californie). La carte change quotidiennement, mais propose toujours des plats préparés dans les règles de l'art. Les « huîtres et perles » (huîtres, tapioca et caviar) et le « macaroni et fromage » (homard dans un bouillon de mascarpone gratiné au parmesan) sont des mets légendaires. La carte des vins propose 500 crus pour compléter l'excellente cuisine. À noter : il est très difficile d'obtenir l'une des 16 tables.
Ven.-dim. 11 h 30-13 h 30, tlj 17 h 30-22 h
Menu dégustation 5 plats 125 $, 9 plats 150 $, vin 40 $
59th Street/Columbus Circle (A, B, C, D, 1, 9)
M5, M7, M10, M20, M104

**PEARL OYSTER BAR**
Plan 268 E22
18 Cornelia Street
Tél. : 212/691-8211
Les clients farouchement fidèles à cette table n'hésitent pas à faire la queue pour pouvoir déguster des plats typiques de la Nouvelle-Angleterre, comme les huîtres, les onctueux potages aux fruits de mer ou les sandwichs d'huîtres frites trempés dans une rémoulade. La pièce de résistance est le succulent homard fourré dans un pain au lait toasté.
Lun.-ven. 12 h-14 h 30, lun.-sam. 18 h-23 h
Déj. 30 $, dîn. 40 $, vin 28 $
West 4th Street (A, C, E, F, S, V)
M5, M6, M20

**PEASANT**
Plan 269 F23
194 Elizabeth Street, entre Prince et Spring Streets
Tél. : 212/965-9511
www.peasantnyc.com
Ce coquet restaurant est apprécié des chefs cuisiniers. Comme son nom l'indique (« paysan »), il propose une cuisine italienne rustique qui sort de ses fours à bois. Les sardines et les palourdes grillées, ainsi que les pizzas, sont préparées avec le plus grand soin. Les poissons grillés sont pareillement exquis, avec la meilleure huile d'olive, du citron et des herbes.

Mar.-sam. 18 h-23 h, dim. 18 h-22 h
Dîn. 40 $, vin 22 $
Bowery (J, M, Z), Spring Street (6)
M1, M6

**PERIYALI**
Plan 268 E20
35 West 20th Street, entre Fifth et Sixth Avenues
Tél. : 212/463-7890
www.periyali.com
Premier restaurant grec authentique à s'être installé à Manhattan, le Periyali reste l'une des meilleures tables du genre. L'ambiance est chaleureuse, et tous les plats sont savamment élaborés, de la savoureuse soupe *avgolemono* (aux œufs et au citron) aux côtelettes d'agneau grillées au romarin.
Lun.-ven. 12 h-15 h, lun.-jeu. 17 h 30-22 h 30, ven. 17 h 30-23 h, sam. 17 h 30-23 h 30
Déj. 30 $, dîn. 40 $, vin 32 $
23rd Street (N, R, W)
M2, M3, M5, M6, M7

**PETER LUGER STEAKHOUSE**
Hors plan 269 G25
178 Broadway, entre Bedford et Briggs Streets, Williamsburg, Brooklyn
Tél. : 718/387-7400
Beaucoup affirment que ce restaurant aux allures de cantine sert les meilleurs steaks de la ville. La viande est soigneusement choisie, apprêtée sur place et cuite à la perfection. Ne vous privez pas des épinards à la crème, ni de la purée de pommes de terre. Cartes de crédit refusées.
Lun.-jeu. 11 h 45-22 h, ven.-sam. 11 h 45-23 h, dim. 12 h 45-22 h
Déj. 40 $, dîn. 60 $, vin 27 $
Marcy Ave (J, M, Z)

**PICHOLINE**
Plan 266 D16
35 West 64th Street, entre Central Park West et Broadway
Tél. : 212/724-8585
La cuisine méditerranéenne servie ici est sans égal. Parmi les entrées, le pigeonneau laqué à la réglisse est exquis, et parfaitement complémentaire avec le foie gras, les navets givrés et la confiture de rhubarbe épicée. Le risotto aux champignons sauvages et au canard est célèbre depuis des lustres. Les entrées et les plats rassasient aisément, mais essayez de garder une place pour la fin : Picholine possède l'un des meilleurs plateaux de fromages de la ville.
Sam. 11 h 45-14 h, mar.-mer. 17 h 15-23 h, jeu.-sam. 17 h 15-23 h 45, dim. 17 h-21 h
Déj. menu 35 $, dîn. menu 3 plats 72 $, vin 31 $
66th Street (1, 9) M10, M20

**PINTXOS**
Hors plan 269 D23
510 Greenwich Street, entre Canal et Spring Streets
Tél. : 212/343-9923
Ce restaurant sans prétention offre 18 sortes de *pintxos*, des tapas basques qui ne vous décevront pas. L'établissement propose aussi 8 plats de viande et de poisson. Goûtez donc le chorizo, corsé, les anchois basques, les moules farcies et les asperges blanches, qui s'accordent tous à merveille avec les vins proposés.
Lun.-jeu. 11 h 30-22 h, ven. 11 h 30-23 h, sam. 16 h 30-23 h
Déj. 25 $, dîn. 30 $, vin 22 $
Spring Street (C, E), Houston Street (1, 9) M20

**PIO PIO**
Plan 267 F13
1746 First Avenue, entre East 90th et 91st Streets
Tél. : 212/426-5800
Vous êtes ici dans la version péruvienne de la chaîne Boston Chicken. Commandez votre poulet mariné dans des épices secrètes par quart, par moitié ou entier, ajoutez-y des bananes Plantin, des haricots rouges ou des *yuca frita* (frites de manioc), ainsi qu'une bière, et vous aurez fait un bon repas. Cartes de crédit : American Express uniquement.
Tlj 11 h-23 h
15 $
86th Street (4, 5, 6) M15

**PIPA**
Plan 268 E21
ABC Carpet and Home, 38 East 19th Street, entre Broadway et Park Avenue South
Tél. : 212/677-2233
Le nouveau grand chef latino Douglas Rodriguez sert ici une cuisine espagnole de qualité dans un restaurant animé, dont le nom signifie « très bon moment ». On fait un repas complet rien qu'avec les succulentes tapas – délicieuses huîtres frites avec une salade de bananes et de lentilles, de l'aïoli au raifort et du bacon croustillant ; crevettes à l'essence d'ail et aux piments ; ou chorizo sauté. Vous pouvez éventuellement poursuivre avec un plat de riz, de viande ou de poisson, ou encore avec une excellente paella. La sangria rouge ou blanche constitue un accompagnement tout indiqué, mais vous pouvez préférer l'un des cocktails au rhum.
Lun.-jeu. 12 h-23 h, ven. midi-minuit, sam. 11 h-minuit, dim. 11 h-22 h
Déj. 20 $, dîn. 40 $, vin 32 $
4th Street/Union Square (L, N, Q, R, W, 4, 5, 6) M1, M2, M3, M6, M7

**PRUNE**
Plan 269 F22
54 East 1st Street, entre First et Second Avenues
Tél. : 212/677-6221
Ce petit restaurant très original prépare toutes ses recettes

avec le plus grand soin. Les plats principaux incluent un canard rôti aux olives vertes, ou un poisson entier grillé au fenouil. Les garnitures de légumes sont excellentes, comme les betteraves rôties ou la salade de roquette à l'huile et au citron.
Week-end 10 h-15 h 30, lun.-jeu. 18 h-23 h, ven.-sam. 18 h-minuit, dim. 17 h-22 h
Dîn. 47 $, vin 24 $
Lower East Side/Second Avenue (F, V)
M15, M21

**RED CAT**
Plan 268 C20
227 Tenth Avenue, entre West 23rd et 24th Streets
Tél. : 212/242-1122
www.theredcat.com
Une clientèle d'artistes très « downtown » aime fréquenter ce bistro animé et chaleureux au décor cramoisi éclairé par de grandes lanternes marocaines. La cuisine contemporaine qu'on y sert joue avec les saveurs.Essayez par exemple l'aile de raie croustillante au beurre noir et aux câpres, ou le foie de veau au poivre. Les frites au parmesan et à l'aïoli font partie des accompagnements les plus demandés. Les desserts sont variés et également délicieux. La carte des vins, soigneusement élaborée, propose 17 crus au verre.
Lun.-jeu. 17 h 30-23 h, ven.-sam. 17 h 30-minuit, dim. 17 h-22 h
Dîn. 40 $, vin 20 $
23rd Street (C, E)
M11, M23

**RIVER CAFÉ**
Plan 269 G25
1 Water Street / Old Fulton Street, Brooklyn
Tél. : 718/522-5200
www.rivercafe.com
Ouvert en 1977, ce restaurant installé sur une barge sous le pont de Brooklyn reste l'une des adresses les plus romantiques de la ville avec sa vue magique sur le fleuve et les gratte-ciel de Manhattan. Toute une dynastie de grands chefs américains y ont concocté la meilleure chère. Aujourd'hui, on peut, en entrée, se laisser tenter par un tartare de thon sauce coco, puis poursuivre avec un carré d'agneau à la fleur de lavande. Le Brooklyn Bridge au chocolat est le dessert spécial de la maison.
Lun.-sam. 12 h-15 h, 17 h 30-22 h, ven.-sam. 12 h-15 h, 17 h 30-23 h, dim. 11 h 30-15 h, 17 h 30-22 h
Déj. 40 $, dîn. menu 3 plats 78 $, vin 19 $
High Street (A, C), York Street (F)

**ROSA MEXICANO**
Plan 266 D16
61 Columbus Avenue / West 62nd Street, angle nord-est
Tél. : 212/977-7700
www.rosamexicano.com
Une fontaine ornée de sculptures de pêcheurs d'Acapulco, parmi d'autres décorations, confère une note assez clinquante à ce restaurant mexicain authentique. Le guacamole, préparé devant vous, est agrémenté de coriandre et d'origan, et vous trouverez, par ailleurs, des plats traditionnels peu

communs, comme le saumon *al guajillo*, la côte de bœuf marinée dans le citron vert et la bière, et le *budin Azteca*, une sorte de tortilla hautement savoureuse.
Lun.-ven. 12 h-15 h, week-end 11 h 30-14 h 30, mar.-sam. 17 h-23 h 30, dim. 16 h-22 h, lun. 17 h-22 h 30
Déj. 30 $, dîn. 42 $, vin 24 $
59th Street/Columbus Circle (A, B, C, D, 1, 9)
M5, M7, M11, M104

**RUBY FOO'S**
Plan 266 C14
2182 Broadway / 77th Street
Tél. : 212/724-6700
www.brguestrestaurants.com
Première des enseignes Ruby Foo, ce restaurant, avec son escalier impressionnant et ses murs de laque rouge, a rencontré un franc succès dans l'Upper West Side dès son ouverture, en 1996. La cuisine asiatique a toujours su séduire sa clientèle, avec une offre allant des *dim sum* et des sushis aux crevettes épicées, jusqu'au bœuf aux sept parfums, à la purée de pommes de terre et de gingembre nappée de sauce piment-citron vert. Bon appétit !
Lun. 11 h 30-23 h 30, mar.-sam. 11 h 30-00 h 30, dim. 11 h 30-16 h 30, 17 h-23 h 30
Déj. 30 $, dîn. 40 $, vin 23 $
79th Street (1,9) M104

**SARABETH'S**
Plan 267 E13
1295 Madison Avenue, entre East 92nd et 93rd Streets
Tél. : 212/410-7335
Si Sarabeth Levine est surtout réputée pour ses succulentes pâtisseries et ses riches petits-déjeuners, elle est également une virtuose de la cuisine salée. Laissez-vous tenter par ses côtelettes au zinfandel, ou par le bar aux noisettes, et vous les adopterez pour toujours. Au petit-déjeuner, ne manquez pas les toasts à la cannelle ou les gaufres à la citrouille, et ne prévoyez pas un gros déjeuner derrière.
Lun.-sam. 8 h-22 h 30, dim. 8 h-22 h (petit-déjeuner jusqu'à 15 h 30)
Déj. 20 $, dîn. 40 $, vin 25 $
96th Street (6)
M1, M2, M3, M4

**SECOND AVENUE DELI**
Plan 269 F21
156 Second Avenue, entre East 9th et 10th Streets
Tél. : 212/677-0606
Les noms figurant sur le trottoir devant ce *deli* rappellent l'époque où ce quartier était le cœur du théâtre yiddish (Yiddish Theater District). L'endroit est confortable,

le service efficace et aimable. En mets vedettes : foie haché, soupe de poulet, volumineux sandwichs au pastrami, au bœuf salé et à la langue de bœuf et, en plats de résistance, du goulache et du bœuf bouilli.
Dim.-jeu. 7 h-minuit, ven.-sam 7 h-3 h
Déj. 20 $, dîn. 35 $
Astor Place (6), Third Avenue (L)
M8, M15

**SHUN LEE PALACE**
Plan 267 F17
155 East 55th Street, entre Lexington et Third Avenues
Tél. : 212/371-8844
Ouvert en 1972, ce restaurant est encore le meilleur chinois de New York. Les prix peuvent paraître chers, mais ils sont justifiés par les salles élégantes et la cuisine raffinée et superbement présentée de Shanghai, du Sichuan et de Canton. Autre adresse, près du Lincoln Center, 43 West 65th Street, entre Central Park West et Columbus Avenue *(tél. : 212/595-8895)*, tout indiquée pour un repas entre amis ou avant un concert.
Lun.-sam. 12 h-23 h 30, dim. 12 h-23 h
Déj. 40 $, menu 3 plats 20 $, dîn. 50 $, vin 40 $
Lexington Avenue/53rd Street (E, V), 51st Street (6)
M57, M98, M101, M102, M103

**66**
Plan 269 E24
241 Church Street, entre Leonard et Worth Streets
Tél. : 212/925-0202
Le 66 n'est pas un banal restaurant chinois : c'est l'interprétation élégante et énergique de la cuisine chinoise par Jean-Georges Vongerichten. Le design de l'architecte Richard Meier allie verre et laine d'acier avec des chaises de Eames et des tables Saarinen. Les chefs, on ne peut plus chinois, concoctent habilement bijou sur bijou, dont certains ne se trouveraient même pas à Chinatown – crabe en croûte de graines de lotus, poulet au citron, entre autres recettes traditionnelles soigneusement revisitées.
Tlj 12 h-15 h, lun.-jeu. 18 h-minuit, ven.-sam. 18 h-1 h, dim. 17 h 30-22 h 30
Déj. 30 $, dîn. 60 $, vin 31 $
Franklin Street (1,9)
M6

**SPICE MARKET**
Plan 268 D21
403 West 13th Street / Ninth Avenue
Tél. : 212/675-2322
www.jean-georges.com
Une expérience des sens vous attend à cette table de l'Asie du Sud-Est envoûtante où le tek est subtilement éclairé par des lanternes en soie, au milieu de placides palmiers. Ainsi se présente l'adresse de Jean-Georges Vongerichten spécialisée dans une cuisine épicée et attrayante. Les rouleaux de printemps s'enveloppent dans des feuilles de laitue, de la menthe et de la coriandre, et se plongent dans une sauce au citron vert et au vinaigre de riz, tandis que le porc vindaloo, très relevé, rivalise avec les crevettes au poivre noir et à l'ananas.
Lun.-mer. 18 h-minuit, jeu.-sam. 18 h-1 h
Dîn. 40 $, Wine $26
14th Street (A, C, E, L) M 11

**SPOTTED PIG**
Plan 268 D22
314 West 11th Street / Greenwich Street
Tél. : 212/620-0393
www.thespottedpig.com
Si Mario Batali est copropriétaire de ce « pub gastronomique » animé, c'est la chef April Bloomfeld qui y attire les foules. Fraîchement débarquée du River Café de Londres, cette grande parmi les grandes offre une cuisine savoureuse – rognons de veau, agneau à la *salsa verde*, rôti de morue au persil, sans oublier ses fameux *gnudi* (gnocchis à la ricotta de brebis, au beurre noir et à la sauge). Notez cependant que le menu change constamment.
Lun.-ven. 12 h-17 h, week-end 11 h-17 h, tlj 17 h 30-2 h
Dîn. 40 $, vin 24 $
Christopher Street (1, 9), 14th Street (A, C, E, L)
M11, M20

**STRIP HOUSE**
Plan 269 E21
13 East 12th Street, entre Fifth Avenue et University Place
Tél. : 212/328-0000
www.theglaziergroup.com
Évoquant une maison close du XIXe siècle, avec ses banquettes de cuir rembourrées et ses étoffes de velours, ce restaurant sert un bœuf savoureux, en

particulier l'aloyau de New York. D'autres morceaux sont proposés, ainsi que quelques plats de poisson, comme le bar aux artichauts, à la *pancetta* et au basilic.
Lun.-jeu. 17 h-23 h 30, ven.-sam. 17 h-minuit, dim. 17 h-23 h
Dîn. 60 $, vin 35 $
14th Street/Union Square (L, N, Q, R, W, 4, 5, 6)
M2, M3, M5

**SUGIYAMA**
Plan 266 D17
251 West 55th Street, entre Broadway et Eighth Avenue
Tél. : 212/956-0670
www.sugiyama-nyc.com
Ici, ce sont les saisons qui déterminent la cuisine Kaïseki (nouvelle cuisine japonaise) du chef Nao Sugiyama. L'établissement propose quatre menus : 8 plats, 10 plats, 12 plats et « l'avant théâtre ». Chacun comprend une entrée, des sashimis, une soupe, un plat cuit sur pierre chaude et un dessert. Choix impressionnant de sakés au verre et à la bouteille.
Mar.-sam. 17 h 30-23 h 45
Dîn. 8 plats 60 $, 10 plats 80 $, 12 plats 100 $, 45 $ « l'avant théâtre », saké 48 $
59th Street/Columbus Circle (A, B, C, D, 1, 9)

**SUSHI YASUDA**
Hors plan 268 F18
204 East 43rd Street, entre Second et Third Avenues
Tél. : 212/972-1001
www.sushiyasuda.com
Le propriétaire Naomichi Yasuda exerce ici tout son art : choisir le meilleur poisson, le préparer pour en libérer toutes les saveurs, et cuire et

assaisonner le riz à la perfection. Il concocte des plats sur mesure pour les clients qui s'assoient devant son bar à sushis, en fonction de leurs goûts, de leur expérience et de leur appétit. Cette cuisine toute personnelle vaut bien sûr un certain prix. Pour un repas inoubliable, commandez l'une des huit spécialités de thon ou l'un des mets d'anguille, qui ont fait la réputation du chef.
Lun.-ven. 12 h-14 h 15, 18 h-22 h 15, sam. 18 h-22 h 15, fermé 2e et 4e sam. du mois
Déj. 80 $, dîn. 100 $, saké 18 $
42nd Street/Grand Central (S, 4, 5, 6, 7)

**TAKA**
Plan 268 D22
61 Grove Street, entre Bleecker et Seventh Avenue South
Tél. : 212/242-3699
Takako Yoneyama est une prêtresse du sushi, fait rarissime dans une culture qui a dénié aux femmes ce rôle particulier car leur température corporelle est supérieure d'un degré à celle des hommes. Dans ce restaurant atypique décoré

de peintures occidentales et de bois cintré, elle manie son couteau avec une créativité indéniable pour présenter des *bento* (sortes de boîtes à pique-nique japonaises) remplies de sushis, de sashimis et d'autres délices. Excellent rapport qualité prix.
Mar.-dim. 17 h-23 h
Dîn. 35 $
Christopher Street/Sheridan Square (1, 9) M20

**COUP DE CŒUR**

**TABLA**
Plan 268 E20
11 Madison Avenue / 25th Street
Tél. : 212/889-0667
La Tabla de Danny Meyer offre un cadre luxueux, un service aimable et une cuisine savoureuse. Dans la salle du haut, un décor sensuel fait de corail et de jade abrite les plats du chef natif de Bombay, Floyd Cardoz, grand expert des épices de l'Inde du Sud – tamarin, kokum, clous de girofle, cannelle et poivre noir. Le gâteau de crabe façon Goa, le bar noir à la croûte de riz et le samossa au canard, au fenouil, aux amandes et au chutney de fruits, sont quelques-uns des grands favoris. En dessert, les sorbets délivrent des saveurs incomparables. La sélection des vins est opérée avec soin. Au rez-de-chaussée, le Bread Bar plus décontracté et plus abordable propose des plats tandoori et des petits plateaux de délicieux pains indiens.
Lun.-ven. 12 h-14 h, 17 h 30-22 h 30, sam. 17 h 30-22 h 30, dim. 17 h 30-22 h
Déj. 50 $, dîn. 80 $, menu 3 plats 57 $, vin 32 $
23rd Street (N, R, W), 23rd Street (6)
M2, M3

**TAMARIND**
Plan 268 E20
41-43 East 22nd Street, entre Broadway et Park Avenue South
Tél. : 212/674-7400
www.tamarinde22.com
Ce restaurant indien soigné, moderne et confortable (mais un peu bruyant) sert une cuisine fraîche et propose une grande variété de vins. Comme son nom l'indique, le tamarin parfume nombre de plats délicieux, comme les crevettes sauce coco aux feuilles de curry et au tamarin fumé. Les autres saveurs ne sont toutefois pas en reste : la soupe de crabe femelle aux épices douces, au gingembre et au safran est une valeur sûre, et l'agneau vindaloo est délicieusement parfumé, de même que les nombreux plats végétariens. Vous trouverez des créations rafraîchissantes, comme le *bhindi do piazza*, de l'okra aux oignons bruns et à la mangue séchée. Les desserts sont tout à fait au niveau.
Tlj 11 h 30-15 h, 17 h 30-23 h 30
Déj. 25 $, dîn. 40 $, vin 30 $
23rd Street (N, R), 23rd Street (6)
M1, M2, M3, M6, M7

**TASTING ROOM**
Plan 269 F22
72 East 1st Street, entre First et Second Avenues
Tél. : 212/358-7831
Ce petit restaurant n'offre qu'une dizaine de plats savoureux préparés à partir de légumes de saison, de poisson

et de viande, tels le bouillon de gibier givré ou le bar en escabèche aux oignons rouges et à la sauce au xérès. Chaque plat contient un élément surprise, comme le fenouil confit servi avec une tarte au citron et au beurre noir. Les 300 vins américains, dont 10 servis au verre, comptent quelques crus rares.
Mar.-sam. 17 h 30-23 h 30
Dîn. 45 $, vin 30 $
Lower East Side/Second Avenue (F, V)
M15

**TAVERN ON THE GREEN**
Plan 266 D16
Central Park West / 67th Street
Tél. : 212/873-3200
www.tavernonthegreen.com
À la lisière de Central Park, ce célèbre restaurant entouré d'arbres majestueux qui s'illuminent la nuit de milliers de guirlandes électriques attire une vaste clientèle. La vue

depuis la « salle de cristal » et la terrasse d'été apportent une ambiance magique et festive. Et contre toute attente, la Tavern laisse des souvenirs de repas impérissables malgré son statut de restaurant touristique, sa taille et la longueur de sa carte, qui va des côtes de bœuf servies avec un Yorkshire pudding, à la truite arc-en-ciel sautée au beurre noir. La carte des vins contient rien moins que 1 000 sélections, dont un château pétrus 1975. De mai à mi-octobre, on peut danser sous les étoiles, dans les jardins, à partir de 21 h.
Lun.-ven. 11 h 30-15 h 30, week-end 10 h-15 h 30, dim.-jeu. 17 h-22 h 30, ven.-sam. 17 h-23 h 30
Déj. 40 $, menu 32 $, dîn. 60 $, menu 45 $, « avant théâtre » 36 $, vin 32 $
66th Street (1, 9) M10

### TOMOE SUSHI

Plan 269 E22
172 Thompson Street, entre Bleecker et Houston Streets
Tél. : 212/777-9346
Situé à l'angle de l'université de New York, ce bar à sushis tout simple rencontre un grand succès parmi les étudiants et les amateurs de cuisine japonaise, grâce notamment à des prix raisonnables. Près de 30 types de sushis et 30 autres de makis sont proposés, ainsi que des plats chauds typiques, dont des nouilles.
Lun. 17 h-23 h, mer.-sam. 13 h-15 h, 17 h-23 h
Déj. 25 $, dîn. 30 $
West 4th Street (A, C, E, F, S, V)
M5, M6, M21

### TOWN

Plan 267 E17
Chambers Hotel
15 West 56th Street, entre Fifth et Sixth Avenues
Tél. : 212/582-4445
www.townnyc.com
Dans ce vaste espace souterrain sur deux niveaux, des perles de cristal suspendues brillent de tout leur éclat au sein d'un décor de bois blond. Ici, la cuisine, très tendance, du chef Geoffrey Zakarian est à l'honneur. On commence par une savoureuse fricassée de poulpe à la citronnelle, ou par une bisque de homard agrémentée de gingembre, de noix de coco et d'oseille sauvage. Les poissons, Zakarian aime les pocher ou les rôtir de manière à en conserver la tendreté ; prenez par exemple l'espadon glacé à la crème de champignons et servi avec des tomates fumées et un coulis de marjolaine. Quant au gibier, il est lentement rôti pour délivrer toute sa délicatesse. Les desserts sont remarquables.
Tlj 7 h-10 h 30, lun.-ven. 12 h-14 h, lun.-jeu. 17 h 30-22 h 30, ven.-sam. 17 h 30-23 h, dim. 11 h-14 h, 17 h 30-21 h
Déj. 45 $, menu 3 plats 36 $, dîn. menu 4 plats 78 $, menu 5 plats 89 $, vin 35 $
53rd Street/Fifth Avenue (E, V)
M1, M2, M3, M4, M57

### '21' CLUB

Plan 267 E17
21 West 52nd Street, entre Fifth et Sixth Avenues
Tél. : 212/582-7200
www.21club.com
Le hamburger de l'endroit fait les gros titres pour son prix (à partir de 29 $), mais cette table historique est loin de se résumer au célèbre sandwich. Ouvert comme bar clandestin par deux étudiants en 1920, l'établissement a vu, après son déménagement dans cette maison de ville, en 1929, défiler Humphrey Bogart, F. Scott Fitzgerald et Joe Di Maggio. Désuet et masculin, il propose de généreux médaillons de bœuf flambés au cognac et à la moutarde de Dijon, du poulet haché et de la sole de Douvres, aux côtés de plats plus novateurs et plus légers, comme le bar noir à la sauce au champagne. Les glaces du jour, accompagnées ou nature, sont les desserts recommandés, et la cave à vin est réputée. Veste et cravate exigées.
Lun.-ven. 12 h-14 h 30, lun.-sam. 17 h 30-21 h
Déj. 60 $, dîn. 80 $, vin 28 $
47th-50th streets (B, D, F, V)
M1, M2, M3, M4, M5, M6, M7

### UNCLE VANYA CAFE

Plan 266 D17
315 West 54th Street, entre Eighth et Ninth Avenues
Tél. : 212/262-0542
Pour la cuisine russe maison, c'est ici qu'il faut sonner : copieux bortsch, boulettes de bœuf sauce aigre-douce, chou farci et bœuf Strogonoff au *kasha* (graines de sarrasin). Tout est délicieux, nourrissant et bon marché. Les plus audacieux pourront essayer le vin géorgien.
Lun.-sam. 12 h-23 h, dim. 14 h-22 h
Déj. 20 $, dîn. 25 $, vin 25 $
50th Street (C, E)
M10, M11, M20

### UNION SQUARE CAFÉ

Plan 268 E21
21 East 16th Street, entre Fifth Avenue et Union Square West
Tél. : 212/243-4020
L'Union Square Café reste chouchouté par le monde de l'édition « downtown » pour son cadre confortable mais sans chichi et son service chaleureux et efficace. La cuisine toscane revendiquée par Michael Romano est imaginative et toujours savoureuse. Les viandes et les poissons sont cuits à la perfection et agrémentés

des garnitures les plus adéquates. Goûtez par exemple le saumon grillé au jus de citron, ou le poulet bio à la sauce cognac-moutarde. La tarte à la banane, servie avec une glace miel-vanille aux éclats de noix de macadamia, est une exquise création maison. La carte, de plus de 200 vins, est classée par cépage.
Lun.-sam. 12 h-14 h 30, lun.-jeu. 18 h-22 h 30, ven.-sam. 18 h-23 h 30, dim. 17 h 30-22 h
Déj. 35 $, dîn. 50 $, vin 22 $
14th Street/Union Square (L, N, Q, R, W, 4, 5, 6)
M2, M3, M5, M7

**VERITAS**
Plan 268 E20
43 East 20th Street, entre Broadway et Park Avenue South
Tél. : 212/353-3700
www.veritas-nyc.com

Avec ses 2 700 vins, Veritas détient la carte des vins la plus exhaustive de la ville, et une cuisine qui se marie parfaitement avec. Pour vous mettre l'eau à la bouche, imaginez de la viande de gibier en croûte de poivre à l'armagnac ou au genièvre, ou encore du veau braisé dans une réduction au barolo. Même un classique comme le vivaneau renferme ses surprises : il est servi avec un bouillon au curry rouge thaï. Les beignets au chocolat chaud sont la création sucrée maison.

Lun.-sam. 17 h 30-22 h, dim. 17 h-21 h 30
Dîn. menu 3 plats 72 $, vin 15 $
23rd Street (N, R), 23rd Street (6)
M1, M2, M3, M6, M7

**VIRGIL'S REAL BARBECUE**
Plan 268 D18
152 West 44th Street, entre Sixth Avenue et Broadway
Tél. : 212/921-9494
www.virgilsbbq.com

Les fumets de l'hickory brûlé suffisent à vous attirer dans ce vaste empire du barbecue. Les généreux plateaux de viande préparée à la façon Memphis et le poulet grillé sont servis avec du gruau de maïs ou de la purée de pomme de terres, ainsi que des galettes et du jus de viande. Les « Po'boys », d'énormes sandwichs, complètent la carte de cuisine du Sud du pays.

Mar.-sam. 11 h 30-minuit, lun. 11 h 30-23 h, dim. 11 h 30-22 h
Déj. 20 $, dîn. 40 $, vin 20 $
42nd Street/Times Square (N, Q, R, S, W, 1, 2, 3, 7, 9), 42nd Street (B, D, F, V)
M5, M6, M7

**VONG**
Plan 267 F17
200 East 54th Street / Third Avenue
Tél. : 212/486-9592

Quand Jean-Georges lança sa cuisine franco-asiatique, il fit une petite révolution dans le monde culinaire. Aujourd'hui, la beauté de l'idée est restée, et les saveurs explosives continuent de séduire les palais. Depuis que Vongerichten a travaillé en Thaïlande, à Hong Kong et à Singapour dans les années 1980, les saveurs de la citronnelle, de la coriandre, du gingembre et du lait de coco ont tout simplement bouleversé sa vie.

Lun.-ven. 12 h-14 h 30, 18 h-23 h, sam. 17 h-23 h, dim. 17 h 30-21 h
Déj. 50 $, menu 3 plats 20,12 $, dîn. 60 $, menu dégustation 68 $, « avant théâtre » 3 plats 38 $, vin 32 $
53rd Street/Lexington Avenue (F, V), 51st Street (6)
M98, M101, M102, M103

**WD-50**
Plan 269 G23
50 Clinton Street, entre Stanton et Rivington Streets (côté est)
Tél. : 212/477-2900
www.wd-50.com

Wylie Dufresne fit du Lower East Side une destination culinaire quand il officiait au 71 Clinton Street. Aujourd'hui propriétaire de ce restaurant chic et néomoderne, il aime jouer avec le mélange explosif, mais toujours harmonieux, des saveurs : poulpe au pistou de céleri, d'ananas et d'amandes, ou bar aux fruits de la passion ne sont que des exemples. La carte des desserts est également innovante.

Lun.-sam. 18 h-23 h, dim. 18 h-22 h
Dîn. 55 $, vin 34 $
Delancey (F), Essex (J, M, Z)
M9, M21

**WOO LAE OAK**
Plan 269 E23
148 Mercer Street, entre Houston et Prince Streets
Tél. : 212/925-8200
www.woolaeoaksoho.com

Vous trouverez ici une version américaine de la cuisine coréenne. On commencera par le crabe servi chaud enroulé dans des crêpes à l'épinard. Les barbecues à préparer sur la table comprennent 17 viandes, poissons et légumes. On n'oubliera pas les soupes, les ragoûts et les plats de riz. Enfin, mentionnons les *kimchi*, les inévitables accompagnements servis avec tout plat coréen digne de ce nom.

Dim.-jeu. 12 h-23 h, ven.-sam. 12 h-23 h 30
Déj. 15 $, menu 20 $, dîn. 45 $, menu 40 $ et 50 $, vin 34 $
Broadway/Lafayette (F, S, V), Prince Street (N, R), Bleecker Street (6)
M1, M5

**ZARELA**
Plan 267 F17
953 Second Avenue, entre 50th et 51st Streets
Tél. : 212/644-6740
www.zarela.com

Ne vous laissez pas abuser par l'ambiance festive de ce restaurant : il sert l'une des cuisines régionales mexicaines les plus authentiques de la ville. Que vous cherchiez des *fajitas*,

du guacamole d'Oaxaca ou des plats typiques de Veracruz, vous les trouverez ici aux côtés de spécialités de saison rares.

Lun.-ven. 12 h-15 h, lun.-jeu. 17 h-23 h, ven.-sam. 17 h-23 h 30, dim. 17 h-22 h
Déj. 23 $, menu 25 $, dîn. 35 $, menu 40 $, vin 21 $
Lexington/53rd Street (E, V), 51st Street (6)
M15

# LES CHAÎNES DE RESTAURANTS

Si New York permet d'aborder une cuisine éclectique et inédite, on y trouve aussi quantité de chaînes de restaurants testées et confirmées, où l'on sait exactement ce que l'on mange et à quel prix.

| RESTAURANTS | Budget ($-$$$) | Alcool | Menu enfant | À emporter | Numéro de téléphone | Site internet |
|---|---|---|---|---|---|---|
| Baluchi's | $$ | Oui | Non | Oui | 212/594-5533 | www.baluchis.com |
| Burritoville | $ | Non | Oui | Oui | 212/563-9010 | www.burritoville.com |
| California Pizza Kitchen | $$ | Oui | Oui | Oui | 310/342-5000 | www.californiapizzakitchen.com |
| Lemongrass Grill | $$ | Oui | Non | Oui | 718/399-7100 | www.lemongrassgrill.com |
| Patsy's Pizzeria | $$ | Oui | Non | Oui | 212/688-5916 | |
| Pizza Hut | $ | Parfois | Oui | Oui | 972/338-7700 | www.pizzahut.com |
| Pizzeria Uno | $$ | Oui | Oui | Oui | 617/323-9200 | www.unos.com |
| TGI Friday's | $$ | Oui | Oui | Oui | 972/662-5400 | www.fridays.com |
| Two Boots Pizzeria | $ | Parfois | Oui | Oui | 212/777-2668 | www.twoboots.com |
| Xando Cosi | $ | Oui | Oui | Oui | 847/444-3200 | www.xandocosi.com |
| Zen Palate | $$ | Non | Non | Oui | 212/614-9345 | www.zenpalate.com |

| SANDWICHS ET FAST FOOD | Budget ($-$$$) | Alcool | Menu enfant | À emporter | Numéro de téléphone | Site internet |
|---|---|---|---|---|---|---|
| Au bon pain | $ | Non | Non | Oui | 617/423-2100 | www.aubonpain.com |
| Burger King | $ | Non | Oui | Oui | 305/378-3000 | www.bk.com |
| Cosí Sandwich Bar | $ | Oui | Non | Oui | 847/444-3200 | www.getcosi.com |
| Kentucky Fried Chicken | $ | Non | Oui | Oui | 800/225-5532 | www.kfc.com |
| Le Pain quotidien | $ | Non | Non | Oui | 212/625-9009 | www.painquotidien.com |
| Little Pie Company | $ | Non | Non | Oui | 212/414-2324 | www.littlepiecompany.com |
| McDonald's | $ | Non | Oui | Oui | 800/244-6227 | www.mcdonalds.com |
| Prêt à Manger | $ | Non | Non | Oui | 646/728-0750 | www.pretamanger.com |
| Subway | $ | Non | Oui | Oui | 203/877-4281 | www.subway.com |
| Wendy's | $ | Non | Oui | Oui | 614/764-3100 | www.wendys.com *FR* |

| CAFÉS | Budget ($-$$$) | Alcool | Menu enfant | À emporter | Numéro de téléphone | Site internet |
|---|---|---|---|---|---|---|
| Dean and DeLuca | $ | Non | Non | Oui | 877/826-9246 | www.deananddeluca.com |
| Krispy Kreme Donuts | $ | Non | Non | Oui | 800/457-4779 | www.krispykreme.com |
| Starbucks | $ | Non | Non | Oui | 800/782-7282 | www.starbucks.com |

# DORMIR À NEW YORK

**Il y a encore une vingtaine d'années, les hôtels les plus onéreux de la ville étaient les établissements classiques, voire solennels. Depuis, des hôtels ultra-chics ont ouvert leurs portes et offrent tout le luxe et le confort possibles dans des cadres contemporains. Les restaurants, lounges et bars de ces endroits attirent les New-Yorkais branchés et les touristes. La ville regorge d'hôtels, mais on trouve difficilement une chambre confortable pour moins de 150 $. Ceux qui ne regardent pas à la dépense pourront réserver au Carlyle ou au Four Seasons.**

*L'hôtellerie new-yorkaise va du grand luxe, assorti d'un service impeccable, aux établissements de quartier moins onéreux*

Les chaînes comme Red Roof et Super 8 offrent des hôtels à prix modéré. Vous trouverez par ailleurs quelques *bed-and-breakfast*, moins onéreux que les hôtels de gamme moyenne et pourvoyeurs de petits luxes appréciables. Les *hostels* représentent l'option la moins chère (voir page ci-contre).

Autrefois, les meilleurs hôtels étaient tous concentrés dans Midtown, mais aujourd'hui, des établissements de grand luxe se sont installés « downtown », à SoHo, dans Greenwich Village et dans le Financial District. Cependant, les offres les plus intéressantes restent toutes en dehors de Midtown.

Les hôtels vont des « petits » établissements de 250 chambres, ou moins, à de véritables mastodontes de 2 000 chambres. Les hôtels spécialisés dans la réception de congrès présentent souvent des salons bondés et un service assez lent. La plupart des établissements de gamme moyenne proposent les mêmes commodités dans les chambres : climatisation, salle de bains privée, télévision câblée, téléphone, machine à café, sèche-cheveux, fer et planche à repasser ; le degré de luxe et la qualité du service étant les réels facteurs de distinction. Les hôtels haut de gamme offrent ainsi des chambres avec linge de maison de première qualité et installations électroniques dernier cri, de même qu'une qualité de service irréprochable.

L'espace étant précieux à Manhattan, les chambres sont en général petites. Les doubles vitrages, installés pratiquement partout, réduisent le bruit de la rue. La plupart des hôtels offrent un service gracieux de thé ou café, ainsi que la presse, dans le salon, ou livrée dans votre chambre.

Actuellement, les tarifs ne sont pas affichés, les prix fluctuant en fonction de la demande. Pour bénéficier des meilleurs tarifs, appelez directement l'hôtel choisi. Vous pouvez par ailleurs consulter les sites hotels.com, quickbook.com ou hoteldiscounts.com pour repérer les promotions. sachant que l'hiver *(jan.-fév.)* et l'été *(juil.-août)* sont les saisons hôtelières les moins chères. Si vous avez une voiture, les prix du stationnement, à partir de 35 $, alourdissent substantiellement la note. Notez également qu'une taxe de 13,625 % sera ajouté à la facture, outre une taxe de séjour de 2 $ pour les chambres standard et de 4 $ pour les suites simples.

*Le Peninsula : le choix du luxe sur Fifth Avenue*

## LES HOSTELS À NEW YORK

**BIG APPLE HOSTEL** (Plan 296 D18)
119 West 45th Street between Sixth et Seventh avenues, 10036, tél. : 212/302-2603, www.bigapplehostel.com

**CHELSEA CENTER HOSTEL** (Plan 296 D19)
313 West 29th Street between Eighth et Ninth avenues, 10031, tél. : 212/643-0214, www.chelseacenterhostel.com

**CHELSEA INTERNATIONAL HOSTEL**
(Plan 296 D20)
251 West 20th Street between Seventh et Eighth avenues, 10011, tél. : 212/647-0010, www.chelseahostel.com

**HOSTELLING INTERNATIONAL**
(Hors plan 294 C12)
891 Amsterdam Avenue / 104th Street, tél. : 212/932-2300, www.hinewyork.org/home

**WEST SIDE YMCA** (Plan 294 D16)
5 West 63rd Street entre Central Park West et Broadway, 10023, tél. : 212/875-4100, www.ymcanyc.org

**WHITEHOUSE** (Plan 297 F22)
340 Bowery between 2nd et Great Jones streets, 10012, tél. : 212/477-5623, www.whitehousehotelofny.com *FR*

## LES HÔTELS PAR QUARTIER

Les hôtels sont classés par ordre alphabétique des pages 298 à 309. En voici la liste par quartier.

**LOWER EAST SIDE**
Off-SoHo Suites

**GREENWICH VILLAGE/MEAT MARKET/CHELSEA**
Abingdon Guest House
Chelsea
Chelsea Lodge
Hotel Gansevoort
Inn on 23rd Street
Larchmont
Maritime Hotel
Washington Square

**SOHO/TRIBECA**
Cosmopolitan Hotel-Tribeca
Mercer
SoHo Grand
Tribeca Grand

**UNION SQUARE/FLATIRON DISTRICT/GRAMERCY PARK**
Gershwin
Giraffe
Inn at Irving Place
Union Square Inn

**MADISON SQUARE PARK/ MURRAY HILL**
Avalon
Grand Union
Hotel Chandler
Marcel
Morgans
70 Park Avenue
Thirty Thirty
Wolcott

**MIDTOWN WEST/THEATER DISTRICT**
Algonquin
Americana Inn
Belvedere
Blakely
Broadway Inn
Bryant Park Hotel
Casablanca
Dream Hotel
Hudson
Le Parker Meridien
Mansfield
Moderne
Ritz Carlton
Royalton
Shoreham
Travel Inn
Warwick
Westpark
Wyndham

**LINCOLN CENTER/UPPER WEST SIDE**
Beacon
Excelsior
Lucerne
Mandarin Oriental
Newton
On the Avenue
Roger Williams
Trump International Hotel and Tower

**MIDTOWN EAST**
Beekman Tower
Benjamin
Edison
Elysee
Four Seasons
Habitat
Kimberly
Library
Metro
Millennium UN Plaza
New York Palace
Peninsula
St. Regis
Sherry-Netherland
Waldorf-Astoria Hotel And Towers
W-New York

**UPPER EAST SIDE**
Carlyle
Gracie Inn
Lowell
Lyden Gardens
Mark
Pickwick Arms
Pierre
Surrey
Wales

# Les hôtels : se repérer

E
F
G
13
14
15
16
17
Mill Rock Park
Jewish Museum
Wales
Cooper-Hewitt National Design Museum
National Academy of Design
Guggenheim Museum
Gracie Mansion
Carl Schurz Park
86th Street
Neue Galerie
Transverse Road
The Metropolitan Museum of Art
Park
Gracie Inn
Mark
Carlyle
77th Street
John Jay Park
Surrey
Whitney Museum of American Art
Conservatory Water
FRANKLIN DELANO ROOSEVELT DRIVE
Frick Collection
Asia Society and Museum
ROOSEVELT ISLAND
68th Street Hunter College
Lyden Gardens
FIFTH AVENUE
Roosevelt Island
Main Street
Lexington Avenue
Lowell
The Pond
Pierre
Mount Vernon Hotel Museum and Garden
Sherry-Netherland
5th Avenue
Ritz Carlton
59th Street
HIGHWAY 25
QUEENSBORO BRIDGE
57th Street
Wyndham
Four Seasons
Habitat
Dahesh Museum of Art
Trump Tower
Shoreham
Warwick
Peninsula
St Regis
Sutton Place
Museum of Modern Art
Elysée
Museum of Arts and Design
Museum of Television and Radio
Seagram Building
New York Palace
Benjamin
Pickwick Arms
Radio City Music Hall
St Patrick's Cathedral
Municipal Art Society
51st Street
Kimberly
47th-50th Streets Rockefeller Center
GE Building
Beekman Tower
Mitchell Pl
W-New York
Waldorf-Astoria Hotel & Towers
Rockefeller Center
Rockefeller Plaza
DIAMOND DISTRICT
MIDTOWN MANHATTAN
United Nations Headquarters
Millennium UN Plaza

17
18
19
20
21
22
Museum of Arts and Design
Museum of Television and Radio
Radio City Music Hall
St Patrick's Cathedral
Municipal Art Society
Seagram Building
New York Palace
Pickwick Arms
Benjamin
Kimberly
W-New York
Waldorf-Astoria Hotel & Towers
G E Building
Rockefeller Center
MIDTOWN MANHATTAN
DIAMOND DISTRICT
Roger Smith
Belvedere
Edison
BROADWAY
Big Apple Hostel
Broadway Inn
Algonquin
Int'l Center of Photography
Times Square
Casablanca
Mansfield
Royalton
Grand Central Terminal
Chrysler Building
Holy Cross Church
Reuters Building
Travel Inn
Port Authority Bus Terminal
New Amsterdam Theater
Bryant Park
New York Public Library
Library
Chanin Building
Bryant Park Hotel
Americana Inn
Morgans
70 Park Avenue
Morgan Library
Metro
Macy's
Empire State Building
34th Street Herald Square
34th Street Penn Station
Madison Square Garden
Pennsylvania Station
Grand Union
Avalon
Roger Williams
Hotel Chandler
Chelsea Center Hostel
Wolcott
Thirty Thirty
Little Church Around the Corner
Chelsea Park
Gershwin
Giraffe
Madison Square Park
Marcel
Inn on 23rd Street
Metropolitan Life Insurance Tower
Chelsea
Flatiron Building
CHELSEA
Chelsea International Hostel
Gramercy Park
GRAMERCY PARK HISTORIC DISTRICT
Theodore Roosevelt Birthplace
Chelsea Lodge
Inn at Irving Place
Maritime Hotel
Union Square Park
UNION SQUARE
Hotel Gansevoort
Abingdon Guest House
Forbes Magazine Galleries
Larchmont
Grace Church
Jefferson Market Library
Wanamaker Place
Washington Square
Christopher Park
Washington Square Park
GREENWICH VILLAGE
McNulty's Rare Teas and Choice Coffee Shop
Merchant's House Museum
NOHO
Church of St Luke-in-the-Fields
Whitehouse
House of Oldies
296
C
D
E
F

LES HÔTELS : SE REPÉRER
UNION SQUARE
Union Square Inn
Larchmont
Washington Square
EAST VILLAGE
NOHO
Whitehouse
Mercer
Off-SoHo Suites
SOHO
LITTLE ITALY
LOWER EAST SIDE
SoHo Grand
LOWER MANHATTAN
Tribeca Grand
TRIBECA
CHINATOWN
Cosmopolitan Hotel-Tribeca
GROUND ZERO
BATTERY PARK CITY
East River
BROOKLYN BRIDGE
WALL ST
21
22
23
24
25
26
E
F
G

**PRIX**

Les prix indiqués correspondent à une nuit en chambre double, taxe non comprise (voir p. 292). Tous les hôtels acceptent les cartes bancaires, sauf mention contraire.

**ABINGDON GUEST HOUSE**
Plan 296 D21
13 Eighth Avenue / West 12th Street, 10014
Tél. : 212/243-5384
www.abingdonguesthouse.com
Occupant deux maisons mitoyennes de briques rouges et de trois étages surplombant un café de Greenwich Village, cet hôtel pourrait passer inaperçu. Ses neuf chambres ont toute une décoration différente avec de beaux meubles anciens. Salle de bains privée (avec sèche-cheveux), télévision câblée et téléphone. Le patio est très agréable.
179-239 $
9
14th Street (A, C, E), Christopher Street/Sheridan Square (1, 9)
M20, M14

**ALGONQUIN**
Plan 296 E18
59 West 44th Street, entre Fifth et Sixth Avenues, 10036
Tél. : 212/840-6800
www.algonquinhotel.com
Hôtel célèbre pour avoir régulièrement accueilli, à sa Round Table et dans les années 1920, Robert Benchley, Dorothy Parker et d'autres joyeux oisifs new-yorkais de l'époque. Les chambres, de taille moyenne, sont amménagées avec des copies de vieux meubles américains. L'Oak Room, lambrissée de bois, est le meilleur cabaret de la ville. Bon centre de remise en forme.
209-499 $, suite à partir de 309 $
150 chambres, 24 suites
42nd Street (B, D, F, V)
M5, M7, M42

**AMERICANA INN**
Plan 296 E18
69 West 38th Street, entre Fifth et Sixth avenues, 10018
Tél. : 212/840-6700
www.newyorkhotel.com
Cet hôtel propose des chambres claires, modernes et confortables, meublées simplement. Elles sont équipées de la télévision câblée et du téléphone. Salles de bains communes et kitchenette à chaque étage.
85-95 $
53
42nd Street (B, D, F, V)
M5, M6, M7

**AVALON**
Plan 296 E19
16 East 32nd Street / Madison Avenue, 10016
Tél. : 212/299-7000
www.avalonhotelnyc.com
Ce petit hôtel proche de l'Empire State Building propose

des chambres traditionnelles. Les suites possèdent un fax, une radio et un téléphone sans fil. Petit-déjeuner le matin et coupe de champagne le soir sont servis dans la bibliothèque en acajou qui jouxte l'entrée. L'Avalon Bar and Grill sert par ailleurs une cuisine américaine contemporaine. Les clients ont accès à une salle de sport toute proche.
199-380 $, suite à partir de 315 $, petit-déjeuner compris
70 chambres, 30 suites
33rd Street (6)
M1, M2, M3, M4, M34

**BEACON**
Plan 294 C15
2130 Broadway, entre 74th et 75th Streets, 10023
Tél. : 212/787-1100
www.beaconhotel.com
À moins de dix blocs du Lincoln Center et proche de Central Park, cet hôtel de 25 étages présente un bon rapport qualité prix. La cuisine équipée d'un four, d'un micro-ondes et d'un réfrigérateur est

en accès libre. Télévision, téléphone et sèche-cheveux dans les chambres. Salle de sport.
165-230 $, suite à partir de 225 $
120 chambres, 110 suites
72nd Street (1, 2, 3, 9)
M7, M11, M104

**BEEKMAN TOWER**
Plan 295 F17
3 Mitchell Place (East 49th Street / First Avenue), 10017
Tél. : 212/355-7300
www.affinia.com *FR*

Cet hôtel qui ne propose que des suites est installé dans un édifice Art déco datant de 1928, proche du siège des Nations Unies. Chaque suite comprend une chambre, un salon et une cuisine entièrement équipée, et les suites de luxe offrent en outre un magnétoscope et un téléphone à deux lignes. Le bar-restaurant du dernier étage est l'un des plus romantiques de la ville. Salle de sport sur place.
209-440 $, suite double à partir de 500 $
174 suites
51st Street (6)
M15

**BELVEDERE**
Plan 294 D17
319 West 48th Street, entre Eighth et Ninth Avenues, 10036
Tél. : 212/245-7000
www.newyorkhotel.com
Établissement le plus coûteux du groupe Empire Hotel, le Belvedere offre de belles et vastes chambres avec kitchenette équipée : four à micro-ondes, réfrigérateur et machine à café. Chambres-studios disponibles également. Sur place, le Churrascaria Plataforma, une *steakhouse* brésilienne.
150-250 $
400 chambres et suites
50th Street (C, E)
M11, M20, M50

**BENJAMIN**
Plan 295 F17
125 East 50th Street / Lexington Avenue, 10022
Tél. : 212/715-2500
www.affinia.com *FR*
Dans un bel édifice datant de 1927, cet hôtel du cœur de Midtown propose des chambres charmantes (meubles en acajou)

et d'excellents équipements. Les clients peuvent choisir parmi dix types d'oreillers différents... En outre, l'Affinsa Wellness Spa (▷ 228) estun très bon centre de balnéothérapie. Restaurant de fruits de mer et boutique.
179-489 $
209
51st Street (6)
M50, M98, M101, M102, M103

**BLAKELY**
Plan 294 D17
136 West 55th Street, entre Sixth et Seventh Avenues, 10019
Tél. : 212/245-1800
www.blakelyny.com
Belles chambres au charme anglais, avec gravures de chasse et meubles en cerisier.

Chaque chambre comprend une kitchenette avec four micro-ondes et mini-frigo, ainsi que toute la technologie moderne – télé à écran plat, lecteur DVD, téléphone sans fil et connexion WiFi. Le confort s'exprime aussi dans les peignoirs et les articles de toilette. Bar-restaurant et salle de sport.
225-345 $, suite à partir de 325 $
58 chambres, 55 suites
57th Street (N, Q, R, W), 57th Street (F)
M5, M6, M7, M57

**BROADWAY INN**
Plan 296 D18
264 West 46th Street, entre Broadway et Eighth Avenue, 10036
Tél. : 212/997-9200
www.broadwayinn.com *FR*
Situé dans le Theater District, ce douillet petit hôtel pourrait aussi bien se trouver à Londres. Au deuxième étage, le salon est muni d'une chaleureuse cheminée et garni d'une bibliothèque. Les chambres sont de tailles variables, mais c'est l'un des rares endroits de New York où l'on peut louer une chambre simple pour un prix raisonnable. Décoration basique, télévision câblée, téléphone et sèche-cheveux dans chaque chambre. Les suites possèdent un réfrigérateur et un micro-ondes. Chambres les plus calmes à l'arrière. Pas d'ascenseur.
159-299 $, suite à partir de 250 $, petit-déjeuner compris
30 chambres, 11 suites
42nd Street (A, C, E), 42nd Street/Times Square (N, Q, R, S, W, 1, 2, 3, 7, 9)
M6, M7, M20, M27, M104

**BRYANT PARK HOTEL**
Plan 296 E18
40 West 40th Street / Fifth Avenue
Tél. : 212/869-0100
www.bryantparkhotel.com
Installé dans l'American Radiator Building, un étonnant édifice de brique noire de 24 étages construit par Raymond M. Hood en 1924, cet hôtel est bien situé pour les sites de Midtown et le quartier des théâtres, même si son style est assez éloigné de l'ambiance du quartier. Les chambres minimalistes de facture italienne comprennent toutes les commodités – lecteur de CD, fax et téléphone à deux lignes. Très bon bar à vin qui mérite ses tarifs assez élevés. Salle de sport.
295-420 $, suite à partir de 395 $
113 chambres, 14 suites
42nd Street (B, D, F, V)
M1, M2, M3, M4, M5, M42

**COUP DE CŒUR**

**CARLYLE**
Plan 295 E14
35 East 76th Street, entre Madison et Park Avenues, 10021
Tél. : 212/744-1600
www.rosewoodhotels.com

Ce fascinant édifice Art déco renferme des chambres munies de grandes salles de bains et de tout le nécessaire électronique. Les espaces communs sont de facture classique, en particulier le Bemelman's Bar et ses belles peintures murales, et le café où se produit Bobby Short. Salle de sport et piscine.
350-595 $, suite à partir de 550 $
124 chambres, 56 suites
77th Street (4, 5)
M1, M2, M3, M4

**CASABLANCA**
Plan 296 D18
147 West 43rd Street, entre Sixth et Seventh Avenues, 10036
Tél. : 212/869-1212
www.casablancahotel.com
Proche du Theater District, le Casablanca est intime et de taille réduite. Il offre des

chambres joliment décorées, modernes et bien équipées.
189-349 $, suite à partir de 315 $, petit-déjeuner et apéritif vin et fromage compris (en semaine uniquement)
40 chambres, 8 suites
42nd Street/Times Square (N, Q, R, S, W, 1, 2, 3, 7, 9), 42nd Street (B, D, F, V)
M6, M7, M10, M20

**CHELSEA**
Plan 296 D20
222 West 23rd Street, entre Seventh et Eighth Avenues, 10011
Tél. : 212/243-3700
www.chelseahotel.com

Depuis son ouverture en 1884, nombre d'artistes ont vécu ou logé dans cet hôtel, dont Mark Twain et Dylan Thomas. Les chambres varient en taille et en décoration. Serena's, le bar de Serena Bass, draine une clientèle essentiellement britannique.
175-300 $, suite à partir de 300 $
375 chambres (250 chambres appartements)
23rd Street (C, E), 23rd Street (1, 9)
M20, M23

**CHELSEA LODGE**
Plan 296 D20
318 West 20th Street, entre Eighth et Ninth Avenues, 10001
Tél. : 212/243-4499
www.chelsealodge.com
Dans le quartier très branché

de Chelsea, ce petit hôtel occupe une belle maison de brique rouge qui a été restaurée avec amour par les propriétaires. Les chambres sont décorées dans le style champêtre américain. La plupart ont du parquet, ainsi qu'une petite télévision, un lavabo et une douche. Toilettes dans le hall.
110 $
22
23rd Street (C, E)
M11, M20

**COSMOPOLITAN HOTEL-TRIBECA**
Plan 297 E24
95 West Broadway / Chambers Street, 10007
Tél. : 212/566-1900
www.cosmohotel.com

Cet hôtel qui bénéficie d'un très bon emplacement dans downtown propose des chambres agréables. Toutes ont de la moquette et un mobilier de style scandinave, ainsi qu'une salle de bains privée, la télé et le téléphone.
129-139 $
105
Chambers Street (1, 2, 3, 9), Chambers Street (A, C)
M20

**DREAM HOTEL**
Plan 294 D17
210 West 55th Street, entre Broadway et Seventh Avenue
Tél. : 212/247-2000
www.dreamny.com *FR*
On sait que cet hôtel tient le design en très haute estime dès qu'on pose un pied dans le hall d'entrée, où un navire de cristal suspendu au plafond se partage l'espace avec un immense aquarium. Dans les chambres, ainsi que dans les salles de bains, le minimalisme est revendiqué. La technologie dernier cri – écran plasma, iPod et haut-parleurs Bose – est présente partout. Des lounges sont installées dans le hall d'entrée, sur la terrasse du dernier étage et en sous-sol. C'est ici que Deepak Chopra a décidé d'installer un centre de soins ayurvédiques.
215-460 $, suite à partir de 519 $
204 chambres et 16 suites
7th Avenue (B, D, E), 57th Street/7th Avenue (N, Q, R, W)
M10, M20

**EDISON**
Plan 296 D18
228 West 47th Street, entre Broadway et Eighth Avenue, 10036
Tél. : 212/840-5000.
www.edisonhotelnyc.com
Les amateurs de théâtre apprécient cet hôtel Art déco de 1931 pour sa situation en plein cœur du Theater District. Le hall d'entrée pèche par sa fonctionnalité un peu fade, mais les chambres sont relativement bon marché et possèdent la télévision câblée et le téléphone. Restaurant et bar également.
160-190 $, suite à partir de 220 $
800 chambres et suites
50th Street (C, E), 50th Street (1, 9)
M6, M7, M20, M27, M104

**ELYSÉE**
Plan 295 E17
60 East 54th Street, 10022
Tél. : 212/753-1066
www.elyseehotel.com
Ce petit bijou construit en 1926 propose des chambres confortables décorées de belles

reproductions et de matières luxueuses, avec des salles de bains en marbre. Le Monkey Bar, nommé d'après sa peinture murale, était autrefois le repaire de célébrités. Les clients peuvent profiter d'une salle de sport toute proche.
245-325 $, suite à partir de 400 $, petit-déjeuner continental et apéritif vin et fromage inclus (les soirs de semaine uniquement)
86 chambres, 15 suites
53rd Street/Fifth Avenue (E, V), 51st Street (6)

**EXCELSIOR**
Plan 294 D14
45 West 81st Street, entre Columbus Avenue et Central Park West, 10024
Tél. : 212/362-9200
www.excelsiorhotelny.com
Cet hôtel, parmi les rares de l'Upper West Side, est situé près du Natural History Museum. Il offre des chambres modernes irréprochables, équipées de la télévision câblée et d'une double ligne de téléphone. Petit luxe : les peignoirs. Salle

SE LOGER

de sport relativement bien équipée.
169-269 $, suite à partir de 239 $
116 chambres, 80 suites
81st Street (B, C)
M7, M11, M10, M79

**GERSHWIN**
Plan 296 E20
7 East 27th Street, entre Fifth et Madison avenues, 10016
Tél. : 212/545-8000
www.gershwinhotel.com *FR*
Le Gershwin s'adresse à une clientèle jeune au budget limité. Télévision câblée et téléphone dans chaque chambre. Concerts *live* le week-end dans le Gallery Lounge.
107-229 $, suite à partir de 200 $, dortoir pour deux 53 $, dortoir pour femmes 43 $, dortoir mixte 33 $
130 chambres, 6 suites
28th Street (N, R, W)
M2, M3

**COUP DE CŒUR**
**FOUR SEASONS**
Plan 295 E16
57 East 57th Street, entre Madison et Park Avenues, 10022
Tél. : 212/758-5700
www.fourseasons.com *FR*

Le service de cette institution hôtelière est légendaire, grâce à un personnel prêt à répondre à tous les désirs du client. I. M. Pei a dessiné l'édifice de 53 étages, qui a ouvert ses portes en 1993. Les chambres, qui font en moyenne 55 mètres carrés, sont les plus grandes de la ville. Les suites possèdent un balcon avec une superbe vue sur la ville. Le restaurant et le bar sont excellents. Grande salle de sport et centre de balnéothérapie.
575-775 $, suite à partir de 1 250 $
305 chambres, 63 suites
59th Street (4, 5, 6)
M1, M2, M3, M4

**GIRAFFE**
Plan 296 F20
365 Park Avenue South, entre 26th et 27th Streets, 10016
Tél. : 212/685-7700
www.hotelgiraffe.com
Ce petit hôtel de charme du Flatiron District évoque les années 1920 et 1930. Chaque étage ne possède

que 7 chambres, décorées de couleurs et de matières resplendissantes, et dont certaines ont un balcon. Restaurant sur place et accès à une salle de sport toute proche.
329-399 $, suite à partir de 349 $, petit-déjeuner et apéritif vin fromage compris (soir de semaine)
52 chambres, 21 suites
23rd Street (6)
M1

**GRACIE INN**
Plan 295 G14
502 East 81st Street, entre York et East End Avenues, 10028
Tél. : 212/628-1700
www.gracieinn.com
Légèrement excentré, proche de Gracie Mansion (résidence officielle du maire), cette pension attire des clients souhaitant séjourner quelque temps dans ses 12 appartements répartis sur cinq étages. Chacun possède sa kitchenette, la télévision et un téléphone. Dans les penthouses, matelas à eau, baignoire à hydromassage et terrasse. Téléphone sans fil et DVD sur demande.
Le petit-déjeuner servi au lit est un plaisir appréciable.
Studio 139-179 $, suite simple à partir de 189 $
12 chambres, 2 suites
77th St (6)
M15, M31, M79

**GRAND UNION**
Plan 296 E19
34 East 32nd Street, entre Madison et Park Avenues, 10016
Tél. : 212/683-5890
www.hotelgrandunion.com

Cet hôtel à l'ancienne mode situé dans le quartier du Flatiron propose des chambres simples et propres, équipées de mini-frigo et de téléphone. Café sur place.
120-180 $
95
33rd Street (6)
M1, M2, M3, M34

**HABITAT**
Plan 295 F17
130 East 57th Street / Lexington, 10022
Tél. : 212/753-8841
www.habitatny.com
Pas étonnant que les voyageurs à petit budget apprécient cet endroit : parfaitement situé, il propose des chambres modernes, propres, confortables et joliment décorées, dont certaines avec salle de bains commune. Télévision câblée et téléphone dans chaque chambre.
Salle de bains commune 75-135 $, salle de bains privée 99-230 $, suite à partir de 240 $
250 chambres, 50 suites
59th Street (4, 5, 6)
M59, M98, M101, M102, M103

**HOTEL CHANDLER**
Plan 296 E19
12 East 31st Street, entre Fifth et Madison Avenues, 10016
Tél. : 212/889-6363
www.hotelchandler.com
Cet hôtel de luxe de 14 étages situé à Murray Hill occupe un édifice de 1903, qui a été rénové avec soin. Les chambres, petites mais chic, comprennent des lecteurs de CD et de DVD. La bibliothèque propose un PC et une télé à écran plat 40 pouces, et le bar 12:31 séduit une clientèle branchée après les heures de travail. Salle de sport avec sauna.
179-355 $, suite à partir de 425 $
120 chambres, 8 suites
33rd Street (6)
M2, M3, M5

**HOTEL GANSEVOORT**
Plan 296 D21
18 Ninth Avenue / 13th Street
Tél. : 212/206-6700
www.hotelgansevoort.com
Cet hôtel du Meatpacking District a adopté un style résolument inspiré de la Floride, avec sa piscine chauffée en terrasse, ses colonnes de verre kaléidoscopiques et son restaurant japonais à la cour extérieure séduisante. Les chambres sont d'inspiration minimaliste et disposent de la technologie la plus récente – télévision plasma et connexion WiFi. Un centre de balnéothérapie et de remise en forme occupe l'étage inférieur.
365-545 $, suite à partir de 625 $
167 chambres, 20 suites
14th Street (A, C, E)
M11

**HUDSON**
Plan 294 D16
356 West 58th Street, entre Eighth et Ninth Avenues, 10019
Tél. : 212/554-6000
www.morganshotelgroup.com
L'Hudson est le plus récent des « hôtels festifs » d'Ian Schrager et Philippe Starck. On pénètre dans un hall d'entrée tapissé de lierre au moyen d'un escalier mécanique ceint de murs vert clair. Starck a laissé sa touche avec des chaises démesurées et d'autres objets comme l'arrosoir de près de 2 000 litres du jardin. Les chambres sont petites et meublées de pièces minimalistes en inox ; elles comportent toute la technologie dernier cri. La bibliothèque possède une cheminée et un billard ancien. Une longue table dorée fait office de bar dans le lounge, où l'on vient danser la nuit. La terrasse du dernier étage ne gâche rien.
245-360 $, suite à partir de 330 $
1000 chambres, 11 suites
59th Street/Columbus Circle (A, B, C, D, 1, 9) GM1, M20, M57

**INN AT IRVING PLACE**
Plan 296 F21
56 Irving Place, entre East 17th et 18th Streets, 10003
Tél. : 212/533-4600
www.innatirving.com
Ces deux maisons de ville de 1834 recréent l'atmosphère des temps passés. Les chambres possèdent une cheminée et un lit à baldaquin, ainsi que des copies de meubles anciens. Côté pratique, vous bénéficierez de téléphones à double ligne, d'un magnétoscope et d'un lecteur de CD. Le salon Lady Mendl's dispose d'une cheminée et de fauteuils douillets.
325-495 $, suite à partir de 500 $, petit-déjeuner compris
5 chambres, 6 petites suites
14th Street/Union Square (L, N, Q, R, W, 4, 5, 6) GM1, M2, M3, M14

**INN ON 23RD STREET**
Plan 296 D20
131 West 23rd Street, entre Sixth et Seventh Avenues, 10011
Tél. : 212/463-0330
www.innon23rd.com
Si vous aimez l'ambiance des *bed-and-breakfast*, cette pension du XIXe siècle est ce qu'il vous faut. Les Fisherman l'ont meublée avec des meubles familiaux éclectiques. Les chambres possèdent un téléphone à double ligne (appels locaux gratuits) et les salles de bains sont petites. Les espaces communs comprennent une accueillante bibliothèque, ainsi qu'un bar, et un four à micro-ondes.
189-269 $, suite à partir de 329 $, petit-déjeuner compris
14
23rd Street (F, V), 23rd Street (1, 9)
M5, M6, M7, M20, M23

**KIMBERLY**
Plan 295 F17
145 East 50th Street, entre Third et Lexington Avenues, 10022
Tél. : 212/755-0400
www.kimberlyhotel.com
Ce petit hôtel de charme de Midtown dégage une atmosphère toute européenne. Construit

en 1985 comme immeuble d'habitation, il propose des chambres vastes avec cuisine entièrement équipée, et parfois avec balcon. Toutes possèdent un téléphone à ligne double et un fax/imprimante. Le restaurant, le bar et le club assurent un séjour agréable. Les clients peuvent bénéficier d'une carte de membre pour les New York Health et le Racquet Clubs.
209-385 $, suite à partir de 229 $
26 chambres, 158 suites
51st Street (6)
M50, M98, M101, M102, M103

**COUP DE CŒUR**

**LE PARKER MERIDIEN**
Plan 294 D17
118 West 57th Street, entre Sixth et Seventh Avenues, 10019
Tél. : 212/245-5000
www.parkermeridien.com

Les chambres de cet hôtel français sont chics et modernes – télévision 32 pouces, fauteuil ergonomique, fax, lecteur DVD, lecteur CD et accès Internet haut débit. Le Seppi's, très couru, sert une cuisine méditerranéenne, et les « petits-déjeuners de toute la journée » de Norma sont célèbres. D'excellents cocktails sont en outre servis au Jack's Lounge. Superbe centre de sport au 42e étage, avec piste de jogging en terrasse.
255-660 $, suite à partir de 580 $
600 chambres, 100 suites
57th Street (N, Q, R, W)
M6, M7, M57

**LARCHMONT**
Plan 297 E21
27 West 11th Street, entre Fifth et Sixth Avenues, 10011
Tél. : 212/989-9333
www.larchmonthotel.com

SE LOGER

**COUP DE CŒUR**

**LIBRARY**
Plan 296 E18
299 Madison Avenue / 41st Street, 10017
Tél. : 212/983-4500
www.libraryhotel.com
Cet hôtel de charme, au service impeccable, devrait séduire en priorité les bibliothécaires ! Chaque étage est consacré à l'une des catégories de la classification décimale des livres de Dewey, et chaque chambre contient une collection d'objets et de livres se référant à une sous-catégorie. Décor moderne et minimaliste, et équipement avec téléphone multi-lignes et accès Internet haut débit. Vous pourrez boire un verre dans la « reading room » (« salle de lecture »). Restaurant italien et accès gratuit au centre de sport voisin.

325-425 $, suite à partir de 415 $, petit-déjeuner et apéritif vin et fromage compris
52 chambres, 8 suites
Grand Central/42nd Street (S, 4, 5, 6, 7)
M1, M2, M3, M4, M42

Très bonne adresse dans une rue paisible de Greenwich Village. L'établissement a un véritable cachet et attire les voyageurs européens qui ne sont pas gênés par les salles de bains communes (peignoir et pantoufles de bain fournis). Les chambres, joliment décorées, sont très propres et équipées de la climatisation, de la télévision câblée et du téléphone.
90-135 $, petit-déjeuner compris
58
14th Street (F, V), Sixth Avenue (L)
M2, M3, M5, M6

**LOWELL**
Plan 295 E16
28 East 63rd Street, entre Madison et Park Avenues, 10021
Tél. : 212/838-1400
www.lowellhotel.com
Cet hôtel installé dans une élégante maison de 1920 séduit une clientèle fidèle. Les chambres sont meublées d'antiquités et les suites sont spectaculaires, avec cheminée et terrasse. Service d'étage 24 h sur 24 et concierge, plus deux restaurants et une salle de sport.
375-585 $, suite à partir de 745 $
23 chambres, 47 suites
59th Street (4, 5)
M1, M2, M3, M4

**LUCERNE**
Plan 294 C14
201 West 79th Street, entre Broadway et Amsterdam Avenue, 10024
Tél. : 212/875-1000
www.newyorkhotel.com
Cet hôtel qui occupe un édifice de 1903 est une véritable affaire. Les chambres sont assez spacieuses pour recevoir un lit « king size ». Les suites proposent un salon et une kitchenette munie d'un réfrigérateur et d'un four à micro-ondes. Salle de sport.
195-330 $, suite à partir de 225 $, petit-déjeuner compris
190 chambres, 60 suites
79th Street (1, 9)
M7, M11, M79

**LYDEN GARDENS**
Plan 295 F16
215 East 64th Street, entre Second et Third Avenues, 10021
Tél. : 212/320-3022
www.affinia.com *FR*
Les suites de cet établissement bien situé ont une cuisine équipée. Services de courses à domicile et de blanchisserie. Salle de sport sur place.
244-420 $
131
68th Street (6)
M15, M72, M98, M101, M102, M103

**MANSFIELD**
Plan 296 E18
12 West 44th Street, entre Fifth et Sixth Avenues, 10036
Tél. : 212/944-6050
www.mansfieldhotel.com
Occupant un édifice de 1904, très original, cet hôtel permet de profiter du quartier des théâtres et de Midtown. Chambres élégamment meublées, et magnétoscope à disposition. Salle de sport toute proche.
199-439 $, suite à partir de 300 $, petit-déjeuner compris
100 chambres, 24 suites
42nd Street (B, D, F, V)
M1, M2, M3, M4, M5, M42

**COUP DE CŒUR**

**MANDARIN ORIENTAL**
Plan 294 D16
80 Columbus Circle / West 60th Street, 10023
Tél. : 212/805-8800
www.mandarinoriental.com
Occupant les étages 35 à 54 du nouveau Time Warner Center, cet hôtel se dresse au-dessus de Columbus Circle et offre des vues imprenables sur Central Park, l'Hudson River et Manhattan. Les chambres sont superbement décorées et meublées, et les salles de bains possèdent de grandes baignoires, de belles douches et des téléviseurs à écran plat. Service d'étage qui propose la cuisine aux influences asiatiques du restaurant. Le MO Bar (au 35e étage) est un endroit très fréquenté. Vous pourrez accéder à un centre de balnéothérapie et complexe sportif avec bassin de 23 mètres. L'hôtel donne accès à toutes les installations du Time Warner Center.
499-695 $, suite à partir de 1 099 $
203 chambres, 48 suites
59th Street (A, B, C, D, 1, 9)
M5, M7, M10, M104

**MARCEL**
Plan 296 F20
201 East 24th Street, entre Second et Third Avenues, 10011
Tél. : 212/696-3800
www.nychotels.com
Les chambres minimalistes de cet hôtel dégagent une grande sérénité. Meublées de bois blond et dans les tons couleur taupe, elles présentent un design contemporain qui s'exprime notamment dans les têtes de lit recherchées. Équipement exceptionnel pour le prix : téléphone à double ligne et à commutateur et lecteur CD. Restaurant sur place.
135-249 $
100
23rd Street (6)
M15, M23, M101, M102, M103

**MARITIME HOTEL**
Plan 296 D21
363 West 16th Street / Ninth Avenue
Tél. : 212/242-4300
www.themaritimehotel.com
Installé à Chelsea près du Meatpacking District, cœur de la vie nocturne, cet hôtel occupe les anciens quartiers de la Maritime Union. Fidèle à l'histoire, les chambres évoquent des cabines de bateau, avec panneaux en tek et fenêtres en hublots. Les meubles sont modernes, et toute la technologie dernier cri est fournie – téléviseur à écran plat, accès Internet haut débit. L'hôtel propose en outre deux restaurants de qualité : Matsura, en sous-sol, a des airs de club japonais, tandis que l'autre table, qui sert une cuisine méditerranéenne, possède une vaste terrasse extérieure dotée de magnolias et d'un étang à nénuphars.
245-315 $
125
14th Street (A, C, E) M11

**MARK**
Plan 295 E14
25 East 77th Street, entre Fifth et Madison Avenues, 10021
Tél. : 212/744-4300
www.mandarinoriental.com
Au centre de l'Upper East Side huppé, le Mark est le premier

hôtel de charme de la ville. Petit et élégant, il présente un style italien néoclassique, avec des gravures de Piranèse ornant le hall marbré. Les chambres comprennent un dressing, et les salles de bains sont munies de vastes baignoires, de chauffe-serviettes et d'articles de toilette Molton Brown. Fax et magnétoscope sont la norme. Bar-restaurant et salle de sport bien équipée.
310-620 $, suite à partir de 450 $
119 chambres, 57 suites
77th Street (6)
M1, M2, M3, M4, M79

**COUP DE CŒUR**

**METRO**
Plan 296 E19
45 West 35th Street, entre Fifth et Sixth Avenues, 10001
Tél. : 212/947-2500
www.hotelmetronyc.com
Bien situé dans Midtown, cet hôtel de style Art déco compte parmi les meilleurs rapports qualité prix de New York. Les chambres sont joliment décorées, avec lits, tables de nuit et fauteuils de belle facture, et sont équipées de la télévision câblée. Salles de bains irréprochables. Les hôtes ont le loisir de se détendre dans la bibliothèque ou sur la terrasse. Le restaurant chic, Metro Grill, sert aussi dans les chambres.
170-275 $, suite à partir de 350 $, petit-déjeuner compris
179 chambres et suites
34th Street (B, D, F, N, Q, R, V, W)
M2, M3, M5, M6, M7

**MERCER**
Plan 297 E23
147 Mercer Street, entre Prince et Spring Streets, 10012
Tél. : 212/966-6060
www.mercerhotel.com
La clientèle hollywoodienne adore cette version côte Est du Château Marmont (Hollywood). Situé dans le très branché quartier de SoHo, l'endroit est toutefois discret, confortable et paisible. Les chambres style loft sont spacieuses et minimalistes, et Christian Liaigre y a exploité les couleurs neutres, le verre, des matières comme le lin et de riches bois africains. Les petits luxes se matérialisent sous la forme d'un mini-bar ravitaillé par Dean and DeLuca, et de trois téléphones, dont un portable. Pour ne rien gâcher, le Mercer Kitchen ravit les palais sous l'égide du chef Jean-Georges Vongerichten. Accès à la salle de sport adjacente pour les clients.
425-650 $, suite à partir de 1 200 $
68 chambres, 8 suites
Prince St (N, R, W)
M1, M6

**MILLENNIUM UN PLAZA**
Hors plan 295 G18
1 UN Plaza / 44th Street et First Avenue, 10017
Tél. : 212/758-1234
www.millenniumhotels.com
Situé juste en face du siège des Nations Unies, cet hôtel imposant s'adresse essentiellement à une clientèle de diplomates internationaux et de touristes aisés. De nombreuses chambres, installées à partir du 28e étage, offrent une vue splendide sur Manhattan et l'East River. Toutes sont équipées d'une double ligne de téléphone et d'une imprimante ainsi que d'un fax et d'une photocopieuse. Les chambres traditionnelles favorisent l'acajou et le cerisier, tandis que les plus contemporaines sont meublées en bois blond. Le centre de sport dispose d'une piscine couverte et un court de tennis. L'Ambassador Grill sert une cuisine américaine contemporaine.
179-429 $, ajouter 100 $ pour la petite suite, 200 $ pour la suite simple
382 chambres, 45 suites
42nd Street/Grand Central (S, 4, 5, 6, 7)
M15, M27, M50

**MODERNE**
Plan 294 D17
243 West 55th Street, entre Broadway et Eighth Avenue, 10019
Tél. : 212/397-6767
www.nychotels.com
Ce petit hôtel rétro profite d'une bonne situation près du Carnegie Hall. Les chambres sont décorées avec goût (tête de lit capitonnée, tables de nuit intégrées) et équipées de toute la technologie moderne – magnétoscope, lecteur de CD.
139-349 $, suite à partir de 225 $
29 chambres, 5 suites
Seventh Avenue (B, D, E), 59th Street/Columbus Circle (A, B, C, D, 1, 9)
M10, M20, M104

**MORGANS**
Plan 296 E19
237 Madison Avenue, entre East 37th et 38th Streets, 10016
Tél. : 212/686-0300
www.morganshotelgroup.com
Le premier hôtel à New York ouvert par Ian Schrager, en 1984, est discret (pas de plaque à son nom) et plus modeste que les autres. Un style minimaliste habille les chambres très confortables, meublées de fauteuils club, d'ottomanes et de banquettes sous la fenêtre, et agrémentées de détails esthétiques tels

que tête de lit en daim et armoires en érable moucheté. Les salles de bains possèdent une baignoire à hydromassage et des installations en inox, sur un sol en granit entouré de murs carrelés en noir et blanc. Le confort technologique est là également. Le bar à vins et le restaurant Asia de Cuba attirent une clientèle branchée. Les pensionnaires bénéficient d'un accès gratuit au club de sport voisin.
235-425 $, suite à partir de 365 $
113 chambres, 28 suites
33rd Street (6), 42nd Street/Grand Central (S, 4, 5, 6, 7)
M1, M2, M3, M4, M42, M34

**NEW YORK PALACE**
Plan 295 E17
455 Madison Avenue, entre 50th et 51st Streets, 10022
Tél. : 212/888-7000
www.newyorkpalace.com
Six édifices historiques de grès brun construits par le cabinet McKim, Mead and White constituent le centre de cet hôtel de grand luxe. Le propriétaire, le sultan de Brunei, n'a pas lésiné sur les dépenses pour décorer les espaces communs, ornés entre autres de plusieurs magnifiques vitraux de Louis Comfort Tiffany et de sculptures d'albâtre de Saint-Gaudens. Les chambres se situent dans une tour de 55 étages. Les hommes d'affaires apprécient les équipements mis à disposition : fax, trois téléphones et spacieux bureau. Le restaurant Istana propose un bar à olives (plus de 30 variétés), de nombreux xérès, des tapas, plusieurs sortes de thé pour l'après-midi, et une cuisine américaine contemporaine. Salle de sport sur place.
340-595 $, suite à partir de 1 000 $
821 chambres, 75 suites
51st Street (6)
M1, M2, M3, M4, M50

**NEWTON**
Plan 294 C13
2528 Broadway, entre 94th et 95th Streets, 10025
Tél. : 212/678-6500
www.newyorkhotel.com
Cette bonne adresse séduit une clientèle venue de l'industrie du loisir, qui apprécie les chambres joliment décorées à l'ancienne et équipées de la télévision câblée et du téléphone. Certaines partagent une salle de bains.
75-180 $, suite à partir de 150 $
98 chambres, 12 suites
96th Street (1, 2, 3, 9)
M104

**OFF-SOHO SUITES**
Plan 297 F23
11 Rivington Street, entre Chrystie et Bowery Streets, 10002
Tél. : 212/979-9815
www.offsoho.com
C'est un peu excessif que de se prétendre dans SoHo : cet hôtel se trouve en réalité dans le Lower East Side, le plus récent des quartiers embourgeoisés de Manhattan. On appréciera toutefois le prix modéré des suites, qui comportent une chambre

et un salon/salle à manger. Idéal pour deux couples, chaque suite partageant une cuisine et une salle de bains. Télévision câblée, téléphone, prise modulaire, magnétoscope et mini-bar partout. Salle de sport sur place.
89 $-129 $, suite double 119-209 $
36 suites
Bowery (J, M, Z)
M103

**ON THE AVENUE**
Plan 294 C14
222 West 77th Street, entre Broadway et Amsterdam Avenue, 10024
Tél. : 212/362-1100
www.stayinny.com
À quelques blocs du Natural History Museum, ce petit hôtel construit en 1922 appartient au Citylife Hotel Group, qui a restauré plusieurs bâtiments historiques de Manhattan. Les chambres de style chic et moderne (duvets sur les lits, chaises rétro), présentent des peintures vives d'Alfonso Muñoz. Deux téléphones par chambre. Les trois étages de penthouses offrent de belles vues.
179-349 $, suite à partir de 400 $
250 chambres, 16 suites
79th Street (1, 9)
M79, M104

**PENINSULA**
Plan 295 E17
700 Fifth Avenue / 55th Street, 10019
Tél. : 212/956-2888
www.peninsula.com
Installé dans un superbe bâtiment de 23 étages datant de 1902, cet hôtel offre un emplacement idéal, un cadre luxueux et un service impeccable. Les chambres proposent toute la technologie dernier cri : fax, téléphone mains libres, télévision dans la salle de bains, ligne téléphonique double, et télécommande près du lit pour contrôler tous les systèmes

électriques. Les meubles sont luxueux et mis d'autant plus en valeur par un savant éclairage. Le Pen-Top Bar & Terrace est féerique pour les rendez-vous galants d'été, et Fives est un attrayant bar restaurant surplombant Fifth Avenue. Très vaste centre de sport sur les lieux, avec piscine couverte, terrasse et bains thermaux.
460-760 $, suite à partir de 760 $
185 chambres, 54 suites
59 Street/Fifth Avenue (E, V)
M1, M2, M3, M4, M57

**PICKWICK ARMS**
Plan 296 F17
230 East 51st Street, entre Second et Third Avenues, 10022
Tél. : 212/355-0300
www.pickwickarms.com

Cet hôtel, qui compte parmi les meilleurs de la ville dans la catégorie « prix modérés », séduit de nombreux voyagistes internationaux grâce à son emplacement central et sûr, ce dernier point étant grandement apprécié des femmes seules. Les chambres sont simples et confortables, et équipées au minimum de la télévision câblée et du téléphone. Certaines chambres simples ont une salle de bains commune, ou sur palier. Restaurant, bar à vin et terrasse.
Salle de bain commune 79-109 $, chambre double 99-199 $
350
51st Street (6)
M15, M50, M98, M101, M102, M103

**PIERRE**
Plan 295 E16
2 East 61st Street / Fifth Avenue, 10021
Tél. : 212/940-8101
www.fourseasons.com *FR*
Donnant sur Central Park, cet hôtel de 41 étages construit en 1930 est la quintessence du luxe et du raffinement. Baptisé du nom du fils de Jacques Pierre, propriétaire de l'Hôtel Anglais à Monte

Carlo, il est aujourd'hui administré par le groupe Four Seasons et offre son service irréprochable. Les chambres et les espaces communs sont décorés avec des antiquités de style traditionnel. Un trompe-l'œil orne la Rotonde où sont servis le petit-déjeuner, le thé et les cocktails, et le marbre, le verre gravé, la soie et le satin du Café Pierre en font un lieu éblouissant. Même la salle de sport est élégante.
420-645 $, suite à partir de 750 $
149 chambres, 52 suites
59th Street/Fifth Avenue (N, R, W)
M1, M2, M3, M4

**ROGER WILLIAMS**
Plan 296 E19
131 Madison Ave / 31st Street, 10016
Tél. : 212/448-7000
www.rogerwilliamshotel.com
En 1997, Unique Hotels Group rénovait cet ancien hôtel (1928) en tapissant l'entrée de chaux et en couvrant ses colonnes cannelées de zinc. Les chambres de bonnes dimensions sont dotées de meubles contemporains en érable, de cloisons japonaises et d'outils électroniques tels que magnétoscope, lecteur CD, télévision 27 pouces et trois téléphones. Les salles de bains sont munies de sèche-cheveux, de peignoirs et de produits Aveda. Cappuccinos et expressos disponibles 24 h sur 24. Salle de sport sur place.
245-385 $, suite à partir de 500 $
183 chambres, 2 suites
33rd Street (6)
M1, M2, M3

**ROYALTON**
Plan 296 E18
44 West 44th Street, entre Fifth et Sixth Avenues, 10036
Tél. : 212/869-4400
www.morganshotelgroup.com
Ce premier hôtel conçu par Ian Schrager, feu Steve Rubell et Philippe Starck a tout de suite attiré les grands de la ville. D'aucuns ont même surnommé le restaurant 44 le « Condé Nast », du nom du groupe qui publie le magazine Vogue. Les chambres sont élégamment décorées dans un style minimaliste. Les salles de

bains présentent des baignoires ovales, et les chambres sont équipées au minimum d'un magnétoscope, d'un fax et d'un lecteur de cassette. Le Round Bar est un lieu agréable pour prendre un verre. Salle de sport ouverte 24 h sur 24.
245-550 $, suite à partir de 345 $
165 chambres, 3 suites
42nd Street (B, D, F, V)
M1, M2, M3, M4

**COUP DE CŒUR**

**RITZ CARLTON**
Plan 295 E16
50 Central Park South, 10019
Tél. : 212/308-9100
www.ritzcarlton.com
Situé à l'angle de Sixth Avenue et de Central Park, ce magnifique hôtel de 33 étages offre des vues splendides. Le hall respire l'opulence avec ses murs chaulés, son sol en onyx incrusté et ses peintures de Samuel Halpert. Les chambres sont somptueusement décorées dans des teintes douces, avec du brocart et d'autres matières luxueuses, et mettent à disposition des téléviseurs à écran plat, des lecteurs DVD et des téléphones sans fil multi-lignes. Les chambres qui donnent sur le parc possèdent en outre des longues-vues pour observer les oiseaux. Les salles de bains ont de larges baignoires avec repose-tête, articles de toilettes et linge de maison raffinés. Une chaîne hi-fi Bang & Olufsen agrémente les suites. Le Ritz Carlton est réputé pour son service exceptionnel. Le Restaurant Atelier sert une cuisine française innovante, et le Star Lounge est expert dans le service du thé et des cocktails classiques. L'exceptionnel centre de balnéothérapie La Prairie (▷ 228) a été le premier du genre ouvert aux États-Unis. Centre sportif également. À noter : le Ritz

Carlton possède un autre hôtel donnant sur la statue de la Liberté, à Battery Park (*tél. : 212/344-0800*).
525-995 $, suite à partir de 1 495 $
237 chambres, 40 suites
59th Street/Fifth Avenue (N, R, W), 57th Street (F) M5, M6, M7

COUP DE CŒUR

**ST. REGIS**
Plan 295 E17
2 East 55th Street / Fifth Avenue, 10022
Tél. : 212/753-4500
www.stregis.com *FR*

John Jacob Astor IV a fait construire cet hôtel en 1904, où le luxe du marbre, de la feuille d'or, des tapisseries et des meubles Louis XVI est associé aux merveilles technologiques les plus récentes. Le service, assuré 24 h sur 24, est également extraordinaire. Les suites bénéficient d'agréments tels que lecteur CD, magnétoscope, fax et livraison quotidienne de roses. Le King Cole Bar est célèbre pour sa fresque peinte en 1932 par Maxfield Parrish et pour l'invention du bloody mary en 1934 (appelé à l'origine « red snapper »). Le thé de l'Astor Court est l'un des meilleurs de la ville. Balnéothérapie Carita of Paris et salle de sport.
475-795 $, suite à partir de 1 200 $
222 chambres, 93 suites
Fifth Avenue/53rd Street (E, V)
M1, M2, M3, M4

**70 PARK AVENUE**
Plan 296 E19
70 Park Avenue / 38th Street
Tél. : 212/973-2400
www.70parkave.com
Situé dans le paisible quartier de Murray Hill, le premier établissement new-yorkais de Kimpton présente un style contemporain et confortable, même si les chambres sont plutôt petites. On peut choisir son type d'oreiller et de couverture, et de grandes baignoires invitent à la détente dans les salles de bains. Des tapis de yoga et une chaîne câblée sur le thème sont également disponibles. Les équipements électroniques comprennent un téléviseur à écran plat 42 pouces, un lecteur de DVD/CD et un KioPhone qui permet d'utiliser sa messagerie électronique et de surfer sur Internet. Les animaux domestiques sont les bienvenus. La Silverleaf Tavern propose une cuisine américaine contemporaine.
225-525 $, suite à partir de 295 $
193 chambres, 14 suites
Grand Central/42nd Street (4, 5, 6, 7)
M1, M2, M3, M4, M42

**SHERRY-NETHERLAND**
Plan 295 E16
781 Fifth Avenue, entre 59th et 60th Streets, 10022
Tél. : 212/355-2800
www.sherrynetherland.com
Le Sherry-Netherland est unique car il est géré en coopérative. Ce statut implique que chaque propriétaire décore sa partie selon ses goûts, et que le nombre de chambres libres varie entre 100 et 150. Notez que c'est aussi l'une des coopératives les plus riches et les mieux situées. L'édifice date de 1927 et la majeure partie de ses ornements luxueux provient de la résidence Vanderbilt voisine qui a été détruite. Le tout dégage un authentique cachet européen – il y a même des liftiers – et il n'est donc pas étonnant qu'Harry Cipriani ait choisi d'ouvrir un restaurant ici. Bar et salle de sport pour les hôtes.
425-600 $, suite à partir de 650 $
150 chambres et suites
59th Street/Fifth Avenue (N, R, W)
M1, M2, M3, M4

**SHOREHAM**
Plan 295 E17
33 West 55th Street, entre Fifth et Sixth Avenues, 10019
Tél. : 212/247-6700
www.shorehamhotel.com
Cet hôtel de taille moyenne de Midtown, situé juste derrière le Museum of Modern Art, a été rénové avec imagination pour présenter aujourd'hui un style moderne tant dans la décoration (têtes de lit en acier, utilisation de l'aluminium) que dans l'équipement disponible dans les chambres (magnétoscope et lecteur CD). Les plus belles chambres sont à l'arrière. Restaurant et bar.
199-429 $, suite à partir de 339 $, petit-déjeuner continental compris
143 chambres, 31 suites
53rd Street/Fifth Avenue (E, V)
M1, M2, M3, M4, M5, M6, M7

COUP DE CŒUR

**SOHO GRAND**
Plan 297 E23
310 West Broadway, entre Canal et Grand Streets, 10013
Tél. : 212/965-3000
www.sohogrand.com
Depuis que le président de la chaîne d'aliments pour animaux Hartz détient ce bel hôtel, nos amis à quatre pattes y sont les bienvenus. L'établissement fit figure de pionnier dans le SoHo artistique. Un escalier en fonte garnis mène au hall animé. Dans les chambres, l'atmosphère repose sur des tons assez froids, mais tout le confort est à disposition – peignoirs, linge de maison raffiné et drapés de velours, magnétoscope et lecteur de CD. Un restaurant, deux bars et une salle de sport complètent le tout.
309-599 $, suite 3 500 $
358 chambres, 2 suites
Canal Street (A, C, E)
M5

**SURREY**
Plan 295 E15
20 East 76th Street / Madison Avenue, 10021
Tél. : 212/288-3700
www.affinia.com *FR*
Les plus grandes suites du Surrey disposent de leur propre kitchenette et salle à manger, et sont brillamment décorées et équipées – téléphone à ligne double, magnétoscope, fer et planche à repasser, peignoirs de bain. Autre atout majeur : le Café Boulud. Salle de sport sur place.
275-545 $
250 suites
77th St (6)
M1, M2, M3, M4, M79

**THIRTY THIRTY**
Plan 296 E19
30 East 30th Street, entre Madison et Park Avenues, 10016
Tél. : 212/689-1900
www.thirtythirty-nyc.com
À la frontière du jeune Flatiron District, situé dans un édifice de

1902 rénové, cet hôtel peut être qualifié de correct. Les chambres présentent le style minimaliste en vogue, mais elles sont petites et contiennent un ameublement très limité, avec téléviseur suspendu au mur pour certaines. Elles possèdent cependant toutes un téléphone et un sèche-cheveux. Les chambres plus luxueuses disposent de téléviseurs 27 pouces. Les salles de bains sont carrelées et possèdent des portes de douche en verre.
139-279 $
243 chambres, 15 suites
33rd Street (6) M1, M101, M103

**TRAVEL INN**
Plan 296 C18
515 West 42nd Street, entre Tenth et Eleventh Avenues, 10036
Tél. : 212/695-7171
www.newyorkhotel.com
Les grands atouts de cet hôtel sont la piscine extérieure et le stationnement gratuit. Les chambres sont décorées dans un style typique des motels. Café et salle de sport.
105-210 $
160
42nd Street (A, C, E) M42, M11

**TRIBECA GRAND**
Plan 297 E24
2 Avenue of the Americas / White Street, 10013
Tél. : 212/519-6600
www.tribecagrand.com
Avec sa fastueuse salle de projection privée de 98 sièges, cet hôtel proche de SoHo et du Village, séduit une clientèle qui évolue dans le cinéma indépendant. Le hall donne sur un superbe atrium/restaurant. Les chambres, modernes, sont pourvues d'un clavier sans fil, d'une télévision dans la salle de bains avec télécommande étanche, d'une radio et d'un fax/imprimante. Les produits de bain raffinés et les en-cas Dean & DeLuca sont des petits luxes appréciables. L'espace affaires est particulièrement bien équipé, notamment avec ses ordinateurs à écran plat. Le groupe Hartz (aliments pour animaux) étant propriétaire des lieux, les animaux domestiques sont les bienvenus. Salle de sport sur place.
319-609 $, suite à partir de 1 299 $
365 chambres, 4 suites
Franklin Street (1, 9) M6

**TRUMP INTERNATIONAL HOTEL AND TOWER**
Plan 294 D16
1 Central Park West / Columbus Circle, 10023
Tél. : 212/299-1000
www.trumpintl.com
Il faut reconnaître à Donald Trump un certain courage pour avoir vu dans l'un des bâtiments les plus laids du pays les points forts qui allaient permettre d'en faire cet hôtel plein de style. L'emplacement est magnifique, avec des vues imprenables sur Central Park et un accès facile au Lincoln Center et dans Midtown. Les chambres, situées entre les 3e et 17e étages, sont bien décorées et possèdent chacune un fax, un lecteur de CD et un magnétoscope. Les suites ont une baignoire à hydromassage et à un télescope. Le restaurant Jean-Georges ajoute aux attraits de cette adresse. Excellent centre sportif avec piscine et bains thermaux.
399-650 $, suite à partir de 565 $
38 chambres, 129 suites
59th Street/Columbus Circle (A, B, C, D, 1, 9) M10, M20

**UNION SQUARE INN**
Plan 297 F21
209 East 14th Street, entre Second et Third Avenues
Tél. : 212/614-0500
www.unionsquareinn.com
Bien que les chambres soient petites, cet endroit reste agréable et moderne, tout en présentant des prix intéressants. Pas d'ascenseur. Café.
119-159 $, petit-déjeuner compris
43
14th Street/Union Square (L, N, Q, R, W, 4, 5, 6)
M14, M15, M101, M102, M103

**W-NEW YORK**
Plan 295 F17
541 Lexington Avenue, entre East 49th et 50th Streets, 10022
Tél. : 212/755-1200
www.whotels.com *FR*
W appartient à la grande chaîne hôtelière Starwood Hotels. Comme dans tous les établissements du groupe, le hall est ici un lieu de vie, où il fait bon se détendre dans les ottomanes ou jouer à des jeux de société. L'accent est mis sur les éléments naturels : parterres de pelouse, fontaines, troncs d'arbre polis en guise de table et bouquets divers ornent les lieux.
Les chambres possèdent des téléviseurs permettant de surfer sur Internet, des téléphones à double ligne, des magnétoscopes et des lecteurs de CD. Une bonne cuisine accompagnée d'un choix honorable de boissons sont servis dans les deux restaurants : le Whiskey Blue de Rande Gerber et le Heartbeat de Drew Nieporent. Le centre de sport est particulièrement attrayant.
239-550 $, suite à partir de 1 000 $
647 chambres, 67 suites
51st Street (6)
M50, M101, M102, M103

**WALDORF-ASTORIA HOTEL AND TOWERS**
Plan 295 F17
301 Park Avenue, entre 49th et 50th Streets, 10022
Tél. : 212/355-3000
www.waldorfastoria.com ou www.waldorf-towers.com
À son ouverture en 1931, le Waldorf fut célébré. À l'époque le plus grand hôtel du monde, il reste monumental et, pour certains, presque écrasant. Les « Towers », installées entre les 28e et 42e étages, possèdent une entrée séparée et sont réservées aux résidents permanents et aux chefs d'État. Le Bull and Bear aux allures de club est réputé pour ses steaks, tandis que le Peacock Alley est très

apprécié à l'heure du thé. Oscar's est un café ultra-chic et Inagiku, un authentique restaurant japonais. Grand centre de sport et excellent centre d'affaires.
Waldorf 239-629 $, suite à partir de 339 $ ; Waldorf Towers 399-799 $, suite à partir de 599 $
1 049 chambres, 197 suites (Waldorf), 79 chambres, 101 suites (Towers)
51st Street (6)
M1, M2, M3, M4, M50

SE LOGER

**WALES**
Plan 295 E13
1295 Madison Avenue, entre 92nd et 93rd Streets, 10128
Tél. : 212/876-6000
www.waleshotel.com

L'Hotel Wales déroule une panoplie de luxe à l'ancienne dans un édifice de neuf étages du paisible Upper East Side, près du Museum Mile et de Central Park. Les chambres sont décorées de façon traditionnelle avec des chaises confortables et des lits à baldaquin, et sont munies de magnétoscope et de lecteur de CD. Certaines donnent sur Central Park, qui n'est qu'à deux blocs. Le salon de thé Sarabeth's Kitchen et la charmante terrasse sur le toit ajoutent au charme de l'établissement. Petite salle de sport.
219-399 $, suite à partir de 300 $, petit-déjeuner compris
46 chambres, 41 suites
96th Street (6)
M1, M2, M3, M4, M96

**WARWICK**
Plan 295 E17
65 West 54th Street / Sixth Avenue, 10019

Tél. : 212/247-2700
www.warwickhotels.com
William Randolph Hearst construisit cet impressionnant hôtel en 1927 comme sa résidence sur la côte Est, pour lui et ses amis. Plus d'une étoile hollywoodienne a séjourné ici, dont Cary Grant. Les chambres sont vastes et pourvues de dressing et d'immenses salles de bains en marbre, ainsi que du confort moderne incluant fax et téléphone à double ligne. Deux restaurants, un bar et une salle de sport bien équipée.
220-425 $, suite à partir de 385 $
359 chambres, 67 suites
57th Street (F)
M5, M6, M7, M57

**WASHINGTON SQUARE**
Plan 297 E22
103 Waverly Place, entre Fifth et Sixth Avenues, 10011
Tél. : 212/777-9515
www.washingtonsquarehotel.com *FR*
Situé à l'angle nord-ouest de Washington Square Park, cet hôtel n'est pas dénué

d'un petit air bohème (dans les années 1960, Joan Baez et Bob Dylan y ont fréquemment séjourné). Les chambres sont petites et basiques, mais d'un bon rapport qualité prix. Elles possèdent toutes la télévision câblée. Le restaurant-lounge (où est parfois joué du jazz) est agréable, et il y a une salle de sport.
150-210 $, petit-déjeuner compris
175
West 4th Street (A, C, E, F, S, V)
M5, M6, M8

**WESTPARK**
Plan 294 D16
6 Columbus Circle (entre Eighth et Ninth Avenues), 10019
Tél. : 212/246-6440
www.westparkhotel.com
Les chambres de cet hôtel installé près du Carnegie Hall dans un bel édifice ancien sont assez simples, mais elles sont équipées de tout le nécessaire : climatisation, télévision câblée, téléphone et sèche-cheveux. Certaines chambres ont vue sur Central Park.
139-199 $, suite à partir de 189 $
87 chambres, 3 suites
59th Street/Columbus Circle (A, B, C, D, 1, 9)
M10, M11, M20, M57

**WOLCOTT**
Plan 296 E19
4 West 31st Street, entre Fifth Avenue et Broadway, 10001
Tél. : 212/268-2900
www.wolcott.com.
Proche de l'Empire State Building, cet hôtel propose des chambres confortables décorées dans un style gentiment désuet (papier peint à rayures, couvre-lit à motifs, bergère à oreilles, lampes à bras pivotant). Les chambres sont dotées de la télévision câblée, d'un téléphone, d'un sèche-cheveux et de la climatisation. Salle de sport réservée aux hôtes.
109-230 $ petite suite, plus 20 $ pour une suite
144 chambres, 23 suites
28th Street (N, R, W), 34th Street/Herald Square (B, D, F, N, Q, R, V, W)
M2, M3, M5, M6, M7

**COUP DE CŒUR**
**WYNDHAM**
Plan 295 E16
42 West 58th Street, entre Fifth et Sixth Avenues, 10019
Tél. : 212/753-3500
www.wyndham.com
Vu son emplacement et ses atouts, cet endroit présente un excellent rapport qualité prix. Bien qu'il porte le nom de Wyndham, l'hôtel n'appartient pas à la chaîne. Original, l'établissement compte sur un bouche à oreille favorable et sur sa localisation en plein Midtown, à un bloc de Central Park et à courte distance du Lincoln Center et du Theater District. Le décor et le service délicieusement désuets sont des atouts supplémentaires. Les suites offrent un cellier, un réfrigérateur et un grand dressing. Toutes les chambres ont la télévision par câble et le téléphone.
179-399 $, suite à partir de 250 $
100 chambres, 100 suites
57th Street (F), 59th Street/Fifth Avenue (N, R, W)
M1, M2, M3, M4, M5, M6, M7

# LES CHAÎNES HÔTELIÈRES

| Société | Caractéristiques | Nombre d'hôtels à Manhattan | Numéro de téléphone et site internet |
|---|---|---|---|
| **Best Western** | Qualité correcte, chambres à petit budget. | 4 | 602/957-4200 ; www.bestwestern.com *FR* |
| **Clarion Hotels** | Un établissement appartenant à Choice Hotels International. Prix modéré pour un confort garanti. | 2 | 301/592-5000 www.clarionhotel.com *FR* |
| **Comfort Inn** | Prix très modérés, mais ces hôtels n'offrent pas de service de restauration. Appartient à Choice Hotels International. | 4 | 301/592-5000 ; 800/228-5150 www.comfortinn.com *FR* |
| **Courtyard Marriott** | Établissement Marriott à prix modéré qui s'adresse à une clientèle d'hommes d'affaires. | 3 | 301/380-3000 www.courtyard.com |
| **Crowne Plaza** | Enseigne de second ordre mais très complète de Choice Hotels Intercontinental. | 2 | 770/604-2000 ; 800/227-6963 www.crowneplaza.com |
| **Days Inns/Hotels** | Hôtel à prix modéré et de qualité correcte. | 1 | 800/329-7466 www.daysinn.com |
| **Doubletree Suites** | Établissement exclusivement de suites appartenant au Hilton. | 2 | 310/278-4321 ; www.doubletree.com |
| **Embassy Suites** | Autre hôtel Hilton avec suites uniquement ; petit-déjeuner et mises en bouche d'apéritif offerts par la maison. | 1 | 800/362-2779 www.embassysuites.com |
| **Four Points** | Enseigne Starwood pour budgets limités. | 1 | 800/640-8100 ; www.fourpoints.com *FR* |
| **Hampton Inn** | Enseigne Hilton à prix modéré. | 4 | 800/426-7866 ; www.hamptoninn.com |
| **Hilton** | Chaîne internationale proposant tout le confort. | 4 | 800/445-8667 ; www.hilton.com |
| **Holiday Inn/ Holiday Inn Express** | Enseignes Intercontinental de bon rapport qualité prix. Express est la moins chère. | 4 | 770/604-2000 www.holiday-inn.com *FR* |
| **Howard Johnson** | Enseigne à prix modéré. | 3 | 800/446-4656 ; www.hojo.com |
| **Hyatt** | Chaîne internationale proposant tout le confort. | 2 | 312/750-1234; 800/233-1234 ; www.hyatt.com |
| **La Quinta** | Chaîne pour budget modéré. | 1 | 866/725-1661 ; 800/642-4241 www.lq.com |
| **Marriott Hotels** | Enseigne de luxe. | 3 | 301/380-3000 ; 800/228-9290 www.marriott.com |
| **Quality Inn Hotels** | Hôtels corrects pour hommes d'affaires et touristes, appartenant à Choice Hotels. | 2 | 301/592-5000 ; 800/4choice www.qualityinn.com *FR* |
| **Radisson** | Chaîne internationale proposant tout le confort. | 1 | 800/333-3333 ; www.radisson.com *FR* |
| **Ramada Inns** | Chaîne très confort pour un prix modéré. Ramada Limited ne propose pas de restaurant sur place. | 2 | 800/272-6232 www.ramada.com |
| **Red Roof Inns** | Enseigne pour budget limité, moderne et de très bonne qualité. | 1 | 800/567-7720 www.redroof.com |
| **Renaissance** | Enseigne Marriott tout confort à prix modéré. | 1 | 301/380-3000 www.renaissancehotels.com |
| **Sheraton** | Détenu par Starwood, Sheraton propose des hôtels modernes et de qualité. | 3 | 914/640-8100 www.sheraton.com *FR* |
| **W Hotels** | Enseigne de luxe de Starwood Hotels. | 5 | 914/640 8100 ; www.starwoodwhotels.com *FR* |
| **Westin** | Enseigne Starwood qui s'adresse essentiellement aux hommes d'affaires. | 2 | 914/640-8100 www.starwoodhotels.com *FR* |

# Préparer son voyage

### GÉOGRAPHIE

New York se trouve au nord-est des États-Unis. Quatre de ses cinq quartiers sont des îles. La ville compte 930 km de côtes.

Manhattan, la plus peuplée, est bordée par l'East River (est), l'Hudson River (ouest), l'étroite Harlem River (frontière nord avec le Bronx) et le détroit de Long Island (sud), qui la sépare de l'île éponyme.

Situé sur le continent, le Bronx est entouré d'eau, au sud, à l'est et à l'ouest.

Le relief environnant est plat, même si le point culminant de la côte Atlantique, au sud du Maine, se trouve au sommet du Todt Hill (124 m), sur Staten Island.

À l'époque glaciaire, la quasi-totalité de l'État de New York était recouvert de glaciers, sauf le sud de Long Island et Staten Island. Le déplacement des glaciers engendra l'apparition de neuf régions physiographiques distinctes.

New York connaît quatre saisons très marquées et ses habitants endurent, sans trop se plaindre, des hivers humides et froids et des étés moites et chauds.

### COUCHER ET LEVER DU SOLEIL

Lorsque vous programmez votre journée, tenez compte de l'heure du coucher du soleil car certains secteurs éloignés des zones touristiques sont à éviter après la tombée de la nuit.



**HEURES MOYENNES DU LEVER/COUCHER DE SOLEIL**

| | LEVER | COUCHER |
|---|---|---|
| Jan. | 7 h 15 | 4 h 45 |
| Fév. | 6 h 50 | 5 h 30 |
| Mars | 6 h 10 | 6 h 00 |
| Avr. | 5 h 15 | 6 h 30 |
| Mai | 4 h 30 | 7 h 00 |
| Juin | 4 h 30 | 7 h 30 |
| Juil. | 4 h 35 | 7 h 30 |
| Août | 5 h 00 | 7 h 00 |
| Sept. | 5 h 30 | 6 h 00 |
| Oct. | 5 h 30 | 5 h 20 |
| Nov. | 6 h 35 | 4 h 45 |
| Déc. | 7 h 15 | 4 h 30 |

*Carl Schurz Park (ci-dessus)*
*Une borne à incendie (gauche)*

**TEMPÉRATURE**

Température moyenne le jour
la nuit
°F °C
90 32
60 15
32 0
0 -18
J F M A M J J A S O N D

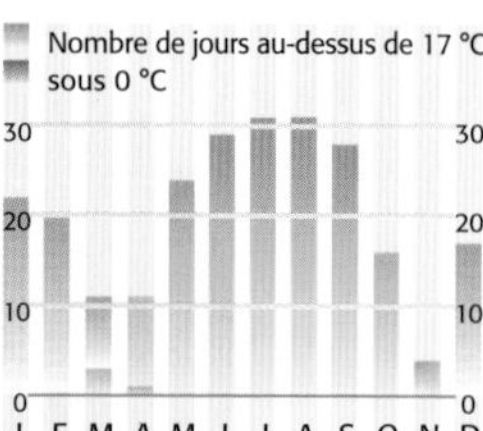


**PRÉCIPITATIONS**

Moyenne pluviométrique
in mm
5 127
4 102
3 76
2 51
1 25
0 0
J F M A M J J A S O N D

### TEMPÉRATURES

Le tableau ci-contre indique les températures maximales et minimales de New York, entre le lever et le coucher du soleil. Il peut neiger de décembre à mars.

### HIVER

À New York, l'enneigement annuel moyen est de 74 cm, principalement en janvier et février. Toutefois, même après de fortes chutes de neige, celle-ci est rapidement dégagée et les désagréments sont minimes. Le vent, plus violent à proximité de l'East River et de l'Hudson River, renforce la sensation de froid.

### ÉTÉ

En juillet et août, c'est-à-dire durant les mois les plus chauds, le pourcentage d'humidité peut atteindre 90 %. Parfois, le soleil tape fort et l'on se sent léthargique et poisseux. Évitez cette période si vous craignez la chaleur. En tout état de cause, une crème solaire est indispensable en ville et sur la plage.

### LA MEILLEURE ÉPOQUE

Le plus plaisant, mais aussi le plus coûteux, consiste à venir en haute saison : de mai à début juin et de septembre à mi-novembre.

De mai à début juin, les journées sont merveilleuses et les soirées sont fraîches, mais des averses surviennent parfois. De septembre à fin octobre, il fait encore doux, tandis que les soirées

**BULLETINS MÉTÉO**

- Le radio-journal et le journal télévisé s'achèvent par un bulletin météo et des prévisions à court terme (▷ 323).
- Pour connaître les prévisions à 10 jours, consultez le site www.weather.com.
- Consultez les prévisions à 5 jours et les images satellite de CNN sur www.cnn.com/weather.

fraîchissent. Durant la seconde moitié d'octobre, le feuillage des arbres prend des teintes or et rouge. Très joli, mais pas aussi spectaculaire qu'en Nouvelle-Angleterre, plus au nord. Vers novembre, les températures baissent sensiblement, tandis que la pluie et le vent augmentent.

### FUSEAUX HORAIRES

Lorsqu'il est 10 h en Europe occidentale (heure de Greenwich), il est 5 h à New York (heure de la côte est américaine). De début avril à fin octobre, ce décalage n'est plus que de 4 h.

**FUSEAUX HORAIRES**

| VILLE | DÉCALAGE HORAIRE | MIDI À NEW YORK |
|---|---|---|
| Amsterdam | + 6 | 18 h |
| Berlin | + 6 | 18 h |
| Bruxelles | + 6 | 18 h |
| Chicago | - 1 | 11 h |
| Dublin | + 5 | 17 h |
| Johannesbourg | + 7 | 19 h |
| Londres | + 5 | 17 h |
| Madrid | + 6 | 18 h |
| Montréal | 0 | midi |
| Paris | + 6 | 18 h |
| Perth, Australie | + 13 | 1 h |
| Rome | + 6 | 18 h |
| San Francisco | - 3 | 9 h |
| Sydney | + 15 | 3 h |
| Tokyo | + 14 | 2 h |

# DOCUMENTS REQUIS

### SÉCURITÉ

Depuis les attentats du 11-Septembre, le pays a renforcé sa sécurité.

Sur les vols intérieurs et internationaux, des règles strictes déterminent les bagages à enregistrer en soute ou en cabine (ces informations sont mises à jour sur www.tsa.gov). On fouillera peut-être vos sacs dans les aéroports, les musées et à l'entrée de nombreux immeubles de bureaux. Certains objets interdits vous seront confisqués. Si vous transportez une bouteille d'eau, on vous invitera sans doute à en boire une gorgée pour prouver son innocuité.

Votre coopération vous facilitera les choses. Consultez les dernières informations relatives à la sécurité de la ville et de ses abords sur le site de l'office du tourisme : www.nycvisit.com *FR*.

### VISAS ET PASSEPORTS

Les citoyens canadiens n'ont pas besoin de passeport, mais auront peut-être à prouver leur identité et leur nationalité à l'aide d'un acte de naissance ou d'une carte d'identité avec photo.

Les ressortissants des autres pays devront présenter un passeport à lecture optique, un visa (si nécessaire) et leur billet aller-retour. Il est possible que l'on prenne vos empreintes digitales et que l'on vous photographie.

Avant le départ, il est impératif de se renseigner, plusieurs mois à l'avance, sur les visas et leurs modalités de délivrance auprès de l'ambassade des États-Unis. Les réglementations concernant les passeports et les visas pouvant changer à la dernière minute, il est indispensable de faire le point avant de partir.

### DOUANES

Les visiteurs se rendant à New York depuis un autre pays doivent remplir une déclaration de douane avant d'entrer aux États-Unis. Ils sont tenus de déclarer tout ce qu'ils transportent, à l'exception de leurs effets personnels. S'ils sont âgés de plus de 21 ans, ils pourront importer 1 l d'alcool, 200 cigarettes ou 50 cigares ou 1 kg de tabac.

Il est interdit d'introduire des fruits, des légumes, des plantes, de la viande, des armes à feu ou des munitions.

Posez vos questions éventuelles sur la ligne d'information des douanes *(Tél. : 202/354-1000)*, contactez le consulat ou l'ambassade des États-Unis la plus proche de votre domicile, ou allez sur le site www.customs.ustreas.gov et cliquez sur « Traveler Information ».

Si vous emportez plus de 10 000 $, vous devez les déclarer sur le formulaire de douane délivré à bord de l'avion à destination des États-Unis. La valeur des cadeaux achetés hors taxe ne doit pas dépasser 100 $.

**SITES INTERNET DES DOUANES**

**France**
www.douane.gouv.fr

**Belgique**
www.info.douane@minfin.fed.be

**Canada**
www.cra-arc.gc.ca *FR*

**Suisse**
www.zoll.admin.ch

### CE QUE VOUS POUVEZ REMPORTER CHEZ VOUS

Vous pouvez éviter de payer une taxe de 8,375 % sur les articles de luxe achetés à New York en les faisant expédier dans votre pays de résidence. Renseignez-vous auprès du vendeur, avant de régler l'article. Les règles douanières variant d'un pays à l'autre, il est préférable de téléphoner au service des douanes de votre pays ou de consulter son site Internet.

| AMBASSADES ET CONSULATS DES ÉTATS-UNIS | | |
|---|---|---|
| **PAYS** | **ADRESSE** | **SITE INTERNET** |
| **France** | 2, rue Saint-Florentin 75001 Paris, tél. : 08 99 70 37 00<br>12, bd Paul-Peytral 13286 Marseille, tél. : 04 91 54 92 01 | www.amb-usa.fr |
| **Belgique** | 27 boulevard du Régent B-1000 Bruxelles, tél. : (32-2) 508-2111 | http://brussels.usembassy.gouv |
| **Canada** | 490 Sussex Drive, Ottawa, ON K1N 1G8, tél. : 1 800 283-4356 ou 613 238-5335 | www.usembassycanada.gov *FR* |
| **Suisse** | 93 Jubilaumstrasse Bern 3001, tél. : (031) 35-7701 | http://bern.usembassy.gouv |

### ASSURANCE VOYAGE

Aucune entente bilatérale ne lie les États-Unis aux pays tiers en matière de soins de santé, or, ils sont onéreux ici. Avant de partir, veillez donc à souscrire une assurance qui vous protège totalement. Vérifiez notamment qu'elle couvre les annulations, la perte de bagages et les frais médicaux, dont les soins dentaires. Son prix dépend de votre âge, de votre santé, du type et de la durée du voyage. Une police valable un an est très économique si vous comptez faire plusieurs voyages dans l'année. Une assurance familiale sera utile si vous voyagez avec votre conjoint(e) et vos enfants.

# RENSEIGNEMENTS PRATIQUES

### TENUE VESTIMENTAIRE

À New York, une tenue décontractée ne pose pas de problème dans les restaurants, musées et autres endroits. L'été, les hommes doivent revêtir une chemise pour accéder à la plupart des restaurants et, dans de rares cas, une veste et une cravate. En cas d'oubli, vous trouverez votre bonheur dans les nombreuses boutiques de la ville. On ne circule pas pieds nus dans les lieux publics et les hommes se découvrent dans les églises.

Optez pour des chaussures confortables. L'hiver, emportez un bonnet, une écharpe, des gants, des bottes, des pulls, un manteau ou une veste chaude. On peut faire du patin à glace ou de la luge dans Central Park, avec un équipement loué sur place.

Au printemps, vous aurez besoin d'un pull et d'un manteau léger ou d'une veste. L'été, humidité et chaleur seront de la partie (chapeau ou casquette et lunettes de soleil sont indispensables). En automne, votre valise devra contenir un pull, une veste ou un manteau léger et des vêtements moins chauds, au cas où l'été se prolongerait. Toutefois, des vêtements de pluie et un parapluie sont utiles en toute saison.

### SHOPPING

Ne vous chargez pas trop, afin d'avoir le plaisir de faire du shopping et de dénicher ce qui vous manque. Dès qu'il pleut, les vendeurs de parapluies (ils coûtent la modique somme de 5 $) semblent surgir de façon providentielle au coin des rues, tout comme les vendeurs de lunettes de soleil, par beau temps.

À New York, vêtements, accessoires et matériel électronique sont moins chers que dans de nombreux pays européens et plus variés que dans d'autres régions des États-Unis.

La chasse aux bonnes affaires peut être fructueuse. Cependant, sachez que les annonces de liquidation (« Going out of business »), affichées par des magasins d'électronique du Theater District, sont mensongères et servent à attirer les clients crédules. Pour éviter de payer un article trop cher, notez ses références et comparez les prix sur Internet. Pour un achat important, mieux vaut s'adresser à un magasin spécialisé ayant pignon sur rue. Dans les boutiques « vintage » et les magasins d'occasion, il est toujours bon de négocier les prix.

De nombreux commerces ferment les jours fériés. À SoHo, le lundi est jour de fermeture. Les boutiques de Lower East Side baissent leur rideau le samedi et sont rarement ouvertes le vendredi après-midi.

### UNITÉS DE MESURE

La table ci-dessous vous permettra de décoder le système anglo-saxon des poids et mesures.

| TABLE DE CONVERSION | | |
|---|---|---|
| **DES** | **EN** | **MULTIPLIER PAR** |
| Inches | Centimètres | 2.54 |
| Centimètres | Inches | 0.3937 |
| Feet | Mètres | 0.3048 |
| Mètres | Feet | 3.2810 |
| Yards | Mètres | 0.9144 |
| Mètres | Yards | 1.0940 |
| Miles | Kilomètres | 1.6090 |
| Kilomètres | Miles | 0.6214 |
| Acres | Hectares | 0.4047 |
| Hectares | Acres | 2.4710 |
| Gallons | Litres | 4.5460 |
| Litres | Gallons | 0.2200 |
| Ounces | Grammes | 28.35 |
| Grammes | Ounces | 0.0353 |
| Pounds | Grammes | 453.6 |
| Grammes | Pounds | 0.0022 |
| Pounds | Kilogrammes | 0.4536 |
| Kilogrammes | Pounds | 2.205 |
| Tons | Tonnes | 1.0160 |
| Tonnes | Tons | 0.9842 |

**TAILLES**

Le tableau ci-dessous met en correspondance les tailles et pointures britanniques, européennes et américaines

| UK | Europe | USA | |
|---|---|---|---|
| 36 | 46 | 36 | COSTUMES |
| 38 | 48 | 38 | |
| 40 | 50 | 40 | |
| 42 | 52 | 42 | |
| 44 | 54 | 44 | |
| 46 | 56 | 46 | |
| 48 | 58 | 48 | |
| 7 | 41 | 8 | CHAUSSURES |
| 7.5 | 42 | 8.5 | |
| 8.5 | 43 | 9.5 | |
| 9.5 | 44 | 10.5 | |
| 10.5 | 45 | 11.5 | |
| 11 | 46 | 12 | |
| 14.5 | 37 | 14.5 | CHEMISES |
| 15 | 38 | 15 | |
| 15.5 | 39/40 | 15.5 | |
| 16 | 41 | 16 | |
| 16.5 | 42 | 16.5 | |
| 17 | 43 | 17 | |
| 8 | 36 | 6 | ROBES |
| 10 | 38 | 8 | |
| 12 | 40 | 10 | |
| 14 | 42 | 12 | |
| 16 | 44 | 14 | |
| 18 | 46 | 16 | |
| 20 | 46 | 18 | |
| 4.5 | 37.5 | 6 | CHAUSSURES |
| 5 | 38 | 6.5 | |
| 5.5 | 38.5 | 7 | |
| 6 | 39 | 7.5 | |
| 6.5 | 40 | 8 | |
| 7 | 41 | 8.5 | |

## ÉLECTRICITÉ ET ADAPTATEURS

Les Américains utilisent du courant alternatif (110/120 V, 60 Hz). Vous aurez besoin d'un adaptateur pour brancher une fiche à deux ou trois broches rondes sur les prises de courant américaines, à deux broches plates.

Achetez-le avant de partir ou à l'aéroport car vous en trouverez difficilement sur place (sauf, peut-être dans les grandes surfaces ou les pharmacies). Un transformateur sera également nécessaire pour les appareils fabriqués en Europe.

## CONFORT ET ÉTIQUETTE

### Toilettes publiques

En principe, les toilettes pour femmes et pour hommes sont respectivement signalées par une pancarte « Women » ou « Men » ou un autre symbole explicite. Dans les aéroports et certains restaurants ou night-clubs, elles sont indiquées en espagnol et en anglais. On trouve des WC dans les centres d'accueil des visiteurs (▷ 324) et dans Grand Central Terminal (▷ 102-104), mais les New-Yorkais utilisent aussi ceux des hôtels, grandes librairies, grandes surfaces et cafés. Sauf exceptions, ceux des restaurants sont réservés à la clientèle. Les toilettes des bâtiments publics sont accessibles en fauteuil roulant et comportent souvent un endroit pour changer les bébés. La plupart des toilettes new-yorkaises sont propres et comprennent du savon, un sèche-cheveux et du papier hygiénique. Cependant, certains établissements de Chinatown font exception.

### Voyager avec des enfants

Il est généralement aisé de visiter New York en famille, grâce aux réductions, menus enfant et nombreuses attractions prévus pour les petits. Nombre d'hôtels ne font pas payer les enfants et les jeunes bambins entrent gratuitement dans la plupart des musées. Vous trouverez des idées d'activités dans la rubrique « Weekend » du *Friday New York Times* et « Cue » du *New York Magazine*, ainsi que dans *Time Out New York*. Certains spectacles étant pris d'assaut, mieux vaut acheter les places à l'avance. Baby Sitters' Guild *(tél. : 212/682-0227 ou www.babysittersguild.com)* propose les services de baby-sitters.

### Blanchisserie

La plupart des hôtels proposent un service de blanchisserie ou vous indiqueront une laverie. Faites-vous préciser les choses lors de la réservation.

### Fumeurs

En avril 2003, le maire Bloomberg a provoqué un tollé en décidant de bannir la cigarette des lieux publics, dont les restaurants, les night-clubs, les bars, bref, de tous les lieux de contact entre employés et clients. Aujourd'hui, cette mesure est largement acceptée et les fumeurs vont fumer leur cigarette à l'extérieur. Il est interdit de fumer dans les bus, le métro ou les trains, mais cela est autorisé dans certaines chambres d'hôtel.

### Mendicité

Vous êtes libre de donner ou non de l'argent aux mendiants. Si vous ne le souhaitez pas, ne leur répondez pas, ne les regardez pas et passez votre chemin sans vous arrêter.

### Dans le métro

Si tous les sièges sont pris, placez-vous au centre du wagon afin de ne pas obstruer les portes. Si une personne âgée ou handicapée, un adulte avec enfant ou une femme enceinte ne trouve pas de place libre, offrez-lui la vôtre. Ce sera bienvenu de votre part et les autres passagers vous en sauront gré.

## HOMOSEXUALITÉ

Baptisées Stonewall Riot, les émeutes de Christopher Street (dans Greenwich Village) ont déclenché le mouvement de libération des homosexuels new-yorkais, en 1969. Aujourd'hui, les homosexuels visitent New York avec plaisir. Le West Village, notamment Christopher Street, regorge de boutiques, de restaurants et de services orientés vers la clientèle gay. C'est également le cas sur Eighth Avenue (entre 16th Street et 23rd Street), à Chelsea.

### Informations

- L'International Gay & Lesbian Travel Association *(tél. : 800/448-8550 ou 954/776-2626, www.iglta.org)* est une agence de voyages spécialisée.
- Le Lesbian, Gay, Bisexual & Transgender Community Center *(208 West 13th Street, entre Seventh Avenue et Eighth Avenue, tél. : 212/620-7310, www.gaycentert.org)* : une mine d'informations concernant les diverses manifestations et les hébergements.
- Le Gay and Lesbian Switchboard of NY Project *(tél. : 212/989-0999, www.glnh.org)* offre conseils et informations.

### L'actu

*Metro*, *Go*, *HX*, *New York Blade*, *Next* et *Village Voice* sont des journaux gratuits, grâce auxquels vous saurez tout sur la vie nocturne des New-Yorkais gays et lesbiennes. Disponible dans tous les kiosques de journaux, le *Time Out New York* consacre une excellente rubrique aux touristes homosexuels.

*Les gratte-ciel de Midtown dominent les deux flèches de la St. Patrick's Cathedral*

**LIEUX DE CULTE**
Richement métissée, cette ville d'immigration offre aux croyants divers lieux de culte. Dans les journaux, figure le thème de la semaine. Vous trouverez la longue liste des églises, temples, synagogues et mosquées dans les pages jaunes de l'annuaire téléphonique.

| LIEUX DE CULTE | |
|---|---|
| **Baptiste** | Abyssinian Baptist Church (132 Odell Clark Place, près de West 138th Street, entre Adam Clayton Powell Boulevard et Lenox Avenue, tél. : 212/862-7474). |
| **Bouddhiste** | New York Buddhist Church (Riverside Drive, entre 105th et 106th Streets, tél. : 212/678-0305). |
| **Grec orthodoxe** | St. Nicholas Greek Orthodox Church (155 Cedar Street, tél. : 212/227-0773). |
| **Multi-confessionnel** | Cathedral of St. John the Divine (1047 Amsterdam Avenue, près de 112th Street, tél. : 212/316-7540). |
| **Juif** | Temple Emanu-El (1 East 65th Street, près de Fifth Avenue, tél. : 212/744-1400). Synagogue réformiste. |
| **Musulman** | Mosque of the Islamic Culture Center (Third Avenue, près de 96th Street, tél. : 212/722-5234). |
| **Catholique romain** | St. Patrick's Cathedral (Fifth Avenue, entre 50th et 51Streets, tél. : 212/753-2261). |

# MONNAIE

**TAXES**
Sur la plupart des articles, sauf les vêtements de moins de 110 $, les commerçants new-yorkais prélèvent une taxe de 8,375 % à la caisse. La taxe d'hébergement est de 13,25 %, plus 2 $ par chambre et par nuitée. La taxe sur le stationnement est de 18,25 %.

**POURBOIRES**
Les employés du secteur des services comptent énormément sur les pourboires. Leurs employeurs leur versent souvent un salaire minime en escomptant que les clients feront le reste. En ne donnant pas grand-chose, ces derniers expriment leur insatisfaction.

- Au restaurant, laissez au moins 15 % du montant de la note aux serveuses, serveurs et barmen. Cela correspond approximativement au double de la taxe de 8,375 % indiquée sur l'addition. Dans les restaurants chers, le pourboire est de 20 % et il faut arrondir si vous êtes satisfait du service. Donnez 5 % au maître d'hôtel d'une table haut de gamme et 1 $ à l'employé du vestiaire, lorsque vous récupérez votre manteau.
- Laissez un pourboire de 20 % au chauffeur de taxi et davantage, si la course a été courte.
- Remettez 1 ou 2 $ par bagage transporté au chasseur. La femme de chambre s'attend à recevoir 2 $ pour un court séjour. Le portier escompte une gratification de 1 ou 2 $ pour avoir appelé un taxi.
- À l'aéroport ou dans les gares, les porteurs reçoivent 1 ou 2 $ par bagage.

**VISITEURS ÉTRANGERS**

**Change**
Avant votre départ pour les États-Unis, changez de l'argent pour pouvoir payer le taxi, le train ou le bus à l'arrivée. Les bureaux de change des aéroports prennent une commission supérieure à celle de la plupart des banques. Munissez-vous de petites coupures, car les chauffeurs de taxi n'acceptent pas toujours les billets de plus de 20 $. On trouve des bureaux de change (et des DAB) un peu partout dans Manhattan, mais l'accueil est meilleur dans les banques et le centre d'accueil des visiteurs de Times Square (▷ 324). Chaque transaction vous coûtera jusqu'à 3 $ si vous l'effectuez dans une autre banque que la vôtre.

- Des agences American Express sont disséminées dans toute la ville. L'une d'elles se trouve sur la mezzanine du Macy's, à Herald Square *(tél. : 212/695-8075).*
- TravelEx compte plusieurs agences *(tél. : 212/265-6063 ou www.us.thomascook.com).*
- Chase Manhattan Bank *(tél. : 212/935-9935 ou www.chase. com)* comporte plus de 400 succursales avec bureaux de change.

| LEXIQUE MONÉTAIRE | |
|---|---|
| $ | dollar |
| ¢ | cent |
| 1 penny | 1 cent |
| 1 nickel | 5 cents |
| 1 dime | 10 cents |
| 1 quarter | 25 cents |
| 1 half-dollar | 50 cents |
| 5 bucks | 5 dollars |

**Moyens de paiement**
Les nuits d'hôtel, le restaurant et les achats se règlent généralement par carte bancaire, même si certains établissements n'acceptent que des espèces. Une carte de crédit est indispensable pour louer une voiture. Les cartes MasterCard, Visa et American Express sont les plus utilisées (mais cette dernière n'est pas toujours acceptée). La plupart des restaurants et hôtels prennent la Diner's Club, à quelques exceptions près. Les paiements par carte Discover, enRoute,

Eurocard et JCB sont possibles, mais pas toujours.

Moins répandus que par le passé, les chèques de voyage libellés en dollars présentent l'avantage de la sécurité. Notez les numéros de chèques et retenez ceux des chèques dépensés, afin d'obtenir un remplacement rapide en cas de perte ou de vol. Les chèques American Express *(tél. : 800/221-7282 ou www.americanexpress. com)* sont les plus répandus. En général, les restaurants et grands magasins acceptent les chèques de voyage sur présentation du passeport. La plupart des banques changent les chèques de voyage, moyennant 1 à 4 % de commission. Les membres de l'American Automobile Association s'éviteront des frais s'ils les commandent auprès d'une agence AAA.

### Vol de carte de crédit ou de chèques de voyage

En cas de vol de carte de crédit, faites opposition auprès de la banque et faites une déclaration à la police. Le numéro vert de la banque figure généralement au dos de la carte, pensez à le noter à part. Pensez aussi à faire une photocopie recto-verso du contenu de votre portefeuille ou notez séparément les références nécessaires à la déclaration de perte ou de vol.

### PERTE OU VOL DE CARTES DE CRÉDIT

**American Express**
800/221-7282
www.americanexpress.com

**Diners Club**
1800 234-6377
www.dinersclub.com

**MasterCard**
800/307-7309
www.mastercard.com

**Visa**
800/336-8472
www.visa.com

### Taux de change

Les taux de change sont mis à jour sur www.oanda.com ou www.x-rates.com.

### PRIX DE 10 ARTICLES COURANTS

|  |  |
|---|---|
| Sandwich à emporter | $6 |
| Bouteille d'eau | $2 |
| Tasse de thé ou de café | $1 |
| Pinte de bière | $6 |
| Verre de vin | $10 |
| Journal | 25c-$1.25 |
| Pellicule photographique | $8 |
| Paquet de cigarette | $7.75 |
| Glace | $2.50 |
| 4,5 l d'essence | $2 |

### POUR LIMITER VOS DÉPENSES

• Le carnet de tickets CityPass *(tél. : 707/256-0490, www.citypass.com)* donne accès à six attractions et évite des attentes interminables. Il permet de payer pour moitié prix l'entrée à l'American Museum of Natural History (▷ 68-72), à l'Empire State Building (▷ 94-96), au Guggenheim Museum (▷ 110-111), à l'Intrepid Sea-Air-Space Museum (▷ 101) et au MoMA (▷ 125), ainsi que 2 heures de promenade en bateau (Circle Line ▷ 232). Valable 9 jours

### BILLETS DE BANQUE ET PIÈCES

**Monnaie locale** Un dollar vaut 100 cents. Il existe des billets de 1 $, 5 $, 10 $, 20 $, 50 $ et 100 $. Regardez attentivement le chiffre qui y figure car ils sont tous de taille et de couleur identiques. Toutes de tailles différentes, les pièces se distinguent plus aisément (les pièces et billets ne sont pas représentés dans leur taille réelle).

1 cent *penny*

5 cents *nickel*

10 cents *dime*

25 cents *quarter*

50 cents

Dollar

Avec l'aimable autorisation de la United States Mint.

consécutifs, le CityPass coûte 53 $ (41 $ pour les 6-17 ans) et s'achète sur les sites touristiques.

- Très complet, le New York Pass *(250 West 49th Street, New York 10019, tél. : 877/714-1999, www.newyorkpass.com)* donne droit à des entrées gratuites ou à des réductions pour 65 attractions new-yorkaises. Vous pouvez l'acheter au musée Madame Tussaud's *(234 West 42nd Street)*, à la billetterie du Skyride *(Empire State Building, 350 Fifth Avenue)* ou sur Internet. Le pass de 1/2/3/7 jours coûte 49/89/104/139 $ (39/59/84/99 $ pour les enfants de moins de 13 ans).
- La règle du « Pay-what-you-wish » s'applique dans certains sites, c'est-à-dire que les visiteurs sont libres de donner moins ou plus que la somme suggérée. Certains musées sont gratuits un jour par semaine ou quelques heures en soirée. Pour ménager votre budget, visitez-les aux heures indiquées dans le tableau ci-dessus.
- L'Official NYC Guide *(810 Seventh Avenue, New York 10019, tél. : 800/NYC-VISIT ou 212/397-8222, www.nycvisit. com FR)* est édité par NYC & Company, la société chargée de la promotion touristique de la ville. Ce guide contient des bons de réduction valables dans certains hôtels, magasins, restaurants, croisières et musées. Vous pouvez l'acheter sur Internet ou vous le procurer dans un centre d'accueil des visiteurs.

**MUSÉES À PETITS PRIX**

| | DON SUGGÉRÉ | GRATUIT |
|---|---|---|
| **American Folk Art Museum** | | Ven. 17 h 30-19 h 30 |
| **Bronx Zoo** | Mer. tte journée | |
| **Brooklyn Botanic Garden** | | Sam. 10 h-midi, mar. tte journée |
| **Brooklyn Museum of Art** | 1er sam. du mois | Après 17 h |
| **Guggenheim Museum** | Ven. 18 h-20 h | |
| **Jewish Museum** | Jeu. 17 h-20 h | |
| **MoMA** | Ven. 16 h-19 h 45 | |
| **Museum of Arts and Design** | Jeu 18 h-20 h | |
| **New York Botanical Garden** | Mer. tte journée | Sam. 10 h-midi |
| **Whitney Museum of American Art** | Ven. 18 h-21 h | |

*Le New York Pass permet de réaliser des économies substantielles sur de nombreuses visites*

## SANTÉ

New York compte quelques-uns des meilleurs hôpitaux et médecins du pays. Vous y serez donc bien soigné, à condition d'être suffisamment couvert par votre assurance (▷ 314).

### VACCINS

En principe, aucun vaccin n'est requis pour les visiteurs en provenance du Canada ou d'un pays de l'Union européenne, bien qu'une vaccination contre le tétanos et la diphtérie soit recommandée. Cependant, mieux vaut demander des précisions à votre agence de voyages, au consulat ou à l'ambassade des États-Unis (▷ 314).

### CE QUE VOUS DEVEZ EMPORTER

Si vous visitez New York en été, munissez-vous de crème solaire (en vente dans toutes les pharmacies de la ville). Emportez les médicaments dont vous aurez besoin et gardez-les dans votre bagage à main, s'ils sont délivrés sur ordonnance. Par précaution, gardez une copie de cette dernière car elle vous facilitera l'acquisition de médicaments de remplacement en cas de vol ou de perte.

*Une pharmacie new-yorkaise*

Si votre traitement contient des substances engendrant une dépendance ou des narcotiques, comme certains sirops, diurétiques, médicaments pour le cœur, tranquillisants, somnifères, antidépresseurs ou stimulants, vérifiez qu'ils sont correctement étiquetés. Veillez également à emporter une ordonnance ou une lettre dans laquelle votre praticien confirme leur prescription et la nécessité de les prendre en voyage.

Si vous êtes cardiaque, épileptique ou diabétique, il serait judicieux de porter un bracelet Medic Alert. En cas de problème, celui-ci permet au médecin d'accéder à votre dossier médical *via* un numéro d'urgence accessible 24 h/24. Pour vous procurer ce bracelet, composez le 800/825-3785, ou consultez le site www.medicalert.org.

### EAU

L'eau du robinet et celle des fontaines publiques est potable, mais des bouteilles d'eau sont en vente un peu partout, dans les magasins, les restaurants et dans des distributeurs automatiques.

### ACHAT DE MÉDICAMENTS

Répertoriées ci-contre, les pharmacies ouvertes 24 h/24 se trouvent toutes dans des lieux très accessibles.

Disponibles en vente libre dans certains pays, divers produits comme les pilules contraceptives, les inhalateurs

**EN CAS D'URGENCE**

Composez le **911**
pour appeler les pompiers,
la police ou une ambulance

Anti-poison
800/222-1222

Viol et
abus sexuel
212/267-7273 (24 h/24 h)

Crime
212/577-7777

Dentistes
800/336-8478 ou
800/400-1800

NY Hotel Urgent Medical
Center
212/737-1212
(médecin/dentiste 24 h/24 h)

**PENDANT LE VOL**

- Les visiteurs qui viennent de loin peuvent souffrir des effets des vols longue distance. Les plus fréquents sont les problèmes de circulation, notamment dans les jambes, qui peuvent provoquer des embolies, un problème qui peut s'avérer extrêmement grave.

- Cette menace concerne particulièrement les personnes âgées, les femmes enceintes et celles qui prennent un contraceptif oral, les fumeurs et les personnes souffrant de surpoids. La position assise, à l'étroit, pendant une longue durée, et la déshydratation sont des facteurs à risques.

**Pour diminuer ces risques :**
Buvez de l'eau (pas d'alcool).
Ne restez pas assis trop longtemps sans bouger.
Détendez-vous et faites bouger vos jambes régulièrement.
Portez des bas ou des chaussettes de contention.
Prenez avant le décollage une petite dose d'aspirine qui a pour effet de fluidifier le sang.

**EXERCICES**

**1 ROTATION DES CHEVILLES**

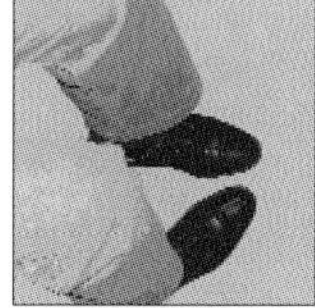

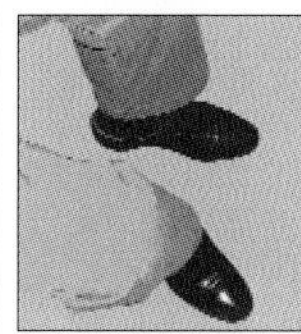

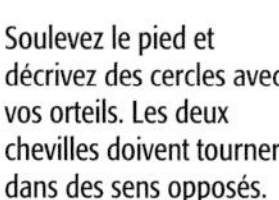

Soulevez le pied et décrivez des cercles avec vos orteils. Les deux chevilles doivent tourner dans des sens opposés.

**2 ÉTIREMENT DES MOLLETS**

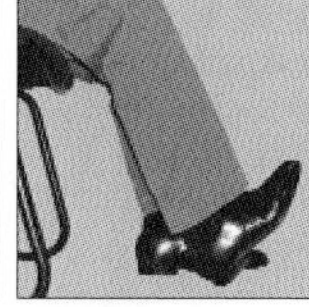

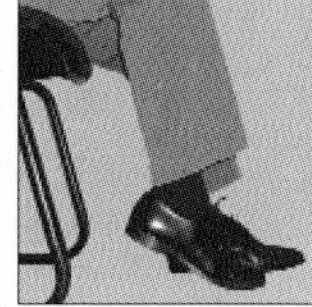

Posez le talon sur le sol et pointez le pied le plus haut possible. Puis, soulevez haut les talons en maintenant la plante des pieds sur le sol.

**3 FLEXION DES GENOUX**

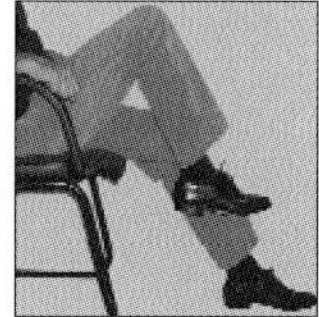

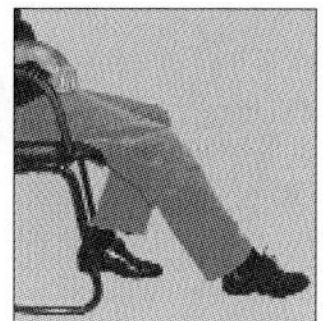

Le genou fléchi, levez la jambe tout en contractant les muscles de la cuisse. Puis, tendez la jambe en exerçant une pression du pied sur le sol.

et la codéine, ne sont délivrés que sur ordonnance aux États-Unis. Les pharmacies ouvrent généralement de 9 h à 17 h. Sur leurs vitrines, figurent un mortier et un pilon ou un caducée.

### TROUVER UN MÉDECIN

En cas de besoin, les services ci-dessous vous indiqueront des praticiens compétents et habitués à traiter des visiteurs.

Centre de consultation sans rendez-vous, le DOCS at New York Healthcare *(55 East 34th Street, entre Park Avenue et Madison Avenue, tél. : 212/252-6001)* ne traite pas les urgences. Le New York University Downtown Hospital *(tél. : 212/312-5000)* vous dirigera vers un praticien. N.Y. Hotel Urgent Medical Services *(952 Fifth Avenue, entre 76th Street et 77th Street, tél. : 212/737-1212, www.travelmd.com* FR*)* a été créé par un médecin new-yorkais, à l'attention des visiteurs. Ses médecins se déplacent dans les chambres d'hôtel pour prescrire des ordonnances, effectuer un examen médical ou dispenser des soins dentaires. Ils doivent produire un document d'identification. La visite à l'hôtel coûte entre 200 $ et 300 $, et davantage le soir ou le week-end. La consultation au cabinet (avec ou sans rendez-vous) revient à 165 $. Dans certains hôpitaux, le service des urgences (ER rooms) propose des consultations sans rendez-vous pour les cas non urgents (elles sont un peu moins chères que celles des urgences), mais il faut s'armer de patience. Vous pouvez toujours demander au personnel de l'hôtel de vous indiquer un docteur.

### HOSPITALISATION

Avant de vous rendre à l'hôpital, appelez le numéro d'urgence de votre compagnie d'assurance voyage pour connaître l'établissement conventionné. Préalablement à tout traitement, vous devrez montrer votre carte d'assuré.

**PHARMACIES OUVERTES 24 H/24 H**

| NOM | ADRESSE | TÉLÉPHONE |
|---|---|---|
| **Duane Reade** | 224 West 57th Street/Broadway | 212/541-9708 |
| **Duane Reade** | 485 Lexington Avenue/47th Street | 212/682-5338 |
| **Duane Reade** | 2025 Broadway/70th Street | 212/579-9955 |
| **Rite Aid** | 146 East 86th Street/Lexington Avenue | 212/876-0600 |

**ASSURANCE**
Il serait extrêmement risqué d'aller aux États-Unis sans souscrire une assurance voyage, même si elle n'est pas obligatoire. Aucune entente réciproque ne lie les États-Unis aux pays tiers en matière de soins, mais ceux-ci sont très coûteux, qu'il s'agisse de visites, de soins dentaires ou d'urgence médicale. En général, le service des urgences facture un minimum de 300 $, traitement non compris. Vérifiez que votre police couvre tous les frais médicaux, soins dentaires inclus (▷ 314).

**OPTICIENS**

Il existe plusieurs boutiques **Lenscrafters** dans Midtown, notamment à l'angle de 45th Street et de Fifth Avenue, tél. : 212/302-4882 www.lenscrafters.com

Vous trouverez une enseigne **Cohen's Optical** au 2561 Broadway, tél. : 212/666-2615, au 2 West 14th Street, tél. : 212/989-3937, et ailleurs dans Manhattan www.cohensfashionoptical.com

**MÉDECINES PARALLÈLES**

Les médecines parallèles sont largement pratiquées à New York.

**American Academy of Medical Acupuncture**
(acupuncture)
www.medicalacupuncture.org
**Chiropractic Federation of New York**
(chiropraxie) 64 East 34th Street,
tél : 212/532-0185
**North American Society of Homeopaths**
(homéopathie)
www.homeopathy.org

Voici quelques-uns des nombreux établissements de phytothérapie et de médecines douces de Chinatown :

**Grand Meridian Herbs, Acupuncture and Massage**
209 Grand Street, New York 10013,
tél. : 212/965-1503
**Kamwo Herbs**
211 Grand Street, New York 10013,
tél. : 212/966-6370
**Zon Foo Acupuncture and Medical**
36 East Broadway, 1er étage, New York 10002, tél. : 212/925-2501

# COMMUNICATIONS

**TARIFS**

**Cabines téléphoniques**
Lors d'un appel local (indicatif 212 ou 646), les 3 premières minutes coûtent 25 cents. Pour toutes les communications (locales incluses), tapez 1, puis l'indicatif et le numéro à sept chiffres. Cela vaut pour les appels entre Manhattan et d'autres districts de New York (indicatifs 718 et 347).

Plus chers, les appels non locaux sont appelés *long-distance calls* (appels interurbains).

**Cartes téléphoniques**
En vente dans les superettes et les kiosques à journaux, les télécartes ont une valeur maximum de 50 $. Utilisables dans toutes les cabines téléphoniques de New York, elles permettent d'appeler au pays sans trop se ruiner. Dans les aéroports, on peut téléphoner de certaines cabines avec une carte MasterCard, Visa et American Express.

**À SAVOIR**

Il est commode de téléphoner de sa chambre d'hôtel, mais sachez que cela revient souvent très cher. Vous ferez des économies en appelant d'une cabine publique. Dans la plupart des halls d'hôtel, on peut se connecter à Internet et envoyer ou recevoir des messages, à condition de disposer d'une carte de crédit.

**TÉLÉPHONE MODE D'EMPLOI**

**Numéros**
Appels locaux et interurbains : tapez 1 + l'indicatif + le numéro à 7 chiffres
**Aide-mémoire :** certains numéros se mémorisent plus facilement grâce aux lettres figurant sur le clavier de numérotation. Exemple : 1-800/WHITNEY.

**Numéros gratuits**
Les numéros comportant l'indicatif 800, 888 ou 877, ainsi que le numéro d'urgence (911) sont gratuits.

*Pour téléphoner sans vous ruiner, optez pour la cabine publique*

**INDICATIFS INTERNATIONAUX**

Composez le 011, suivi de l'indicatif du pays, de celui de la ville et du numéro de téléphone

| Pays | Indicatif |
|---|---|
| Australie | (011) 61 |
| Belgique | (011) 32 |
| France | (011) 33 |
| Allemagne | (011) 49 |
| Grèce | (011) 30 |
| Irlande | (011) 353 |
| Italie | (011) 39 |
| Pays-Bas | (011) 31 |
| Nouvelle-Zélande | (011) 64 |
| Espagne | (011) 34 |
| Suède | (011) 46 |
| Royaume-Uni | (011) 44 |

**Numéros à tarification élevée**
Les numéros dotés de l'indicatif 700 et 900 correspondent à des lignes de chat, de rencontres ou à d'autres services spéciaux. La minute peut coûter de 95 ¢ à 15 $.

**Téléphones mobiles et ordinateurs portables**
Inutile d'emporter votre mobile s'il ne permet pas de téléphoner des États-Unis. Si vous comptez utiliser votre ordinateur pendant vos déplacements, veillez à recharger la batterie avant de partir. Emportez une batterie de secours si vous voulez l'utiliser souvent. À l'aéroport, les agents de la sécurité peuvent vous inviter à retirer l'ordinateur de sa

**NUMÉROS ET SITES INTERNET UTILES**

Urgence
(Police, pompiers, ambulance)
911

Aide aux voyageurs
718/656-4870 ou
973/623-5052

Informations postales
800/275-8777 ou
www.usps.com

Renseignements téléphoniques
212/555-1212

*Les boîtes aux lettres sont bleues*

sacoche, vous demander si vous en êtes le propriétaire, s'il est neuf et si quelqu'un d'autre que vous l'utilise. S'il ne fonctionne pas sur le 110/120 V et ne comporte pas de fiche à deux broches plates, munissez-vous d'un adaptateur et d'un transformateur.

### E-MAIL

Pour consulter vos messages, tapez votre adresse électronique et votre mot de passe sur www.mail2web.com *FR*. Vous pouvez aussi créer une boîte aux lettres gratuite sur www.hotmail.com ou www.mail.yahoo.com.

Il est possible de consulter ses e-mails dans les halls d'hôtels, les cybercafés ou les boutiques de photocopie Kinko (www.kinkos.com), réparties dans toute la ville. Les terminaux du Times Square Information Center, au 1560 Broadway (▷ 324), sont également à votre disposition.

### CYBERCAFÉS

Ils fleurissent un peu partout, mais nous vous conseillons deux adresses réputées (ci-dessous).

### POSTE

La poste principale se trouve sur Eighth Avenue, entre 31st Street et 33rd Street *(tél. : 800/275-8777)*. La liste des nombreux bureaux de poste figure dans les pages jaunes de l'annuaire téléphonique. Ils ouvrent généralement du lundi au vendredi, de 8, 9 ou 10 h à 18 h. Certains ouvrent aussi le samedi, de 9 h à 16 h.

**TARIFS POSTAUX**

L'envoi d'une lettre ordinaire coûte :
37 cents pour les États-Unis,
60 cents pour le Canada,
80 cents pour des destinations situées outre-Atlantique.

**CYBERCONNEXIONS**

**Kinko's**
60 West 40th Street, entre autres
Tél. : 212/921-1060
www.kinkos.com
Tlj. 24 h/24 h

**NY Computer Café**
247 East 57th Street
Tél. : 212/872-1704
www.nycomputercafe.freeservers.com
Lun.-ven. 8 h-23 h, sam. 10 h-23 h, dim. 11 h-23 h

# URGENCES

Son taux de criminalité ayant chuté ces 10 dernières années, New York est désormais l'une des grandes villes les plus sûres des États-Unis. Néanmoins, comme dans toute métropole très peuplée, la criminalité existe. La prudence est donc de mise. Si l'on tente de vous voler, n'opposez aucune résistance, puis faites une déclaration de vol au poste de police.

### SÉCURITÉ

- Ne rangez pas tout votre argent, vos cartes bancaires et chèques de voyage au même endroit.
- Ne transportez pas de grosses sommes. Placez-les dans le coffre-fort de l'hôtel, avec vos objets de valeur.
- La nuit, ne vous promenez pas seul dans des lieux déserts et évitez les parcs, sauf pour assister à un concert et s'il y a déjà beaucoup de monde.
- Si quelqu'un « surgit » devant vous, il peut s'agir d'un stratagème pour permettre à un complice de vider vos poches.
- Portez votre sacoche ou votre appareil photo en bandoulière. Au restaurant, ne tentez pas les voleurs en suspendant votre sac au dossier de votre chaise, gardez-le sur vos genoux.

*Policier new-yorkais*

### RESPECTEZ LA LOI

- À New York, la législation relative à l'alcool est strictement appliquée. Un conducteur n'a pas le droit de transporter une canette ou une bouteille d'alcool ouverte dans son véhicule,

| OBJETS PERDUS NUMÉROS DE TÉLÉPHONE |
|---|
| Dans le bus ou le train<br>718/330-1234 |
| Dans un taxi<br>212/692-8294<br>ou 718/391-5500 |
| Police<br>(pertes remontant<br>à plus de 48 h)<br>646/610-5100 |

encore moins de conduire en état d'ivresse.

• Depuis avril 2003, la cigarette est bannie de tous les lieux publics : restaurants, musées, transports en commun et administrations. Comme nombre de New-Yorkais, vous devrez fumer dehors.

| ÂGE LÉGAL POUR... | |
|---|---|
| Acheter du tabac | 18 ans |
| Jouer aux jeux d'argent | 18 ans |
| Acheter/consommer de l'alcool | 21 ans |
| Louer une voiture | 25 ans |

### EN CAS D'ARRESTATION

• Depuis le 11 septembre 2001, New York a été en état d'alerte maximum à plusieurs reprises. Même si elle ne l'est pas en permanence, la police est très présente dans la rue, les lieux publics, les aéroports et autres endroits de la cité. Plaisanter avec les questions de sécurité est passible de poursuites.

• La police peut vous arrêter en cas d'infraction ou si votre comportement ou vos activités lui font suspecter des activités délictuelles.

Si l'on vous arrête, vous pouvez garder le silence, passer un appel téléphonique et contacter un avocat.
Tout ce que vous direz pourra être retenu contre vous.
Le mieux consiste à contacter votre ambassade ou votre consulat (voir ci-dessous) pour demander leur assistance.

| CONSULATS À NEW YORK | |
|---|---|
| France | 212/606-3680 |
| Belgique | 212/586-5110 |
| Canada | 212/596-1700 |
| Suisse | 212/599-5700 |

**AMBASSADES AUX ÉTATS-UNIS**

| PAYS | ADRESSE | TÉLÉPHONE | SITE INTERNET |
|---|---|---|---|
| France | 4101 Reservoir Road, NW, Washington DC 20007 | 202/944-6000 | www.ambafrance-us.org/fr/ |
| Belgique | 3330 Garfield Street, NW, Washington DC 20008 | 202/625-5853 | www.diplobel.us |
| Canada | 501 Pennsylvania Avenue, NW, Washington DC 20001 | 202/682-1740 | www.canadianembassy.org *FR* |
| Suisse | 2900 Cathedral Avenue NW, Washington DC 20008 | 202/745-7900 | www.eda.admin.ch/washington |

# MÉDIAS

### JOURNAUX

• Le *New York Times* est le quotidien le plus lu à New York (www.nytimes.com), il paraît sept jours sur sept. L'édition du dimanche inclut un supplément magazine et s'étoffe de rubriques sur le sport, les voyages, l'immobilier, etc.

• Le tabloïd *Daily News* paraît tous les jours de la semaine, avec une profusion de suppléments dominicaux.

• Le tabloïd *New York Post* est un quotidien.

• Le très honorable *Wall Street Journal* est un quotidien financier, basé à New York.

• Le *New York Observer* est un hebdomadaire de couleur rose, truffé de potins sur la politique et les médias.

### MAGAZINES

• Magazine national, le *New Yorker (www.newyorker.com)* traite d'information et de littérature. Il paraît le lundi et comporte un carnet des bonnes adresses new-yorkaises.

*S'asseoir et prendre le temps de regarder le spectacle de la rue, avant d'aller surfer sur Internet*

• Le *New York Magazine (www.newyorkmetro.com)* paraît le lundi. C'est une mine d'informations sur les restaurants, les théâtres, les films, les livres, l'art, la télévision et les bonnes affaires.

• Le *Village Voice (www.villagevoice.com)* sort tous les mardis. Les amateurs de musique, de discothèques, d'art et de divertissements y puiseront de nombreuses suggestions.

• L'excellent *Time Out (www.timeoutny. com)* est un hebdomadaire très complet, doté d'un carnet d'adresses pléthorique sur tout ce qui se passe à New York. Ne vous en privez pas.

On trouve des journaux étrangers chez Universal News & Magazines *(234 West 42nd Street, entre Seventh Avenue et Eighth Avenue, tél. : 212/221-1809)* et chez Hotaling News

| PRINCIPALES RADIOS | |
|---|---|
| www.nyradioguide.com | |
| **AM** | |
| Sports | 620 (WSNR) |
| Actualités et débats | 820 (WNYC, BBC World Service) |
| Communautés | 930 (WPAT) |
| Actualités | 1130 (WBBR) |
| Actualités en continu | 880 and 1010 (WINS) |
| **FM** | |
| Musique classique et débats | 93.9 (WYNC-FM) |
| Musique calssique | 96.3 (WQXR, radio du *New York Times*) |
| Top 40 | 108.3 (alias Z-100). |

| CHAÎNES DE TV NATIONALES |
|---|
| 2 (CBS) |
| 4 (NBC) |
| 5 (Fox) |
| 7 (ABC) |
| 9 et 11 (indépendante) |
| 13 (PBS) |

Agency *(624 West 52nd Street, entre Eleventh Avenue et Twelfth Avenue, tél. : 212/974-9419).*

*Le 9 West 57th Street (droite) Affiche publicitaire d'une radio new-yorkaise (ci-dessous)*

**PRINCIPALES CHAÎNES DE TV**

NY1 est dédiée à New York. Une cinquante d'autres chaînes câblées (films, météo, shopping à distance) sont reçues dans la plupart des hôtels. Si vous voyagez avec des enfants, demandez si Disney Channel est disponible.

# HORAIRES ET JOURS FÉRIÉS

New York ne dort jamais. Les New-Yorkais travaillent du lundi au vendredi, de 9 h à 17 h, mais certaines banques sont ouvertes le samedi matin et un grand nombre de magasins ouvrent le week-end et ferment après 17 h. Quelques pharmacies, cafés et bureaux de change sont ouverts 24 h/24 h, 7 jours sur 7.

Si votre temps est compté ou si une visite nécessite un détour, mieux vaut téléphoner avant de vous déplacer.

**JOURS FÉRIÉS**

De nombreux musées, certains restaurants et tous les bâtiments administratifs ferment les jours fériés. Le 1er janvier, Noël et Thanksgiving étant les fêtes les plus célébrées, la plupart des commerces new-yorkais font relâche ces jours-là. Juste avant ces fêtes, les aéroports et gares ferroviaires sont envahis de New-Yorkais se rendant dans leurs familles ou chez des amis. Ceci n'empêche pas la ville d'être en fête, ni les visiteurs et les New-Yorkais d'en profiter joyeusement (liste des parades ▷ 324). Une grande partie de New York interrompt ou ralentit son activité en septembre et début octobre pour les fêtes juives (nouvel an juif et Yom Kippour).

| HORAIRES | OUVERT | FERMÉ | COMMENTAIRES |
|---|---|---|---|
| **Magasins** | Lun.-sam., 10 h-19 h<br>Dim. midi-18 h | | Le dim. dans l'Upper East Side, le sam. dans le Lower East Side |
| **Banques** | Lun.-ven. 9 h 30-15 h 30 | Sam.-dim. | Certains ferment à 15 h, d'autres ouvrent le sam. matin |
| **Bureaux** | Lun.-ven. 9 h-17 h | Sam.-dim. | |
| **Musées** | Mar.-dim. | | Certains ouvrent lun. et ferment un autre jour |
| **Galeries** | Mar.-sam. 10 h-18 h | Lun. | |
| **Médecins** | Lun.-ven. 9 h-17 h | Sam.-dim. | ▷ 319 |
| **Pharmacies** | Tlj 9 h-19 h ou 9 h-21 h | | Horaires restreints et fermeture le dim. dans les quartiers commerçants, |
| **Épiceries** | Tlj 7 h-21 h | | Comme ci-dessus |
| **Restaurants** | Tlj (voir Manger) | Certains ferment un jour par semaine | Service jusqu'à 23 h ou minuit, parfois de 16 h à 17 h 30 |

| JOURS FÉRIÉS |
|---|
| **1er janvier**<br>Nouvel an |
| **3e lundi de janvier**<br>Martin Luther King Day |
| **3e lundi de février**<br>Presidents' Day |
| **Mars/avril**<br>Pâques (Vendredi saint, demi-journée) |
| **Dernier lundi de mai**<br>Memorial Day |
| **4 juillet**<br>Fête de l'indépendance |
| **1er lundi de septembre**<br>Fête du Travail |
| **2e lundi d'octobre**<br>Columbus Day |
| **11 novembre**<br>Veterans' Day |
| **4e jeudi de novembre**<br>Thanksgiving Day |
| **25 décembre**<br>Noël |

# INFORMATIONS TOURISTIQUES

### MANIFESTATIONS ET DÉFILÉS

De plaisantes festivités ont lieu à diverses périodes de l'année. Si votre visite à New York coïncide avec une parade, ne la manquez pas. Retransmises sur toutes les télévisions du pays, les deux principales parades sont la St. Patrick's Day Parade et la Macy's Thanksgiving Day Parade. La foule est un spectacle presque aussi divertissant que le défilé lui-même. Consultez les guides des spectacles et divertissements locaux pour connaître les dates, heures et itinéraires des défilés, et arrivez tôt pour choisir votre poste d'observation.

### OFFICES DU TOURISME

Le lendemain ou le surlendemain de votre arrivée, faites un saut dans l'un des principaux centres d'accueil des visiteurs, répertoriés ci-dessous. Quantité de brochures contiennent des bons de réduction de quelques dollars, utilisables dans les attractions et les restaurants. La plupart des hôtels distribuent un vaste choix de plans et de dépliants gratuits.

**Times Square Information Center**
*(1560 Broadway, entre 46th Street et 47th Street, tél. : 212/768-1560, www.timessquarenyc.org, tlj 8 h-20 h)*. Central, cet office du tourisme met gracieusement à votre disposition des brochures, des plans et un accès à Internet.

| MANIFESTATIONS |
|---|
| **Janvier ou début février** |
| Nouvel an chinois, à Chinatown |
| **Avril-octobre** |
| Saison de baseball |
| **Mai** |
| Festival culinaire international de la Ninth Av. |
| **Juin** |
| Concerts dans le parc du Metropolitan Opéra et fête du Museum Mile |
| **Juillet** |
| Feux d'artifice sur l'East River, pour la fête de l'Indépendance |
| **Juillet-août** |
| Festival Shakespeare in the Park |
| **Août-septembre** |
| Festival Lincoln Center Out-of-Doors et Harlem Week |
| **Septembre** |
| Fête de saint Gennaro, dans Little Italy |
| **Septembre-octobre** |
| New York Film Festival |
| **Début novembre** |
| Marathon de New York |
| **Décembre** |
| Illumination de l'arbre de Noël, au Rockefeller Center |
| Réveillon du Nouvel An |

On y trouve également des points de vente de places de théâtre et de cartes de transport (MetroCards ▷ 43), un DAB et un changeur automatique de devises. Ce centre mérite une visite.

**NYCVB Visitor Information Center**
*(810 Seventh Avenue, entre 52nd Street et 53rd Street, tél. : 212/484-1222, lun.-ven. 8 h 30-18 h)*. Plus petit que celui de Times Square, ce centre d'information distribue des

| DÉFILÉS |
|---|
| **Janvier** |
| Three Kings' Day |
| Martin Luther King Day Parade |
| **Mars** |
| St. Patrick's Day |
| Greek Independence Day Parade (défilé d'animaux de cirque jusqu'à Madison Square Garden) |
| **Mars ou avril** |
| Parade de Pâques, Fifth Avenue, entre 44th Street et 59th Street |
| **Juin** |
| Puerto Rican Day Parade |
| Lesbian and Gay Pride |
| **Octobre** |
| Columbus Day Parade |
| Défilé de Halloween dans Greenwich Village |
| **Novembre** |
| Macy's Thanksgiving Day |

brochures gratuites, ainsi que le guide *Official New York City Guide*. Le terminal interactif à écran tactile est une vraie mine d'informations. Sur place, vous pouvez acheter des entrées aux principales attractions ou le CityPass (▷ 317), utiliser un DAB ou des téléphones avec connexion directe aux agences American Express.

**Lower East Side Visitors Center**
*(261 Broome Street, entre Orchard Street et Allen Street, tél. : 888/825-8374 ou 212/226-9010, www.lowereastsideny.com, tlj 10 h-16 h)*. Ce centre fournit de la documentation sur les magasins, les restaurants et la vie nocturne du quartier.

*Le marathon de New York : de Staten Island à Central Park*

# LIVRES, PLANS, CINÉMA ET TÉLÉVISION

### LITTÉRATURE

Depuis toujours, New York inspire les romanciers et les auteurs de nouvelles. Nombre de grands classiques américains et de romans plus contemporains se déroulent, d'ailleurs, dans cette ville. Parmi les romans classiques à succès, citons ***Le Temps de l'innocence*** (*The Age of Innocence*, 1920) d'Edith Wharton, ou ***Les Heureux et les Damnés***(*The Beautiful and Damned*, 1922), de F. Scott Fitzgerald.
New York a également vu naître des mouvements littéraires marquants, d'abord rejetés par l'Amérique bien pensante avant d'être considérés comme des contributions incontournables à la création artistique du xxe siècle. À cet égard, la force violente de certains œuvres de la Beat Generation, parmi lesquelles ***Le Festin nu*** (*The Naked Lunch*, 1959) de William Burroughs, ou ***Tropique du Cancer*** de Henry Miller (écrit en France et publié en 1934), offrent un regard acéré sur la société américaine et le New York de la récession.
***Manhattan Transfer***, de John Dos Passos, dresse une galerie de portraits tout aussi saisissante, dans le New York des années 1920.
***Le Lys de Brooklyn*** (*A Tree Grows in Brooklyn*, 1943) de Betty Smith ou ***L'Attrape-Cœurs*** (*The Catcher in the Rye*, 1951) de J. D. Salinger, ont également marqué leur époque.
***Petit déjeuner chez Tiffany*** (*Breakfast at Tiffany's*, 1958), sous ses apparences d'œuvre légère et pétillante, aborde avec poésie et délicatesse le parcours d'une femme blessée. Ce roman avait lancé la carrière de l'écrivain Truman Capote.
Depuis une trentaine d'année, une nouvelle génération d'auteur s'est imposée, avec des oeuvres telles que ***Le Bûcher des vanités*** (*Bonfire of the Vanities*, 1987) de Tom Wolfe, ou des auteurs emblématiques de la ville tels Paul Auster et sa ***Trilogie new-yorkaise*** (*The New York Trilogy*, 1988). ***Jazz*** (1992) de Toni Morrison, écrivain majeur et porte-voix de la communauté afro-américaine, propose une plongée troublante dans le Harlem des années folles. ***Push*** (1996) de Sapphire, ***Martin Dressler*** (1997) de Stephen Millhauser, ***Outremonde*** (*Underworld*, 1997) de Don Dellilo ou bien encore ***Les Orphelins de Brooklyn*** (*The Moterless Brooklyn*, 1999) de Jonathan Lethem, sont des romans plus récents qui vous permettront de partir à la découverte de Big Apple.

*Pour des lectures à prix doux…*

### CINÉMA

Des réalisateurs de premier ordre ont tourné des films à New York. Que diriez-vous d'en voir quelques-uns avant de partir ?
Nous vous suggérons la première version de ***King Kong*** (1933), de Merian C. Cooper, un véritable monument du cinéma en noir et blanc. Dans un tout autre registre, ***Diamants sur canapé*** (*Breakfast at Tiffany's*, 1961), de Blake Edwards, adapté de l'oeuvre de Truman Capote est sublimé par la délicieuse Audrey Hepburn.
***West Side Story*** (1961) de Robert Wise, qui remporta pas moins de 10 Oscars en 1962, est devenu un classique, mettant en scène un amour impossible sur fonds de guerre des gangs en plein Manhattan.
Martin Scorsese a réalisé ***Mean Streets*** (1973), ***Taxi Driver*** (1976), ***New York, New York*** (1977) ou bien encore ***Les Gangs de New York*** (*Gangs of New York*, 2002), puisant dans cette ville fascinante une énergie créatrice.
S'il est bien un réalisateur emblématique de New York, c'est sans aucun doute Woody Allen avec, entre autres films, ***Manhattan*** (1979), ***Broadway Danny Rose*** (1984) ou ***Radio Days*** (1987).
***The Cotton Club*** (1984), de Francis Ford Coppola, dépeint le New York des années 1920 à travers la vie dans un club de jazz devenu mythique. ***Il était une fois le Bronx*** (*A Bronx Tale*, 1993), de Robert De Niro, vous plongera avec force dans les années 1960 et le milieu de la pègre.
***Cherche Susan désespérément*** (*Desperately Seeking Susan*, 1985), de Susan Seidelman, ravira les fans de Madonna puisqu'elle y effectua sa première apparition cinématographique.
***Pollock*** (2000), réalisé et interprété par Ed Harris, rend hommage à l'un des peintres les plus emblématiques de l'expressionnisme abstrait new-yorkais.
***The Hours*** (2002), de Stephen Daldry, situe l'un de ses tableaux dans le New York d'aujourd'hui.

### TÉLÉVISION

Drames, farces et comédies se déroulent quotidiennement dans les rues de New York. Très populaires, les feuilletons suivants s'inspirent de cette réalité new-yorkaise et sont vus par les téléspectateurs du monde entier. Parmi les plus connus, citons ***Friends***, ***Law & Order***, ***NYPD Blue***, ***Seinfeld***, ***Sex and the City*** ou ***Will & Grace***.

# SITES INTERNET UTILES

**HÉBERGEMENT**
- **All New York Hotels**
www.allnewyorkhotels.net
Recherchez des hôtels (dont des adresses bon marché) par noms ou critères
- **Hotel Conxions**
www.hotelconxions.com
Logez en ville, à des prix très avantageux
- **New York hotels**
www.new-york.hotels-nb.com
Réservations en ligne dans les hôtels indiqués
- **Room Connection**
www.roomconnection.com
Centrale de réservation des hôtels new-yorkais
- **YMCA Guest Rooms**
www.ymcanyc.org
Principal site YMCA, doté de liens vers les sites de toutes les auberges de jeunesse du Greater New York

**THÉÂTRES DE BROADWAY ET D'AILLEURS**
- **Playbill's Online Theater Club**
www.playbillclub.com
Les membres de ce club bénéficient de réductions pour d'excellents spectacles
- **TeleCharge**
www.telecharge.com
- **Theater Direct International**
www.broadway.com
- **TheaterMania**
www.theatermania.com
- **Ticketmaster**
www.ticketmaster.com

**ARGENT**
- **TravelEx Worldwide Money**
www.travelex.com

**INFORMATION DES VISITEURS**
- **Alliance for Downtown New York** www.downtownny.com
Ce site répond à toutes vos questions sur « downtown » et propose un service de bus gratuits, ainsi que des plans interactifs
- **The Bronx Tourism Council**
www.ilovethebronx.com
- **Brooklyn Tourism Council**
www.brooklynx.org
- **Citysearch**
www.newyork.citysearch.com
Attractions, événements, hôtels, immobilier, restaurants et shopping
- **Informations douanières**
www.customs.ustreas.gov
- **New York Convention & Visitors Bureau** www.nycvisit.com *FR*

*Communiquer est… « easy »*

- ***New York Metro***
www.nymetro.com
Magazine New York et site Internet de Metro TV
- **New York Today**
www.nytoday.com
Site du *New York Times*, et guide destiné aux New-Yorkais et aux visiteurs sur les manifestations et les activités
- **Times Square Business Improvement District**
www.timessquarebid.org
Site officiel de Times Square, traitant de son actualité

**ACTUALITÉ ET COMPTES RENDUS**
- **Magazine *New York***
www.newyorkmag.com
- ***New York Times***
www.nytimes.com
- ***New Yorker***
www.newyorker.com
- ***New York Press***
www.nypress.com
Hebdomadaire gratuit
- ***Time Out New York***
www.timeoutny.com
- ***Village Voice***
www.villagevoice.com
Une publication culturelle, « branchée » et très en vue

**RADIO**
New York est la ville des États-Unis la mieux dotée en stations de radio. Cette profusion frise la cacophonie : pour un auditeur venant d'un pays où le choix est plus modeste, la sélection d'une radio prend des proportions inattendues. Voici quelques-unes des principales stations :
- **WYNC-FM 93.9 (820-AM)**
www.wnyc.org
- **1010 WINS-AM Radio**
www.1010wins.com
- **WBGO-FM 88.3 Radio**
www.wbgo.org
- **WQXR-FM 96.3** www.wqxr.com
Radio du *New York Times*, elle diffuse de la musique classique
- **WFAN-AM 660** www.wfan.com
Sport et débats sur l'actualité
- **WOR-AM 710**
www.wor710.com
La vénérable radio interactive new-yorkaise

**TRANSPORTS**
- **Aéroports**
www.panynj.gov/airports
- **Trains**
www.amtrak.com
- **Airtrain Newark**
www.airtrainnewark.com
Ce service de trains et de navettes relie l'aéroport international Newark Liberty et la gare éponyme
- **Association américaine d'automobile** (American Automobile Association)
www.aaa.com
- **Métros et bus** www.mta.info *FR*

**GÉNÉRALITÉS**
- **The Baby Sitters' Guild**
www.babysittersguild.com
Baby-sitting à toute heure
- **Smart Pages**
www.smartpages.com
Service d'annuaire téléphonique national
- **Météo**
www.weather.com ou
www.cnn.com/weather
Service météorologique très complet

## GLOSSAIRE

### VISITE TOURISTIQUE

Où se trouve l'office du tourisme, s'il vous plaît ?
**Where is the tourist information office, please?**

Avez-vous un plan de la ville ?
**Do you have a city map?**

Où se trouve le musée ?
**Where is the museum?**

Pouvez-vous me donner des renseignements sur… ?
**Can you give me some information about…?**

Quels sont les principaux sites touristiques ici ?
**What are the main places of interest here?**

Pouvez-vous me les indiquer sur la carte, s'il vous plaît ?
**Please could you point them out on the map?**

Quels sites/hôtels/restaurants nous recommandez-vous ?
**What sights/hotels/restaurants can you recommend?**

Nous sommes ici pour une journée.
**We are staying here for a day.**

Je suis intéressé(e) par…
**I am interested in…**

Est-ce qu'il y a un guide qui parle français ?
**Does the guide speak french?**

Avez-vous des suggestions de promenades ?
**Do you have any suggested walks?**

Est-ce qu'il y a des visites guidées ?
**Are there guided tours?**

Est-ce qu'il y a des excursions organisées ?
**Are there organised excursions?**

Est-ce que nous pouvons réserver ici ?
**Can we make reservations here?**

Ça ouvre/ferme à quelle heure ?
**What time does it open/close?**

Quel est le prix d'entrée ?
**What is the admission price?**

Est-ce qu'il y a des réductions pour les personnes âgées/ les étudiants ?
**Is there a discount for senior citizens/students?**

Avez-vous un dépliant en français ?
**Do you have a brochure in french?**

Qu'est-ce qu'il y a au cinéma ?
**What's on at the cinema?**

Où est-ce que je peux trouver une bonne boîte de nuit ?
**Where can I find a good nightclub?**

Est-ce que vous avez un programme de théâtre/d'opéra ?
**Do you have a schedule for the theatre/opera?**

Est-ce qu'il faut mettre une tenue de soirée ?
**Should we dress smartly?**

À quelle heure commence le spectacle ?
**What time does the show start?**

Comment fait-on pour réserver une place ?
**How do I reserve a seat?**

Pouvez-vous me réserver des billets ?
**Could you reserve tickets for me?**

### MOTS UTILES

| | | | | | |
|---|---|---|---|---|---|
| Oui<br>**Yes** | Là-bas<br>**There** | Qui<br>**Who** | Comment<br>**How** | Ouvert<br>**Open** | S'il vous plaît<br>**Please** |
| Non<br>**No** | Ici<br>**Here** | Quand<br>**When** | Plus tard<br>**Later** | Fermé<br>**Closed** | Merci<br>**Thank you** |
| | Où<br>**Where** | Pourquoi<br>**Why** | Maintenant<br>**Now** | | |

### ARGENT

(Est-ce qu') il y a une banque/un bureau de change près d'ici ?
**Is there a bank/currency exchange office nearby?**

(Est-ce que) je peux encaisser ça ici ?
**Can I cash this here?**

Je voudrais changer des dollars en euros.
**I'd like to change dollars into euros.**

(Est-ce que) je peux utiliser ma carte de crédit pour retirer de l'argent ?
**Can I use my credit card to withdraw cash?**

Quel est le taux de change aujourd'hui ?
**What is the exchange rate today?**

## SHOPPING

(Est-ce que) vous pouvez m'aider, s'il vous plaît ?
**Could you help me, please?**

C'est combien?/Ça coûte combien ?
**How much is this?**

Je cherche...
**I'm looking for...**

À quelle heure ouvre/ferme le magasin ?
**When does the shop open/close?**

Je regarde, merci.
**I'm just looking, thank you.**

Ce n'est pas ce que je veux.
**This isn't what I want.**

C'est la bonne taille.
**This is the right size.**

(Est-ce que) vous avez quelque chose de moins cher/plus petit/plus grand ?
**Do you have anything less expensive/smaller/larger?**

Je prends ceci.
**I'll take this.**

(Est-ce que) je peux avoir un sac, s'il vous plaît ?
**Do you have a bag for this, please?**

(Est-ce que) vous acceptez les cartes de crédit ?
**Do you accept credit cards?**

Je voudrais...grammes, s'il vous plaît.
**I'd like...grams please.**

Je voudrais un kilo de...
**I'd like a kilo of...**

Quels sont les ingrédients ?/ Qu'est-ce qu'il y a dedans ?
**What does this contain?**

J'en voudrais...tranches.
**I'd like...slices of that.**

Boulangerie
**Bakery**

Librairie
**Bookshop**

Pharmacie
**Chemist**

Supermarché
**Supermarket**

Marché
**Market**

Soldes
**Sale**

## NOMBRE

| | | | | | |
|---|---|---|---|---|---|
| 1<br>**one** | 6<br>**six** | 11<br>**eleven** | 16<br>**sixteen** | 21<br>**twenty-one** | 70<br>**seventy** |
| 2<br>**two** | 7<br>**seven** | 12<br>**twelve** | 17<br>**seventeen** | 30<br>**thirty** | 80<br>**eighty** |
| 3<br>**three** | 8<br>**eight** | 13<br>**thirteen** | 18<br>**eighteen** | 40<br>**forty** | 90<br>**ninety** |
| 4<br>**four** | 9<br>**nine** | 14<br>**fourteen** | 19<br>**nineteen** | 50<br>**fifty** | 100 |
| 5<br>**five** | 10<br>**ten** | 15<br>**fifteen** | 20<br>**twenty** | 60<br>**sixty** | 1000<br>**one thousand** |

## POSTE ET TÉLÉCOMMUNICATIONS

Où se trouve la poste/la boîte aux lettres la plus proche ?
**Where is the nearest post office/mail box?**

À combien faut-il affranchir pour... ?
**How much is the postage to...?**

Je voudrais envoyer ceci par avion/en recommandé.
**I'd like to send this by air mail/ registered mail.**

Pouvez-vous m'indiquer la cabine téléphonique la plus proche ?
**Can you direct me to a public phone?**

Quel est le numéro pour les renseignements ?
**What is the number for directory enquiries?**

Où est-ce que je peux trouver un annuaire ?
**Where can I find a telephone directory?**

Où est-ce que je peux acheter une télécarte ?
**Where can I buy a phone card?**

Pouvez-vous me passer..., s'il vous plaît ?
**Please put me through to...**

Est-ce que je peux appeler directement en... ?
**Can I dial direct to...?**

Est-ce qu'il faut composer le zéro (d'abord) ?
**Do I need to dial 0 first?**

Quel est le tarif à la minute ?
**What is the charge per minute?**

Est-ce que j'ai eu des appels téléphoniques ?
**Have there been any calls for me?**

Allô, c'est... (à l'appareil)
**Hello, this is...**

Qui est à l'appareil, s'il vous plaît ?
**Who is speaking please ...?**

Je voudrais parler à...
**I would like to speak to...**

## TEMPS/JOURS/MOIS

| | | | | | |
|---|---|---|---|---|---|
| lundi **monday** | janvier **january** | août **august** | printemps **spring** | matin **morning** | le jour **day** |
| mardi **tuesday** | février **february** | septembre **september** | été **summer** | après-midi **afternoon** | le mois **month** |
| mercredi **wednesday** | mars **march** | octobre **october** | automne **autumn** | soir **evening** | l'année **year** |
| jeudi **thursday** | avril **april** | novembre **november** | hiver **winter** | nuit **night** | |
| vendredi **friday** | mai **may** | décembre **december** | vacances **holiday** | aujourd'hui **today** | |
| samedi **saturday** | juin **june** | | Pâques **Easter** | hier **yesterday** | |
| dimanche **sunday** | juillet **july** | | Noël **Christmas** | demain **tomorrow** | |

## HÔTELS

(Est-ce que) vous avez une chambre ?
**Do you have a room?**

J'ai réservé pour…nuits.
**I have a reservation for… nights.**

C'est combien par nuit ?
**How much each night?**

Une chambre pour deux personnes/double.
**Double room.**

Une chambre à deux lits/ avec lits jumeaux.
**Twin room.**

Une chambre à un lit/pour une personne.
**Single room.**

Avec salle de bain/douche/WC.
**With bath/shower/lavatory.**

(Est-ce que) la chambre est climatisée/chauffée ?
**Is the room air-conditioned/ heated?**

(Est-ce que) le petit déjeuner/ le déjeuner/le dîner est compris dans le prix ?
**Is breakfast/lunch/dinner included in the cost?**

(Est-ce qu') il y a un ascenseur à l'hôtel ?
**Is there an elevator in the hotel?**

(Est-ce qu') il y a un service en chambre ?
**Is room service available?**

À quelle heure servez-vous le petit déjeuner ?
**When do you serve breakfast?**

(Est-ce que) je peux prendre le petit déjeuner dans ma chambre ?
**May I have breakfast in my room?**

(Est-ce que) vous servez le repas du soir/le dîner ?
**Do you serve evening meals?**

Je voudrais être réveillé(e) à…heures.
**I need an alarm call at…**

Je voudrais une couverture/ un oreiller supplémentaire, s'il vous plaît.
**I'd like an extra blanket/pillow.**

(Est-ce que) je peux avoir la clé de ma chambre ?
**May I have my room key?**

Pouvez-vous garder mes bagages jusqu'à mon départ ?
**Will you look after my luggage until I leave?**

(Est-ce qu') il y a un parking ?
**Is there parking?**

Où est-ce que je peux garer ma voiture ?
**Where can I park my car?**

(Est-ce que) vous avez un service de babysitting/ garde d'enfants ?
**Do you have babysitters?**

Quand changez-vous les draps ?
**When are the sheets changed?**

Il fait trop chaud/froid dans la chambre.
**The room is too hot/cold.**

(Est-ce que) je pourrais avoir une autre chambre ?
**Could I have another room?**

Je pars ce matin.
**I am leaving this morning.**

À quelle heure devons-nous libérer la chambre ?
**What time should we leave our room?**

(Est-ce que) je peux régler ma note, s'il vous plaît ?
**Can I pay my bill?**

(Est-ce que) je peux voir la chambre ?
**May I see the room?**

Merci pour votre hospitalité.
**Thank you for your hospitality.**

Piscine
**Swimming pool**

Non-fumeur
**No smoking**

## RESTAURANTS

Je voudrais réserver une table pour…personnes à …heures, s'il vous plaît.
**I'd like to reserve a table for … people at…**

Nous avons/n'avons pas réservé.
**We have/haven't booked.**

Une table pour…, s'il vous plaît.
**A table for…, please.**

(Est-ce que) nous pouvons nous asseoir ici ?
**Could we sit there?**

(Est-ce que) cette table est libre ?
**Is this table taken?**

(Est-ce qu') il y a des tables dehors/à la terrasse ?
**Are there tables outside?**

(Est-ce que) nous pouvons voir le menu/la carte des vins, s'il vous plaît ?
**Could we see the menu/ wine list?**

Où sont les toilettes ?
**Where are the toilets?**

Nous voudrions quelque chose à boire.
**We'd like something to drink.**

(Est-ce que) je peux avoir une bouteille d'eau minérale/ gazeuse, s'il vous plaît ?
**Could I have bottled still/ sparkling water?**

(Est-ce qu') il y a un plat du jour ?
**Is there a dish of the day?**

Je ne peux pas manger de blé/sucre/sel/porc/bœuf/ produits laitiers.
**I can't eat wheat/sugar/salt/ pork/beef/dairy.**

Je voudrais…
**I'd like…**

Qu'est-ce que vous nous conseillez ?
**What do you recommend?**

À quelle heure ouvre le restaurant ?
**What time does the restaurant open?**

Nous aimerions attendre qu'une table se libère.
**We'd like to wait for a table.**

(Est-ce que) vous pouvez me faire réchauffer ceci/ça, s'il vous plaît ?
**Could you warm this up for me?**

Je suis végétarien(ne).
**I am a vegetarian.**

(Est-ce que) vous pouvez nous apporter un peu plus de pain, s'il vous plaît ?
**Could we have some more bread?**

Combien coûte ce plat ?
**How much is this dish?**

(Est-ce que) le service est compris ?
**Is service included?**

(Est-ce que) vous pouvez nous apporter du sel et du poivre, s'il vous plaît ?
**Could we have some salt and pepper?**

(Est-ce que) je peux avoir un cendrier, s'il vous plaît ?
**May I have an ashtray?**

(Est-ce que) je peux avoir l'addition, s'il vous plaît ?
**Can I have the bill, please?**

## NOURRITURE ET BOISSON

Petit déjeuner **Breakfast**

Déjeuner **Lunch**

Dîner **Dinner**

Café **Coffee**

Thé **Tea**

Jus d'orange **Orange juice**

Jus de pomme **Apple juice**

Lait **Milk**

Bière **Beer**

Vin rouge **Red wine**

Vin blanc **White wine**

Petit pain **Bread roll**

Pain **Bread**

Sucre **Sugar**

Carte/liste des vins **Wine list**

Dessert **Dessert**

Sel/poivre **Salt/pepper**

Fromage **Cheese**

Couteau/ fourchette/ cuillère **Knife/fork/ spoon**

Soupes/potages **Soups**

Soupe de légumes **Vegetable soup**

Sandwichs **Sandwiches**

Sandwich au jambon **Ham sandwich**

Plat du jour **Dish of the day**

Crevettes roses **Prawns**

Saumon **Salmon**

Poulet rôti **Roast chicken**

Gigot **Roast lamb**

Pommes de terre **Potatoes**

Chou-fleur **Cauliflower**

Haricots verts **Green beans**

Petits pois **Peas**

Carottes **Carrots**

Épinards **Spinach**

Oignons **Onions**

Laitue **Lettuce**

Concombre **Cucumber**

Tomates **Tomatoes**

Pommes **Apples**

Fraises **Strawberries**

Pêches **Peaches**

Poires **Pears**

Tarte aux fruits **Fruit tart**

Pâtisserie **Pastry**

Gâteau au chocolat **Chocolate cake**

Crème **Cream**

Glace **Ice cream**

Mousse au chocolat **Chocolate mousse**

UPPER WEST SIDE
Central Park
UPPER EAST SIDE
Carl Schurz Park
332-333
334-335
LONG ISLAND CITY
QUEENS
THEATER DISTRICT
336-337
338-339
MIDTOWN
CHELSEA
STUYVESANT TOWN
EAST VILLAGE
ALPHABET CITY
340-341
342-343
SOHO
LITTLE ITALY
LOWER EAST SIDE
TRIBECA
FINANCIAL DISTRICT
344-345
BATTERY PARK CITY
BROOKLYN HEIGHTS
CONNECTICUT
NEW
346-347
NEW YORK
Newark
New York
JERSEY
Les environs de New York
Voie principale
Autre voie
Voie mineure/ruelle
Voie ferrée
Parc
Immeuble important
Site intéressant détaillé dans le guide
Stations/lignes de métro :
1, 2, 3, 9
4, 5, 6
7
A, C, E
B, D, F
L
M, J, Z
N, R, Q, W
S (42 St Shuttle)
S (Grand St Shuttle)
S (Franklin Av Shuttle)
V (0530-2300 Mon-Fri)
Gare
Parking
332-345
0
300 m
0
250 yds
346-347
0
8 km
0
5 m


# Cartes

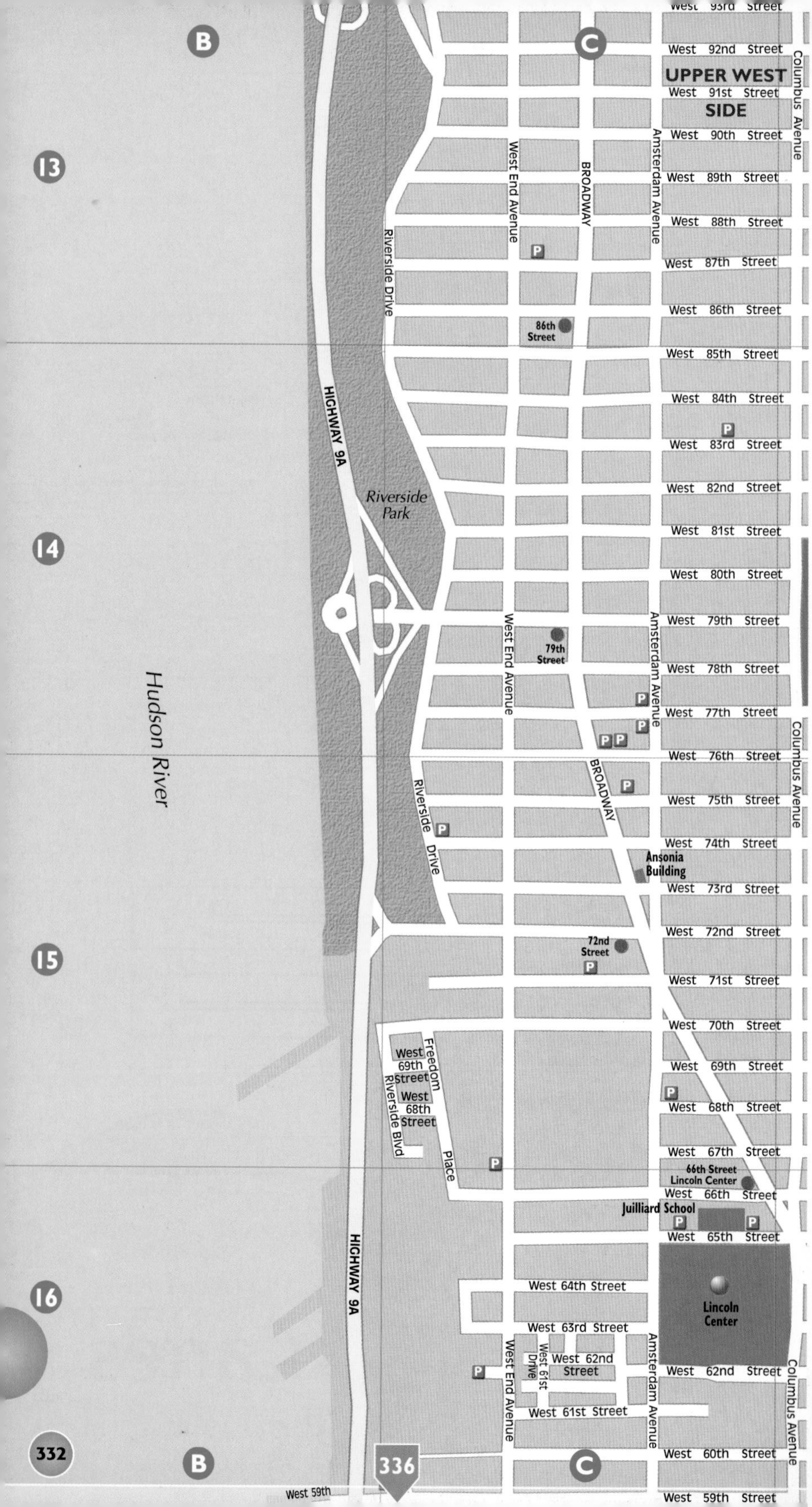
B
C
13
14
15
16
UPPER WEST SIDE
West 93rd Street
West 92nd Street
West 91st Street
West 90th Street
West 89th Street
West 88th Street
West 87th Street
West 86th Street
West 85th Street
West 84th Street
West 83rd Street
West 82nd Street
West 81st Street
West 80th Street
West 79th Street
West 78th Street
West 77th Street
West 76th Street
West 75th Street
West 74th Street
West 73rd Street
West 72nd Street
West 71st Street
West 70th Street
West 69th Street
West 68th Street
West 67th Street
West 66th Street
West 65th Street
West 64th Street
West 63rd Street
West 62nd Street
West 61st Street
West 60th Street
West 59th Street
West 59th
Columbus Avenue
Amsterdam Avenue
BROADWAY
West End Avenue
Riverside Drive
HIGHWAY 9A
Riverside Park
Hudson River
86th Street
79th Street
72nd Street
66th Street Lincoln Center
Ansonia Building
Juilliard School
Lincoln Center
Freedom Place
Riverside Blvd
West 69th Street
West 68th Street
West 61st Drive
West 62nd Street

336

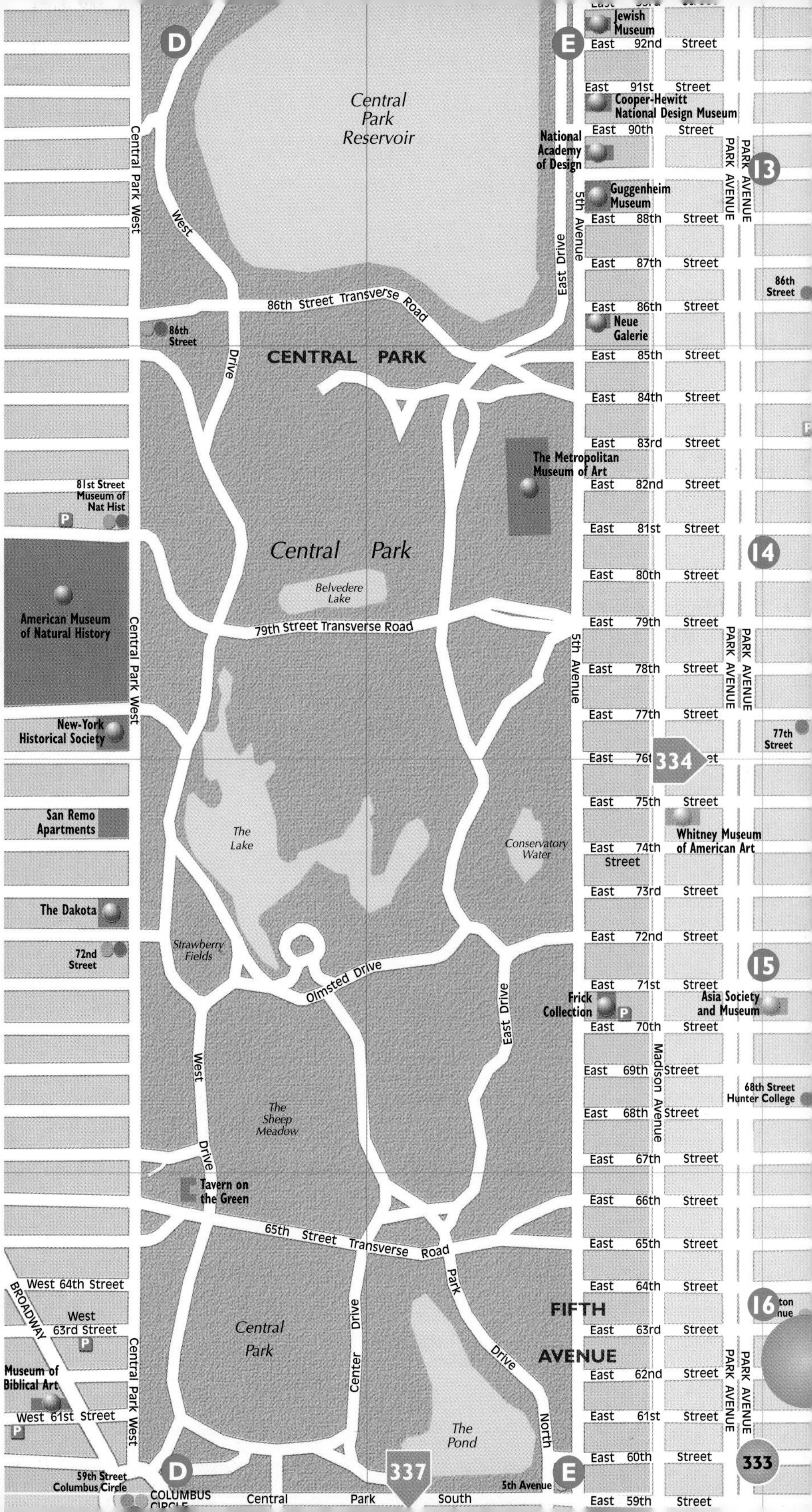

Jewish Museum
East 92nd Street
East 91st Street
Cooper-Hewitt National Design Museum
East 90th Street
National Academy of Design
Guggenheim Museum
East 88th Street
East 87th Street
East 86th Street
Neue Galerie
East 85th Street
East 84th Street
East 83rd Street
The Metropolitan Museum of Art
East 82nd Street
East 81st Street
East 80th Street
East 79th Street
East 78th Street
East 77th Street
East 76th Street
East 75th Street
Whitney Museum of American Art
East 74th Street
East 73rd Street
East 72nd Street
East 71st Street
Frick Collection
Asia Society and Museum
East 70th Street
East 69th Street
East 68th Street
East 67th Street
East 66th Street
East 65th Street
East 64th Street
East 63rd Street
East 62nd Street
East 61st Street
East 60th Street
East 59th Street
Madison Avenue
5th Avenue
FIFTH AVENUE
PARK AVENUE
86th Street
77th Street
68th Street Hunter College
5th Avenue
13
14
15
16
333
334
337
D
E
Central Park Reservoir
CENTRAL PARK
Central Park
Belvedere Lake
86th Street Transverse Road
79th Street Transverse Road
65th Street Transverse Road
West Drive
East Drive
Olmsted Drive
Center Drive
Park Drive North
The Lake
Conservatory Water
Strawberry Fields
The Sheep Meadow
Tavern on the Green
Central Park
The Pond
Central Park West
86th Street
81st Street Museum of Nat Hist
American Museum of Natural History
New-York Historical Society
San Remo Apartments
The Dakota
72nd Street
West 64th Street
West 63rd Street
BROADWAY
Museum of Biblical Art
West 61st Street
59th Street Columbus Circle
COLUMBUS CIRCLE
Central Park South

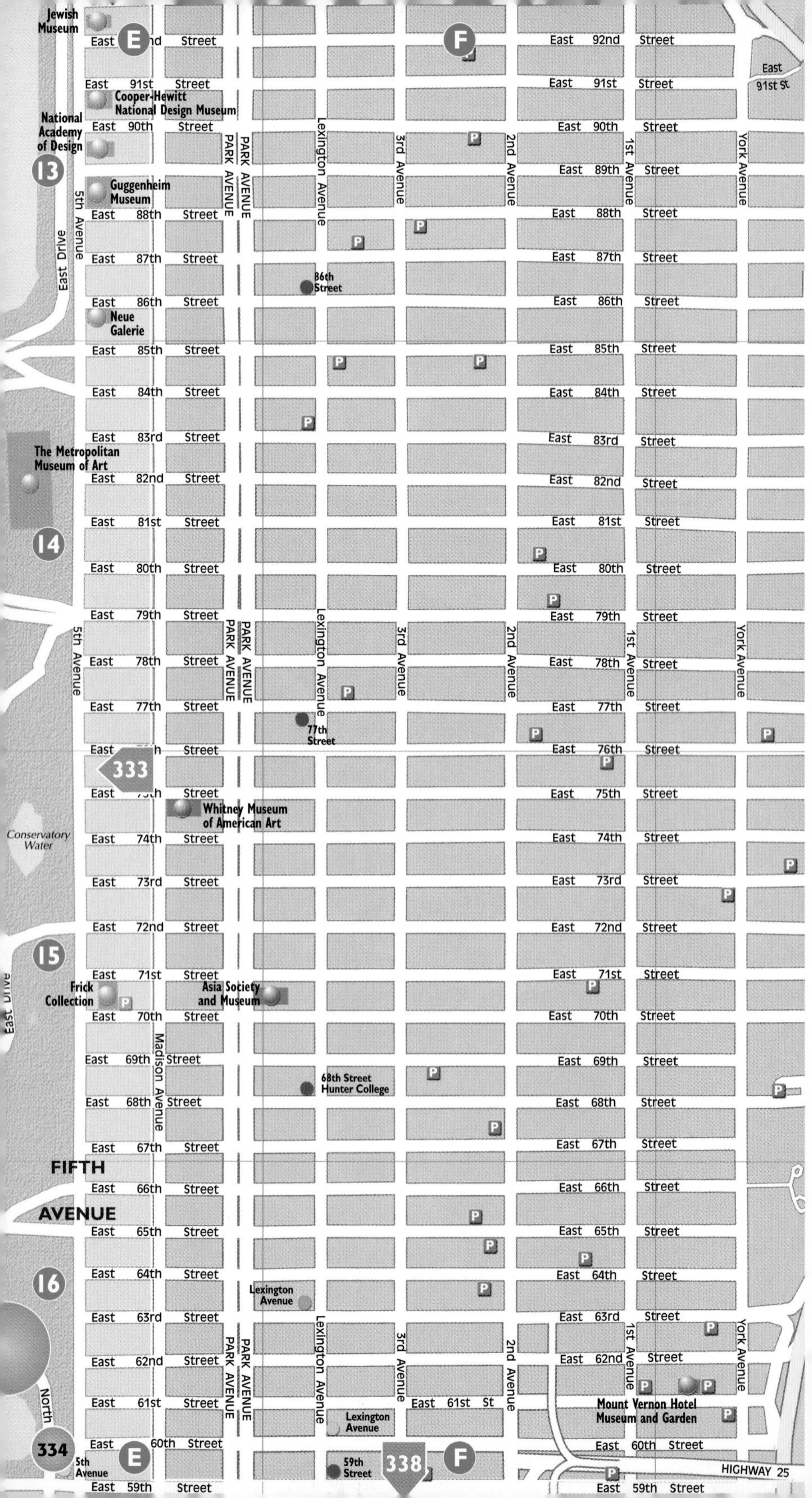

Jewish Museum
Cooper-Hewitt National Design Museum
National Academy of Design
Guggenheim Museum
Neue Galerie
The Metropolitan Museum of Art
Whitney Museum of American Art
Frick Collection
Asia Society and Museum
Mount Vernon Hotel Museum and Garden

86th Street
77th Street
68th Street Hunter College
Lexington Avenue
59th Street
5th Avenue

5th Avenue
Madison Avenue
Park Avenue
Lexington Avenue
3rd Avenue
2nd Avenue
1st Avenue
York Avenue
East Drive
North
Conservatory Water
FIFTH AVENUE
Highway 25

East 92nd Street
East 91st Street
East 90th Street
East 89th Street
East 88th Street
East 87th Street
East 86th Street
East 85th Street
East 84th Street
East 83rd Street
East 82nd Street
East 81st Street
East 80th Street
East 79th Street
East 78th Street
East 77th Street
East 76th Street
East 75th Street
East 74th Street
East 73rd Street
East 72nd Street
East 71st Street
East 70th Street
East 69th Street
East 68th Street
East 67th Street
East 66th Street
East 65th Street
East 64th Street
East 63rd Street
East 62nd Street
East 61st Street
East 60th Street
East 59th Street

333
334
338

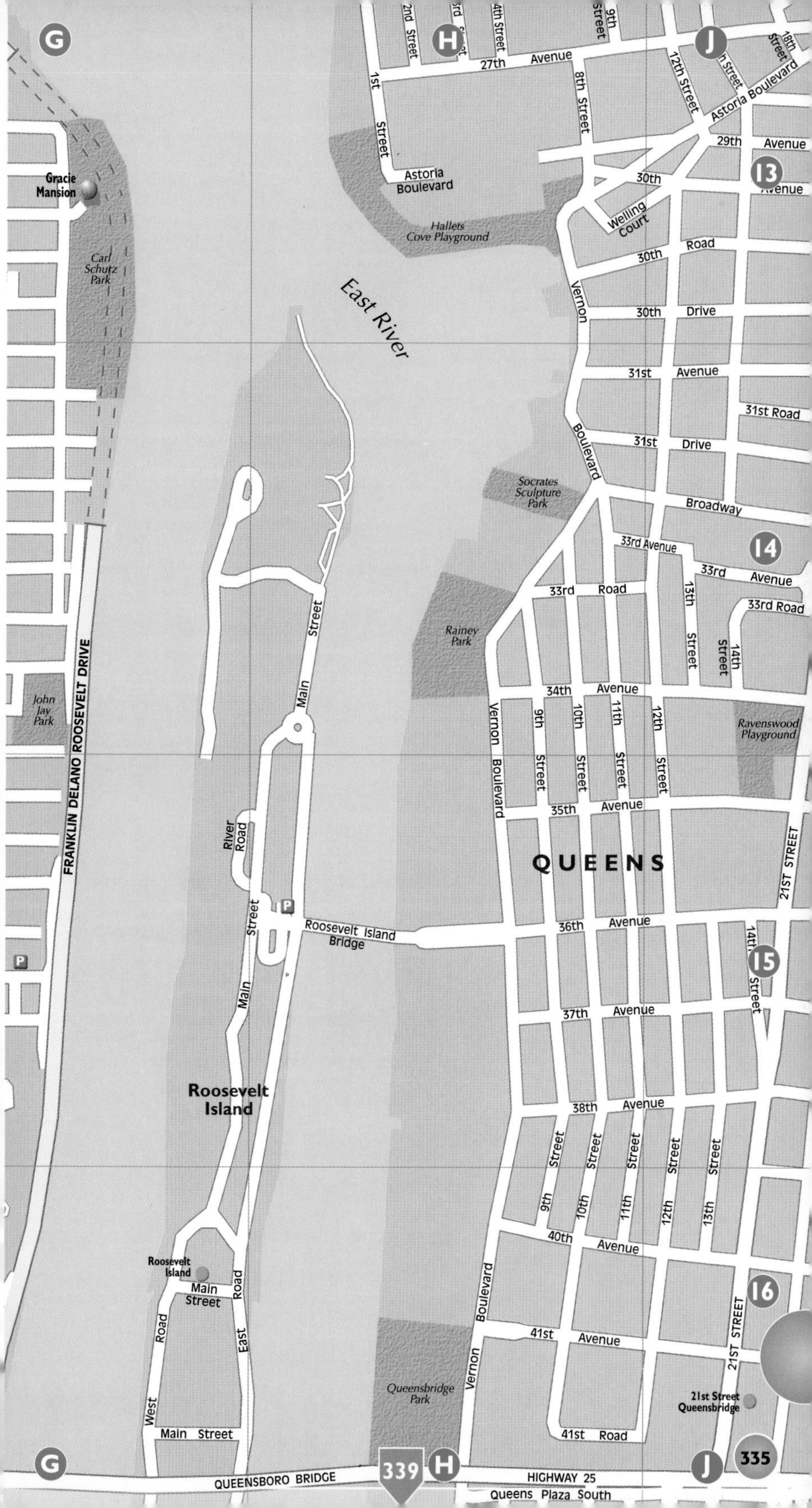
Gracie Mansion
Carl Schurz Park
John Jay Park
FRANKLIN DELANO ROOSEVELT DRIVE
East River
Astoria Boulevard
Hallets Cove Playground
27th Avenue
1st Street
8th Street
12th Street
29th Avenue
30th Avenue
Welling Court
30th Road
30th Drive
Vernon Boulevard
31st Avenue
31st Road
31st Drive
Socrates Sculpture Park
Broadway
33rd Avenue
33rd Road
13th Street
14th Street
Rainey Park
Main Street
34th Avenue
9th Street
10th Street
11th Street
12th Street
Ravenswood Playground
35th Avenue
River Road
QUEENS
21ST STREET
Roosevelt Island Bridge
36th Avenue
37th Avenue
Roosevelt Island
38th Avenue
40th Avenue
Roosevelt Island
East Road
West Road
41st Avenue
Queensbridge Park
21st Street Queensbridge
41st Road
QUEENSBORO BRIDGE
HIGHWAY 25
Queens Plaza South
339
13
14
15
16
G
H
J

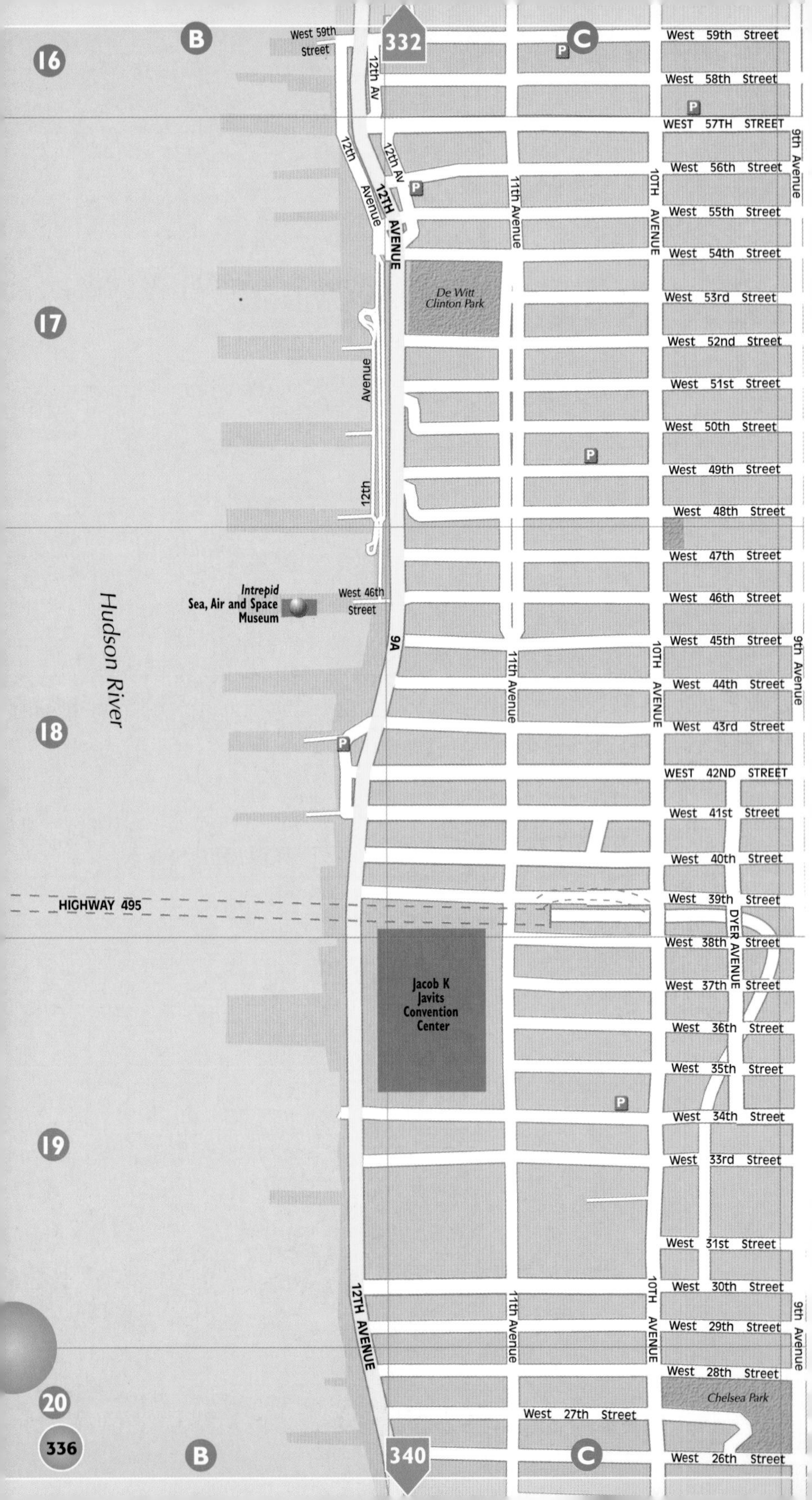
16
17
18
19
20
B
C
332
340
336
Hudson River
West 59th Street
West 58th Street
WEST 57TH STREET
West 56th Street
West 55th Street
West 54th Street
West 53rd Street
West 52nd Street
West 51st Street
West 50th Street
West 49th Street
West 48th Street
West 47th Street
West 46th Street
West 45th Street
West 44th Street
West 43rd Street
WEST 42ND STREET
West 41st Street
West 40th Street
West 39th Street
West 38th Street
West 37th Street
West 36th Street
West 35th Street
West 34th Street
West 33rd Street
West 31st Street
West 30th Street
West 29th Street
West 28th Street
West 27th Street
West 26th Street
12th AV
12th Avenue
12TH AVENUE
11th Avenue
10TH AVENUE
9th Avenue
DYER AVENUE
9A
HIGHWAY 495
De Witt Clinton Park
Intrepid Sea, Air and Space Museum
Jacob K Javits Convention Center
Chelsea Park
P

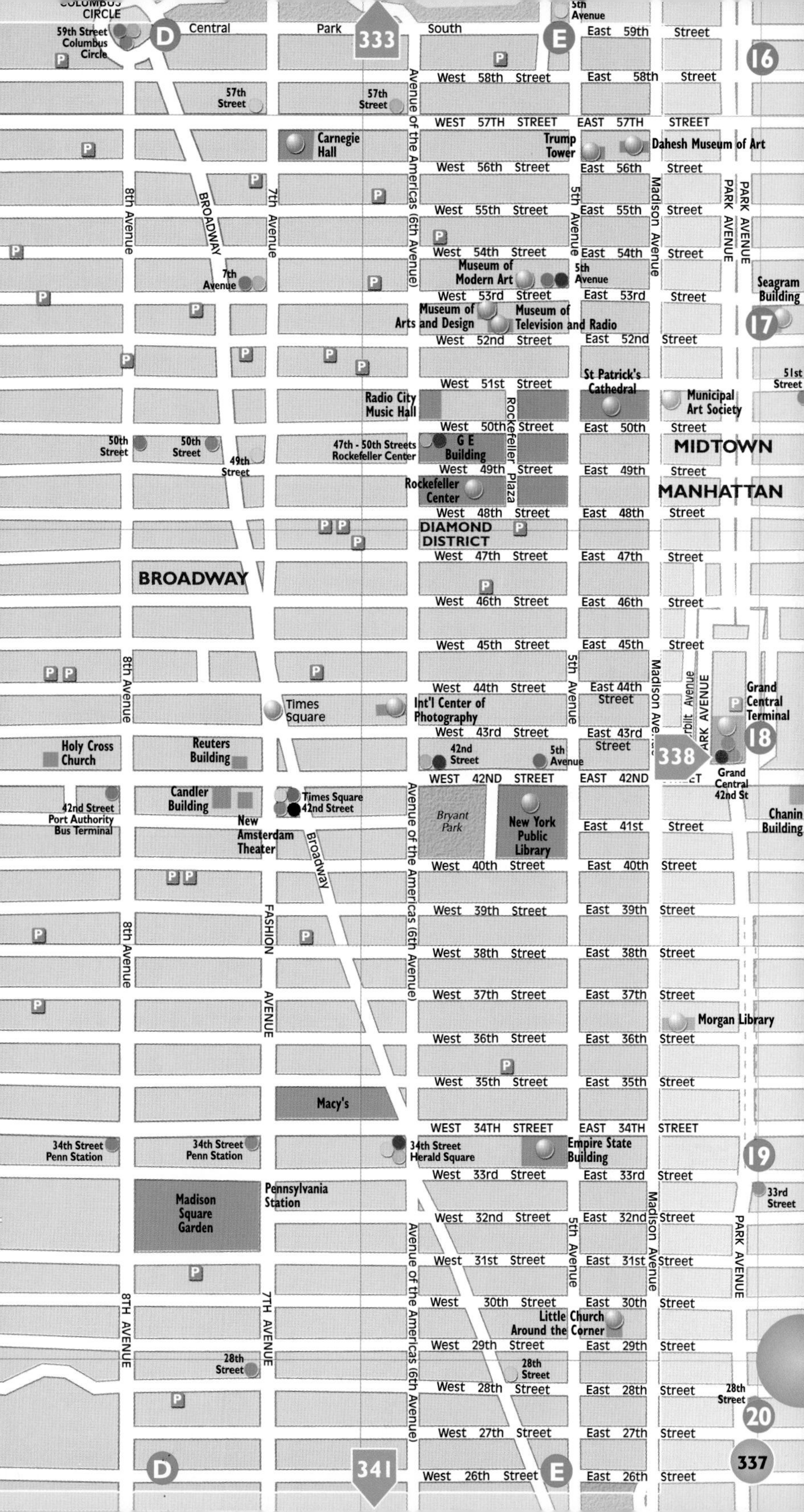

Columbus Circle
59th Street Columbus Circle
Central Park South
333
5th Avenue
East 59th Street
16
West 58th Street
East 58th Street
57th Street
WEST 57TH STREET
EAST 57TH STREET
Carnegie Hall
Trump Tower
Dahesh Museum of Art
West 56th Street
East 56th Street
8th Avenue
BROADWAY
7th Avenue
Avenue of the Americas (6th Avenue)
5th Avenue
Madison Avenue
PARK AVENUE
West 55th Street
East 55th Street
West 54th Street
East 54th Street
Museum of Modern Art
7th Avenue
Seagram Building
West 53rd Street
East 53rd Street
Museum of Arts and Design
Museum of Television and Radio
17
West 52nd Street
East 52nd Street
St Patrick's Cathedral
51st Street
West 51st Street
Radio City Music Hall
Municipal Art Society
Rockefeller Plaza
West 50th Street
East 50th Street
50th Street
47th - 50th Streets Rockefeller Center
GE Building
MIDTOWN
49th Street
West 49th Street
East 49th Street
Rockefeller Center
MANHATTAN
West 48th Street
East 48th Street
DIAMOND DISTRICT
West 47th Street
East 47th Street
BROADWAY
West 46th Street
East 46th Street
West 45th Street
East 45th Street
West 44th Street
East 44th Street
Times Square
Int'l Center of Photography
Grand Central Terminal
Vanderbilt Avenue
PARK AVENUE
West 43rd Street
East 43rd Street
18
Holy Cross Church
Reuters Building
42nd Street
338
Grand Central 42nd St
WEST 42ND STREET
EAST 42ND STREET
Candler Building
Times Square 42nd Street
42nd Street Port Authority Bus Terminal
New Amsterdam Theater
Broadway
Bryant Park
New York Public Library
East 41st Street
Chanin Building
West 40th Street
East 40th Street
FASHION AVENUE
West 39th Street
East 39th Street
West 38th Street
East 38th Street
West 37th Street
East 37th Street
Morgan Library
West 36th Street
East 36th Street
West 35th Street
East 35th Street
Macy's
WEST 34TH STREET
EAST 34TH STREET
34th Street Penn Station
34th Street Herald Square
Empire State Building
19
West 33rd Street
East 33rd Street
Madison Square Garden
Pennsylvania Station
33rd Street
West 32nd Street
East 32nd Street
West 31st Street
East 31st Street
8TH AVENUE
7TH AVENUE
West 30th Street
East 30th Street
Little Church Around the Corner
West 29th Street
East 29th Street
28th Street
West 28th Street
East 28th Street
20
West 27th Street
East 27th Street
D
341
E
West 26th Street
East 26th Street
337

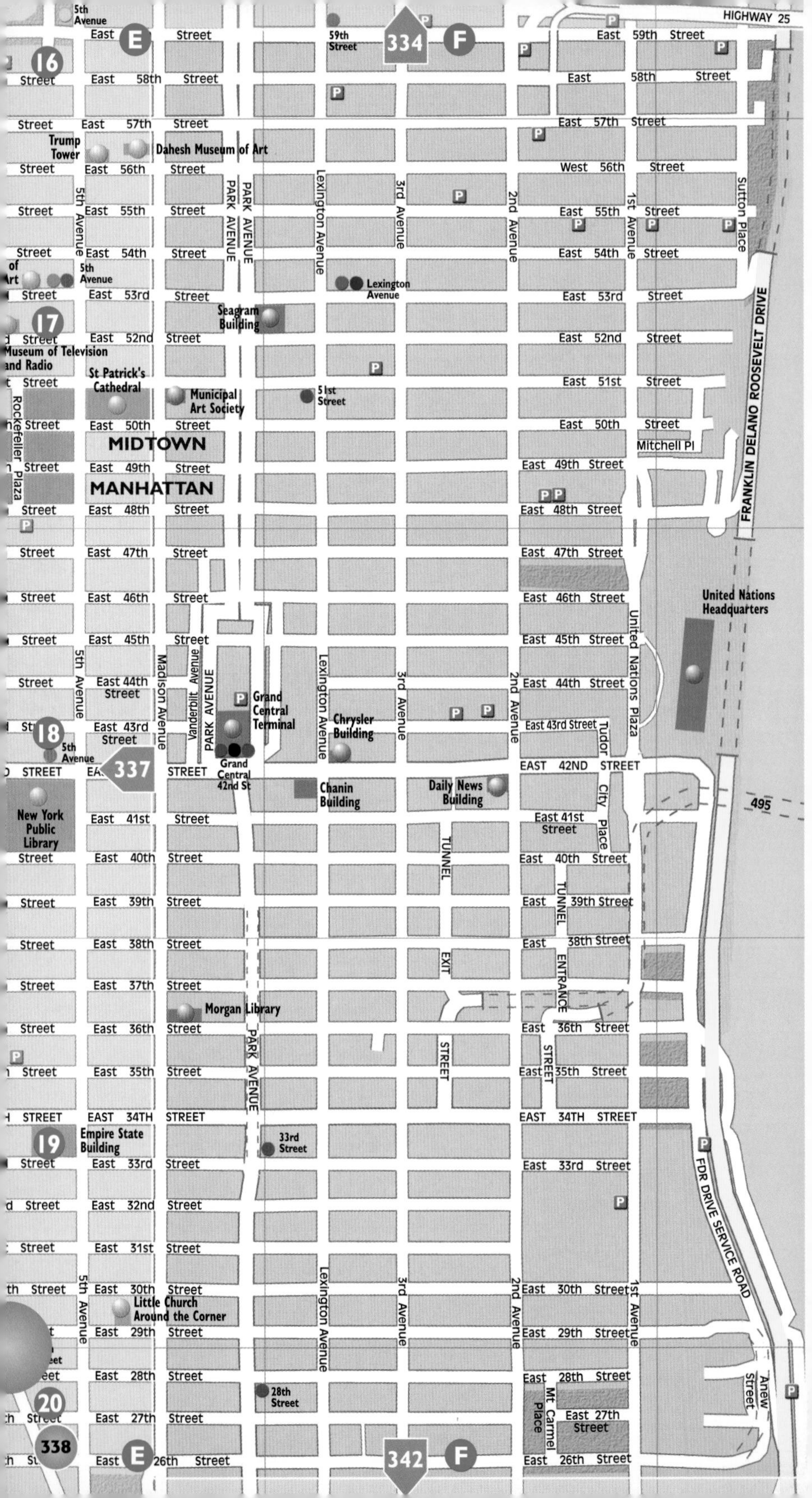

MIDTOWN
MANHATTAN
Trump Tower
Dahesh Museum of Art
Museum of Television and Radio
St Patrick's Cathedral
Municipal Art Society
Seagram Building
Rockefeller Plaza
Grand Central Terminal
Grand Central 42nd St
Chrysler Building
Chanin Building
Daily News Building
New York Public Library
Morgan Library
Empire State Building
Little Church Around the Corner
United Nations Headquarters
FRANKLIN DELANO ROOSEVELT DRIVE
FDR DRIVE SERVICE ROAD
HIGHWAY 25
495
5th Avenue
Madison Avenue
Vanderbilt Avenue
PARK AVENUE
Lexington Avenue
3rd Avenue
2nd Avenue
1st Avenue
Sutton Place
Mitchell Pl
United Nations Plaza
Tudor City Place
Mt Carmel Place
Anew Street
East 59th Street
East 58th Street
East 57th Street
West 56th Street
East 56th Street
East 55th Street
East 54th Street
East 53rd Street
East 52nd Street
East 51st Street
East 50th Street
East 49th Street
East 48th Street
East 47th Street
East 46th Street
East 45th Street
East 44th Street
East 43rd Street
EAST 42ND STREET
East 41st Street
East 40th Street
East 39th Street
East 38th Street
East 37th Street
East 36th Street
East 35th Street
EAST 34TH STREET
East 33rd Street
East 32nd Street
East 31st Street
East 30th Street
East 29th Street
East 28th Street
East 27th Street
East 26th Street
TUNNEL
EXIT
ENTRANCE
59th Street
Lexington Avenue
51st Street
33rd Street
28th Street
16
17
18
19
20
334
337
338
342
E
F

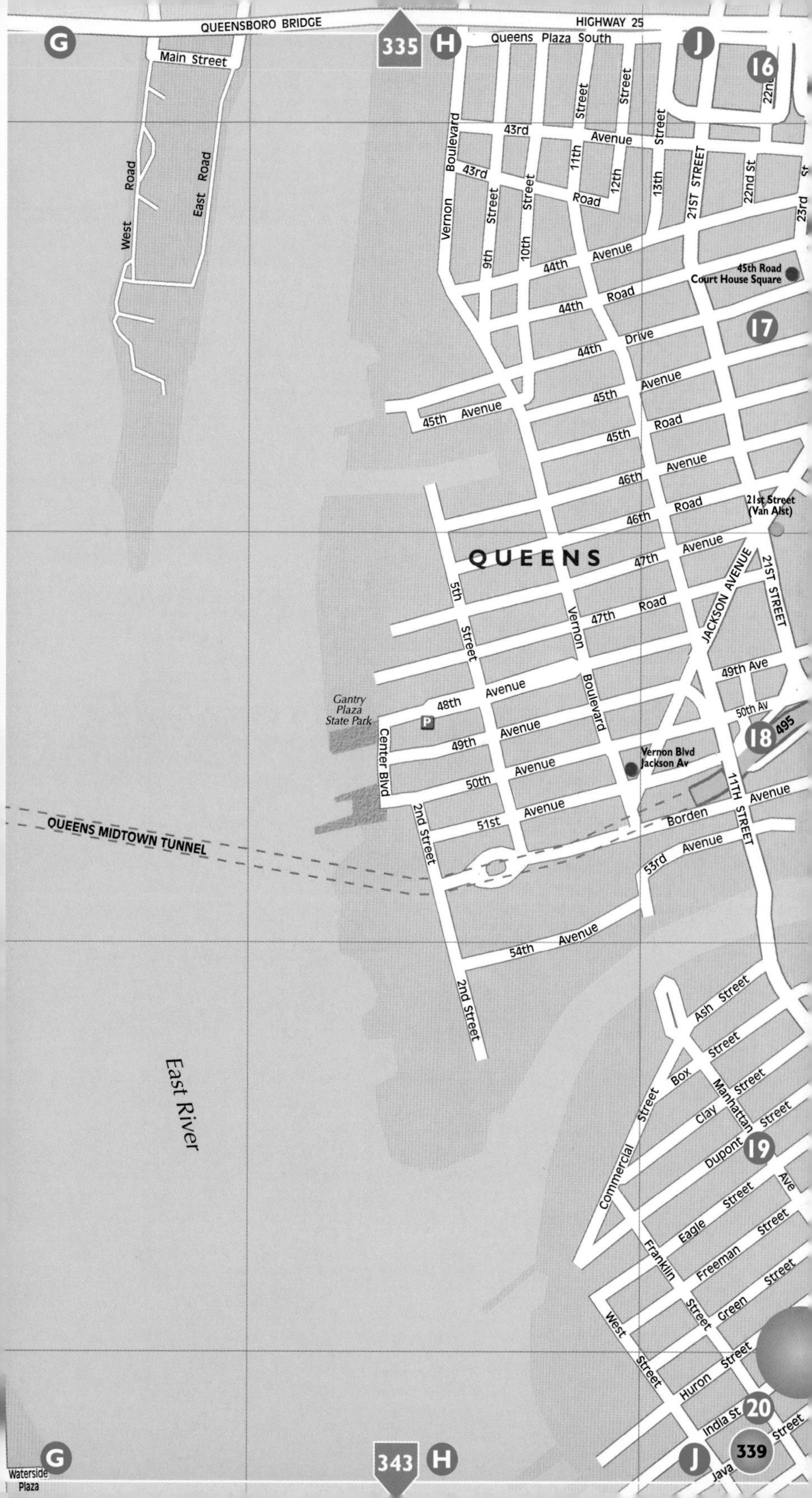

G
QUEENSBORO BRIDGE
HIGHWAY 25
335
H
Queens Plaza South
J
16
Main Street
West Road
East Road
Vernon Boulevard
43rd Avenue
43rd Road
9th Street
10th Street
11th Street
12th
13th Street
21ST STREET
22nd St
23rd
44th Avenue
45th Road Court House Square
44th Road
17
44th Drive
45th Avenue
45th Road
46th Avenue
46th Road
21st Street (Van Alst)
47th Avenue
QUEENS
5th Street
47th Road
JACKSON AVENUE
21ST STREET
Vernon Boulevard
49th Ave
Gantry Plaza State Park
48th Avenue
50th Av
18
495
Center Blvd
49th Avenue
Vernon Blvd Jackson Av
50th Avenue
11TH STREET
Borden Avenue
QUEENS MIDTOWN TUNNEL
2nd Street
51st Avenue
53rd Avenue
54th Avenue
2nd Street
Ash Street
Box Street
Commercial Street
Clay Street
Manhattan Avenue
Dupont Street
19
Eagle Street
Franklin Street
Freeman Street
Green Street
West Street
Huron Street
India St
20
Java Street
East River
G
343
H
J
339
Waterside Plaza

B
336
C
West 26th Street
West 25th Street
West 24th Street
Chelsea Waterside Park
10TH AVENUE
West 23rd Street
West 22nd Street
9TH AVENUE
West 21st Street
West 20th Street
11TH AVENUE
West 19th Street
West 18th Street
West 17th Street
West 16th Street
West 15th Street
9A
WEST 14TH STREET
Washington
West 13th
Little West 12th Street
Street
Gansevoort
Bloomfield Street
10TH AVENUE
Horatio Street
Gansevoort Street
WEST STREET
Jane Street
West 12th
Bethune
Bank
Hudson River
20
21
22
23



B
C

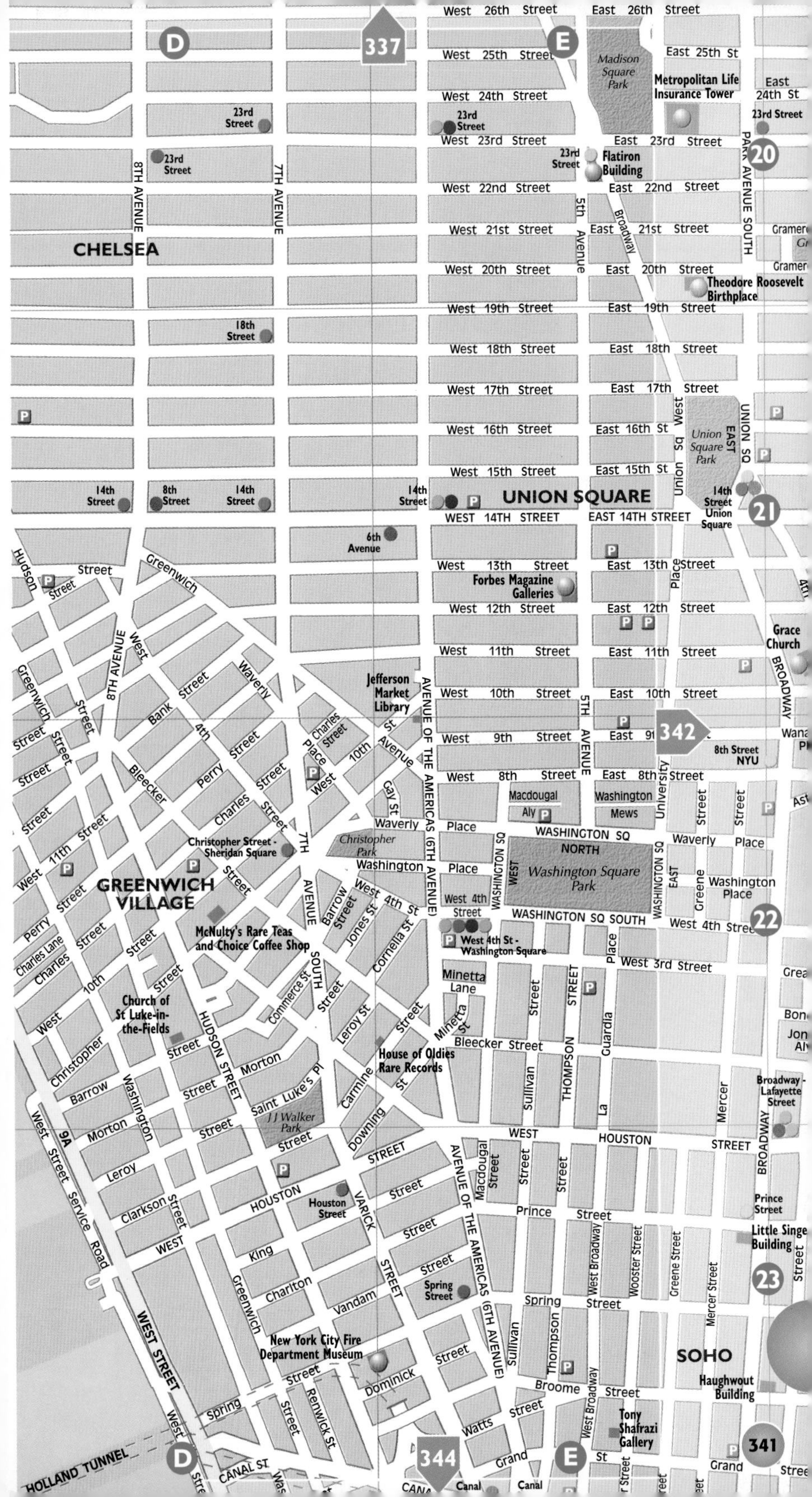

337
342
344
341
D
E
20
21
22
23
CHELSEA
UNION SQUARE
GREENWICH VILLAGE
SOHO
Madison Square Park
Metropolitan Life Insurance Tower
Flatiron Building
Theodore Roosevelt Birthplace
Union Square Park
Forbes Magazine Galleries
Grace Church
Jefferson Market Library
Christopher Park
Washington Square Park
Christopher Street - Sheridan Square
McNulty's Rare Teas and Choice Coffee Shop
Church of St Luke-in-the-Fields
J J Walker Park
House of Oldies Rare Records
West 4th St - Washington Square
New York City Fire Department Museum
Little Singer Building
Haughwout Building
Tony Shafrazi Gallery
8th Street NYU
Broadway - Lafayette Street
Prince Street
Spring Street
Houston Street
14th Street Union Square
23rd Street
18th Street
14th Street
8th Street
6th Avenue
West 26th Street
East 26th Street
West 25th Street
East 25th St
West 24th Street
East 24th St
West 23rd Street
East 23rd Street
West 22nd Street
East 22nd Street
West 21st Street
East 21st Street
West 20th Street
East 20th Street
West 19th Street
East 19th Street
West 18th Street
East 18th Street
West 17th Street
East 17th Street
West 16th Street
East 16th St
West 15th Street
East 15th St
WEST 14TH STREET
EAST 14TH STREET
West 13th Street
East 13th Street
West 12th Street
East 12th Street
West 11th Street
East 11th Street
West 10th Street
East 10th Street
West 9th Street
West 8th Street
East 8th Street
8TH AVENUE
7TH AVENUE
5th Avenue
Broadway
PARK AVENUE SOUTH
UNION SQ EAST
Union Sq West
AVENUE OF THE AMERICAS (6TH AVENUE)
University Place
Macdougal Aly
Washington Mews
WASHINGTON SQ NORTH
WASHINGTON SQ WEST
WASHINGTON SQ EAST
WASHINGTON SQ SOUTH
Waverly Place
Washington Place
West 4th Street
West 3rd Street
Minetta Lane
Minetta St
Bleecker Street
Sullivan Street
THOMPSON STREET
La Guardia Place
Mercer Street
Greene Street
Wooster Street
West Broadway
WEST HOUSTON STREET
Prince Street
Spring Street
Broome Street
Grand St
Canal St
Watts Street
Dominick Street
Vandam
Charlton
King
VARICK STREET
Macdougal Street
Downing Street
Carmine St
Leroy St
Bedford Street
Commerce St
Barrow Street
Jones St
Cornella St
Gay St
Christopher Street
Charles Street
Perry Street
Bank Street
West 11th Street
West 10th Street
Greenwich Avenue
Greenwich Street
Hudson Street
HUDSON STREET
Washington Street
West Street
WEST STREET
West Street Service Road
9A
Morton Street
Saint Luke's Pl
Clarkson Street
Renwick St
HOLLAND TUNNEL
Waverly Place
Bleecker Street
4th Street
7TH AVENUE SOUTH
Gramercy
Wanamaker Pl

GRAMERCY PARK
HISTORIC DISTRICT
UNION SQUARE
EAST VILLAGE
NOHO
SOHO
LITTLE ITALY
Madison Square Park
Metropolitan Life Insurance Tower
Flatiron Building
Gramercy Park
Theodore Roosevelt Birthplace
Union Square Park
14th Street Union Square
Forbes Magazine Galleries
Grace Church
St Mark's-in-the-Bowery
Astor Place 8th Street
8th Street NYU
Washington Square Park
Tompkins Square Park
Ukrainian Museum
Merchant's House Museum
St Patrick's Old Cathedral
New Museum of Contemporary Art
Little Singer Building
Lower East Side Tenement Museum
Haughwout Building
Tony Shafrazi Gallery
338
341
342
344
E
F
20
21
22
23

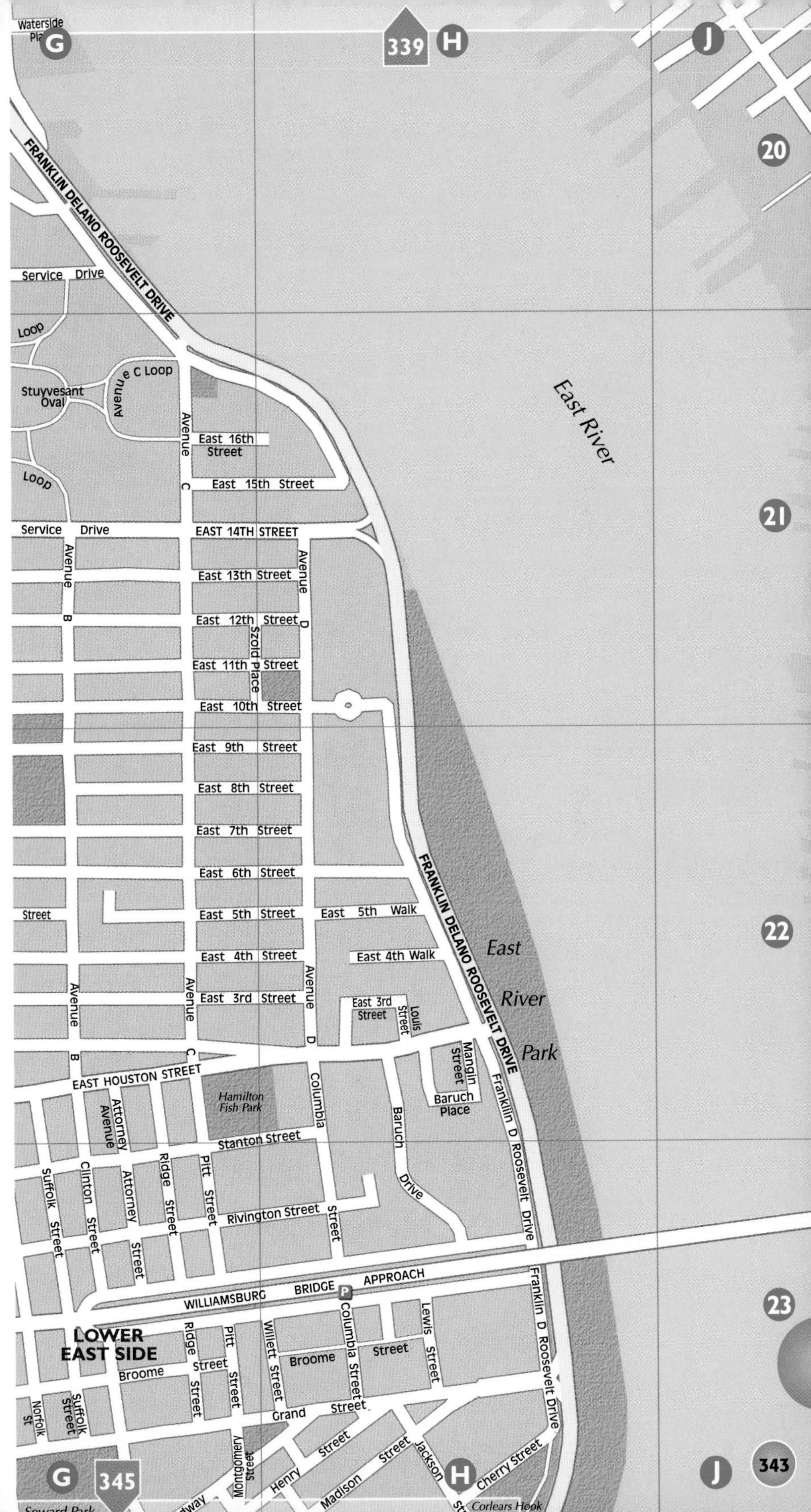

Waterside Pla
G
339
H
J
20
21
22
23
FRANKLIN DELANO ROOSEVELT DRIVE
Service Drive
Loop
Stuyvesant Oval
Avenue C Loop
Loop
Avenue C
East 16th Street
East 15th Street
Service Drive
EAST 14TH STREET
East River
Avenue B
Avenue D
East 13th Street
East 12th Street
Szold Place
East 11th Street
East 10th Street
East 9th Street
East 8th Street
East 7th Street
East 6th Street
Street
East 5th Street
East 5th Walk
East 4th Street
East 4th Walk
East 3rd Street
East 3rd Street
Louis Street
East River Park
Mangin Street
Baruch Place
EAST HOUSTON STREET
Attorney Avenue
Hamilton Fish Park
Columbia
Baruch Drive
Franklin D Roosevelt Drive
Stanton Street
Suffolk Street
Clinton Street
Attorney Street
Ridge Street
Pitt Street
Rivington Street
Street
WILLIAMSBURG BRIDGE APPROACH
P
LOWER EAST SIDE
Ridge Street
Pitt Street
Willett Street
Columbia Street
Lewis Street
Broome Street
Broome Street
Norfolk St
Suffolk Street
Grand Street
Montgomery Street
Henry Street
Madison Street
Jackson St
Cherry Street
Corlears Hook
Seward Park
345
G
H
J

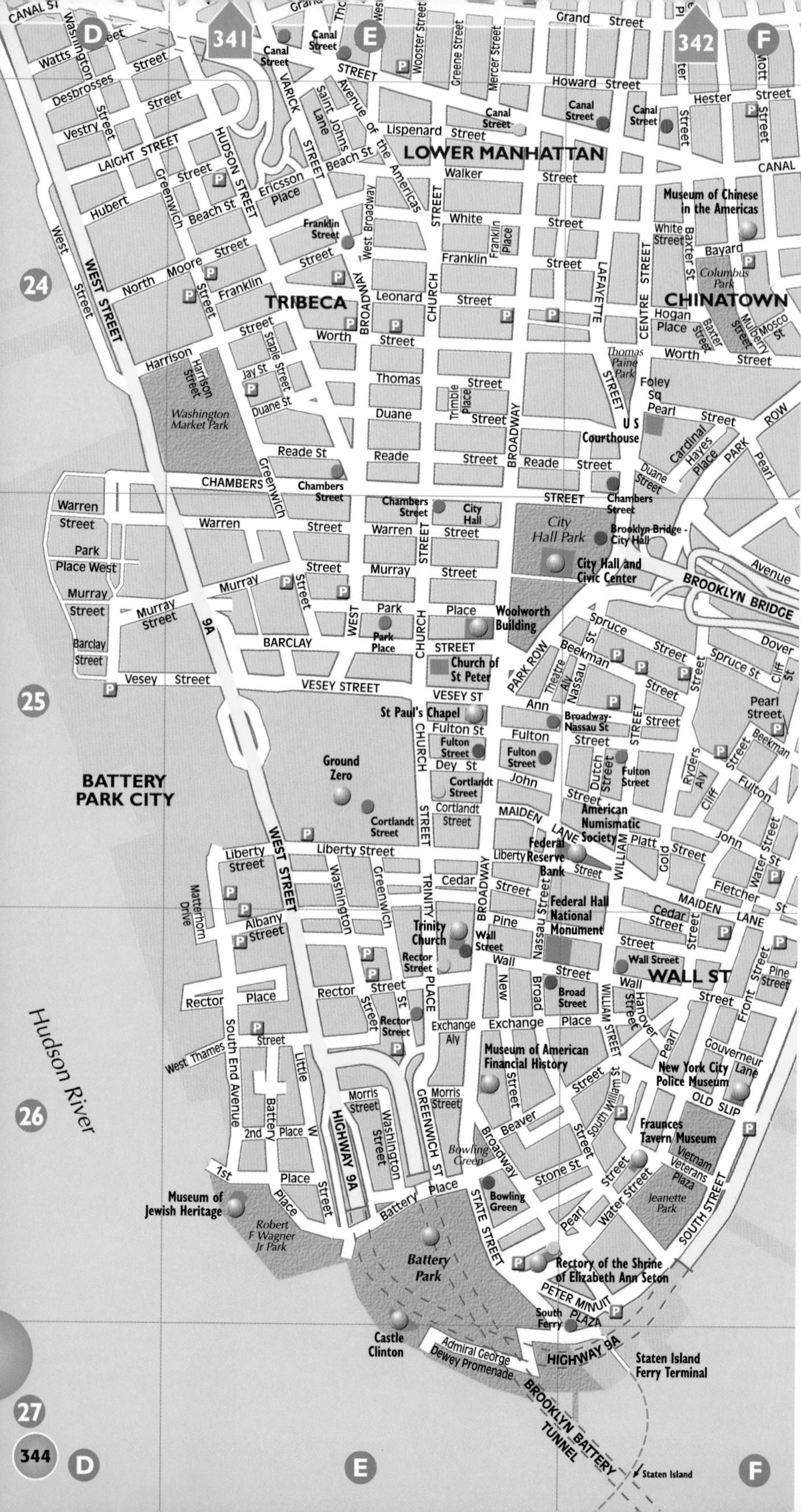

341
342
D
E
F
LOWER MANHATTAN
TRIBECA
CHINATOWN
BATTERY PARK CITY
WALL ST
Hudson River
24
25
26
27
Canal Street
Museum of Chinese in the Americas
Columbus Park
Thomas Paine Park
Foley Sq
US Courthouse
Washington Market Park
City Hall Park
City Hall and Civic Center
BROOKLYN BRIDGE
Brooklyn Bridge - City Hall
Woolworth Building
Church of St Peter
St Paul's Chapel
Ground Zero
American Numismatic Society
Federal Reserve Bank
Federal Hall National Monument
Trinity Church
Museum of American Financial History
New York City Police Museum
Fraunces Tavern Museum
Vietnam Veterans Plaza
Jeanette Park
Bowling Green
Museum of Jewish Heritage
Robert F Wagner Jr Park
Battery Park
Castle Clinton
Rectory of the Shrine of Elizabeth Ann Seton
South Ferry
Admiral George Dewey Promenade
Staten Island Ferry Terminal
BROOKLYN BATTERY TUNNEL
Staten Island
HIGHWAY 9A
WEST STREET
CHAMBERS STREET
VESEY STREET
BROADWAY
CHURCH STREET

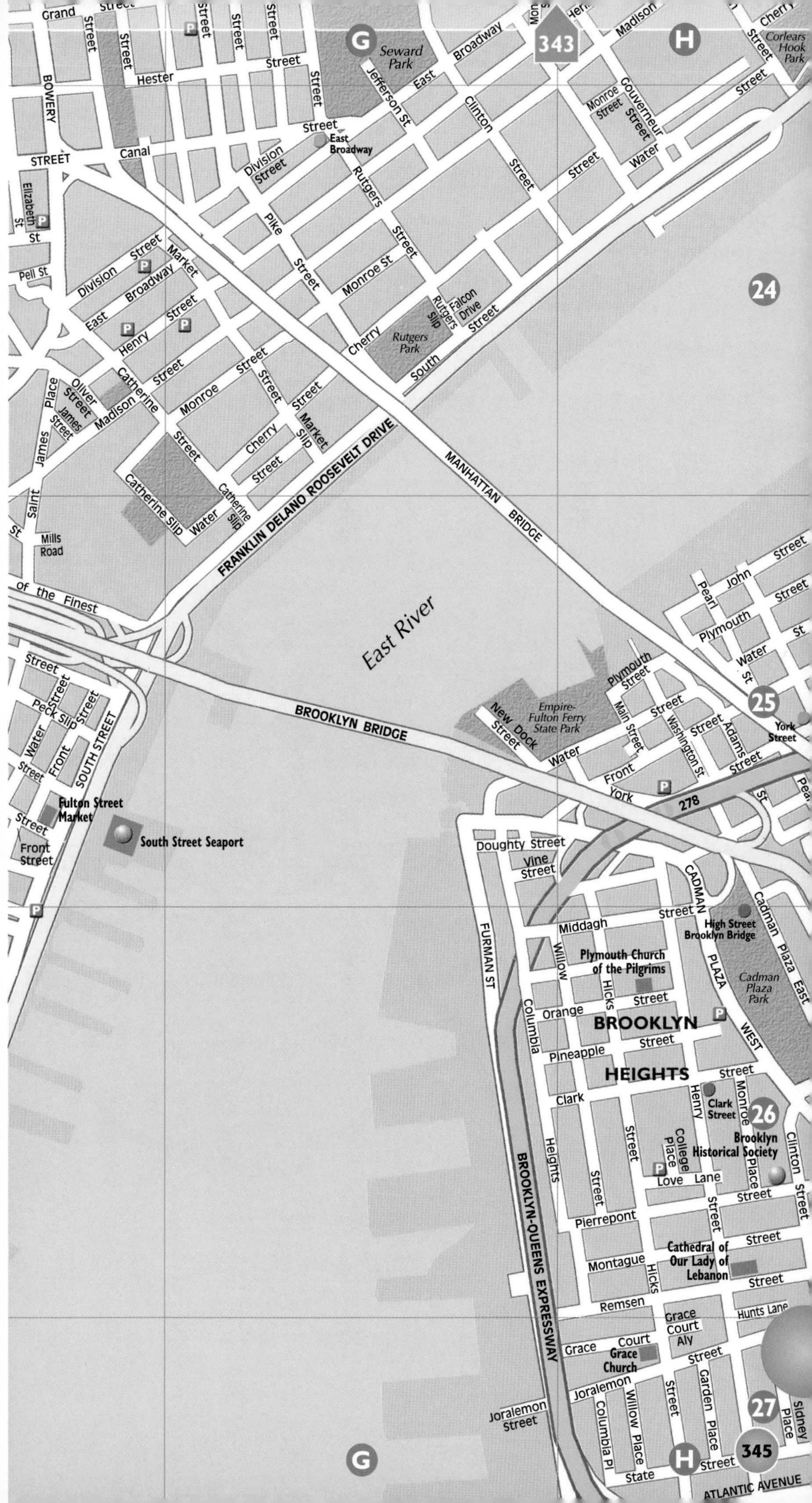

343
345
G
H
24
25
26
27
Seward Park
Corlears Hook Park
Rutgers Park
East River
MANHATTAN BRIDGE
BROOKLYN BRIDGE
FRANKLIN DELANO ROOSEVELT DRIVE
BROOKLYN-QUEENS EXPRESSWAY
Empire-Fulton Ferry State Park
Fulton Street Market
South Street Seaport
East Broadway
High Street Brooklyn Bridge
Plymouth Church of the Pilgrims
BROOKLYN HEIGHTS
Cadman Plaza Park
Clark Street
Brooklyn Historical Society
Cathedral of Our Lady of Lebanon
Grace Church
York Street
278
ATLANTIC AVENUE

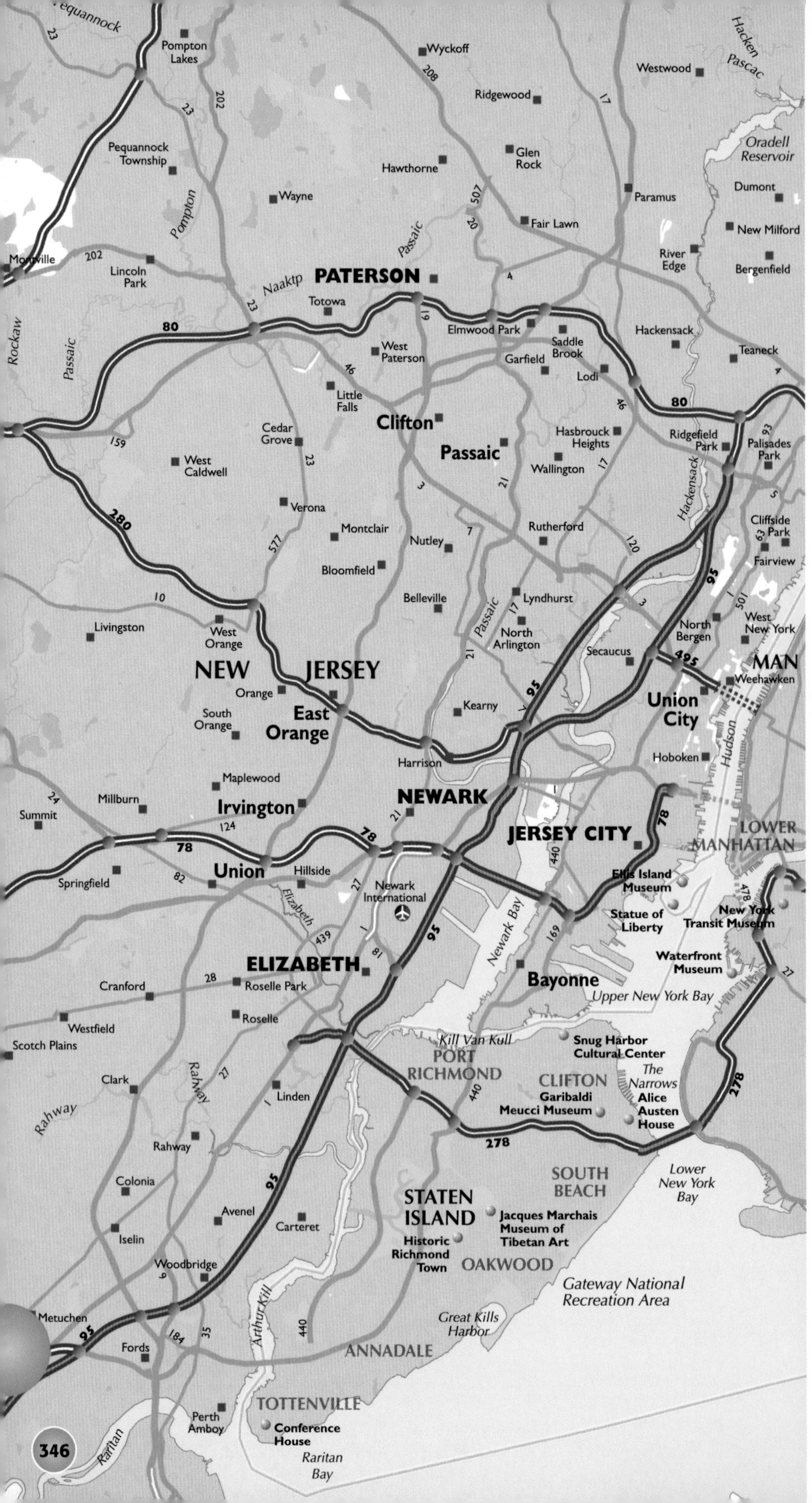

Pequannock
Pompton Lakes
Wyckoff
Westwood
Hacken
Pascac
Ridgewood
Oradell Reservoir
Pequannock Township
Glen Rock
Hawthorne
Wayne
Pompton
Paramus
Dumont
Fair Lawn
New Milford
Passaic
Montville
Lincoln Park
River Edge
Bergenfield
PATERSON
Naaktp
Totowa
Elmwood Park
Saddle Brook
Hackensack
Rockaw
Passaic
West Paterson
Garfield
Teaneck
Lodi
Little Falls
Clifton
Cedar Grove
Hasbrouck Heights
Ridgefield Park
Palisades Park
West Caldwell
Passaic
Wallington
Hackensack
Verona
Cliffside Park
Montclair
Rutherford
Nutley
Fairview
Bloomfield
Belleville
Lyndhurst
Passaic
North Bergen
West New York
Livingston
West Orange
North Arlington
Secaucus
NEW JERSEY
MAN
Weehawken
Orange
East Orange
Union City
South Orange
Kearny
Hudson
Harrison
Hoboken
Maplewood
NEWARK
Summit
Millburn
Irvington
LOWER MANHATTAN
JERSEY CITY
Union
Hillside
Springfield
Ellis Island Museum
Newark International
Elizabeth
Statue of Liberty
New York Transit Museum
Newark Bay
ELIZABETH
Waterfront Museum
Bayonne
Cranford
Roselle Park
Upper New York Bay
Roselle
Westfield
Kill Van Kull
Snug Harbor Cultural Center
Scotch Plains
PORT RICHMOND
The Narrows
Rahway
CLIFTON
Clark
Garibaldi Meucci Museum
Alice Austen House
Linden
Rahway
Rahway
Lower New York Bay
SOUTH BEACH
Colonia
STATEN ISLAND
Jacques Marchais Museum of Tibetan Art
Avenel
Carteret
Iselin
Historic Richmond Town
OAKWOOD
Woodbridge
Gateway National Recreation Area
Great Kills Harbor
Metuchen
Arthur Kill
Fords
ANNADALE
TOTTENVILLE
Perth Amboy
Conference House
Raritan
Raritan Bay

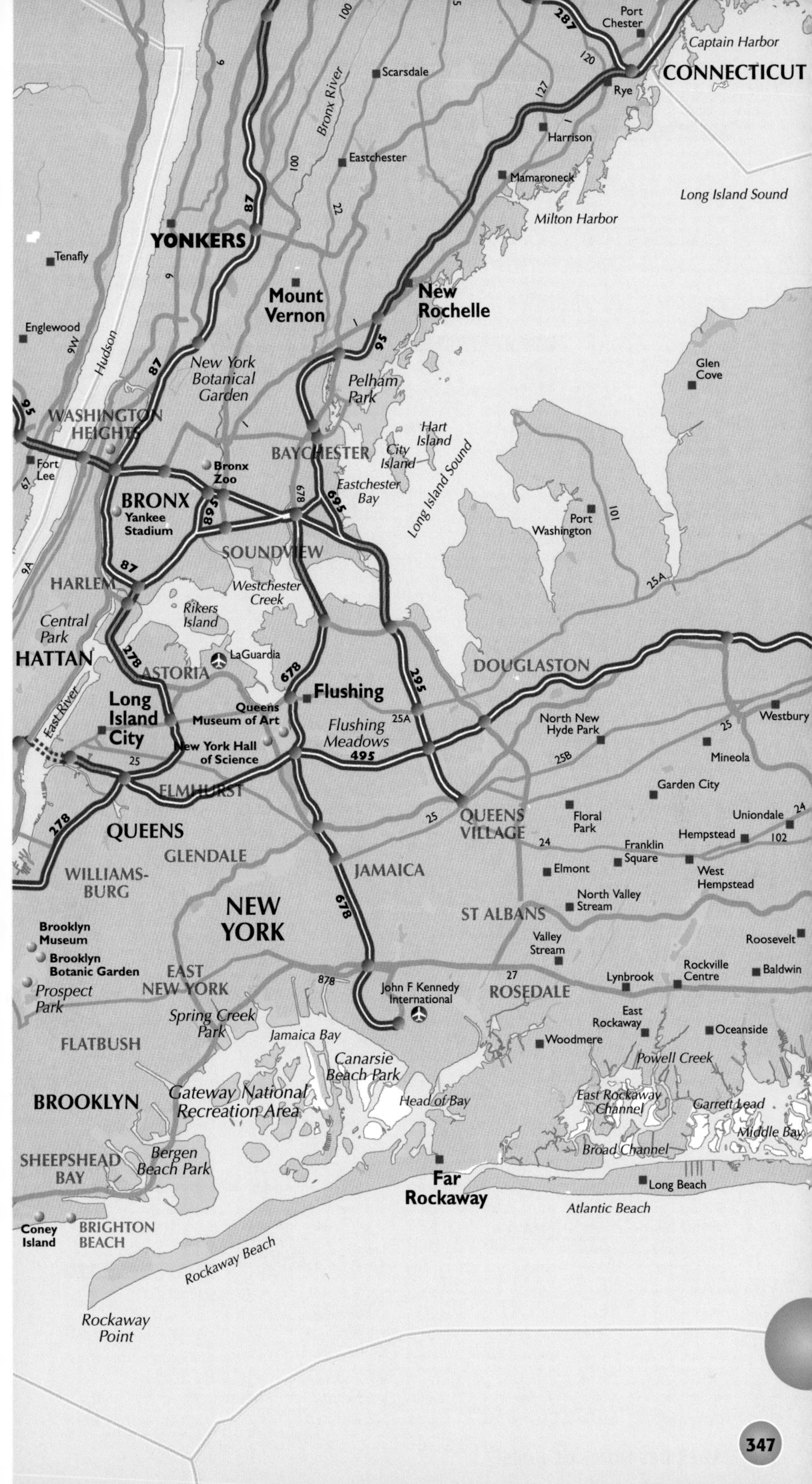

Port Chester
Captain Harbor
CONNECTICUT
Scarsdale
Rye
Bronx River
Harrison
Eastchester
Mamaroneck
Long Island Sound
Milton Harbor
YONKERS
Tenafly
Mount Vernon
New Rochelle
Englewood
Hudson
New York Botanical Garden
Pelham Park
Glen Cove
WASHINGTON HEIGHTS
Hart Island
BAYCHESTER
City Island
Fort Lee
Bronx Zoo
Eastchester Bay
Long Island Sound
BRONX
Yankee Stadium
Port Washington
SOUNDVIEW
HARLEM
Westchester Creek
Rikers Island
Central Park
HATTAN
LaGuardia
DOUGLASTON
ASTORIA
Flushing
Long Island City
Queens Museum of Art
Flushing Meadows
North New Hyde Park
Westbury
East River
New York Hall of Science
Mineola
ELMHURST
Garden City
QUEENS
QUEENS VILLAGE
Floral Park
Uniondale
Hempstead
Franklin Square
GLENDALE
JAMAICA
Elmont
West Hempstead
WILLIAMS-BURG
North Valley Stream
NEW YORK
ST ALBANS
Brooklyn Museum
Valley Stream
Roosevelt
Brooklyn Botanic Garden
EAST NEW YORK
Rockville Centre
Baldwin
Prospect Park
John F Kennedy International
ROSEDALE
Lynbrook
Spring Creek Park
East Rockaway
Oceanside
FLATBUSH
Jamaica Bay
Woodmere
Canarsie Beach Park
Powell Creek
BROOKLYN
Gateway National Recreation Area
Head of Bay
East Rockaway Channel
Garrett Lead
Middle Bay
SHEEPSHEAD BAY
Bergen Beach Park
Broad Channel
Far Rockaway
Long Beach
Atlantic Beach
Coney Island
BRIGHTON BEACH
Rockaway Beach
Rockaway Point

## 1ST – 20TH



## 21ST – 40TH



## 41ST – 60TH



## 61ST – 80TH



## 81ST – 93RD

Quand plus d'une page est référencée par entrée, la page principale est indiquée en **gras**.

## A



## B

## T



## U



## V

## W



## Y



## Z

Par ordre alphabétique : hôtels, restaurants et cafés, boutiques et magasins, théâtres, lieux de concert et de ballet.

## HÔTELS



## RESTAURANTS ET CAFÉS

## BOUTIQUES



## THEÂTRES

## MUSIQUE ET BALLET

# CRÉDIT PHOTOGRAPHIQUE

Abréviations pour les crédits photographiques :
AA = AA World Travel Library, **h** (haut), **b** (bas), **c** (centre), **g** (gauche), **d** (droit)

## COMPRENDRE NEW YORK

**5** AA/C Sawyer ; **8hg** AA/C Sawyer ; **8hd** AA/S McBride ; **8chd** AA/C Sawyer ; **8cbd** AA/R Elliott ; **8bd** AA/P Kenward ; **9hg** Jean-Georges ; **9cg** Photodisc ; **9bg** AA/D Corrance ; **9cd** AA/T Souter ; **9b** AA/C Sawyer ; **10hg** AA/C Sawyer ; **10cg** AA/C Sawyer ; **10bg** AA/P Kenward ; **10hd** AA/D Corrance ; **10cd** AA/C Sawyer ; **10bd** AA/C Sawyer.

## LA VIE À NEW YORK

**11** AA/P Kenward ; **12/3bg** AA/C Sawyer ; **12hg** AA/C Sawyer ; **12/3h** AA/C Sawyer ; **12c** AA/R Elliott ; **12cd** AA/C Sawyer ; **12cg** AA/P Kenward ; **12bg** AA/C Sawyer ; **13hd** AA/R Elliott ; **13cg** AA/C Sawyer ; **13c** AA/R Elliott ; **13cd** AA/R Elliott ; **13bd** AA/C Sawyer ; **14/5bg** AA/C Sawyer ; **14hg** AA/S McBride ; **14hc** AA/C Sawyer ; **14hd** AA/S McBride ; **14c** AA/R Elliott ; **14cg** AA/C Sawyer ; **14bg** AA/C Sawyer ; **14/5c** AA/S McBride ; **15hg** AA/C Sawyer ; **15cg** AA/C Sawyer ; **15hd** AA/R Elliott ; **15cd** AA/C Sawyer ; **16/7bg** AA/C Sawyer ; **16hg** AA/D Corrance ; **16hd** AA/S McBride ; **16c** AA/E Rooney ; **16cd** AA/C Sawyer ; **16bd** AA/D Corrance ; **16/7c** AA/C Sawyer ; **17hg** AA/C Sawyer ; **17hd** AA/C Sawyer ; **17cg** AA/C Sawyer ; **17c** AA/C Sawyer ; **17cd** AA/R Elliott ; **18/9bg** AA/C Sawyer ; **18hg** AA/C Sawyer ; **18hc** AA/C Sawyer ; **18hd** AA/C Sawyer ; **18cg** AA/D Corrance ; **18cd** AA/S McBride ; **18cbg** AA/R Elliott ; **18bg** AA/C Sawyer ; **19hg** AA/P Kenward ; **19hd** AA/C Sawyer ; **19cg** AA/C Sawyer ; **19cd** Getty Images ; **20/1bg** AA/C Sawyer ; **20hg** AA/C Sawyer ; **20hd** AA/C Sawyer ; **20cg** AA/C Sawyer ; **20cd** AA/D Corrance ; **20cd** AA/C Sawyer ; **20bc** AA/C Sawyer ; **21hg** The Kobal Collection ; **21hc** AA/C Sawyer ; **21c** AA/R Elliott ; **21d** AA/P Kenward ; **22/3bg** AA/C Sawyer ; **22hg** AA/C Sawyer ; **24hd** AA ; **22cg** Nova Development Corp ; **22cd** Getty Images ; **22b** AA/D Corrance ; **22/3h** Nova Development Corp ; **23cg** Getty Images ; **23hc** AA/C Sawyer ; **23hd** AA/C Sawyer ; **23c** Nova Development Corp ; **24bg** AA/C Sawyer ; **24g** Getty Images ; **24hc** Federal Reserve Board, Washington, D.C ; **24hd** AA/C Sawyer ; **24cd** AA/C Sawyer.

## HISTOIRE DE NEW YORK

**25** Illustrated London News ; **26/7bg** AA ; **26cg** Mary Evans Picture Library ; **26cd** Corbis ; **26bg** Corbis ; **26/7b** AA ; **26/7c** Mary Evans Picture Library ; **27g** Mary Evans Picture Library ; **27c** AA ; **27bd** Mary Evans Picture Library ; **28/9bg** AA ; **28cg** Mary Evans Picture Library ; **28cd** Mary Evans Picture Library ; **28bg** AA/R Elliott ; **28/9** Représentation des terribles incendies de New York en 1776 (gravure) par French School th(XVIIIe siècle), Museum of the City of New York, USA/Bridgeman Art Library ; **29cg** AA ; **29c** Mary Evans Picture Library ; **29bg** AA ; **29bd** Mary Evans Picture Library ; **30/1bg** Vue de New York depuis Union Square, pub. par John Bachman, 1849 (litho) par C Bachman (XIXe siècle), Museum of the City of New York, USA/Bridgeman Art Library ; **30cg** Ruines après le Grand Incendie de New York, 16 et 17 décembre 1835, gravure de W I Bennett, pub, par L P Glover, par Bernardo Belottto Canaletto (1720-80), Museo di Goethe, Rome, Italy/Bridgeman Art Library ; **30c** Hulton Archives/Getty Images ; **30cd** Mary Evans Picture Library ; **30/1** Vue de New York depuis Union Square pub. par John Bachman, 1849 (Litho) par C Bachman (XIXe siècle), Museum of the City of New York, USA/Bridgeman Art Library ; **31cg** Hulton Archives/Getty Images ; **31c** Hulton Archives/Getty Images ; **31bg** AA/C Sawyer ; **31bd** Hulton Archives/Getty Images ; **32/3bg** AA ; **32c** Illustrated London News ; **32cd** Mary Evans Picture Library ; **32bg** AA ; **33cg** Illustrated London News ; **33c** AA ; **33bg** Hulton Archives/Getty Images ; **33bd** AA/R Elliott ; **34/5bg** AA/C Sawyer ; **34cg** AA/C Sawyer ; **34cd** AA/C Sawyer ; **34bg** Hulton Archives/Getty Images ; **34bd** Mary Evans Picture Library ; **34/5** AA/C Sawyer ; **34cg** Mary Evans Picture Library ; **35c** Hulton Archives/Getty Images ; **35bc** AA/R Elliott ; **35bd** AA/C Sawyer ; **36/7bg** AA/R Elliott ; **36cg** AA/P Kenward ; **36cd** Corbis ; **36bg** AA/R Elliott ; **36/7** AA/R Elliott ; **37cg** Corbis ; **37c** Hulton Archives/Getty Images ; **37cd** Hulton Archives/Getty Images ; **3bd** AA/C Sawyer ; **38bg** AA/C Sawyer ; **38c** Getty Images ; **38cd** AA/S McBride ; **38bg** AA/C Sawyer ; **38bd** AA/C Sawyer.

## EN ROUTE

**39** AA/C Sawyer ; **40/1** Digital Vision ; **42h** Digital Vision ; **42b** NY Airport Service ; **43h** AA/S L Day ; **43b** AA/C Sawyer ; **44/5** AA/S L Day ; **44** AA/C Sawyer ; **46/7** AA/S L Day ; **46** AA/C Sawyer ; **47c** AA/R Elliott ; **47b** AA/S McBride ; **48/9** AA/C Sawyer ; **48hd** AA/C Sawyer ; **48bd** AA/C Sawyer ; **49hg** AA/C Sawyer ; **50** AA/C Sawyer ; **51h** AA/D Corrance ; **51cd** AA/D Corrance ; **51bd** AA/C Sawyer ;
**52/3** Digital Vision ; **52** AA/E Rooney ; **53h** AA/C Sawyer ; **53b** AA/C Sawyer ; **54/5** AA/C Sawyer ; **54cd** AA/C Sawyer ; **54b** AA/C Sawyer ; **55** Reproduit avec la permission de Greyhound Lines, Inc ; **56h** AA/C Sawyer ; **56c** AA/N Sumner.

## LES SITES

**57** AA/C Sawyer ; **62g** AA/R Elliott ; **62d** AA/C Sawyer ; **63g** AA/D Corrance ; **63d** AA/R Elliott ; **64l** AA/C Sawyer; **64d** AA/C Sawyer ; **65g** AA/C Sawyer ; **65d** AA/D Corrance ; **66g** AA/C Sawyer ; **66d** AA/C Sawyer ; **67hg** Downtown Alliance ; **67hd** AA/C Sawyer; **67bg** Asia Society & Museum/Frank Oudeman ; **68** AA/C Sawyer ; **69h** American Museum of Natural History ; **69cd** AA/C Sawyer ; **69c** American Museum of Natural History ; **69d** D Finnin/American Museum of Natural History ; **69b** American Museum of Natural History ; **70h** AA/R Elliott ; **70cg** American Museum of Natural History ; **70c** American Museum of Natural History ; **70cd** American Museum of Natural History ; **70bg** American Museum of Natural History ;
**72** D Finnin/American Museum of Natural History ; **73h** AA/C Sawyer ; **73cd** AA/C Sawyer ; **73bd** AA/C Sawyer ; **74h** AA/C Sawyer ; **74cg** AA/C Sawyer ; **74cd** AA/C Sawyer ; **75** AA/D Corrance ; **76h** Don Perdue ; **76cg** Don Perdue ; **77hg** AA/C Sawyer ; **77hc** AA/C Sawyer ; **77hd** Dahesh Museum of Art; **78h** AA/E Rooney ; **78cg** AA/C Sawyer ; **78c** AA/C Sawyer ; **78cd** AA/C Sawyer ; **79h** AA/S McBride ; **79bd** AA/S McBride ; **80hg** AA/S McBride ; **80hd** AA/S McBride ; **80c** AA/S McBride ; **80cd** AA/S McBride ; **82** AA/D Corrance ; **83g** AA/S McBride ; **83c** AA/C Sawyer ; **83d** AA/C Sawyer ; **84h** AA/C Sawyer ; **84g** AA/S McBride ; **85h** AA/C Sawyer ; **85cd** AA/C Sawyer ; **85bd** AA/S McBride ; **86h** AA ; **86g** AA/C Sawyer ; **87hg** AA/C Sawyer ; **87hc** AA/D Corrance ; **87hd** AA/C Sawyer; **88h** AA/C Sawyer ; **88cg** AA/C Sawyer ; **88c** AA/S McBride ; **88cd** AA/C Sawyer ; **88bg** AA/S McBride ; **89** AA/C Sawyer ; **90** AA/C Sawyer ; **91** Corbis ; **92h** By courtesy of the Ellis Island Immigration Museum ; **92cg** By courtesy of the Ellis Island Immigration Museum ; **92c** Corbis ;
**92cd** AA/R Elliott ; **92bg** AA/S McBride ; **94** AA/C Sawyer ; **95** AA/C Sawyer ; **95cg** AA/C Sawyer ; **95cd** AA/S McBride ; **96** AA/C Sawyer ; **97h** AA P Kenward ; **97d** Federal Hall ; **98h** AA/C Sawyer ; **98cg** AA/C Sawyer ; **99hg** AA/C Sawyer ; **99hc** AA/C Sawyer ; **99hd** AA/C Sawyer; **100h** Frick Collection ; **100cg** Frick Collection ; **101hg** AA/C Sawyer ; **101hc** AA/C Sawyer ; **101hd** AA/R G Elliott; **102** AA/S McBride ; **103h** AA/S McBride ; **103cg** AA/S McBride ; **103c** AA/S McBride ; **103cd** AA/S McBride ; **104hg** AA/S McBride ; **104hd** AA/S McBride ; **105h** AA/S McBride ; **105cg** AA/C Sawyer ; **105c** AA/S McBride ; **105cd** AA/C Sawyer ; **106** AA/S McBride ; **107cg** AA/C Sawyer ; **107c** AA/P Kenward ; **107cd** AA/S McBride ; **107b** AA/C Sawyer ; **108h** AA/C Sawyer ; **108cg** AA/C Sawyer ; **109hg** Jewish Museum ; **109hc** AA/C Sawyer ; **109hd** Lower East Side Tenement Museum; **110h** AA/C Sawyer ; **110cg** AA/S McBride ; **110c** Nature Morte, 1877 de Paul Cezanne (1839-1906) Solomon R Guggenheim Museum, New York, USA/Bridgeman Art Library ; **110cd** AA/C Sawyer ; **111h** Robert Harding Picture Library ; **111bd** *Jeanne Hebuterne dans le pull over jaune*, 1918-1919 (huile sur toile) d'Amedeo Modigliani (1884-1920), Solomon R Guggenheim Museum, New York, USA/Bridgeman Art Library ; **112h** AA/P Kenward ; **112cg** AA/C Sawyer ; **112c** Lincoln Center/Steve J Sherman ; **112cd** AA/E Rooney ; **113** AA/P Kenward ; **114h** AA/C Sawyer ; **114cg** AA/C Sawyer ; **114c** *Lady at the Tea Table*, 1885 (huile sur toile) de Mary Stevenson Cassatt (1844-1926), Metropolitan Museum of Art, New York, USA/Bridgeman Art Library ; **114cd** AA/R Elliott ; **115** AA/R Elliott ; **116** AA/D Corrance ; **118** Corbis ; **119h** AA/D Corrance ; **119cg** AA ; **119c** *La leçon de danse*, vers 1879 (pastels) de Edgar Degas (1834-1917) Metropolitan Museum of Art, New York, USA/Bridgeman Art Library ; **119cd** AA/C Sawyer ; **120hg**

AA/R G Elliott ; **120hc** Mount Vernon Hotel Museum ; **120hd** Museum of American Financial History; **121h** AA/R Elliott ; **121cd** AA/C Sawyer ; **122h** © Photo SCALA, Florence, The Pierpont Morgan Library, 2001 ; **122cg** AA/C Sawyer ; **123hg** Museum of the Chinese in Americas ; **123hd** Museum of Arts and Design ; **124hg** AA/R Elliott ; **124hc** Maika, Neue Galerie, © Christian Schad Stiftung Aschaffenburg/VG Bild-Kunst, Bonn and DACS, London 2004 ; **124hd** AA/R Elliott ;
**125h** © Photo SCALA, Florence, Museum of Modern Art, 2003 ; **125cd** Museum of Modern Art/©2005 Timothy Hursley;
**126hg** Courtesy of the NY City Police Museum ; **126hc** New York Historical Society ; **126hd** AA/C Sawyer ; **127h** AA/R Elliott ; **127cd** AA/E Rooney ; **128h** AA/S McBride ; **128cg** AA/S McBride ; **128c** AA/S McBride ; **128cd** AA/C Sawyer ; **129** AA/C Sawyer ; **130hg** AA/C Sawyer ; **130cg** AA/C Sawyer ; **130d** AA/C Sawyer ; **130bg** AA/S McBride ; **131hg** AA/S McBride ; **131hc** AA/C Sawyer ; **131hd** AA/C Sawyer ; **132h** AA/S McBride ; **132cg** S McBride ; **132c** AA/C Sawyer ; **132cd** AA/C Sawyer ; **132bg** AA/C Sawyer ; **133** AA/C Sawyer ; **134h** AA/C Sawyer ; **134cg** AA/S McBride ; **134cd** AA/C Sawyer ; **134bg** South Street Seaport ; **135h** AA/C Sawyer ; **135b** AA/C Sawyer ; **136h** AA/E Rooney ; **136cg** AA/C Sawyer ; **136c** AA/E Rooney ; **136cd** AA/P Kenward ; **136bg** AA/R Elliott ; **137** AA/C Sawyer ; **138** AA/C Sawyer ; **139** AA/C Sawyer ; **140hg** AA/C Sawyer ; **140cg** AA/C Sawyer ; **141hg** AA/C Sawyer ; **141hc** AA/C Sawyer ; **141hd** AA/C Sawyer ; **142h** AA/C Sawyer ; **142cg** AA/P Kenward ; **142c** AA/C Sawyer ; **142cd** AA/C Sawyer ; **143** AA/P Kenward ; **144hg** AA/C Sawyer ; **144hc** AA/C Sawyer ; **144hd** AA/C Sawyer ; **145h** AA ; **145d** AA/C Sawyer ; **146** AA/C Sawyer ; **147h** AA/C Sawyer ; **147cg** AA/C Sawyer ; **147c** AA/C Sawyer ; **147cd** AA/C Sawyer ; **148/9** AA/R Elliott, ©ADAGP, Paris et DACS, London 2004 ; **148c** Whitney Museum of American Art View 2/Jeff Goldberg, Esto ; **148bg** AA/R Elliott ; **150cg** AA/P Kenward ; **150cd** Whitney Museum of American Art View 1/Jeff Goldberg, Esto ; **150b** Corbis ; **151** *Railroad Crossing*, 1922-1923 de Edward Hopper (1882-1967) Whitney Museum of American Art, New York, USA/Bridgeman Art Library ; **152hg** AA/R Elliott ; **152hd** AA/C Sawyer ; **152b** Brooklyn Historical Society ; **153h** *The Peaceable Kingdom*, (vers 1840-1845) de Edward Hicks (1780-1849), Brooklyn Museum of Art, New York, USA/Bridgeman Art Library ; **153cd** AA/C Sawyer ; **154hg** AA/R Elliott ; **154hc** AA/C Sawyer ; **154hd** AA/C Sawyer ; **154bg** NY Transit Museum ; **155hg** NY Hall of Science ; **155hc** AA/C Sawyer ; **155hd** Waterfront Museum/Frank Zimmerman ; **155c** AA/R Elliott ; **156hg** Garibaldi Meucci Museum ; **156hc** AA/C Sawyer ; **156hd** AA/C Sawyer ; **156bg** Historic Richmond Town ; **157h** AA/R Elliott ; **157cd** Bronx Zoo ; **158h** Getty Images ; **157g** Photodisc.

## À FAIRE

**159** Photodisc ; **164h** AA/M Jourdan ; **164cg** Screaming Mimi's ; **164c** AA/C Sawyer ; **165/5c** AA/C Sawyer ; **165cg** AA/C Sawyer ; **165cd** AA/C Sawyer ; **166cg** AA/S McBride ; **166cd** AA/S McBride ; **166b** Me & Ro ; **167cg** AA/C Sawyer ; **167c** Jimmy Choo ; **167cd** AA/C Sawyer ; **168** AA/C Sawyer ; **169h** AA/M Jourdan ; **169c** AA/K Paterson ; **170h** AA/M Jourdan ; **170** AA/R G Elliott ; **171h** AA/M Jourdan ; **171c** AA/C Sawyer ; **172h** AA/M Jourdan ; **172c** AA/C Sawyer ; **173h** AA/M Jourdan ; **173c** AA/C Sawyer ; **174h** AA/M Jourdan ; **174c** Kirna Zabete ; **175h** AA/M Jourdan ; **175c** Mark Bulkin ; **176h** AA/M Jourdan ; **176c** AA/C Sawyer ; **177h** AA/M Jourdan ;
**177c** AA/C Sawyer ; **178h** AA/M Jourdan ; **178c** AA/P Kenward ; **179h** AA/M Jourdan ; **179c** Broadway Panhandler ; **180h** AA/M Jourdan ; **180c** Eye Candy ; **181h** AA/M Jourdan ; **181c** Jimmy Choo ; **182h** AA/M Jourdan ; **183h** AA/M Jourdan ; **184h** AA/M Jourdan ; **184c** AA/C Sawyer ; **185h** Digital Vision ; **185cg** Digital Vision ; **185c** Digital Vision ; **190h** AA/C Sawyer ; **190c** AA/S Collier ; **191h** AA/C Sawyer ; **191c** Jonathan B Ragle ; **192h** Digital Vision ; **192c** AA/C Sawyer ; **193h** Digital Vision ; **193c** Frick Collection/John Bigelow Taylor ; **194h** Digital Vision ; **194c** AA/P Kenward ; **195h** Digital Vision ; **195c** AA/C Sawyer ; **196h** Brand X Pics ; **196c** Chicago City Limits ; **197h** Brand X Pics ; **197c** Michael Moran ; **198h** Brand X Pics ; **198c** AA/C Coe ; **199c** © Bob Colton/Black Star ; **199h** Brand X Pics ; **200c** AA/C Sawyer ; **201h** Digital Vision ; **201c** Digital Vision ; **202h** Digital Vision ; **202c** Digital Vision ; **203h** Digital Vision ; **203c** AA/C Sawyer ; **204h** Digital Vision ; **204c** Sob's ; **205h** AA/C Sawyer ; **205c** American Airlines Theatre ; **206h** AA/C Sawyer ; **206cc** AA/C Sawyer ; **207h** AA/C Sawyer ; **207c** AA/C Sawyer ; **208h** AA/C Sawyer ; **208c** AA/C Sawyer ; **209h** AA/C Sawyer ; **209c** Bowerie Lane ; **210/1h** AA/C Sawyer ; **210c** AA/P Kenward ; **211c** Carol Rosegg ; **212h** AA/T Souter ; **212cg** Brand X Pics ; **212cd** Brand X Pics ; **213h** AA/T Souter ; **213c** Bubble Lounge ; **214h** AA/T Souter ; **214c** Happy Ending ; **215h** AA/T Souter ; **215c** Photodisc ; **216h** AA/T Souter ; **216c** Photodisc ; **217h** AA/T Souter ; **217c** Photodisc ; **218h** Piano's ; **218c** AA/C Sawyer ; **219h** Piano's ; **219c** Brand X Pics ; **220h** Piano's ; **220c** Brand X Pics ; **221h** Photodisc ; **221cg** AA/P Kenward ; **221cd** AA/C Sawyer ; **222h** Photodisc ; **222c** AA/C Sawyer ; **223h** Photodisc ; **223c** Photodisc ; **224h** Photodisc ; **224c** AA/R G Elliott ; **225h** Photodisc ; **225c** AA/P Kenward ; **226h** Photodisc ; **226cg** Asphalt Green ; **226cd** Greenhouse Spa ; **227h** Photodisc ; **227c** Clay ; **228h** Photodisc ; **228c** Oasis Day Spa ; **229h** AA/R G Elliott ; **229cg** New Victory Theatre ; **229cd** Liberty Helicopters ;
**230h** AA/R G Elliott ; **230c** Children's Museum of Manhattan ; **231h** AA/R G Elliott ; **231c** Steve Williams © 2003 ; **232h** AA/R G Elliott ; **232c** AA/C Sawyer ; **233h** AA/S L Day ; **233cg** AA/S L Day ; **233cd** AA/P Kenward ; **234h** AA/S L Day.

## SE PROMENER

**235** AA/P Kenward ; **237hg** AA/C Sawyer ; **237hc** AA/C Sawyer ; **237hd** AA/C Sawyer ; **237cd** AA/C Sawyer ; **238** AA/N Lancaster ; **239h** AA/C Sawyer ; **239ch** AA/R Elliott ; **239cb** AA/N Lancaster ; **239b** AA/N Lancaster ; **241hg** AA/N Lancaster ; **241hd** AA/C Sawyer ; **241cd** AA/C Sawyer ; **241bg** AA/N Lancaster ; **242** AA/C Sawyer ; **243hg** AA/C Sawyer ; **243hd** AA/C Sawyer ; **243bc** AA/C Sawyer ; **243bd** AA/C Sawyer ; **244** AA/C Sawyer ; **245hg** AA/C Sawyer ; **245hd** AA/C Sawyer ; **245cd** AA/C Sawyer ; **245bd** AA/E Rooney ; **246** AA/R Elliott ; **247hd** AA/C Sawyer ; **247chd** AA/C Sawyer ; **247cbd** AA/C Sawyer ; **247bd** AA/C Sawyer ; **248** AA/C Sawyer ; **249hd** AA/C Sawyer ; **249c** AA/S McBride ; **249cd** AA/C Sawyer ; **249b** AA/C Sawyer ; **251hg** AA/C Sawyer ; **251hd** AA/C Sawyer ;
**251b** AA/C Sawyer ; **252/3** AA/N Lancaster ; **253hd** AA/P Kenward ; **253chd** AA/C Sawyer ; **253cb** AA/C Sawyer ; **253b** AA/N Lancaster ; **254** AA/N Lancaster ; **255hg** AA/N Lancaster ; **255hd** AA/N Lancaster ; **255c** AA/C Sawyer ; **255b** AA/N Lancaster ; **256** AA/R Elliott ; **257h** AA/R Elliott ; **257c** AA/R Elliott ; **257b** AA/R Elliott ; **258c** AA/R Elliott ; **258/9** AA/R Elliott ; **259h** AA/R Elliott ; **259c** AA/R Elliott ; **260g** AA/C Sawyer ; **260c** AA/C Sawyer ; **260d** AA/C Sawyer.

## SE RESTAURER ET SE LOGER

**261** AA/C Sawyer ; **262g** AA/C Sawyer ; **262cg** AA/P Kenward ; **262cd** AA/C Sawyer ; **262d** AA/P Kenward ; **263g** AA/C Sawyer ; **263c** AA/C Sawyer ; **263d** AA/R Elliott ; **263bg** AA/R Elliott ; **264g** AA/C Sawyer ; **264c** AA/C Sawyer ; **264d** AA/D Corrance ; **264cb** AA/S McBride ; **270c** AA/S Collier ; **270d** S Collier ; **272hg** AA/S McBride ; **272cd** AA/S Collier ; **276bc** AA/S Collier ; **277g** AA/S Collier ; **278hc** AA/S McBride ; **278d** AA/S Collier ; **279d** AA/S McBride ; **280g** AA/S McBride ; **281g** AA/S Collier ; **281c** AA/S Collier ; **282g** AA/S Collier ; **282hc** AA/S Collier ; **284bc** AA/S Collier ;
**285g** AA/S McBride ; **287cd** AA/S Collier ; **288hg** AA/S Collier ; **288bg** AA/S Collier ; **288cd** AA/S Collier ; **289hg** AA/S McBride ; **289d** AA/S Collier ; **290cg** AA/S Collier ; **291h** AA/S McBride ; **291c** AA/S McBride ; **291b** AA/N Lancaster ; **292g** AA/C Sawyer ; **292cg** AA/C Sawyer ; **292cd** AA/C Sawyer ; **292d** AA/C Sawyer ; **292b** AA/C Sawyer ; **293g** AA/C Sawyer ; **293cg** AA/C Sawyer ; **293cd** AA/C Sawyer ; **293d** AA/C Sawyer.

## PRÉPARER SON VOYAGE

**311** AA/C Sawyer ; **312h** AA/C Sawyer ; **312c** AA/E Rooney ; **316** AA/C Sawyer ; **318h** Leisure Pass North America LLC ; **318b** AA/C Sawyer ; **320** AA/C Sawyer; **321h** AA/C Sawyer ; **321b** AA/C Sawyer ; **322** AA/S Collier ; **323hd** AA/P Kenward ; **323cd** AA/R Elliott ; **324** AA/E Rooney ; **325** AA/R Elliott ; **326** AA/S Collier.

**Éditrice du projet**
Betty Sheldrick

**Maquettistes des AA Travel Guides**
David Austin, Glyn Barlow, Alan Gooch, Kate Harling, Bob Johnson, Nick Otway, Carole Philp, Keith Russell

**avec la collaboration de**
Jo Tapper, Nautilus Design

**Recherche iconographique**
Carol Walker

**Reproductions**
Susan Crowhurst, Ian Little, Michael Moody

**Fabrication**
Lyn Kirby, Helen Sweeney

**Cartographie**
Département cartographique de AA Publishing

**Principaux rédacteurs**
Coleen Degnan-Veness, Marilyn Wood

**Édition des textes**
Sheila Hawkins, Sarah Hudson, Jo Perry

**Mise à jour**
Marilyn Wood

**Révision**
Cambridge Publishing Management Ltd



**Directrice de projet**
Bénédicte Servignat

**avec la collaboration de**
Christelle Chevallier

**Réalisation**
Les Éditions de l'Après-Midi

**avec la collaboration de**
Traduction : Chloé Leleu, Sonia Zin El Abidine
Mise en pages : Valérie Millet
Édition : Sophie Senart
Révision : Catherine Grive, Marie-Paule Rochelois, Raphaëlle Santini
Coordination : Olivier Canaveso, Sandrine Duvillier

Reliure et onglets plastifiés par autorisation de AA Publishing.
Photogravure : Keenes
Impression et reliure : Leo, Chine

**Création graphique de la couverture**
François Huertas, Aude Gertou

**Crédit photographique**
Première de couverture : Digital Vision/Gettyimages
Quatrième de couverture : AA/C. Sawyer (toutes photos)



ISBN : 2-352-19004-5
Dépôt légal : premier trimestre 2007

A02763